MARQUER LES OMBRES

Éditeur : François Doucet
Traduction : Anne Delcourt
Correction d'épreuves : Nancy Coulombe, Émilie Leroux
Montage de la couverture : Nathan, Sylvie Valois
Carte et conception TM & : © 2017 Veronica Roth
Illustration carte : Virginia Allyn.
Typographie : Joel Tippie.
Mise en pages : Éditions Nathan, Sylvie Valois
ISBN papier : 978-2-89767-644-5
ISBN PDF numérique : 978-2-89767-645-2
ISBN ePub : 978-2-89767-646-9
Première impression : 2017
Dépôt légal : 2017
Bibliothèque et Archives nationales du Québec
Bibliothèque et Archives Canada

Éditions AdA Inc.
1385, boul. Lionel-Boulet
Varennes (Québec) J3X 1P7, Canada
Téléphone : 450 929-0296
Télécopieur : 450 929-0220
www.ada-inc.com
info@ada-inc.com

Diffusion

Canada : Éditions AdA Inc.
France : D.G. Diffusion
Z.I. des Bogues
31750 Escalquens — France
Téléphone : 05.61.00.09.99
Suisse : Transat — 23.42.77.40
Belgique : D.G. Diffusion — 05.61.00.09.99

Imprimé au Canada

Participation de la SODEC.
Nous reconnaissons l'aide financière du gouvernement du Canada par l'entremise du Fonds du livre du Canada (FLC) pour nos activités d'édition.
Gouvernement du Québec — Programme de crédit d'impôt pour l'édition de livres — Gestion SODEC.

MARQUER LES OMBRES

VERONICA ROTH

Traduit de l'américain par Anne Delcourt

À Ingrid et Karl,
parce que j'aime chacune des versions de ce que vous êtes

Siège de l'Assemblée
Barrière du ruban-flux • Barrière du ruban-flux • Barrière du ruban-flux • Barrière du ruban-flux •
Ogra
Tepes
Kollande
Essander
Trella
Soleil
Othyr
Zold
Pitha
Thuvhé
P1104
La Bordure

1

:1

AKOS

Les fleurs-de-silence s'ouvraient invariablement lors de la nuit la plus longue. Tous les habitants de la ville fêtaient l'instant où tous les pétales d'un rouge éclatant se déployaient ; les fleurs-de-silence étaient vitales pour l'économie de la nation, bien sûr, mais Akos pensait que c'était aussi pour éviter de devenir fous à cause du froid.

En ce jour de fête de la Floraison, lassé de transpirer dans son manteau en attendant le reste de sa famille, Akos sortit dans la cour intérieure pour se rafraîchir. La maison des Kereseth était de forme arrondie, bâtie en cercle autour d'un poêle, ce qui était censé porter chance.

L'air glacé lui piqua les yeux dès qu'il ouvrit la porte. Il rabattit vivement ses lunettes de protection, dont les verres s'embuèrent aussitôt sous l'effet de sa chaleur interne. Il tâtonna un peu pour saisir le tisonnier dans sa main gantée et le glissa sous le couvercle du fourneau. À froid, les pierres-ardentes qui l'alimentaient avaient l'aspect banal de gros cailloux noirs. Mais dès qu'on les frottait les unes contre les autres, elles jetaient des étincelles. Leur couleur changeait selon la poudre dont on les parsemait.

Aussitôt, elles s'illuminèrent d'un rouge sanglant. Les pierres-ardentes ne servaient ni à réchauffer ni à éclairer la cour, simplement à rappeler l'existence du flux. Comme si le bourdonnement constamment présent dans le corps d'Akos n'en était pas un rappel suffisant. Le flux circulait à travers tous les êtres vivants et se montrait dans le ciel sous toutes les couleurs. Comme les pierres-ardentes. Comme les lumières des flotteurs qui filaient dans les airs en direction de la ville. Seuls les habitants des autres mondes qui n'y avaient jamais posé le pied pouvaient penser que la planète n'était qu'un vaste désert de neige.

Eijeh, le grand frère d'Akos, passa la tête par la porte.

– Tu tiens vraiment à geler sur place ? Viens, maman est presque prête.

Leur mère était toujours plus longue à se préparer lorsqu'ils allaient au temple. Après tout, c'était une oracle. Tous les yeux seraient braqués sur elle.

Akos posa le tisonnier et rentra. Il remonta ses lunettes sur son front et fit glisser sur son cou le masque qui lui protégeait le visage.

Son père et sa sœur aînée Cisi se tenaient devant la porte d'entrée, engoncés dans leurs manteaux les plus chauds. Ceux-ci étaient tous du même modèle, en fourrure de kutyah gris clair, sa couleur naturelle – car il était impossible de la teindre –, et munis d'une capuche.

– C'est bon, Akos ? On peut y aller, maintenant ? lui demanda sa mère. Bien.

Elle glissa un coup d'œil sur les vieilles bottes de son mari tout en fermant son manteau.

– Où que se trouvent les cendres de ton père, la couche de crasse qui recouvre tes bottes doit les faire frémir, Aoseh.

– Je sais, répliqua-t-il avec un grand sourire. C'est justement pour cela que je me suis donné autant de mal pour les salir.

– Parfait, approuva-t-elle d'une voix flûtée. Je les aime bien ainsi.

– Tu aimes tout ce que n'aimait pas mon père.

– Parce qu'il n'aimait rien.

– On peut monter dans le flotteur avant qu'il ait refroidi ? demanda Eijeh d'un ton légèrement plaintif. Ori nous attend devant le monument du Souvenir.

Leur mère acheva de boutonner son manteau et mit son masque de protection. Puis ils descendirent l'allée en file indienne, cinq boules de fourrure équipées de moufles et d'un masque. Un véhicule rond et trapu les attendait au bout, flottant à hauteur de genoux au-dessus des congères. Leur mère ouvrit la porte en l'effleurant et ils s'engouffrèrent à l'intérieur. Cisi et Eijeh durent hisser Akos par les bras, parce qu'il était trop petit pour y monter tout seul. Personne ne prit la peine de s'attacher.

– Tous au temple ! s'exclama leur père en levant le poing.

C'était sa formule immuable lorsqu'ils se rendaient là-bas. Il y mettait le même stoïcisme que s'il avait dû assister à un discours ennuyeux ou faire la queue à un bureau de vote.

– Dommage qu'on ne puisse pas mettre ton bel enthousiasme en bouteille pour en faire profiter tous les Thuvhésit, grommela leur mère avec un léger sourire. La plupart ne viennent au temple qu'une fois par an, et encore, parce qu'ils savent qu'il y aura à boire et à manger.

– Eh bien, la voilà, la solution pour les attirer, dit Eijeh. Tu n'as qu'à leur offrir à boire et à manger pendant toute la saison.

– La sagesse des enfants ! commenta-t-elle en pressant du pouce le bouton d'allumage.

Le flotteur s'élança vers le ciel dans une secousse, et ils tombèrent les uns sur les autres. Eijeh repoussa Akos en riant.

Les lumières de Hessa scintillaient devant eux. La ville était drapée autour d'une colline, avec la base militaire tout en bas, le temple au sommet et le reste au milieu. Le temple était un grand édifice en pierre, coiffé en son centre par un dôme couvert de centaines de carreaux de verre coloré. Quand le soleil brillait, le point culminant de Hessa luisait d'une chaude teinte rouge orangé. Ce qui, de fait, n'arrivait quasiment jamais.

Le flotteur remonta en douceur la pente de la colline en survolant la ville de pierre, qui était aussi ancienne que la planète-nation de Thuvhé, comme tous la nommaient à l'exception de ses ennemis ; son nom, qui se prononçait en glissant la langue entre les dents, était si chuintant que les étrangers avaient tendance à buter dessus. La moitié des étroites demeures étaient enfouies sous la neige. Presque toutes étaient vides, chacun se rendant au temple ce soir-là.

– Alors, tu as vu quelque chose d'intéressant, aujourd'hui ? demanda leur père à leur mère en virant pour esquiver un anémomètre qui flottait dans le ciel en tournant sur lui-même.

Au ton de son père, Akos comprit que la question portait sur les visions de sa mère. Chaque planète comptait trois oracles : un oracle *montant*, un deuxième *en place* et un troisième *en déclin*. Akos ne comprenait pas très bien ce que ça signifiait. Il savait seulement que le flux murmurait l'avenir à l'oreille de sa mère, et que la moitié des gens qu'ils rencontraient la considéraient avec un mélange de crainte et d'admiration.

– Il me semble avoir aperçu ta sœur l'autre jour, répondit sa mère. Mais je ne pense pas qu'elle tienne à savoir.

– Elle estime simplement que l'avenir devrait être traité avec le respect qu'il mérite, répliqua Aoseh.

Les yeux de sa femme se posèrent tour à tour sur leurs trois enfants.

– Voilà ce qu'on gagne à choisir un époux issu d'une famille de militaires. Tu voudrais que tout soit soumis à des règles, y compris mon don-flux.

– Je te rappelle que j'ai tenu tête à toute ma famille en décidant de devenir fermier et pas officier, observa son mari. Et ma sœur n'a rien contre toi, c'est juste quelqu'un d'un peu angoissé.

– Hmm, fit-elle, comme si cela n'expliquait pas tout.

Cisi se mit à fredonner une mélodie qu'Akos avait déjà entendue quelque part, préférant regarder par la vitre que se préoccuper de ces chamailleries. Au bout de quelques secondes, la querelle cessa et l'on n'entendit plus que son fredonnement. Cisi avait un truc à elle, comme aimait dire leur père. Un certain art de l'apaisement.

Le temple était tout illuminé, dehors comme dedans. Son portail voûté était paré de guirlandes de lanternes pas plus grosses que le poing d'Akos. Des dizaines de flotteurs drapés de lumières colorées étaient garés en grappes sur le flanc de la colline ou tournaient autour du dôme comme des abeilles, à la recherche d'une place où se poser. Leur mère, qui connaissait parfaitement les alentours du temple, désigna à leur père un recoin obscur à côté du réfectoire. Puis elle les mena au pas de course jusqu'à une petite porte, qu'elle dut ouvrir en la tirant à deux mains.

Ils empruntèrent un passage sombre aux murs de pierre en foulant des tapis usés jusqu'à la trame, et dépassèrent le petit monument érigé en l'honneur des Thuvhésit tombés pendant l'invasion shotet, bien avant la naissance d'Akos.

Celui-ci ralentit pour regarder les flammes vacillantes des bougies qui l'éclairaient. Eijeh le fit sursauter en lui saisissant les épaules par-derrière. Akos devint rouge de honte de s'être fait avoir, et son frère éclata de rire en lui pinçant la joue.

– Même dans le noir, ça se voit que tu rougis !

– Mais tais-toi !

– Eijeh, intervint leur mère. Ne te moque pas de ton frère.

Elle devait sans cesse le lui répéter. Akos avait l'impression de passer son temps à rougir.

– C'est bon, c'était pour rire...

Ils gagnèrent le cœur du bâtiment, où une foule s'était déjà assemblée devant la Salle des prophéties. Les gens ôtaient leurs sur-bottes en tapant des pieds, retiraient leurs manteaux d'un grand coup d'épaule, ébouriffaient leurs cheveux raplatis par les capuches, soufflaient sur leurs doigts gelés. Les Kereseth allèrent empiler leurs manteaux, lunettes, moufles, bottes et masques de protection dans une petite alcôve, sous une fenêtre aux vitres violettes sur laquelle était gravé le caractère thuvhésit qui désignait le flux. Une voix familière retentit alors qu'ils repartaient vers la Salle des prophéties.

– Eij !

Ori Rednalis, la meilleure amie d'Eijeh, déboula du couloir en courant. Tout en os, elle se déplaçait sans grâce dans un enchevêtrement de coudes, de genoux et de cheveux en bataille. C'était la première fois qu'Akos la voyait en robe ; une robe faite d'un lourd tissu pourpre, boutonnée sur l'épaule comme une tunique d'officier. Ses doigts étaient rougis par le froid.

– Enfin, vous voilà ! J'ai déjà eu droit à deux tirades de ma tante contre l'Assemblée, je crois que je vais craquer !

Akos avait déjà assisté à une « tirade » de la tante d'Ori contre le gouvernement de la galaxie. Elle reprochait à l'Assemblée de ne s'intéresser à Thuvhé que pour sa production de fleurs-des-glaces, et de minimiser les attaques des Shotet en les qualifiant de « désaccords civils ». Akos ne lui donnait pas entièrement tort, mais voir des adultes s'énerver le mettait mal à l'aise. Il ne savait jamais comment réagir.

– Bonjour, Aoseh, Sifa, Cisi et Akos ! Joyeuse Floraison ! Tu viens, Eij ? On y va !

Ori avait déclamé le tout d'une traite, sans prendre le temps de respirer.

Eijeh se tourna vers son père, qui agita la main comme pour le chasser.

– Allez, file. On se retrouve plus tard.

– Et si on te revoit fumer une pipe comme la dernière fois, on te la fait avaler, ajouta sa mère.

Eijeh haussa les sourcils d'un air amusé. Il n'était jamais gêné, ne rougissait jamais. Même quand on se moquait de lui à l'école, à cause de sa voix – plus aiguë que la plupart de celles des garçons de son âge – ou parce qu'il était riche, ce qui était mal vu ici, à Hessa, il n'y prêtait même pas attention. Il avait l'art de se couper de l'extérieur et de ne s'y connecter que sur commande.

Il saisit Akos par le bras et le poussa à la suite d'Ori. Cisi préféra rester avec leurs parents, comme toujours. Eijeh et Akos durent courir derrière Ori tout le long du chemin jusqu'à la Salle des prophéties.

Ori s'immobilisa sur le seuil, bouche bée, et Akos faillit faire de même en la rejoignant. Des dizaines de lanternes – toutes colorées en rouge par de la poudre de fleur-de-silence – avaient été accrochées en étoile du sommet du dôme jusqu'au pied des murs pour former un grand baldaquin de lumière. Même les dents d'Eijeh rougeoyèrent lorsqu'il sourit à Akos d'un air ravi. Au milieu de la salle, qui restait vide en temps normal, s'étendait une plaque de glace large de près de deux mètres sur laquelle poussaient des dizaines de boutons de fleurs-de-silence prêtes à éclore. Tout autour de la plaque, d'autres lanternes remplies de pierres-ardentes grosses comme le pouce luisaient d'une lumière blanche, sans doute pour mettre en valeur la couleur des fleurs-de-silence, d'un rouge plus intense que tout autre. Rouge comme le sang, disaient certains.

Toute une foule de gens allaient et venaient dans la salle, vêtus de leurs plus beaux atours : amples tuniques longues ne laissant voir que la tête et les mains, ornées de boutons de verre taillé de toutes les couleurs, gilets jusqu'aux genoux doublés de peau d'elte, foulards enroulés plusieurs fois sur eux-mêmes. Le tout dans des teintes sombres, vibrantes, qui contrastaient avec le gris clair des manteaux. Akos portait une veste vert foncé un peu trop grande – elle avait appartenu à son frère –, tandis que celle d'Eijeh était marron.

Ori marcha droit sur le buffet. Sa tante, qui y distribuait des assiettes avec son éternelle mine renfrognée, ne lui accorda pas un regard. Ori vivait pratiquement à demeure chez les Kereseth, et Akos pensait que c'était en partie pour échapper à son oncle et à sa tante. Il ignorait ce qu'étaient devenus ses parents. Eijeh enfourna un petit pain entier et manqua s'étouffer.

– Méfie-toi, lui dit Akos. Finir étouffé par un petit pain n'est pas une manière très digne de mourir.

– Au moins, je mourrais en faisant ce que j'aime le plus, répliqua son frère, la bouche pleine.

Akos éclata de rire.

Ori passa son bras autour du cou d'Eijeh pour attirer sa tête vers elle, et lui murmura à l'oreille :

– Ne regarde pas, mais on nous observe. À gauche.

– Et alors ? fit Eijeh en postillonnant des miettes.

Mais déjà, Akos sentait le rouge de la gêne monter le long de son cou. Il risqua un coup d'œil sur la gauche d'Eijeh, où se tenait un petit groupe d'adultes qui les suivaient des yeux en silence.

– Tu devrais quand même être habitué, Akos, commenta Eijeh. Depuis le temps.

– C'est plutôt eux qui devraient être habitués. On a toujours vécu ici, et on a toujours eu un destin. Ce n'est pas en nous fixant qu'ils en apprendront plus.

Comme leur mère se plaisait à le dire, si chaque individu avait un avenir, tous n'avaient pas un destin. Seuls les membres de certaines familles « élues » en étaient dotés. À l'heure de leur naissance, ce destin était murmuré secrètement, et d'une même voix, par l'ensemble des oracles de toutes les planètes. Lorsque ces visions surgissaient, expliquait Sifa, elles étaient si puissantes qu'elles pouvaient la tirer d'un sommeil profond.

Cisi, Eijeh et Akos avaient chacun un destin. Mais ils ne les connaissaient pas, bien que leur mère fît partie de ceux qui les avaient Vus. Elle disait toujours qu'elle n'avait pas besoin de le leur apprendre puisque la vie s'en chargerait.

Les destins étaient censés déterminer les mouvements des mondes. Chaque fois qu'il y réfléchissait trop longtemps, Akos était pris de nausée.

Ori haussa les épaules.

– Ma tante dit que l'Assemblée critique souvent les oracles sur le fil d'informations, ces derniers temps. Ça doit finir par s'insinuer dans l'esprit des gens.

– Elle les critique ? s'étonna Akos. Mais pourquoi ?

– Venez, on va se trouver un bon endroit pour s'installer, dit Eijeh sans s'intéresser à leur conversation.

Le visage d'Ori s'éclaira.

– Bonne idée ! Ça m'évitera de passer toute la cérémonie à fixer des fesses comme la saison dernière.

– T'inquiète pas, c'est fini, les fesses. Maintenant tu dois bien en être au bas du dos, plaisanta Eijeh.

– Si ma tante a réussi à me faire enfiler cette robe, ce n'est sûrement pas pour reluquer des dos, répliqua-t-elle.

Cette fois, Akos s'enfonça le premier dans la foule qui avait envahi la Salle des prophéties, en plongeant sous les verres de vin et les bras qui balayaient l'air, jusqu'à se retrouver au premier rang, juste devant les boutons de fleurs-de-silence. Ils arrivaient juste à temps : sa mère se tenait debout à côté de la grande plaque de glace, pieds nus malgré le froid. Elle soutenait qu'elle était une meilleure oracle lorsqu'elle était directement en contact avec le sol.

Akos chahutait avec Eijeh, mais quand la foule se tut, tout se tut en lui au même instant.

Eijeh se pencha à son oreille.

– Tu le sens ? C'est incroyable ce que le flux bourdonne, ici. Je sens même ma poitrine vibrer.

Akos ne s'en était pas aperçu, mais son frère avait raison : lui aussi ressentait cette vibration dans la poitrine, comme si son sang chantait. Avant qu'il ait pu répondre, leur mère prit la parole. Sans forcer la voix. C'était inutile, car tous connaissaient par cœur les mots du rituel.

– Le flux circule à travers toutes les planètes de la galaxie, il nous procure sa lumière pour nous rappeler sa puissance.

Instinctivement, tous levèrent les yeux en même temps vers le ruban-flux, qu'on distinguait dans le ciel à travers le verre rouge du dôme. À cette époque de l'année, il était presque toujours rouge sombre, exactement du même ton que les fleurs-de-silence. C'était le signe visible du flux qui les traversait, eux et tous les autres êtres vivants. Il serpentait dans toute la galaxie, reliant les planètes entre elles comme des perles sur un fil.

– Le flux circule à travers tout ce qui vit, lui créant un espace pour prospérer, poursuivit Sifa. Le flux circule à travers toute personne animée d'un souffle, et émerge sous une forme différence selon le filtre de chaque esprit. Le flux circule à travers chaque fleur qui s'épanouit sur la glace.

Ils se serrèrent les uns contre les autres – pas seulement Akos, Eijeh et Ori, mais toute la salle, épaule contre épaule – pour voir ce qui arrivait aux fleurs-de-silence.

– Le flux circule à travers chaque fleur qui éclôt sur la glace, répéta Sifa, et lui donne la force de s'épanouir dans le noir le plus complet. Plus qu'à tout autre être vivant, le flux accorde sa force à la fleur-de-silence, notre repère temporel, la fleur qui nous donne la mort et la paix.

Dans un premier temps, il y eut un silence, un silence étonnamment naturel. Puis, d'une même voix, toute la foule entonna un chant, mi-bourdonné, mi-fredonné, en réponse à la force étrange qui animait l'univers, telle la friction entre les particules qui faisait luire les pierres-ardentes.

Et il y eut... un mouvement. Un pétale trembla. Une tige craqua. Un frisson parcourut le petit parterre de fleurs-de-silence qui poussaient au centre de la salle. Pas un son ne s'élevait de l'assistance.

Akos leva brièvement les yeux sur le verre rouge, le baldaquin de lanternes – une seconde à peine –, et faillit manquer l'instant crucial : celui où toutes les fleurs s'ouvrirent. Les pétales rouges se déployèrent tous en même temps en recouvrant les tiges et révélèrent leur cœur écarlate. La couleur sembla faire exploser la glace.

Après un instant de stupeur, tous applaudirent. Akos les imita jusqu'à en avoir mal. Son père rejoignit sa mère et lui prit les mains en déposant un baiser sur sa joue. Pour tous les autres, elle était intouchable : Sifa Kereseth, *l'oracle,* celle dont le don-flux lui procurait des visions de l'avenir. Mais Aoseh était sans cesse en train de la toucher, piquant sa fossette du bout de l'index lorsqu'elle souriait, coinçant des mèches folles dans son chignon, laissant des traces de doigts jaunes de farine sur son épaule quand il venait de pétrir le pain.

Leur père ne voyait pas l'avenir, mais ses doigts savaient réparer les choses : une assiette brisée, une fissure sur l'écran mural du salon ou l'ourlet effrangé d'une vieille chemise. Il donnait parfois le sentiment de pouvoir aussi « réparer » les gens, lorsqu'ils avaient des ennuis. C'est pourquoi, lorsqu'il s'approcha d'Akos et le fit sauter dans ses bras, le garçon n'en fut même pas embarrassé.

– Tout-Petit ! s'écria son père en le jetant sur son épaule. Enfin… plus si petit que ça. Bientôt, je n'y arriverai plus.

– Ce n'est pas parce que je grandis, c'est parce que tu vieillis, rétorqua Akos.

– Quel affront ! s'exclama Aoseh, faussement scandalisé. Et de la bouche de mon propre fils ! Voyons, quel châtiment conviendrait le mieux à une langue aussi bien pendue ?

– Papa, non !

Trop tard ; son père l'avait déjà fait basculer la tête en bas en le tenant par les chevilles. Akos ne put s'empêcher de rire en s'agrippant à la veste de son père. Aoseh le laissa glisser doucement jusqu'au sol et ne le lâcha que quand il eut les deux pieds sur la terre ferme.

– Que cela te serve de leçon pour ton insolence, fit-il en se penchant vers lui.

– L'insolence, ça fait monter le sang à la tête ? demanda Akos en battant des paupières d'un air innocent.

– Parfaitement, acquiesça Aoseh avec un grand sourire. Joyeuse Floraison !

Akos lui rendit son sourire.

– À toi aussi.

TOUS VEILLÈRENT SI TARD cette nuit-là qu'Eijeh et Ori s'endormirent à table. Sifa porta Ori sur le canapé du salon, où elle passait une bonne moitié de ses nuits, et Aoseh réveilla Eijeh. Puis tout le monde se dispersa à l'exception d'Akos et de sa mère, qui se couchaient toujours les derniers.

Sifa alluma l'écran et laissa le fil d'informations de l'Assemblée en léger fond sonore. L'Assemblée était composée de neuf planètes-nations, les plus grosses et les plus importantes de la galaxie. En principe, chacune était indépendante, mais l'Assemblée réglementait le commerce, l'armement et les voyages, et faisait appliquer les lois dans l'espace. L'émission passa en revue chacune des planètes-nations : pénurie d'eau sur Tepes, innovations médicales sur Othyr, piratage d'un vaisseau dans l'orbite de Pitha…

Sifa avait entrepris d'ouvrir des boîtes d'herbes séchées. Akos crut qu'elle allait préparer une tisane pour les aider à trouver le sommeil, jusqu'à ce qu'elle aille prendre le bocal de fleurs-de-silence, rangé tout en haut, hors de portée, dans le placard du couloir.

– J'ai pensé qu'on pourrait aborder une leçon un peu spéciale, ce soir, dit Sifa.

Dans sa tête, pendant les leçons sur les fleurs-des-glaces, Akos appelait sa mère « Sifa » plutôt que « maman ». Deux ans plus tôt, au début de ces séances nocturnes où ils préparaient ensemble des potions, elle les avait baptisées « leçons » sur le ton de la plaisanterie. Depuis, Akos avait l'impression que les choses avaient pris un tour plus sérieux. Mais c'était difficile à dire, avec elle.

Elle était pieds nus, les orteils recroquevillés par le froid. Les pieds d'une oracle.

– Prends une planche à découper et hache-moi de la racine de liane de harva, lui demanda-t-elle en sortant une paire de gants. On a déjà utilisé de la fleur-de-silence, non ?

– Oui, pour faire un élixir soporifique.

Il s'installa à gauche de sa mère avec sa planche, son couteau et une racine terreuse. Le tubercule était d'un blanc blafard, recouvert d'une fine pellicule duveteuse.

– Et aussi pour une potion euphorisante, lui rappela-t-elle. Tu te souviens ? « Celle qui pourra te servir dans des fêtes plus tard. » Mais seulement quand tu seras plus grand.

– Oui, tu as même dit « quand tu seras plus grand » cette fois-là aussi.

Les lèvres de sa mère esquissèrent un sourire. La plupart du temps, c'était le maximum qu'on pouvait espérer tirer d'elle.

– Avec ces mêmes ingrédients que tu pourras utiliser *plus tard* pour cette potion euphorisante, tu peux également fabriquer un poison, ajouta-t-elle d'un ton grave. Il suffit de doubler la quantité de fleur-de-silence et de diviser par deux la racine de harva. Tu as compris ?

– Oui, mais à quoi ça sert de… ? commença Akos.

Mais elle avait déjà changé de sujet :

– Alors, qu'est-ce qui te rend aussi songeur, ce soir ?

Quand il en eut terminé avec la racine, elle inclina un pétale de fleur-de-silence sur la planche à découper. Long comme son pouce, il avait conservé sa couleur rouge vif mais commençait à se flétrir.

Elle prit le couteau et le fit cliqueter en rythme sur la planche, avec une technique parfaite. Celle d'Akos s'améliorait, mais il lui arrivait encore d'effectuer des coupes intempestives.

– Rien, répondit-il. Peut-être les gens qui nous dévisageaient à la fête de la Floraison.

– C'est étonnant, cette fascination qu'ils ont tous pour les élus du destin, soupira-t-elle. J'aimerais pouvoir te dire que ça leur passera, mais j'ai bien peur que… que *toi*, on ne cesse jamais de te dévisager.

Il aurait voulu l'interroger sur la raison de cette insistance sur lui en particulier, mais il marchait toujours sur des œufs avec sa mère pendant ces leçons. Un mot de travers et elle mettait brusquement fin à la séance. À l'inverse, il lui suffisait parfois de poser la bonne question pour apprendre des choses qu'il n'était pas censé savoir.

– Et toi ? lui demanda-t-il. Qu'est-ce qui te rend aussi songeuse ?

– Ah. Cette nuit, je suis harcelée par des pensées sur la famille Noavek. C'est la famille régnante de Shotet, le pays de nos ennemis.

Les Shotet étaient un peuple réputé féroce et brutal. Ils s'entaillaient le bras avec un couteau pour chaque vie qu'ils prenaient, y gravant une marque indélébile, et entraînaient leurs enfants à l'art de la guerre dès le plus jeune âge. Ils ne constituaient pas une planète-nation mais vivaient sur Thuvhé, la même planète qu'Akos et sa famille – qu'ils appelaient autrement –, de l'autre côté d'une vaste étendue d'herbe-plume. Cette même herbe-plume qui chatouillait les fenêtres de la maison d'Akos.

D'après les récits de son père, sa propre mère – la grand-mère d'Akos – était morte dans une invasion shotet, armée d'un simple couteau à pain pour se défendre. Et la ville de Hessa portait encore les stigmates de ces violences, avec ses fenêtres condamnées aux vitres brisées et les noms de ses morts gravés sur la pierre des murets.

Juste de l'autre côté de l'herbe-plume. Ils semblaient parfois assez proches pour qu'on puisse les toucher.

– Sais-tu que les Noavek font partie des familles élues du destin ? reprit Sifa. Comme toi, ton frère et ta sœur. Les oracles n'ont pas toujours discerné des destins dans cette lignée ; ils ne sont apparus que de mon vivant. Cela a permis aux Noavek de faire pression sur le gouvernement shotet pour s'emparer du pouvoir, qui est toujours entre leurs mains.

– Je ne savais pas que ça pouvait se produire, dit Akos. Qu'une famille soit brusquement élue par le destin.

– En fait, ceux d'entre nous qui ont le don de voir l'avenir ne décident pas qui est pourvu d'un destin. Nous voyons des centaines de *futurs*, de possibilités. Mais la particularité du destin d'un individu est qu'il reste le même dans toutes les versions de l'avenir que nous voyons. Et ce sont ces destins qui déterminent les familles élues, et non l'inverse.

Akos n'avait jamais envisagé les choses de cette manière. On présentait toujours les oracles comme ayant le pouvoir de distribuer les destins comme des privilèges à des gens importants. Or, d'après les explications de sa mère, c'était tout le contraire : c'était les destins qui donnaient de l'importance à certaines familles plutôt qu'à d'autres.

– Alors tu as vu leurs destins ? demanda-t-il. Ceux des Noavek ?

Sa mère fit oui de la tête.

– Seulement celui des enfants, Ryzek et Cyra. Il est plus vieux que toi, et elle a ton âge.

Akos avait déjà entendu ces noms, associés à des rumeurs absurdes. On racontait qu'ils avaient la bave aux lèvres, qu'ils conservaient les globes oculaires de leurs ennemis dans des bocaux et qu'ils avaient les bras zébrés d'entailles du poignet jusqu'à l'épaule, une pour chaque personne qu'ils avaient tuée. Cette dernière rumeur était sans doute la moins absurde de toutes.

– Parfois, reprit Sifa, il est facile de comprendre pourquoi les gens sont devenus ce qu'ils sont. Ryzek et Cyra sont les enfants d'un tyran. Leur père, Lazmet Noavek, est le fils d'une femme qui a assassiné ses propres frères et sœurs. La violence corrompt chaque génération de cette famille.

Elle hocha la tête, et tout son corps suivit le mouvement dans un balancement d'avant en arrière.

– Et je vois tout cela. Dans sa totalité.

Akos prit la main de sa mère.

– Je suis désolée, Akos.

Il ne sut pas trop si elle était désolée d'en avoir trop dit ou à cause d'autre chose, mais cela ne paraissait pas très important.

Ils restèrent ainsi un moment, à écouter le marmonnement du fil d'informations, au plus noir de la nuit, qui semblait encore plus noir qu'avant.

▲
▲

:2

AKOS

– ÇA S'EST PASSÉ au milieu de la nuit, précisa Osno en bombant le torse. J'avais une écorchure au genou, ça s'est mis à me brûler… et le temps que je rabatte mes couvertures, il n'y avait plus rien.

La salle de classe était formée de deux murs à angle droit et d'un troisième en arc de cercle. Un grand poêle bourré de pierres-ardentes en marquait le centre. Quand elle parlait, leur professeure avait l'habitude de tourner autour en faisant grincer ses bottes. Akos s'amusait parfois à compter les cercles qu'elle effectuait. Il y en avait toujours beaucoup.

Le poêle était entouré de chaises métalliques sur lesquelles étaient fixés des écrans en verre. Ils luisaient déjà, prêts à afficher le cours de la journée. Mais la professeure n'était pas encore arrivée.

– Vas-y, prouve-le, le défia Riha.

Riha, en vraie patriote, portait toujours des écharpes sur lesquelles étaient brodées des cartes de Thuvhé, et avait pour principe de ne jamais croire personne sur parole. Dès que quelqu'un avançait quelque chose, elle fronçait le nez jusqu'à ce qu'il ait prouvé ses dires.

Osno appliqua la lame d'un canif sur le gras de son pouce et appuya. Le sang perla sur la coupure. Même Akos, qui était assis à l'autre bout de la salle, vit que la peau commençait déjà à se refermer comme une fermeture à glissière.

Le don-flux se manifestait lorsqu'on atteignait l'âge où le corps se transforme – ce qui impliquait pour Akos, vu sa petite taille pour ses quatorze saisons, qu'il devrait attendre le sien encore un moment. Parfois les dons se ressemblaient au sein d'une même famille, parfois pas du tout. Parfois ils étaient utiles, parfois non. Celui d'Osno était utile.

– Incroyable, commenta Riha. J'ai hâte de connaître le mien. Tu te doutais de ce que ce serait ?

Osno était le garçon le plus grand de la classe, et il parlait toujours aux autres en se campant juste devant eux pour bien le leur rappeler.

La dernière fois qu'il avait adressé la parole à Akos remontait à une saison, et la mère d'Osno avait dit en s'éloignant :

« Pour un enfant d'une famille élue du destin, il a l'air plutôt insignifiant. »

À quoi Osno avait répondu :

« Ça va, il est sympa. »

Or Akos n'était pas « sympa ». C'était juste le qualificatif qu'on employait pour parler des enfants timides et réservés.

Osno passa le bras par-dessus le dossier de sa chaise et rejeta la mèche de cheveux qui lui couvrait les yeux.

– Mon père dit que mieux on se connaît, moins on est surpris par son don.

Riha hocha la tête en signe d'acquiescement et Akos se fit le pari qu'elle sortirait avec Osno d'ici la fin de la saison.

Soudain, l'écran fixé à côté de la porte se mit à clignoter, et il s'éteignit. Puis toutes les lumières de la salle s'éteignirent à leur tour, ainsi que celles qui filtraient du couloir. Tous les élèves se turent. Akos entendit une voix forte à l'extérieur, et le grincement de sa propre chaise lorsqu'il se leva pour se diriger vers la porte.

– Kereseth… ! le rappela Osno à mi-voix d'un ton inquiet.

Mais Akos ne voyait pas ce qu'il risquait à regarder à l'extérieur. Ce n'était pas comme si une créature tapie dehors allait lui bondir dessus pour le mordre.

Il entrouvrit la porte juste assez pour se pencher dans l'étroit couloir. Le bâtiment était rond, comme beaucoup d'autres à Hessa, avec les bureaux des professeurs au milieu et les salles de classe autour, séparés par un couloir en anneau. Sans les lumières, il n'était éclairé que par la lueur des veilleuses de secours situées sur chaque palier.

– Qu'est-ce qui se passe ?

Akos reconnut la voix : c'était Ori. Il la vit surgir dans la flaque de lumière orange du palier de l'escalier est. Elle était avec sa tante Badha, qu'il n'avait jamais vue aussi échevelée, le visage auréolé de mèches échappées de son chignon, le gilet boutonné tout de travers.

– Tu es en danger, répondit-elle à sa nièce. C'est le moment de faire ce pour quoi on s'est entraînées.

– Mais *pourquoi* ? insista Ori. Tu débarques sans prévenir, tu m'obliges à quitter la classe, et maintenant tu…

– Tous les élus du destin sont en danger, tu comprends ? la coupa sa tante. Tu n'es plus en sécurité. Tu dois partir.

– Et les Kereseth ? Eux aussi, ils sont en danger, alors.

– Pas autant que toi.

Badha entraîna sa nièce vers l'escalier. Le visage d'Ori était dans l'ombre et Akos ne put distinguer son expression. Mais juste avant qu'elle disparaisse dans la courbe du couloir, elle se retourna, les cheveux dans la figure. Il lui sembla que les yeux d'Ori, agrandis par la peur, avaient croisé les siens. Mais il n'en aurait pas juré. À cet instant, quelqu'un cria son nom. Cisi sortait à la hâte de l'un des bureaux. Elle portait sa lourde robe grise et des bottes noires, et elle avait l'air grave.

– Viens ! lui lança-t-elle. On est convoqués chez le directeur. Papa vient nous chercher, on l'attend là-bas.

– Mais… commença Akos, pas assez fort pour qu'on l'écoute, comme d'habitude.

– Dépêche-toi.

Cisi retourna dans le bureau dont elle venait de sortir. Les pensées d'Akos s'éparpillaient dans tous les sens. Ori était une élue du destin. Toutes les lumières s'étaient éteintes. Leur père venait les chercher. Ori était en danger. *Il* était en danger.

Devant lui, Cisi disparaissait et reparaissait au rythme de la lueur des veilleuses. Puis, une porte ouverte, une lanterne allumée, Eijeh qui se tournait vers eux.

Le directeur était assis en face de lui. Akos ne connaissait pas son nom, tout le monde l'appelait « le directeur » et on ne le voyait qu'à l'occasion de ses discours officiels ou brièvement dans un couloir, en chemin vers un autre endroit. Akos fit comme s'il n'était pas là.

– Qu'est-ce qui se passe ? demanda-t-il à Eijeh.

– Personne ne veut rien nous dire, lui répondit son frère avec un coup d'œil vers le directeur.

– La politique de cette école est de laisser ce genre de situation à la discrétion des parents, se justifia ce dernier.

Les élèves disaient parfois en blaguant qu'il avait des rouages de machine à la place des organes. C'était l'impression qu'il donnait en parlant, en tout cas.

– Vous ne pouvez pas au moins nous dire de *quel* genre de situation il s'agit ? insista Eijeh, à peu près sur le même ton qu'aurait pris leur mère.

Où est maman, au fait ? se demanda Akos. Leur père venait les chercher, mais personne n'avait parlé d'elle.

– Eijeh, dit doucement Cisi.

Son murmure apaisa Akos, presque comme si elle s'adressait directement au flux qui circulait en lui.

Cet enchantement dura un moment, pendant lequel le directeur, Eijeh, Akos et Cisi elle-même gardèrent le silence.

– Il fait froid, déclara enfin Eijeh.

Et en effet, Akos sentit un courant d'air froid se glisser sous la porte et lui glacer les chevilles.

– Oui, confirma le directeur, j'ai dû couper le courant. J'attends que vous soyez partis pour le rétablir.

– Vous avez coupé le courant à cause de nous ? demanda Cisi. Pourquoi ?

Elle avait employé la voix douce et cajoleuse qu'elle prenait pour négocier un délai pour aller se coucher ou du supplément de dessert. Cela ne marchait jamais sur ses parents, mais le directeur fondit comme une chandelle. Akos n'aurait pas été surpris de voir une flaque de cire s'étaler sous son bureau.

– C'est le seul moyen d'éteindre les écrans quand l'Assemblée proclame l'état d'alerte, expliqua-t-il doucement.

– Alors, il y a une alerte, reprit Cisi, toujours sur le même ton.

– Oui. Le chef de l'Assemblée l'a déclarée ce matin.

Eijeh et Akos échangèrent un regard. Cisi souriait, très calme, les mains repliées sur ses genoux. Dans cette lumière, avec son visage encadré de cheveux bouclés, elle était bien la fille d'Aoseh. Leur père était capable d'obtenir des gens tout ce qu'il voulait, par des rires, des sourires, toujours à apaiser les gens, les cœurs, à aplanir les difficultés.

Un poing s'abattit lourdement sur la porte du bureau du directeur, interrompant le processus de fonte de l'homme de cire.

Akos sut que c'était son père au dernier coup, lorsque la plaque qui fixait la poignée se fendit en deux et que la poignée elle-même tomba par terre. Aoseh ne savait pas se maîtriser, et son don-flux l'indiquait très clairement. Il passait tout son temps à réparer des objets parce qu'il en cassait beaucoup.

– Désolé, marmonna Aoseh en entrant dans le bureau.

Il remit la poignée grossièrement en place et suivit du doigt la fissure de la plaque, qui reprit son aspect d'origine, bien qu'un peu de travers. Leur mère se plaignait toujours qu'il ne réparait pas les choses correctement, ce que l'état de leur vaisselle attestait.

– M. Kereseth, commença le directeur.

– Merci d'avoir réagi aussi rapidement, monsieur le directeur, lui dit Aoseh.

Plus que les couloirs sombres, les cris de la tante d'Ori ou la mine grave de Cisi, ce fut son sérieux qui effraya Akos. Leur père souriait toujours, quoi qu'il arrive. Leur mère disait que c'était sa plus grande force.

– Venez, Petite, Très-Petit et Tout-Petit, leur dit Aoseh sans enthousiasme. On rentre à la maison.

À peine eut-il prononcé le mot « maison » que ses trois enfants se levèrent pour se diriger d'un pas énergique vers la sortie. Ils allèrent droit au vestiaire fouiller parmi les manteaux de fourrure grise tous identiques, à la recherche de ceux dont les étiquettes étaient cousues à leur nom : *Kereseth, Kereseth, Kereseth.* Akos trouva le sien légèrement trop long pour sa petite taille, et Cisi ses manches un peu trop courtes, et ils les échangèrent.

Le flotteur les attendait devant la sortie, portière ouverte. Sa carrosserie était maculée de poussière.

Le fil d'informations, qui remplissait d'ordinaire l'habitacle d'un flot de paroles, n'était pas allumé. L'écran de navigation non plus, et l'on entendait juste Aoseh manipuler boutons, commandes et leviers sans que le véhicule commente ce qu'il faisait. Ils négligèrent de s'attacher ; Akos considérait cela comme une perte de temps.

– Papa, commença Eijeh.

– L'Assemblée a pris l'initiative d'annoncer ce matin les destins des familles élues, déclara leur père. Il y a des saisons de cela, en signe de confiance, les oracles lui ont secrètement fait part de ces destins. En principe, le destin d'une personne n'est rendu public qu'après sa mort, et n'est connu jusque-là que de lui-même et de ses proches. Mais maintenant… – il les regarda l'un après l'autre – maintenant, tout le monde connaît les vôtres.

– Tu peux nous les dire ? s'enquit Akos à mi-voix, tandis que Cisi demandait en quoi cela pourrait être dangereux.

Aoseh ne répondit pas à la première question, mais à la seconde :

– Ça ne l'est pas forcément. Mais disons que certains destins sont… plus révélateurs que d'autres.

Akos revit la tante d'Ori l'entraînant vers la cage d'escalier.

« Tu n'es plus en sécurité. Tu dois partir. »

Ori avait un destin – un destin dangereux. Or, pour autant qu'Akos s'en souvînt, aucun Rednalis ne figurait sur la liste des familles élues. Il ne devait pas s'agir de son vrai nom.

– Quels sont nos destins ? demanda Eijeh.

Akos lui enviait sa voix forte et claire. Parfois, quand ils bavardaient le soir plus tard qu'ils n'auraient dû, Eijeh s'efforçait de chuchoter, mais leurs parents ne tardaient jamais à venir les faire taire. S'il avait du mal à se faire entendre, Akos, en revanche, savait garder les secrets précieusement, et c'est pourquoi il ne leur parla pas d'Ori.

Le flotteur filait au-dessus des champs de fleurs-des-glaces cultivés par leur père. Ils s'étendaient sur des kilomètres dans toutes les directions : fleurs-de-jalousie jaunes, puretés blanches, lianes de harva vertes, feuilles de sendes brunes, et enfin, protégées par une cage grillagée traversée par le flux, les rouges fleurs-de-silence. Avant l'installation de la cage, des gens se suicidaient en se jetant dans les champs de fleurs-de-silence ; ils mouraient au milieu des pétales écarlates, plongés par le poison dans un sommeil mortel en quelques respirations. Pas une si mauvaise façon de mourir, songeait Akos. Partir doucement, au milieu des fleurs, avec le ciel blanc au-dessus de la tête.

– Je vous expliquerai tout ça quand nous serons à l'abri, dit leur père d'un ton qui se voulait enjoué.

– Où est maman ? demanda Akos.

Cette fois, Aoseh l'entendit.

– Votre mère…

Aoseh serra les dents et le siège sur lequel il était assis se fendit en deux, comme une miche de pain qui se craquelle dans le four. Il passa la main dessus avec un juron pour le réparer. Effrayé, Akos regarda son père en clignant des paupières. Quelle était la cause d'une telle colère ?

– J'ignore où est votre mère, acheva Aoseh. Mais je suis sûr qu'elle va bien.

– Elle ne t'a pas dit ce qui allait se passer ? insista Akos.

– Peut-être qu'elle l'ignorait, murmura Cisi.

Mais tous savaient que c'était impossible. Sifa savait *toujours*.

– Quoi que fasse votre mère, elle a toujours ses raisons, même quand nous ne les connaissons pas, répliqua Aoseh, un peu calmé. Et nous devons lui faire confiance, même quand c'est difficile.

Akos se demanda si son père croyait ce qu'il disait, ou s'il n'essayait pas plutôt de s'en convaincre lui-même.

Aoseh posa le flotteur sur la pelouse devant chez eux, en écrasant des touffes et des tiges tachetées d'herbe-plume. Celle qui poussait derrière leur maison s'étendait à perte de vue.

Il arrivait parfois des choses étranges dans l'herbe. Les gens entendaient des murmures, ou voyaient des formes sombres parmi les tiges, quittaient le chemin et se faisaient engloutir par la terre. Régulièrement, on racontait de nouvelles histoires sur ces incidents, ou quelqu'un repérait un squelette du haut de son flotteur. Vivant à proximité de l'herbe-plume, Akos s'était habitué à ignorer tous ces visages qui surgissaient devant lui en murmurant son nom : ses grands-parents morts, ses parents affligés de visages de cadavre déformés, des enfants qui le harcelaient à l'école…

Or, lorsqu'il descendit du flotteur et tendit les mains pour toucher les touffes qui se balançaient au-dessus de sa tête, il se rendit compte dans un sursaut qu'il ne percevait plus ni voix ni visages.

Il s'arrêta pour guetter dans l'herbe un quelconque signe d'hallucination, mais n'en détecta aucun.

– Akos ! siffla Eijeh.

Bizarre.

Il traversa la pelouse jusqu'à la porte d'entrée sur les talons de son frère. Aoseh la déverrouilla, et ils s'engouffrèrent dans l'entrée pour ôter leurs manteaux. Mais en respirant l'air chaud, Akos fut perturbé par l'odeur. Normalement, la maison sentait les épices, celles du pain que leur père aimait bien leur préparer pour le petit déjeuner pendant l'hiver. Or, là, elle sentait la sueur et l'huile de moteur. Les entrailles d'Akos se nouèrent comme une corde.

– Papa, dit-il tandis que son père allumait les lumières d'une pression sur l'interrupteur.

Eijeh hurla. Cisi s'étouffa. Et Akos se figea.

Trois hommes se tenaient debout dans leur salon. Le premier était grand et mince, le deuxième, tout aussi grand mais large, et le dernier, petit et épais. Tous trois portaient des cuirasses qui luisaient à la lumière jaunâtre des pierres-ardentes, si sombres qu'elles paraissaient noires alors qu'elles étaient en réalité d'un bleu très foncé. Ils serraient dans leurs poings les manches en métal de lames-flux, reliées à eux par les vrilles noires du flux qui s'enroulaient autour de leurs poignets. Akos avait déjà vu de telles armes, mais seulement entre les mains des soldats qui patrouillaient dans Hessa. On n'avait pas besoin de lames-flux dans la maison d'un fermier et d'une oracle.

Akos le sut sans même en avoir conscience : ces hommes étaient des Shotet. Les ennemis des Thuvhésit. *Leurs* ennemis. Ces gens-là étaient responsables de toutes les bougies allumées dans le monument qui les faisait se souvenir de l'invasion shotet. Ils avaient mutilé les bâtiments de Hessa, dont le verre brisé ne reflétait plus que des images fracturées, massacré les plus forts, les plus courageux, les plus coriaces, et laissé leurs familles en deuil.

Avec parmi eux, aux dires d'Aoseh, leur grand-mère et son couteau à pain.

– Que faites-vous ici ? demanda leur père d'une voix crispée.

Le salon semblait intact, les coussins étaient toujours en place autour de la table basse, la couverture en fourrure enroulée près du feu là où Cisi l'avait laissée après sa lecture. Le feu était réduit à des braises rougeoyantes et il faisait froid. Aoseh se campa sur ses jambes écartées en faisant bouclier devant ses trois enfants.

– Pas de femme, observa l'un des hommes à l'un de ses comparses. Je me demande où elle est.

– C'est une oracle, commenta l'autre. Pas facile à attraper.

– Je sais très bien que vous parlez notre langue, intervint Aoseh d'un ton plus posé. Inutile de baragouiner entre vous comme si vous ne me compreniez pas.

Akos fronça les sourcils. Son père ne les avait-il pas entendus parler de leur mère ?

– Mais c'est qu'il est exigeant, lui, fit le plus grand, dont Akos remarqua qu'il avait des yeux couleur d'or fondu. C'est quoi, son nom, déjà ?

– Aoseh, rappela le plus petit.

Celui-là avait le visage couturé de cicatrices, des petites entailles qui partaient dans tous les sens. Sa peau formait un gros bourrelet autour de la plus longue, juste à côté de l'œil. Le nom de son père sonnait bizarrement dans sa bouche.

– Aoseh Kereseth, reprit l'homme aux yeux d'or, mon nom est Vas Kuzar.

Le son de sa voix avait changé, comme s'il s'était mis tout à coup à parler avec un accent prononcé.

– Je sais parfaitement qui tu es, répondit Aoseh.

– Saisissez-le, ordonna le dénommé Vas.

Le plus petit se jeta sur Aoseh. Cisi et Akos eurent un mouvement de recul en voyant leur père lutter au corps à corps avec le soldat shotet. Aoseh serra les dents. Le miroir du salon se brisa en mille morceaux et des tessons de verre volèrent partout, puis ce fut le tableau représentant son mariage, accroché au-dessus de la cheminée, qui se fendit en deux. Cela n'empêcha pas le soldat shotet de prendre le dessus et d'entraîner Aoseh dans le salon, laissant les trois enfants sans protection.

Le soldat força leur père à s'agenouiller et pointa sa lame-flux sur sa gorge.

– Veille à ce que les enfants ne s'enfuient pas, dit Vas au grand maigre.

À cet instant, Akos pensa à la porte qui se trouvait juste derrière lui. Il posa la main sur la poignée et la tourna. Mais le temps qu'il la pousse, des mains rudes s'étaient abattues sur ses épaules. Le Shotet le souleva de terre en le tirant par le bras. La douleur vrilla l'épaule d'Akos, et il lui envoya un violent coup de pied dans la jambe. L'homme se contenta de rire.

– Toi, le petit Thuvhésit à la peau tendre, tu ferais mieux de te rendre tout de suite, cracha-t-il. Ainsi que le reste de ta pitoyable famille.

– On n'est pas pitoyables ! se rebella Akos.

C'était vraiment une réaction stupide, le genre de phrase qu'aurait lâchée un gamin ne sachant plus comment prendre le dessus dans une dispute. Or, curieusement, tout le monde se figea. Non seulement celui qui lui tenait le bras mais aussi Cisi, Eijeh et Aoseh. Tous le fixèrent et – *oh non !* – la chaleur lui montait déjà aux joues. Jamais de sa vie il ne s'était senti rougir à un moment si malvenu, et ce n'était pas peu dire.

Puis Vas Kuzar éclata de rire.

– Ton petit dernier, je suppose ? dit-il à Aoseh. Tu savais qu'il parlait le shotet ?

– Je ne parle pas le shotet, protesta faiblement Akos.

– Tu viens de le faire, répliqua Vas. Comment se fait-il que la famille Kereseth se retrouve avec un enfant de sang shotet, je me le demande…

– Akos ? murmura Eijeh d'un ton interrogatif, comme s'il attendait une réponse de sa part.

– Je n'ai pas de sang shotet ! s'écria Akos.

Les soldats éclatèrent de rire tous les trois. Et ce n'est qu'alors qu'Akos l'entendit – il entendit en même temps les mots qu'il prononçait, au sens parfaitement clair, et les syllabes gutturales, hachées, aux voyelles fermées ; des sons rudes, à l'opposé de la musicalité du thuvhésit, qui sonnait comme le vent faisant voltiger des flocons. Il s'entendit parler le shotet, qu'il n'avait jamais appris.

Il parlait le shotet, comme les soldats. Mais comment... *comment* pouvait-il parler une langue qu'il ne connaissait pas ?

– Où est ta femme, Aoseh ? demanda Vas en ramenant son attention sur leur père.

Il tourna la lame-flux dans son poing et les vrilles noires de l'arme ondulèrent sur son bras.

– Dommage qu'on ne puisse pas lui demander si elle a fait des galipettes avec un Shotet, ou si elle a l'honneur d'avoir les mêmes ancêtres que nous sans avoir jugé utile de te le signaler. L'oracle ne peut ignorer que son plus jeune fils parle couramment la langue de la révélation.

– Elle n'est pas là, dit sèchement Aoseh. Comme tu as pu t'en apercevoir.

– Le Thuvhésit fait le malin ? commenta Vas. À mon avis, jouer au plus fin avec ses ennemis est un excellent moyen pour se faire tuer.

– Je ne doute pas que tu aies toutes sortes d'avis stupides, dit Aoseh qui, bien qu'agenouillé aux pieds de Vas, parvint à lui faire baisser les yeux. Tu ne vaux pas plus que la crasse que j'ai sous les ongles, valet des Noavek.

Vas le frappa au visage avec une telle violence qu'Aoseh roula sur le côté. Eijeh poussa un cri et voulut se précipiter vers son père, mais il fut intercepté par le soldat qui n'avait pas lâché Akos.

L'homme souleva les deux frères sans que cela parût lui coûter le moindre effort, bien qu'Eijeh, à seize saisons, fût presque aussi grand que lui.

La table basse du salon se fendit en deux en son milieu, et chaque moitié tomba sur le côté. Tous les petits objets posés dessus – une vieille tasse, un livre, quelques copeaux de bois des sculptures de son père – s'éparpillèrent par terre.

– À ta place, déclara Vas d'une voix sourde, j'essaierais de maîtriser ce don-flux, Aoseh.

Mais celui-ci plongea, saisit la lame du soldat balafré qui se tenait un peu à l'écart et lui tordit le bras, assez fort pour lui faire lâcher son arme. Il s'en empara et la retourna contre son propriétaire en haussant les sourcils.

– Vas-y, tue-le, lui dit Vas. Ce ne sont pas les soldats qui manquent, chez nous. Toi, en revanche, tu n'as qu'un nombre limité de fils.

Aoseh lécha le sang qui coulait sur sa lèvre tuméfiée et regarda Vas par-dessus son épaule.

– Je ne sais pas où elle est, répéta-t-il. Vous auriez dû aller voir au temple. Cette maison est le dernier endroit où elle viendra, si elle sait que vous êtes là.

Vas posa les yeux sur la lame qu'Aoseh serrait dans son poing et sourit.

– Au fond, c'est aussi bien comme ça, dit-il en shotet en se tournant vers le soldat qui maintenait Akos d'une main et, de l'autre, plaquait Eijeh contre le mur. Notre priorité, c'est l'enfant.

– Et maintenant, on sait qui est le plus jeune des trois, répondit l'autre dans la même langue en tirant de nouveau Akos par le bras. Mais lequel des deux autres est le cadet ?

– Papa, dit Akos, paniqué. Ils demandent lequel est le Très-Petit, lequel est le plus jeune, d'Eijeh ou de Cisi…

Le soldat le lâcha, mais ce ne fut que pour lui asséner du dos de la main une gifle en pleine pommette. Akos recula en trébuchant et percuta le mur. Cisi se pencha sur lui avec un sanglot étouffé pour lui caresser le visage.

Aoseh rugit entre ses dents. D'un bond, il plongea la lame-flux dans le corps de Vas, juste sous sa cuirasse.

Vas n'eut pas même un tressaillement. Avec un petit sourire en coin, il referma la main sur le manche de la lame et la retira d'un coup sec. Le sang coulait de la blessure, imprégnant son pantalon sombre. Aoseh était trop sidéré pour réagir.

– Tu connais mon nom, mais pas mon don, dit doucement Vas. Je ne ressens pas la douleur.

Il saisit le bras d'Aoseh et planta le couteau dans sa partie la plus charnue en lui labourant la chair, lui arrachant un grognement comme Akos n'en avait jamais entendu. Du sang gicla par terre. Eijeh se débattit en hurlant. Cisi n'émit pas un son, mais l'horreur se lisait sur son visage.

Le spectacle était plus qu'Akos n'en pouvait supporter. Il le fit bondir sur ses pieds malgré sa pommette en feu, malgré le fait que tout mouvement, toute action était inutile.

– Eijeh, murmura-t-il tout bas. Sauve-toi.

Puis il se rua sur Vas, avec l'idée d'enfoncer ses doigts dans la blessure, profondément, de lui fouiller les côtes jusqu'à lui arracher les os et le cœur.

Les bruits de lutte, les cris, les sanglots, toutes les voix se mélangeaient dans la tête d'Akos dans une cacophonie cauchemardesque. Il frappa la cuirasse qui protégeait les flancs de Vas, en pure perte, et ne réussit qu'à se faire mal. Le soldat balafré le jeta à terre comme un sac de farine et lui écrasa le visage sous sa botte.

– Papa ! hurlait Eijeh. Papa !

Akos ne pouvait pas bouger la tête, mais en levant les yeux, il vit son père allongé par terre, à mi-chemin du mur et de la porte, le coude plié selon un angle anormal. Le sang formait une auréole autour de sa tête. Cisi s'agenouilla à côté de lui. Ses mains tremblantes planaient au-dessus de la gorge entaillée de son père.

Vas se dressait au-dessus d'elle, son couteau ensanglanté à la main.

Akos s'affaissa.

– Relève-le, Suzao, ordonna Vas.

Suzao – celui qui écrasait la figure d'Akos sous sa botte – ôta son pied et obligea Akos à se mettre debout. Celui-ci n'arrivait pas à détacher les yeux du corps de son père, de sa peau fendue comme la table basse du salon, de la mare de sang qui l'entourait – *comment peut-on avoir autant de sang ?* –, à la teinte profonde, brune mêlée de rouge et d'orange.

Vas brandissait toujours la lame, d'où le sang coulait sur sa main.

– La voie est libre, Kalmev ? lança-t-il au grand Shotet maigre.

Ce dernier répondit d'un grognement affirmatif. Il avait saisi Eijeh pour lui passer des bracelets métalliques autour des poignets. Si le garçon avait commencé par résister, il avait renoncé, fixant d'un regard éteint le corps de son père affalé par terre dans le salon.

– Merci de m'avoir indiqué lequel d'entre vous est celui que nous cherchions, dit Vas à Akos. Compte tenu de vos destins respectifs, vous allez nous suivre tous les deux.

Suzao et lui s'avancèrent pour encadrer Akos qu'ils poussèrent en avant. Le garçon s'échappa pour tomber à genoux auprès de son père et lui caressa la joue. Sa peau était tiède et moite. Il gardait les yeux ouverts, mais la vie s'en échappait un peu plus à chaque seconde, comme de l'eau se déversant d'un bassin. Son regard se posa sur Eijeh, que les soldats shotet étaient en train de pousser au-dehors.

– Je le ramènerai, dit Akos en tournant doucement la tête de son père vers lui pour croiser son regard. Je te le promets.

Akos n'était plus là quand la vie quitta son père. Il était au milieu de l'herbe-plume, aux mains de ses ennemis.

▲
▲

2

▲

▲

:3
CYRA

Je n'avais que cinq saisons lorsque je partis pour mon premier séjour.

En franchissant le seuil du manoir des Noavek, je m'attendais à déboucher en plein soleil. Au lieu de quoi je marchai dans l'ombre du vaisseau de séjour qui couvrait toute la ville de Voa – la capitale de Shotet – comme un gigantesque et long nuage. Son nez s'achevait par une pointe arrondie surmontée de panneaux de verre incassable. Son ventre blindé de métal était cabossé par plus de dix ans de voyages dans l'espace, avec ici et là des nouvelles plaques toutes lisses. Nous serions bientôt à l'intérieur, comme des aliments avalés par une créature géante. Près des propulseurs arrière se trouvait le terminal par lequel nous allions monter à bord.

La plupart des enfants shotet n'avaient le droit de faire leur premier séjour – notre plus important rituel – qu'à l'âge de sept saisons. Mais en tant que fille du souverain Lazmet Noavek, on me prépara à mon premier voyage à travers la galaxie deux saisons plus tôt. Nous allions suivre le ruban-flux tout autour d'elle jusqu'à ce qu'il vire au bleu le plus sombre, et là, descendre sur la surface d'une planète pour le ramassage, accomplissant ainsi la deuxième partie du rituel.

C'était la tradition pour le souverain ou la souveraine et sa famille de monter à bord les premiers. Du moins depuis que ma grand-mère, première souveraine de la lignée des Noavek, en avait décidé ainsi.

– Mes cheveux me grattent, dis-je à ma mère en tapotant mes tresses. Qu'est-ce qui n'allait pas avec ma coiffure ?

Il n'y en avait que quelques-unes, bien serrées, nouées ensemble en arrière et rassemblées d'un seul côté de ma tête pour bien dégager ma figure.

Ma mère me sourit. Elle portait une robe faite d'herbe-plume, dont les tiges dépassaient haut au-dessus du corsage pour encadrer son visage. Otega – ma préceptrice, entre autres fonctions – m'avait appris que les Shotet avaient planté un océan d'herbe-plume entre nous et nos ennemis les Thuvhésit, pour les empêcher de nous envahir. Ma mère, par sa tenue, rappelait à tous l'intelligence de cet acte. Tout ce que faisait ma mère était pensé pour évoquer notre histoire.

– Aujourd'hui, me répondit-elle, la plupart des Shotet poseront les yeux sur toi pour la première fois, sans parler du reste de la galaxie. La dernière chose que nous souhaitons est que leur attention se fixe sur tes cheveux. En te coiffant ainsi, nous les rendons invisibles. Tu comprends ?

Non, je ne comprenais pas, mais je n'insistai pas. Je regardais les cheveux de ma mère. Ils étaient bruns, comme les miens, mais d'une texture différente – les miens étaient si épais qu'on s'y emmêlait les doigts, tandis que les siens étaient si fins qu'ils en étaient presque insaisissables.

– Le reste de la galaxie ?

Techniquement, je savais qu'elle était infiniment vaste, qu'elle comptait neuf planètes importantes et d'innombrables planètes mineures, ainsi que des stations spatiales nichées sur des lunes brisées, et des vaisseaux en orbite si grands qu'ils étaient comme des planètes-nations à part entière.

Mais, à mes yeux, les planètes étaient ni plus, ni moins grandes que la maison dans laquelle j'avais grandi.

– Ton père a accepté que les images filmées de la Procession soient diffusées sur le fil d'informations, qui est accessible à toutes les planètes de l'Assemblée, me précisa ma mère. Tous ceux qui sont curieux de nos rituels pourront les regarder.

Même à mon jeune âge, je ne m'imaginais pas que les autres planètes étaient semblables à la nôtre. Je savais que nous étions les seuls à poursuivre le flux à travers la galaxie, que nous nous distinguions par notre détachement à l'égard des lieux et des biens matériels. Il allait de soi que les autres planètes étaient curieuses de nous. Sans doute même nous enviaient-elles.

Les Shotet accomplissaient le séjour une fois par saison depuis la naissance de notre peuple. Otega m'avait expliqué qu'il s'agissait d'un hommage à la tradition, alors que le ramassage honorait le renouveau, et qu'ainsi, le rituel célébrait à la fois le passé et le futur. Mais j'avais entendu mon père dire avec amertume que nous survivions « grâce aux déchets des autres planètes ». Il avait l'art de dépouiller les choses de leur beauté.

Mon père nous devançait. Il franchit le premier le grand portail qui séparait le manoir des Noavek des rues de Voa, la main levée dans un geste de salutation. Des acclamations s'élevèrent de la foule rassemblée autour de chez nous, une foule si compacte que je ne voyais pas la lumière entre les épaules de ceux qui se tenaient devant nous, et que je ne m'entendais plus penser au milieu du vacarme. Ici, au centre de Voa, non loin de l'amphithéâtre où se tenaient les duels, les rues étaient propres, les pavés, intacts. Les constructions de ce quartier étaient un mélange de neuf et d'ancien, où de simples murs en pierre et de hautes portes étroites se mêlaient à des parois de verre et de métal finement ouvragé. Ce mélange hétérogène m'était aussi naturel que mon propre visage. Nous savions préserver la beauté de l'ancien à côté de celle du neuf, sans rien sacrifier de l'une ni de l'autre.

Ce fut ma mère, et non mon père, qui fit monter les acclamations les plus enthousiastes. Elle tendit les mains pour que ses sujets puissent la toucher, effleurant leurs doigts en souriant. Je l'observai, désorientée, tandis que les yeux s'embuaient de larmes à sa simple vue et que des voix chantantes fredonnaient son nom. *Ylira, Ylira, Ylira*. Elle tira une tige d'herbe-plume du bas de sa jupe et la glissa derrière l'oreille d'une petite fille. *Ylira, Ylira, Ylira*.

Je m'élançai pour rattraper Ryzek, mon frère, qui avait dix saisons de plus que moi. Il portait une fausse cuirasse – il n'avait pas encore acquis celle qu'on taille dans la peau du Carapaçonné, et qui était un symbole de courage pour notre peuple. Il paraissait plus fort ainsi, et je voyais bien que c'était délibéré. Mon frère était grand mais maigre comme un clou.

– Pourquoi crient-ils son nom ? lui demandai-je en m'efforçant de suivre son rythme.

– Parce qu'ils l'aiment. Autant que nous l'aimons.

– Mais ils ne la connaissent même pas.

– C'est vrai, admit-il. Mais ils croient la connaître, et parfois, c'est suffisant.

Les doigts de ma mère étaient bleus à force de toucher toutes ces mains peintes. Je me dis que je n'aurais pas aimé toucher tant de gens à la fois.

Nous étions escortés par des soldats en cuirasse qui nous frayaient un passage au milieu de la foule. Mais au fond, je ne crois pas que c'était nécessaire – elle s'écartait devant mon père comme s'il l'avait tranchée avec un couteau. Même s'ils ne criaient pas son nom, ils courbaient la tête devant lui en détournant les yeux. Je vis pour la première fois combien la frontière est ténue entre amour et crainte, entre adoration et déférence. La frontière qui séparait mes parents.

– Cyra, m'appela mon père.

Je me raidis, allant presque jusqu'à m'arrêter tandis qu'il se tournait vers moi. Il me tendit la main, et je me forçais à la prendre. Mon père était le genre d'homme à qui on obéit.

Il me fit sauter dans ses bras d'un geste vif, m'arrachant un rire de surprise. Puis il me porta d'un seul bras, comme si je ne pesais rien. Son visage, tout proche du mien, sentait l'herbe et le brûlé, ses joues piquaient, hérissées de poils de barbe. Mon père, Lazmet Noavek, souverain de Shotet. Ma mère l'appelait Laz lorsqu'elle croyait que personne ne pouvait l'entendre, et lui récitait de la poésie shotet.

– J'ai pensé que tu aurais envie de voir ton peuple, me dit mon père en me faisant sauter légèrement pour me caler au creux de son coude.

Il laissa retomber son bras gauche, rayé de l'épaule jusqu'au poignet par des cicatrices qu'une teinture sombre faisait ressortir encore davantage. Il m'avait expliqué un jour qu'il s'agissait d'un « compte de vies », mais je ne comprenais pas ce que cela signifiait. Ma mère en avait quelques-unes, mais deux fois moins que lui.

– Ces gens attendent un témoignage de notre force. Ta mère, ton frère et moi, nous allons leur donner ce qu'ils désirent. Et un jour, tu le feras à ton tour. N'est-ce pas ?

– Oui, murmurai-je, sans savoir le moins du monde comment je ferais cela.

– Bien. Maintenant, salue-les.

Imitant son geste, je tendis une main légèrement tremblante, et restai un peu stupéfaite de voir la foule me répondre.

– Ryzek, appela mon père.

– Allez, viens, petite Noavek, me dit mon frère.

Mon père n'eut pas besoin de lui demander de me porter ; son intention se lisait dans sa posture, aussi clairement que dans la façon dont il modifia son équilibre. Je passai les bras autour du cou de mon frère et grimpai sur son dos en calant mes jambes sur les courroies de sa cuirasse.

Du haut de mon perchoir, je vis un sourire creuser une fossette sur sa joue boutonneuse.

– Prête pour la course ? me demanda-t-il en haussant la voix pour se faire entendre par-dessus la rumeur de la foule.

– Quelle course ? demandai-je en serrant plus fort.

En guise de réponse, il plaqua mes genoux contre lui et, en riant, prit au petit trot le chemin que les soldats avaient dégagé pour nous. Les secousses me firent rire, puis la foule – notre peuple, mon peuple – m'imita et je n'eus plus devant moi qu'une forêt de sourires.

Je vis une main se tendre vers moi et je l'effleurai comme l'aurait fait ma mère. Mes doigts en sortirent moites de transpiration, mais je découvris que cela ne me gênait pas autant que je l'aurais cru. Mon cœur débordait d'émotions.

▲
▲

:4
CYRA

Les murs du manoir des Noavek dissimulaient des passages qui permettaient aux domestiques de se déplacer sans nous importuner. Je les empruntais souvent, apprenant peu à peu à déchiffrer les codes grâce auxquels ils se repéraient, gravés à l'angle des murs et sur les linteaux des portes. Otega me grondait parfois en me voyant arriver à ses leçons couverte de poussière et de toiles d'araignées. Mais, en règle générale, personne ne se souciait de la manière dont j'occupais mon temps libre tant que je ne dérangeais pas mon père.

Alors que je venais d'avoir sept saisons, mes vagabondages me menèrent un jour derrière les murs de son bureau. J'y avais été attirée par une sorte de cliquetis, mais pilai net et me recroquevillai en entendant les éclats de voix de mon père. Je songeai un moment à repartir en courant par où j'étais venue pour regagner la tranquillité de ma chambre. Rien de bon ne résultait des colères de mon père, jamais. Ma mère elle-même, qui était pourtant la seule personne à pouvoir le calmer, n'avait aucune emprise sur lui dans ces moments-là.

– Dis-le-moi ! criait-il. Dis-moi *exactement* ce que tu lui as raconté.

Je collai l'oreille au mur pour mieux entendre.

– J'ai… J'ai pensé…

La voix de Ryzek chevrotait comme s'il était au bord des larmes. Ce n'était pas non plus une bonne chose. Mon père ne supportait pas les larmes.

– J'ai pensé que, comme il était en formation pour devenir mon intendant, je pouvais me fier à lui.

– Répète-moi ce que tu lui as dit !

– Je lui ai dit… Je lui ai dit que mon destin, tel que l'avaient annoncé les oracles, était d'être renversé par la famille Benesit. Et qu'il s'agissait de l'une des deux familles thuvhésit élues du destin. Rien d'autre.

Je me détachai du mur et une toile d'araignée se prit dans mon oreille. C'était la première fois que j'entendais formuler le destin de Ryzek. Je savais que mes parents le lui avaient appris, selon l'usage habituel pour les enfants élus, à l'apparition de son don-flux. Je découvrirais le mien dans quelques saisons. Mais connaître le destin de mon frère, savoir qu'il était voué à être *renversé* par la famille Benesit, qui se cachait depuis tant de saisons, dont nous ignorions le nom d'emprunt et la planète de résidence, était un atout précieux. Ou un fardeau.

– Pauvre imbécile, cracha mon père avec mépris. « Rien d'autre » ? Tu crois pouvoir t'offrir le luxe de la confiance avec le destin de lâche qui est le tien ? Tu dois le taire ! Ou tu périras frappé par ta propre faiblesse !

Ryzek s'éclaircit la gorge.

– Je suis désolé. Je m'en souviendrai. Je ne le referai plus jamais.

– Sur ce point, tu as raison, répliqua mon père d'une voix grave et posée, plus inquiétante encore que ses cris. Nous allons simplement devoir travailler plus dur pour trouver une porte de sortie. Parmi les centaines de futurs qui existent, nous découvrirons celui qui nous évitera de perdre notre temps avec toi. Entre-temps, tu t'efforceras de te montrer aussi fort que possible, même devant tes plus proches collaborateurs. Est-ce clair ?

– Oui, père.

– Bien.

Je restai accroupie dans le passage, à écouter leurs voix étouffées, jusqu'à ce que la poussière du tunnel me donne envie d'éternuer. Je m'interrogeai sur mon destin, me demandant s'il m'élèverait vers le pouvoir ou s'il me desservirait. Mais cela m'effrayait, tout à coup. Le seul désir de mon père était la conquête de Thuvhé, et Ryzek était voué à échouer, voué à le décevoir.

Il était dangereux de provoquer la colère de mon père, surtout à propos d'une chose que l'on ne pouvait pas changer.

Je souffrais pour mon frère, en rebroussant chemin dans ce tunnel pour regagner ma chambre. Je souffrais, ignorant ce qui allait suivre.

▲
▲

5:

CYRA

UNE SAISON PLUS TARD, alors que j'en avais huit, mon frère déboula dans ma chambre, haletant et trempé par la pluie. J'étais en train de jouer avec des figurines sur le tapis. Elles me venaient du ramassage de la saison précédente sur Othyr, planète qui avait un faible pour les petits objets futiles. Ryzek les renversa en traversant la pièce. Je poussai un cri de protestation car il venait de détruire toute mon armée.

– Cyra… commença-t-il en s'accroupissant à côté de moi.

Il avait dix-huit saisons, les bras et les jambes trop longs et des boutons plein la figure, mais son air terrifié le faisait paraître beaucoup plus jeune. Je posai la main sur son épaule.

– Qu'est-ce qui se passe ?

– Père ne t'a jamais emmenée quelque part pour… te montrer quelque chose ?

– Non.

Lazmet Noavek ne m'emmenait jamais nulle part ; c'était à peine s'il me regardait quand nous nous trouvions dans la même pièce. Cela ne me gênait pas. Déjà, à cet âge, j'avais compris qu'il ne faisait pas bon être l'objet de son attention.

– Non, jamais.

– Tu trouves ça juste, toi ? me demanda-t-il d'un ton pressant.

Nous sommes ses enfants tous les deux, il devrait nous traiter de la même façon. Tu ne crois pas ?

– Euh… oui, sans doute. Ryz, qu'est-ce qui… ?

Il se contenta de poser sa main sur ma joue.

Aussitôt ma chambre disparut, avec ses lambris et ses rideaux d'un bleu profond.

« Aujourd'hui, Ryzek, dit la voix de mon père, c'est toi qui vas donner l'ordre. »

J'étais dans une petite pièce sombre aux murs en pierre, en face d'une immense fenêtre. Mon père se tenait à ma gauche, mais semblait plus petit qu'à l'ordinaire ; moi qui ne lui arrivais qu'à la taille, tout à coup, mon regard était au niveau du sien. Mes doigts étaient longs et maigres.

« Tu veux… demandai-je en respirant par à-coups. Tu veux que je… »

« Ressaisis-toi », gronda mon père en m'agrippant par le devant de ma cuirasse pour me tirer vers la fenêtre.

Derrière la vitre, il y avait un homme d'un certain âge, ridé et grisonnant. Il était décharné, les mains menottées, le regard vide. Sur un signe de tête de père, les deux gardiens qui l'entouraient s'approchèrent de lui. L'un d'eux l'immobilisa d'une main sur l'épaule et l'autre lui passa une corde autour du cou. Le captif n'éleva aucune protestation ; il semblait incapable de bouger, comme s'il avait du plomb dans les veines.

Je fus prise de frémissements incontrôlables.

« Cet homme est un traître, me déclara mon père. Il conspire contre notre famille. Il répand des mensonges sur nous, en faisant croire que nous détournons l'aide étrangère destinée aux affamés et aux malades de Shotet. Les gens qui calomnient notre famille ne doivent pas simplement mourir… ils doivent mourir lentement. Et tu dois être prêt à en donner l'ordre. Tu dois même être prêt à exécuter la sentence en personne, mais nous y viendrons plus tard. »

La peur se tordait comme un ver dans mes entrailles.

Mon père émit un raclement de gorge impatient et fourra quelque chose dans ma main : un flacon cacheté à la cire.

« Si tu n'arrives pas à te calmer, ceci t'y aidera. Mais d'une manière ou d'une autre, tu feras ce que je te dirai. »

D'un geste maladroit, je décachetai le flacon et en versai le contenu dans ma bouche. Le liquide me brûla la gorge, mais quelques secondes suffirent pour que les battements de mon cœur ralentissent et que ma panique s'émousse.

Je fis signe à mon père que j'étais prêt, et il pressa l'interrupteur de l'amplificateur qui nous reliait à la pièce voisine. Je mis quelques instants à trouver les mots dans le brouillard qui m'obscurcissait l'esprit.

« Exécutez-le », dis-je d'une voix qui n'était pas la mienne.

L'un des gardes recula et tira sur l'extrémité de la corde, qui passait dans un anneau métallique fixé au plafond. Il tira jusqu'à ce que les orteils du prisonnier se décollent légèrement du sol. Je regardai le visage de l'homme devenir écarlate, puis violet. Il se mit à fouetter l'air de ses membres. J'aurais voulu détourner les yeux, mais c'était impossible.

« Tout ce qui doit être fait ne doit pas nécessairement l'être en public, m'informa mon père d'un ton détaché. Les gardes iront raconter ici et là quel sort tu réserves à ceux qui nous calomnient, et ce sera répété à d'autres. Ainsi ta force et ton pouvoir seront connus dans tout Shotet. »

Un hurlement montait dans ma poitrine, et je le bloquai dans ma gorge, où il resta coincé comme un morceau d'aliment trop gros pour être avalé.

La petite pièce sombre disparut.

J'étais dans une rue grouillante de monde, le bras agrippé à la jambe de ma mère. Des nuages de poussière s'élevaient tout autour de nous. Dans la capitale de la planète-nation de Zold, appelée sans imagination Zoldia, que nous avions visitée lors de mon premier séjour, tout était nappé d'une fine couche de poussière grise. Cette poussière venait non de la terre ou de la roche, comme je l'avais supposé, mais des fleurs qui poussaient dans un grand champ à l'est de la ville, et qui se désintégraient sous les rafales d'un puissant vent saisonnier.

Je connaissais cet endroit, ce moment. C'était l'un de mes souvenirs préférés avec ma mère.

Frôlant mes cheveux d'un geste de la main, elle se pencha vers l'homme qui était venu à sa rencontre.

« Merci, Votre Grâce, d'accueillir le ramassage avec tant de courtoisie, lui dit-elle. Je m'efforcerai de veiller à ce que nous ne prenions que ce qui ne vous manquera pas. »

« Je vous en saurais gré. On a fait état de pillages de la part des soldats shotet lors du dernier ramassage. Dans des hôpitaux, qui plus est. »

« Cette conduite inacceptable a été sévèrement punie », lui assura fermement ma mère.

Elle se tourna vers moi.

« Cyra, ma chérie, je te présente le dirigeant de la capitale de Zold. Votre Grâce, je vous présente ma fille Cyra. »

« J'aime bien votre poussière, déclarai-je. Elle ne vous pique pas les yeux ? »

L'homme parut s'adoucir un peu en me répondant :

« Constamment. Lorsque nous ne recevons pas de visiteurs, nous portons des lunettes de protection. »

Il en sortit une paire de sa poche et me la tendit. Elles étaient grosses, avec des lentilles teintées en vert. Je les essayai, mais elles tombèrent aussitôt sur mon cou, et je fus obligée de les tenir d'une main. Cela fit rire ma mère – un rire léger, spontané, et l'homme se joignit à elle.

« Nous ferons de notre mieux pour honorer votre tradition, reprit-il à l'adresse de ma mère. Bien qu'il me faille avouer que nous ne la comprenons pas. »

« Eh bien, nous cherchons le renouveau par-dessus tout, expliqua-t-elle. Et nous trouvons ce qui peut être remis à neuf parmi ce qui a été jeté. Aucun objet digne du plus petit intérêt ne devrait jamais

se perdre. Je pense que nous pouvons nous entendre sur ce point. »

Puis ses paroles redéfilèrent à l'envers, les lunettes de protection remontèrent sur mes yeux, puis sur mon front et regagnèrent les mains de l'homme. C'était mon premier ramassage, et il se débobinait, se dévidait dans ma mémoire. Quand le souvenir eut fini de repasser à l'envers, il avait disparu.

J'étais de retour dans ma chambre, entourée de mes figurines, et je savais que j'avais vécu mon premier séjour, que nous avions rencontré le chef de Zoldia, mais je ne pouvais plus en faire surgir les images. À leur place, il y avait le prisonnier avec la corde autour du cou, et la voix sourde de mon père dans mon oreille.

Ryz avait échangé l'un de ses souvenirs contre l'un des miens.

Je l'avais déjà vu faire cela, une fois avec Vas, son ami et intendant, et une autre fois avec ma mère. Dans les deux cas, il venait de voir mon père et il avait l'air dévasté. Il avait posé la main sur son meilleur ami, ou sur ma mère. Et, peu après, il s'était redressé, ragaillardi, les yeux secs. Secs, mais... comme vides. Comme s'ils avaient perdu quelque chose.

– Cyra, me dit Ryzek, les joues maculées de larmes. C'est plus juste ainsi. C'est plus juste que nous partagions le poids de nos fardeaux.

Il posa de nouveau la main sur ma joue, et une vive brûlure jaillit du plus profond de moi. Soudain, une partie de mes veines devinrent sombres, comme remplies d'encre, et ces lignes s'étendirent sous ma peau comme une toile d'ombres, comme des araignées. Des araignées qui bougeaient, rampaient le long de mes bras, faisant monter le feu à mon visage. Et la douleur.

Je hurlai, plus fort que je n'avais jamais hurlé de toute ma vie, et la voix de mon frère se joignit à la mienne presque à l'unisson. Les araignées avaient provoqué la douleur. Le noir était douleur, et j'en étais remplie, j'étais la douleur même.

Il retira vivement sa main, mais les ombres et le martyre demeurèrent. Mon don-flux s'était déclaré, trop tôt.

Ma mère accourut dans ma chambre. Elle sortait de la salle de bains, la chemise à moitié boutonnée, le visage encore mouillé. Voyant les taches sombres sur ma peau, elle se précipita vers moi et posa les mains sur mes bras quelques secondes, avant de les retirer brusquement avec une grimace. Elle aussi avait senti la douleur. Je me remis à hurler en griffant le réseau d'ombre noires.

Elle dut me droguer pour me calmer.

Peu enclin à supporter la douleur, Ryz ne posa plus jamais la main sur moi à moins d'y être obligé. Ni lui, ni personne d'autre.

▲
▲

6 : CYRA

– Où va-t-on ?

Je courais derrière ma mère dans les couloirs, dont le parquet ciré reflétait mon image zébrée de noir. Elle marchait devant moi en tenant ses jupes, droite comme un I. Elle était toujours élégante, ma mère. Elle portait des robes au corsage incrusté de plaques de Carapaçonné, drapées d'un voile léger comme un nuage. Elle savait tracer une ligne parfaite le long de ses paupières pour allonger ses cils. J'avais déjà essayé d'en faire autant, mais je n'avais pas réussi à garder la main stable assez longtemps pour dessiner la ligne jusqu'au bout. D'autant que la douleur m'obligeait à m'arrêter toutes les deux secondes pour reprendre mon souffle. Je privilégiais désormais la simplicité à l'élégance, les vêtements amples et les chaussures sans lacets, les pantalons sans boutons et les pulls à manches longues. Je n'avais pas neuf saisons, et j'avais déjà renoncé aux frivolités.

La douleur faisait désormais partie de ma vie. Les tâches les plus simples me demandaient deux fois plus de temps qu'aux autres parce que je devais m'interrompre pour respirer. Comme personne ne pouvait me toucher, je devais tout faire par moi-même. J'essayais des médicaments et des potions à faible dosage en provenance d'autres planètes dans l'espoir vain qu'ils étouffent mon don, mais ils me rendaient toujours malade.

– Chut, me répondit ma mère en posant un doigt sur ses lèvres.

Elle ouvrit la porte et nous débouchâmes sur la plateforme d'atterrissage aménagée sur le toit du manoir des Noavek. Une navette y stationnait, porte ouverte, tel un oiseau se reposant un instant sur son trajet. Après un rapide coup d'œil autour d'elle, ma mère me saisit par l'épaule – couverte, pour ne pas risquer de lui faire mal – et me poussa vers la navette.

Une fois à l'intérieur, elle me fit asseoir sur un siège et fixa ma ceinture de sécurité.

– Nous allons voir quelqu'un qui pourra peut-être t'aider.

LA PLAQUE VISSÉE sur la porte du spécialiste indiquait « Dr Dax Fadlan », mais il me demanda de l'appeler Dax. Je m'en tins à « docteur Fadlan ». Mes parents m'avaient élevée dans le respect des gens qui avaient du pouvoir sur moi.

Ma mère était grande, avec un long cou recourbé qui lui donnait toujours l'air d'incliner la tête. Dans l'immédiat, les tendons de son cou étaient apparents et je voyais battre son pouls, juste sous la surface.

Les yeux du Dr Fadlan ne cessaient de se poser sur le bras de ma mère. Ses malemarques étaient découvertes. Elles étaient harmonieuses, bien droites et tracées à intervalles réguliers, sans rien de brutal. Je supposai qu'un Othyrien ne devait pas recevoir beaucoup de Shotet dans son cabinet.

C'était un endroit étrange. À mon arrivée, on m'installa dans une pièce contenant des jouets qui m'étaient inconnus, et je me rabattis sur des petites figurines comme celles avec lesquelles je jouais encore avec Ryzek à la maison. Je les alignai en ordre de bataille et les fis marcher sur un animal géant en peluche qui se trouvait dans un coin. Au bout d'environ une heure, le Dr Fadlan me demanda de sortir, disant qu'il avait achevé son évaluation. Sauf que je n'avais encore rien fait.

– Huit saisons, c'est un peu jeune, bien sûr, mais j'ai déjà vu un don apparaître chez des enfants plus petits que Cyra, assura le docteur à ma mère.

La douleur m'assaillit, et j'essayai de continuer à respirer normalement, comme on le recommandait aux soldats shotet lorsqu'ils devaient se faire recoudre sans anesthésiant. J'avais vu des enregistrements de ces scènes.

– Généralement, c'est un mécanisme de défense qui se produit dans des circonstances extrêmes, poursuivit-il. Avez-vous une idée de ce qui a pu se passer ? Cela nous expliquerait peut-être ce qui a pu faire surgir ce don en particulier.

– Je vous l'ai dit, je n'en sais rien, répondit ma mère.

Elle mentait. Je lui avais raconté ce qu'avait fait Ryzek. Mais je me gardai bien de la contredire ; elle ne mentait jamais sans avoir de bonnes raisons.

– Écoutez, reprit le docteur, je suis désolé, mais il ne s'agit pas d'un simple symptôme du don de Cyra. Nous avons affaire à sa manifestation définitive. Et ce que cela implique est assez inquiétant.

Je ne l'aurais pas cru possible, mais ma mère se redressa encore davantage.

– Que voulez-vous dire ?

– Le flux circule en chacun d'entre nous, expliqua-t-il doucement. Et, comme un liquide qui se coule dans un moule, il prend une forme et une manifestation uniques à chacun. À mesure qu'une personne se développe, les changements qu'elle subit peuvent modifier ce moule et, du même coup, modifier le don. Mais il est rare que l'on change de manière fondamentale.

Les profonds sillons qui encadraient les yeux et la bouche du médecin se creusèrent encore davantage lorsqu'il me regarda. Son bras ne portait pas de marques et il ne parlait pas la langue de la révélation. Mais sa peau était du même ton que celle de ma mère, suggérant une ascendance commune. Cela n'avait rien d'étonnant, beaucoup de Shotet étant de sang mêlé. Mon teint à moi était brun, presque doré sous certaines lumières.

– Le fait que le don de votre fille lui fasse accueillir la douleur et la projeter sur les autres est une indication sur ce qui se passe en elle. Il faudrait mener des examens plus poussés pour déterminer précisément quoi. Mais une première évaluation rapide montre qu'à un niveau ou à un autre, elle a le sentiment de mériter cette douleur. Et que les autres la méritent également.

– Vous dites que ma fille est responsable de ce don ? Qu'elle souhaite être ainsi ?

Son pouls, que je voyais battre dans son cou, s'était accéléré.

Le Dr Fadlan se pencha vers moi et me regarda en face.

– Cyra, ce don vient de toi. Si tu changes, il changera aussi.

– Ce n'est qu'une enfant, dit ma mère en se levant. Elle n'est pas responsable, et ce n'est pas ce qu'elle souhaite pour elle-même. Je regrette que nous ayons perdu notre temps. Cyra…

Elle me tendit sa main gantée, et je la pris, mal à l'aise. Je n'avais pas l'habitude de la voir si agitée. Les ombres se déplacèrent plus vite sous ma peau.

– Comme vous le voyez, signala le docteur, cela empire lorsqu'elle est perturbée.

– Silence ! riposta ma mère. Je ne vous laisserai pas lui empoisonner l'esprit davantage que vous ne l'avez déjà fait.

– Avec une famille telle que la vôtre, je crains qu'elle n'en ait déjà trop vu pour que son esprit soit sauvé, répliqua-t-il alors que nous franchissions la porte.

Ma mère m'entraîna d'un pas brusque dans les couloirs jusqu'à l'aire de chargement. Le temps que nous atteignions la plateforme d'atterrissage, notre vaisseau était cerné par des soldats othyriens. Leurs armes me semblèrent légères : de longues perches fines sur lesquelles courait le flux, conçues pour paralyser plus que pour tuer. Leurs armures aussi étaient dérisoires, faites d'un rembourrage synthétique qui laissait leurs flancs exposés.

Ma mère m'ordonna de monter dans le vaisseau et s'arrêta pour parler avec l'un d'eux. Je traînai en chemin pour entendre ce qu'ils se disaient.

– Nous sommes là pour vous escorter jusqu'à votre départ, déclara le soldat.

– Je suis l'épouse du souverain de Shotet, se crispa ma mère. Vous devez m'appeler Votre Altesse.

– Mes excuses, madame, mais l'Assemblée ne reconnaît pas de nation shotet, et, de ce fait, pas de souverain. Si vous quittez la planète sur-le-champ, nous ne vous causerons pas d'ennuis.

– Pas de nation shotet, répéta ma mère avec un petit rire. Un jour viendra où vous regretterez ces paroles.

Elle souleva ses jupes et monta d'un pas raide dans le vaisseau. Je me dépêchai d'aller m'asseoir et elle s'installa à côté de moi. La porte se referma sur nous, et le pilote donna le signal du décollage. Cette fois, j'attachai ma ceinture toute seule, parce que les mains de ma mère tremblaient trop pour qu'elle le fasse pour moi.

BIEN SÛR, je l'ignorais alors, mais ce fut la dernière saison que je passai avec elle. Elle décéda au cours de notre séjour suivant, alors que j'avais neuf saisons.

Nous allumâmes un bûcher au milieu de la ville de Voa, ses cendres furent emportées dans l'espace par le vaisseau de séjour, et tous les Shotet la pleurèrent avec nous.

– Ylira Noavek séjournera pour toujours dans le sillage du flux, dit le prêtre tandis que les cendres s'éloignaient derrière nous. Il l'emportera sur un chemin radieux.

Pendant longtemps, je fus incapable de prononcer son nom. C'était quand même ma faute si elle était morte.

▲
▲

:7
CYRA

La première fois que je vis les frères Kereseth, c'était depuis le passage qui longeait la Salle d'armes. Plusieurs saisons avaient passé, et j'approchais à grands pas de l'âge adulte.

Mon père avait rejoint ma mère dans l'au-delà quelques saisons auparavant, tué dans une attaque lors d'un séjour. Mon frère suivait désormais le chemin que Lazmet Noavek lui avait tracé dans le but de légitimer notre nation, et peut-être même d'assurer aux Shotet la domination sur la planète.

Otega, la gouvernante, avait été la première personne à me parler des Kereseth. Elle avait entendu les domestiques bavarder à leur sujet et elle ne manquait jamais de me répéter ce qu'on racontait à voix basse dans les cuisines.

– Ils ont été capturés par Vas, m'avait-elle confié tout en relisant ma dissertation pour y traquer les fautes.

Elle m'enseignait toujours les sciences et la littérature, mais je l'avais dépassée dans les autres matières, que j'étudiais désormais seule tandis qu'elle avait repris ses responsabilités domestiques.

– Je croyais que Ryzek avait envoyé Vas capturer l'oracle, avais-je observé. La doyenne.

– En effet. Mais elle s'est ôté la vie plutôt que de se rendre. Quoi qu'il en soit, d'après les rumeurs, ils ont franchi la Traverse traînés par Vas, en se débattant tant et plus. Le plus jeune, Akos, a même réussi à détacher ses liens, à s'emparer d'une lame et à tuer un soldat.

– Lequel ? avais-je demandé.

Je connaissais les hommes qui voyageaient avec Vas. Je savais que l'un avait un faible pour les sucreries, qu'un autre souffrait de douleurs à l'épaule gauche, et qu'un troisième avait dressé un oiseau à attraper les friandises qu'il lui tendait entre ses lèvres. Ces choses-là étaient toujours bonnes à savoir. À tout hasard.

– Kalmev Radix.

L'amateur de sucreries, donc.

Je haussai les sourcils. Kalmev Radix, l'un des soldats les plus dévoués de la garde rapprochée de mon frère, tué par un petit Thuvhésit ? Ce n'était pas une mort honorable.

– Mais pourquoi les ont-ils enlevés ? avais-je encore demandé.

– À cause de leurs destins, m'avait répondu Otega d'un air plein de mystère. C'est du moins ce qu'on raconte. Ces destins étant, de toute évidence, inconnus de tous ici à part de Ryzek, cela fait d'autant plus jaser dans les cuisines.

Bien qu'ils aient été diffusés quelques jours plus tôt sur le fil d'informations de l'Assemblée, j'ignorais en effet les destins des frères Kereseth. Je n'en connaissais d'ailleurs aucun hormis le mien et celui de Ryzek. Mon frère s'était hâté d'interrompre la transmission dès que le chef de l'Assemblée était apparu à l'écran. Même si celui-ci s'apprêtait à faire son annonce en othyrien et que les Shotet ne parlaient plus les langues étrangères, dont mon père avait interdit l'apprentissage depuis plus de dix saisons, mon frère n'allait pas risquer que la nouvelle de son propre destin s'ébruite.

Mon père m'avait révélé le mien, sans trop de ménagements, après que mon don-flux s'était manifesté : *Le deuxième enfant de la famille Noavek franchira la Traverse.*

Étrange destin pour la fille d'une famille élue, ne serait-ce que parce qu'il n'avait aucun éclat.

Je ne traînais plus si souvent dans les couloirs des domestiques – il se passait dans cette maison des choses que je préférais ignorer –, mais pour entrevoir les frères Kereseth... là, une exception s'imposait.

Tout ce que je savais sur les Thuvhésit – outre le fait qu'ils étaient nos ennemis – était qu'ils avaient la peau fine et délicate, facile à percer d'une lame, et qu'ils faisaient une consommation immodérée de fleurs-des-glaces, leur première richesse. Sur l'insistance de ma mère, j'avais appris leur langue – bien sûr, l'élite shotet n'était pas soumise à l'interdiction frappant l'apprentissage des langues étrangères. Habituées aux sons rudes et gutturaux du shotet, mes lèvres ne pouvaient s'empêcher de malmener les variations fluides et feutrées du thuvhésit.

Sachant que Ryzek ferait venir les Kereseth dans la Salle d'armes, je fis coulisser légèrement le panneau de bois qui permettait aux domestiques d'y entrer, juste assez pour voir par l'interstice, et je m'accroupis. Presque aussitôt, j'entendis des pas.

À l'image de toutes les pièces du manoir des Noavek, les murs étaient lambrissés du même bois sombre que le parquet, parfaitement ciré et si brillant qu'il semblait recouvert d'une couche de glace.

Du plafond perdu dans les hauteurs pendait un lustre en métal finement ouvragé. Les minuscules insectes fenzu qui voletaient à l'intérieur des globes de verre jetaient dans la pièce une lumière sinistre et mouvante. L'espace était presque vide, et les coussins beiges, posés sur des assises en bois au ras du sol pour plus de confort, viraient au gris à cause de la poussière. Autrefois, mes parents organisaient des fêtes dans la Salle d'armes, mais Ryzek n'y recevait plus que ceux qu'il cherchait à intimider.

Le premier que je vis fut Vas, l'intendant de mon frère. Ses cheveux, qu'il portait longs sur un seul côté du crâne, étaient ternes et gras, tandis que l'autre moitié de son cuir chevelu était rougi par le passage du rasoir. À côté de lui, un garçon couvert d'ecchymoses s'avançait d'un pas traînant. Beaucoup plus petit que moi, il était svelte et étroit d'épaules. Il avait le teint pâle et tout son corps paraissait tendu, sur le qui-vive, comme s'il essayait de se préparer à ce qui l'attendait.

Un deuxième garçon, aux épais cheveux bouclés, les suivait en trébuchant et en réprimant des sanglots. Bien qu'il fût le plus grand et le plus costaud des deux, sa posture recroquevillée aurait pu le faire passer pour le plus jeune.

Voilà donc à quoi ressemblaient les frères Kereseth, les enfants que le destin avait élus. Ils n'avaient rien d'impressionnant.

Mon frère à moi les attendait à l'autre bout de la salle, son long corps étendu nonchalamment sur les marches de l'estrade. Son torse était recouvert d'une cuirasse mais ses bras restaient nus, le gauche arborant une rangée de malemarques qui remontaient jusqu'au coude. Toutes les morts dont elles témoignaient avaient été ordonnées par mon père, pour contredire les rumeurs susceptibles de courir sur la faiblesse de mon frère parmi les classes inférieures. Ryzek tenait dans sa main une petite lame-flux qu'il s'amusait à faire sauter dans sa paume en la rattrapant par le manche. Il était si pâle dans la lumière bleutée qu'on eût presque dit un cadavre.

Il sourit en découvrant les dents à l'apparition de ses prisonniers thuvhésit. Il pouvait être beau, mon frère, lorsqu'il souriait, même quand ce sourire annonçait qu'il s'apprêtait à vous tuer.

Il s'appuya sur un coude, la tête penchée sur le côté.

– Eh bien, eh bien ! fit-il d'une voix grave et éraillée, comme s'il avait passé la nuit à crier.

Il désigna du menton le garçon au corps meurtri et poursuivit en thuvhésit, qu'il parlait avec une certaine brusquerie :

– Voici donc celui sur qui j'ai entendu tant d'histoires, le Thuvhésit qui a gagné une marque avant même d'être monté sur un vaisseau shotet ?

Il acheva sa phrase par un éclat de rire.

Je plissai les yeux pour mieux voir le bras gauche du garçon. Il portait une profonde entaille dans la partie charnue située juste sous le pli du coude, et une traînée de sang séché courait jusqu'à son poignet avant de disparaître entre ses doigts. Une male-marque. Inachevée. Toute fraîche. Affectée, à en croire la rumeur, à Kalmev Radix. Celui-ci était donc Akos, et l'autre, Eijeh.

– Akos Kereseth, troisième enfant de la famille Kereseth, reprit Ryzek.

Il se leva, fit tournoyer encore une fois sa lame et descendit les marches. Même Vas semblait petit à côté de lui. La disproportion entre sa haute taille et l'étroitesse de son bassin et de ses épaules donnait l'impression que son corps avait été étiré en longueur.

J'étais grande aussi, mais la ressemblance s'arrêtait là. Compte tenu des nombreux métissages, les disparités physiques n'étaient pas rares au sein des fratries shotet, mais elles étaient particulièrement marquées entre nous.

Le garçon, Akos, leva les yeux sur Ryzek. La première fois que j'avais rencontré le prénom Akos, c'était dans un livre d'histoire shotet. C'était celui d'un chef religieux, un prêtre qui avait préféré mettre fin à ses jours plutôt que de profaner le flux en portant une lame-flux.

Ainsi ce jeune Thuvhésit portait un nom shotet. Ses parents en ignoraient-ils l'origine en le choisissant ? Ou avaient-ils voulu honorer la mémoire de lointains ancêtres oubliés ?

– Pourquoi sommes-nous ici ? demanda Akos d'une voix rauque, en shotet.

Le sourire de Ryzek s'élargit.

– Je vois que les rumeurs sont vraies : tu parles la langue de la révélation. Très intéressant. Je me demande d'où te vient ce sang shotet.

Il appuya sur la meurtrissure qui bleuissait le coin de l'œil d'Akos, lui arrachant une grimace de douleur.

– Je vois aussi que tu as été châtié pour ton exploit. Tu as sûrement des côtes fêlées.

Tout en disant cela, Ryzek s'était raidi. Seul quelqu'un qui le connaissait depuis aussi longtemps que moi pouvait s'en apercevoir. Il ne supportait pas la souffrance physique ; non par empathie, mais parce qu'il n'aimait pas se voir rappeler l'existence de la douleur et le fait qu'il y était tout aussi sensible qu'un autre.

– Tout juste si on n'a pas dû le porter jusqu'ici, intervint Vas. Et on a vraiment dû le faire pour qu'il monte dans le vaisseau.

– En principe, personne ne survit à une provocation aussi grave que le meurtre de l'un de mes soldats, précisa Ryzek à Akos, du ton qu'on emploierait pour parler à un enfant. Mais ton destin est de mourir au service de la famille Noavek, à *mon* service. Tu comprendras que je préfère que tu te rendes utile au moins pendant quelques saisons.

Depuis que je l'observais, Akos était tendu comme un arc. Mais à ces mots, on eût dit que toute sa détermination fondait tout à coup, le rendant soudain totalement vulnérable. Ses doigts se replièrent mollement, sans se crisper, comme ceux de quelqu'un qui s'endort.

J'en déduisis que son destin lui avait été inconnu jusque-là.

– C'est faux, souffla-t-il, comme s'il attendait que Ryzek le rassure.

Je me pressai le ventre pour calmer l'élancement qui m'assaillait.

– Oh, je puis te certifier que non, répliqua mon frère. Veux-tu que je te lise la transcription de l'annonce ?

Il sortit un morceau de papier de sa manche – le véritable but de sa petite mise en scène était visiblement de provoquer un choc émotionnel – et le déplia. Akos tremblait.

– *Le troisième enfant de la famille Kereseth,* lut Ryzek en othyrien, la langue la plus parlée de la galaxie, *mourra au service de la famille Noavek.*

Je ne sais pourquoi, le fait d'entendre proclamer ce destin dans la langue de son annonce officielle me le rendit plus réel. J'eus l'impression qu'il en allait de même pour Akos, pris de violents frissons à chaque syllabe prononcée par mon frère.

Ryzek laissa tomber le papier. Akos se baissa et le ramassa, si brutalement qu'il faillit le déchirer. Il le lut et le relut, comme s'il espérait que cela pourrait en modifier le contenu. Comme si sa mort et son service auprès de notre famille n'étaient pas déjà écrits.

– Cela ne se réalisera pas, déclara-t-il d'un ton plus ferme en se redressant. Plutôt… Plutôt *mourir* que…

– Oh, je ne pense pas, non, le coupa Ryzek d'une voix proche du murmure.

Il se pencha sur Akos qui demeura immobile, à l'exception de ses doigts qui trouaient le papier à force de le serrer.

– Je connais l'expression de ceux qui souhaitent réellement mourir. J'en ai moi-même mené beaucoup à cette extrémité. Or ton visage me dit que tu as encore un très vif désir de vivre.

Akos prit une profonde inspiration et regarda Ryzek droit dans les yeux, avec une nouvelle assurance.

– Mon frère n'a rien à voir avec vous. Vous n'avez aucun droit sur lui. Laissez-le partir et je… je ferai tout ce que vous voudrez.

– Tu sembles t'appuyer sur une présomption erronée concernant les raisons de votre présence ici. Contrairement à ce que tu parais supposer, nous n'avons pas franchi la Traverse pour accélérer la réalisation de ton destin. C'est ton frère qui présente un intérêt, pas toi. C'est lui que nous sommes allés chercher.

– *Vous* n'avez pas franchi la Traverse, riposta Akos. Vous êtes resté assis ici pendant que vos laquais faisaient la sale besogne.

Ryzek se retourna pour monter sur l'estrade. Le mur du fond était couvert d'armes de tailles et de formes variées, principalement des lames-flux longues comme mon bras. Il en choisit une, un grand et lourd couteau au manche solide qui ressemblait à un hachoir de boucher.

– Ton frère a un destin très spécial, reprit-il en examinant le couteau. Je suppose, puisque tu ne connaissais pas ton destin, que tu ne connais pas non plus le sien ?

Ryzek sourit comme il le faisait toujours lorsqu'il savait quelque chose que les autres ignoraient.

– *Voir le futur de la galaxie,* cita-t-il, en shotet cette fois. En d'autres termes, être le prochain oracle de cette planète.

Akos garda le silence.

Quant à moi, je m'écartai du panneau de bois et fermai les yeux pour réfléchir.

Pour mon père et mon frère, chaque séjour depuis l'enfance de Ryzek avait eu pour but de trouver un oracle, et ils avaient toujours échoué. Sans doute parce qu'il est presque impossible de capturer quelqu'un qui peut prédire votre venue. Ou qui s'enfonce une lame dans le ventre pour échapper à ses poursuivants, comme l'avait fait l'oracle la plus âgée au cours de l'incursion de Vas et de ses sbires à Thuvhé. Mais il semblait que Ryzek avait enfin trouvé la solution : s'attaquer au plus jeune – cet Eijeh Kereseth – qui ignorait jusque-là la nature de son don-flux. Il serait encore assez fragile et malléable pour être modelé par la cruauté des Noavek.

Je m'approchai de nouveau de l'interstice pour observer la suite.

– Que dit-il, Akos ? demanda Eijeh dans la langue ondulante des Thuvhésit, en essuyant ses larmes avec le dos de sa main.

Eijeh avait les yeux vert pâle, d'une couleur inhabituelle, évoquant des ailes d'insecte iridescentes, ou le ruban-flux après le Temps de l'Endormissement. Ils semblaient luire sur sa peau brun clair, de la même couleur laiteuse que le sol de la planète Zold.

– Il dit qu'ils ne sont pas venus à Thuvhé pour moi, mais pour toi, répondit son frère sans le regarder.

C'était étrange d'entendre quelqu'un parler deux langues aussi parfaitement, sans trace d'accent. Je lui enviai ce talent.

– Pour moi ? Mais pourquoi ?

– Parce que tu es le prochain oracle de notre planète, lui

répondit Ryzek en thuvhésit en descendant de l'estrade, le couteau à la main. Tu verras l'avenir dans toutes ses innombrables diversités. Et il y a une version de l'avenir en particulier que je désire connaître.

Une ombre fila sur le dos de ma main tel un insecte et mon don-flux me broya les os des doigts. J'étouffai un grognement de douleur. Je savais quel avenir souhaitait Ryzek : il voulait régner sur les Thuvhésit comme sur les Shotet, vaincre nos ennemis, être reconnu par l'Assemblée comme chef légitime de notre planète. Mais sa situation n'était pas meilleure que celle d'Akos. Son destin pesait sur lui tout aussi lourdement en le vouant à être renversé par ses ennemis. Il lui fallait un oracle pour échapper à ce fiasco. Et, enfin, il en détenait un.

Je désirais tout autant que mon frère que les Shotet soient considérés comme une nation, et non plus comme un ramassis d'aventuriers. Alors, pourquoi la douleur, déjà permanente, de mon don-flux s'affolait-elle un peu plus à chaque seconde ?

– Je… (Eijeh fixait le couteau dans la main de Ryzek.) Je ne suis pas un oracle, je n'ai jamais eu de vision, je ne peux pas… Je suis incapable de…

Je me pressai de nouveau le ventre.

Ryzek posa l'arme en équilibre sur sa paume et la fit tourner lentement sur elle-même pour la prendre par la lame. *Non, non…* pensai-je, sans bien comprendre pourquoi.

Akos se campa entre Ryzek et Eijeh, comme si son corps pouvait suffire à le protéger de mon frère.

Ryzek l'ignora et s'approcha d'Eijeh sans quitter des yeux les rotations de la lame.

– Dans ce cas, tu vas devoir apprendre vite, parce que je veux que tu me trouves la version de l'avenir dont j'ai besoin, et que tu me dises ce que je dois faire pour qu'elle se réalise. Et si nous commencions par un futur dans lequel cette planète serait contrôlée par les Shotet au lieu des Thuvhésit ?

Il fit un signe de tête à Vas, qui força Eijeh à s'agenouiller. Ryzek rattrapa la lame-flux par le manche et en appliqua la pointe dans le cou du garçon, juste sous son oreille. Celui-ci lâcha un geignement.

– Je ne peux pas… Je ne sais pas comment invoquer des visions. Je ne…

À cet instant, Akos se jeta sur mon frère. Il était frêle mais il bénéficiait de l'effet de surprise, et Ryzek, déséquilibré, tomba. Akos plia le bras pour le frapper – erreur, songeai-je – mais mon frère, plus rapide, lui décocha un coup de pied dans le ventre. Puis il se releva, saisit Akos par les cheveux pour lui tirer la tête en arrière et lui entailla la mâchoire de l'oreille jusqu'au menton. Akos poussa un hurlement.

C'était l'un des endroits où mon frère frappait le plus volontiers. Lorsqu'il décidait de marquer quelqu'un d'une cicatrice, il voulait que cela se voie. Que cela saute aux yeux.

– Je vous en prie, implora Eijeh. Je ne sais pas comment faire ce que vous demandez. Ne lui faites pas de mal, ne me faites pas de mal… S'il vous plaît…

Ryzek fixa Akos qui se tenait le visage, le cou dégoulinant de sang.

– *S'il vous plaît ?* Je ne connais pas cette expression thuvhésit.

Plus tard ce soir-là, j'entendis des cris résonner dans les couloirs silencieux du manoir des Noavek. Il ne pouvait s'agir d'Akos ; il avait été confié aux soins de notre cousin Vakrez, « pour s'épaissir la peau », comme l'avait formulé Ryzek. Je reconnus la voix d'Eijeh répondant à la douleur, tandis que mon frère furetait dans sa tête à la recherche de l'avenir.

J'ai longtemps rêvé de ce cri.

▲
▲

:8
CYRA

Je me réveillai en gémissant. Quelqu'un frappait à ma porte.

Ma chambre avait l'aspect d'une chambre d'amis, dépourvue de touches personnelles. Tous mes vêtements, toutes les affaires auxquelles je tenais étaient cachés dans des tiroirs ou des armoires. Cette maison pleine de courants d'air, avec ses parquets cirés et ses lustres somptueux, débordait de mauvais souvenirs jusqu'à la nausée. Pendant la nuit, l'un de ces souvenirs – celui du sang d'Akos Kereseth dégoulinant dans son cou, deux ans plus tôt – s'était immiscé dans mes rêves.

J'espérais bien ne pas passer ma vie dans cet endroit.

Je m'assis et passai mes paumes sur mes joues pour essuyer les larmes. Appeler cela pleurer eût été abusif ; c'était plutôt une sorte d'écoulement mécanique, provoqué par des accès de douleur plus violents que les autres, souvent durant mon sommeil. Je me peignai avec les doigts et allai ouvrir d'un pas titubant. Je saluai Vas d'un grognement.

– Quoi ? dis-je en me mettant à faire les cent pas.

Parfois, cela m'aidait d'arpenter ma chambre – c'était apaisant, comme un bercement.

– Je vois que tu es de bonne humeur, me dit Vas. Tu dormais ? Es-tu consciente que nous sommes en plein milieu de l'après-midi ?

– Je ne te demande pas de comprendre.

Après tout, Vas ne ressentait pas la douleur. Autrement dit, il était le seul à pouvoir me toucher à mains nues, et il prenait plaisir à me le rappeler.

« Quand tu seras plus grande, petite Cyra, me disait-il parfois quand Ryzek ne pouvait pas l'entendre, tu sauras peut-être reconnaître la valeur de mes mains. » À quoi je ne manquais jamais de répondre que je préférerais mourir seule et abandonnée. Et je ne mentais pas.

Son insensibilité à la douleur impliquait aussi qu'il ignorait tout de la zone grise, située juste en deçà de la conscience, où la souffrance devient plus supportable.

– Je viens t'informer que ta présence est souhaitée ce soir dans la salle à manger pour un dîner avec les plus fidèles partisans de Ryzek. Fais-toi belle.

– Je ne me sens pas vraiment d'attaque pour les mondanités, aujourd'hui, répliquai-je en serrant les dents. Transmets mes regrets.

– J'ai dit « souhaitée », mais peut-être aurais-je dû mieux choisir mes mots. « Impérative » est celui qu'a employé ton frère.

Je fermai les yeux, ralentissant un instant le rythme de mes pas. Chaque fois que Ryzek exigeait ma présence, même lorsqu'il dînait avec ses amis, c'était dans un but d'intimidation. Un proverbe shotet ne disait-il pas : « Un bon soldat ne se sépare jamais de son arme, même pour un repas entre amis » ?

J'étais son arme.

– J'ai tout prévu, ajouta Vas en brandissant une petite fiole brune scellée à la cire.

Elle n'était pas étiquetée, mais je savais ce qu'elle contenait : le seul sédatif assez puissant pour me permettre de me montrer polie en société.

Ou simplement de me montrer.

– Comment suis-je censée manger après avoir m'être assommée

avec cette mixture infecte ? Je vais tout vomir sur les invités.

Qui sait, cela ne ferait peut-être pas de mal à certains d'entre eux.

– Eh bien, ne mange pas, répliqua Vas en haussant les épaules. De toute façon, tu ne peux rien faire sans ce remède.

Je lui arrachai le flacon des mains et refermai la porte sur lui d'un coup de talon.

Je passai une bonne partie de l'après-midi recroquevillée sous un jet d'eau chaude dans la salle de bains, tâchant d'inciter mes muscles à se détendre. Sans succès.

Alors je débouchai le flacon et en bus le contenu.

Pour me venger de l'obligation imposée par mon frère, je me rendis au dîner dans l'un des vêtements de ma mère. C'était une robe longue, bleu clair, dont le corsage était brodé de petits motifs qui faisaient penser à une superposition de plumes. Je savais que mon frère serait blessé de me voir la porter – celle-là ou n'importe quelle autre tenue de ma mère –, mais qu'il ne pourrait rien dire. Ne m'avait-on pas demandé d'être élégante ?

Il m'avait fallu dix minutes pour l'enfiler, tellement le sédatif m'ankylosait les doigts. Et je dus me tenir au mur en marchant dans les couloirs. Tout tournait, penchait, oscillait, tournoyait autour de moi. Je portais mes chaussures à la main pour ne pas glisser sur le parquet ciré. Je les mettrais juste avant d'entrer dans la salle.

Les ombres s'étendaient le long de mes bras nus, des épaules jusqu'aux poignets, se rassemblant sous mes ongles. La douleur me transperçait partout sur leur passage, atténuée mais non supprimée par la potion. Devant les portes de la salle à manger, j'adressai un signe de tête négatif au garde qui s'apprêtait à les ouvrir.

– C'est bon, allez-y, lui dis-je quand j'eus mis mes chaussures.

C'était une salle à manger de réception, mais chaleureuse. Des lanternes illuminaient la longue table et un feu brûlait dans la cheminée sur le mur du fond. Nimbé par la lumière, Ryzek se leva, un verre à la main. À sa droite se tenait Yma Zetsyvis, épouse d'Uzul Zetsyvis, qui avait été un proche ami de ma mère. Bien qu'encore jeune – plus que son époux, en tout cas –, elle avait des cheveux d'un blanc éclatant. Ses yeux étaient d'un bleu intense et elle souriait toujours.

Je connaissais tous les convives : Vas, bien sûr, assis à la gauche de mon frère ; son cousin, Suzao Kuzar, qui riait d'une remarque de Ryzek ; notre cousin Vakrez, qui formait les soldats, et son mari Malan, en train de vider son verre cul sec ; la fille d'Yma et d'Uzul, Lety, à la longue natte blonde ; et enfin Zeg Radix, que j'avais vu pour la dernière fois aux funérailles de son frère Kalmev, l'homme tué par Akos.

– Ah, la voilà, dit Ryzek en me désignant d'un geste du bras. Vous vous souvenez tous de ma sœur Cyra.

– Dans une robe de sa mère, observa Yma. Très touchant.

– Mon frère m'a demandé d'être élégante, expliquai-je en m'efforçant d'articuler, les lèvres engourdies par le sédatif. Or ma mère maîtrisait l'art de l'élégance comme personne.

Un éclair venimeux dans les yeux, Ryzek leva son verre.

– À Ylira Noavek. Le flux la portera sur un chemin radieux.

Les autres l'imitèrent. Je refusai le verre que m'offrait silencieusement un domestique. Ryzek avait repris la formule prononcée par le prêtre lors des funérailles de ma mère. Il tenait visiblement à me rafraîchir la mémoire.

– Venez ici, petite Cyra, me dit Yma Zetsyvis. Plus si petite que cela, d'ailleurs. Quel âge avez-vous ?

– J'ai accompli dix séjours, répondis-je en employant la référence temporelle traditionnelle. Mais j'ai commencé tôt – j'aurai seize saisons dans quelques jours.

– Ah, le privilège de la jeunesse de pouvoir compter en jours ! s'exclama Yma en riant. Vous n'êtes donc encore qu'une enfant, malgré votre grande taille.

Yma avait l'art de lancer des insultes avec élégance. Je lui faisais confiance pour en avoir en réserve de plus acides que de me traiter d'enfant.

Je m'avançai dans la lumière du feu avec un sourire de politesse.

– Lety, je pense que tu as déjà rencontré Cyra ? demanda Yma à sa fille.

Bien qu'âgée de plusieurs saisons de moins que Lety Zetsyvis, je la dépassais déjà d'une tête. En guise d'amulette, elle portait au creux du cou un petit insecte fenzu préservé dans le verre, qui continuait à luire après sa mort.

– Non, jamais, répondit Lety à sa mère. Je devrais vous serrer la main, Cyra, mais…

Elle haussa les épaules. Comme répondant à cet appel, mes ombres s'élancèrent sur ma poitrine et mon cou. J'étouffai un gémissement.

– Espérons que vous n'ayez jamais ce privilège, dis-je tranquillement.

Lety écarquilla les yeux et tout le monde se tut. Je me rendis compte trop tard que je jouais le jeu de Ryzek ; il voulait que j'inspire la crainte, y compris à ceux qui le servaient loyalement, et je faisais tout ce qu'il fallait pour cela.

– Votre sœur a les dents bien acérées, glissa Yma à mon frère. Mauvaise nouvelle pour vos opposants.

– Et tout autant pour mes amis, semble-t-il. Je ne lui ai pas encore appris à se retenir de mordre.

Je le foudroyai du regard. Mais avant que j'aie pu mordre de nouveau – si l'on peut dire –, la conversation changea.

– Alors, comment se présentent nos dernières recrues ? demanda Vas à mon cousin Vakrez.

Celui-ci était grand et beau, bien qu'il eût déjà atteint l'âge où de petits plis marquent le coin des yeux même lorsqu'on ne sourit pas. Une profonde cicatrice en forme de demi-cercle se dessinait au milieu de sa joue.

– Bien, répondit-il. Mieux, maintenant qu'ils ont achevé la première étape.

– Est-ce ce répit qui nous vaut le plaisir de votre visite ? s'enquit Yma.

Le camp d'entraînement militaire se situait à l'extérieur de Voa, à plusieurs heures de route en direction de la Traverse.

– Non. J'ai dû ramener un des Kereseth, expliqua Vakrez avec un signe de tête en direction de Ryzek. Le plus jeune.

– Sa peau s'est-elle épaissie ? demanda Suzao. Quand il est arrivé, on n'avait qu'à poser un doigt sur lui et pouf ! elle devenait toute bleue.

Suzao était un homme de petite taille, zébré de cicatrices et dur comme une cuirasse.

Cela fit rire les autres. Je me rappelai l'aspect d'Akos Kereseth lorsqu'il était entré dans cette maison devant son frère en larmes, la main couverte du sang séché de sa première malemarque. Il ne m'avait pas paru faible.

– Il n'a pas la peau si tendre que ça, objecta sèchement Zeg Radix. À moins que vous ne sous-entendiez que mon frère Kalmev a eu une mort sans honneur ?

Suzao détourna les yeux.

– Personne ne songe à insulter Kalmev, Zeg, intervint Ryzek. Mon père a été également tué par un homme indigne de lui.

Il prit une gorgée de boisson avant de reprendre :

– Bien, avant que nous mangions, j'ai prévu un petit divertissement.

Je me crispai en voyant les portes s'ouvrir, certaine que ce que Ryzek appelait un « petit divertissement » était bien moins inoffensif qu'il ne le laissait entendre. Mais l'on vit juste entrer une femme. Son corps était moulé du cou jusqu'aux chevilles dans un tissu sombre qui soulignait chacun de ses muscles. Ses yeux et sa bouche étaient cernés d'un large trait de craie pâle.

– Mes sœurs et moi venons de la planète Ogra, déclara-t-elle d'une voix rocailleuse. Nous vous présentons nos salutations. Nous allons exécuter une danse devant vous.

Elle frappa dans ses mains. Aussitôt, le feu et la lueur mouvante des insectes fenzu s'éteignirent et nous fûmes plongés dans le noir. Drapée dans les ténèbres, la planète Ogra restait un mystère pour le reste de la galaxie. Elle acceptait peu de visiteurs et les technologies d'espionnage les plus sophistiquées ne parvenaient pas à pénétrer son atmosphère. Tout ce qu'on avait pu en découvrir provenait de l'observation de ce type de spectacle. Pour une fois, je fus reconnaissante à Ryzek de la facilité avec laquelle il acceptait les cadeaux des autres planètes, tout en interdisant à ses sujets d'en faire autant. Sans cette hypocrisie, jamais je n'aurais pu assister à une telle féerie.

Je me penchai en avant et attendis, captivée. Des vrilles de lumière s'enroulèrent autour des mains jointes de la danseuse et s'enchevêtrèrent entre ses doigts. Puis elle écarta les paumes. Sur l'une se posèrent les langues orangées du feu, tandis que sur l'autre planaient les orbes de fenzu bleutés. Les traits à la craie qui entouraient ses yeux et sa bouche ressortaient dans la pénombre. Quand elle souriait, ses dents étincelaient dans le noir tels des crocs.

Deux autres danseuses entrèrent derrière elle en file indienne. Après un moment d'immobilité, elles se mirent à bouger, lentement. Celle de gauche se donna un léger coup sur la poitrine, et le son produit fut le son plein d'un gros tambour. Au rythme de ce bruit syncopé, la troisième danseuse commença à se mouvoir en contractant son ventre et en se voûtant, les épaules rentrées. Son corps dessina une forme sinueuse, et de la lumière passa comme un frisson le long de son squelette. L'espace de quelques secondes, toutes ses vertèbres luirent, phosphorescentes dans l'obscurité.

Je restai bouche bée, ainsi que le reste de l'assistance.

La manieuse de lumière tordit les mains et les flammes du feu s'entremêlèrent à la lueur des fenzu comme une tapisserie, illuminant les mouvements complexes, presque mécaniques, de ses doigts et de ses poignets. Puis la cadence imprimée par la femme-tambour se modifia, et les deux autres entrèrent ensemble dans une danse hésitante, vacillante. Je les observais dans un état de tension extrême, incapable de choisir entre le malaise et l'émerveillement. Elles semblaient constamment sur le point de perdre l'équilibre et de s'écrouler. Mais chaque fois, par des balancements, des tournoiements, des inclinaisons, des torsions, le tout souligné par des éclairs de lumière multicolores, elles se rattrapaient mutuellement.

À la fin du spectacle, j'avais le souffle court. Ryzek lança le signal des applaudissements, et je m'y joignis à contrecœur, avec le sentiment de rendre un piètre hommage à ce que je venais de voir. La manieuse de lumière rejeta les flammes dans notre cheminée et la lueur bleutée dans nos lanternes d'insectes fenzu. Les trois femmes frappèrent dans leurs mains et s'inclinèrent devant nous, en souriant sans desserrer les lèvres.

J'aurais voulu leur parler – sans avoir la moindre idée de ce que j'aurais pu leur dire –, mais déjà elles s'en allaient. Soudain, au moment de franchir la porte, la troisième pinça le tissu de ma robe entre ses doigts. Ses « sœurs » s'arrêtèrent à leur tour, et je me sentis écrasée par la puissance de ces trois regards convergeant sur moi. Leurs iris étaient noirs comme la nuit, et j'aurais juré qu'ils étaient plus grands que la normale. J'aurais voulu disparaître sous terre.

– Elle aussi, c'est une petite Ograne, déclara la troisième danseuse. Toute revêtue d'obscurité.

Les os de ses doigts luirent tandis que des ombres se mettaient à sinuer comme des bracelets autour de mes bras.

– C'est un don, ajouta la manieuse de lumière.

– C'est un don, répéta la femme-tambour.

J'avais du mal à partager leur point de vue.

Il ne restait plus que des braises dans la cheminée. Mon assiette était encore à moitié pleine – morceaux d'oiseau-mort rôti et fruit-salé mariné, accompagnés d'un mélange de feuilles saupoudré d'épices – et ma tête me lançait. Je grignotai un bout de pain en écoutant Uzul Zetsyvis se réjouir de ses investissements.

Cela faisait presque une centaine de cycles que la famille Zetsyvis s'était vu confier l'élevage et le commerce des fenzu dans les forêts qui s'étendaient au nord de Voa. À Shotet, contrairement au reste de la galaxie, on s'éclairait plus souvent à l'aide de ces insectes bioluminescents que par les procédés de canalisation du flux. C'était un vestige du passé, de l'époque où notre religion nous interdisait d'exploiter le flux. Pour le reste, seules quelques personnes très croyantes continuaient à respecter cette règle.

Peut-être à cause de l'activité de leur famille, Uzul, Yma et Lety étaient de ceux-là, allant jusqu'à refuser de prendre de la fleur-de-silence pour se soigner. Ils considéraient comme une offense au flux toute substance qui modifiait l'« état naturel » d'un individu, même pour l'anesthésier. Ils refusaient également de prendre tout moyen de transport alimenté par le flux. Ils estimaient qu'il s'agissait d'un usage frivole de cette énergie – sauf pour le séjour, qu'ils voyaient comme un rite religieux. Leurs verres étaient remplis d'eau et non de fleur-de-silence fermentée.

– Bien sûr, la saison a été mauvaise, disait Uzul. À ce stade de la rotation de la planète, l'air n'est pas assez chaud pour que les insectes fenzu se développent correctement, et on a dû introduire des systèmes de chauffage mobile…

Parallèlement, sur ma droite, Suzao et Vakrez s'étaient lancés dans une discussion orageuse sur l'armement.

– Tout ce que je dis, c'est que, contrairement à ce que croyaient nos ancêtres, les lames-flux ne sont pas adaptées à toutes les formes de combat. Elles ne conviennent pas aux attaques à longue distance ou dans l'espace, par exemple…

– N'importe quel imbécile peut se servir d'une arme-flux automatique, le coupa Suzao. Tu voudrais qu'on pose nos lames-flux et qu'on se ramollisse un peu plus tous les ans, comme les planètes-nations de l'Assemblée ?

– Elles ne sont pas si ramollies que ça, contra Vakrez. Malan traduit les actualités othyriennes pour le fil d'informations shotet, et il m'a montré les rapports.

La plupart des personnes présentes dans la pièce, faisant partie de l'élite, parlaient plus d'une langue. Officiellement, c'était une pratique prohibée.

– Les relations entre les oracles et l'Assemblée sont de plus en plus tendues, et on murmure que les planètes choisissent leur camp, poursuivit Vakrez. Certaines se préparent même à un conflit plus vaste que nous n'en avons jamais vu. Qui sait de quelles technologies d'armement elles disposeront d'ici à ce que ce conflit éclate ? Veux-tu vraiment qu'on reste à la traîne ?

– Des ragots, ricana Suzao. Tu donnes trop de poids aux commérages, Vakrez, ce n'est pas nouveau.

– Ce n'est pas pour rien que Ryzek recherche une alliance avec Pitha, et ce n'est sûrement pas par amour pour ses paysages. Ils détiennent un armement qui peut nous être utile.

– Personnellement, je pense que le métal shotet nous suffit amplement.

– Va dire ça à Ryzek, je suis sûr qu'il t'écoutera.

En face de moi, Lety avait les yeux rivés sur les réseaux sombres qui tachaient ma peau, surgissant à chaque seconde à de nouveaux endroits : au creux de mon coude, sur mon épaule, sur mon visage.

– Quel effet cela vous fait-il ? me demanda-t-elle en voyant que je la regardais.

– Je ne sais pas, répondis-je avec irritation. Quel effet fait un don, quel qu'il soit ?

– Eh bien, moi, je me rappelle les choses. Toutes. Comme si

elles dataient d'hier. Et mon don me fait l'effet habituel… Comme une sorte de bourdonnement dans les oreilles, un afflux d'énergie.

– D'énergie. C'est le bon mot.

Ou d'agonie.

J'avalai quelques gorgées de fleur-de-silence fermentée. Le visage de Lety me fournissait un point d'ancrage au milieu d'un tourbillon. Je m'efforçai de me concentrer, tout en laissant échapper un peu de boisson sur mon menton.

– Je trouve cette fasci…

Je m'interrompis.

« Fascination » était un mot difficile à prononcer avec la dose de sédatif que j'avais dans les veines.

– Je trouve cette curiosité à l'égard de mon don un peu étrange.

– Les gens ont tellement peur de vous ! Je me demande simplement s'ils ont raison.

J'allais répondre quand Ryzek, assis en bout de table, se leva en posant ses longues mains de chaque côté de son assiette. C'était le signal du départ. Les convives sortirent les uns après les autres, d'abord Suzao, puis Zeg, puis Vakrez et Malan.

Mais lorsque Uzul fit mine de se diriger vers la porte, Ryzek l'arrêta d'un geste.

Je parvins à me lever en prenant appui sur la table. Derrière moi, Vas poussa une barre en travers de la porte. Nous étions enfermés. *J'étais* enfermée.

– Ah, Uzul, fit mon frère avec un léger sourire. Je crains que la soirée ne s'annonce assez pénible pour vous. Figurez-vous que votre épouse m'a fait une confidence très instructive.

Uzul se tourna vers Yma, qui s'était départie de son éternel sourire et semblait mi-accusatrice, mi-effrayée. Elle ne pouvait pas avoir peur d'Uzul. Son physique même révélait son caractère inoffensif. Il arborait une grosse bedaine, signe de richesse, et marchait en se dandinant.

– Yma ? dit-il faiblement.

– Je n'ai pas eu le choix, lui avoua sa femme. Je cherchais l'adresse d'un réseau et je suis tombée sur l'historique de tes contacts. J'y ai trouvé des coordonnées et je me suis souvenue que tu avais mentionné la colonie d'exilés…

La colonie d'exilés. Quand j'étais petite, ce n'était qu'une plaisanterie, selon laquelle beaucoup de Shotet qui avaient eu la malchance de déplaire à mon père avaient fui sur une autre planète où ils ne risqueraient pas d'être retrouvés. Au fil du temps, la plaisanterie s'était muée en rumeur, qui ne faisait plus rire personne. Rien qu'à cette évocation, les mâchoires de Ryzek se crispèrent, comme s'il mastiquait un morceau de viande particulièrement coriace. En tant qu'ennemis de notre père et, avant lui, de notre grand-mère, il considérait les exilés comme l'une des pires menaces qui pesaient sur sa souveraineté. Il ne se sentirait en sécurité que lorsque chaque Shotet sans exception serait sous son contrôle. Si Uzul les avait contactés, cela faisait de lui un traître.

Ryzek tira une chaise et la désigna à Uzul.

– Asseyez-vous.

Uzul obéit.

– Cyra, reprit mon frère, approche.

Dans un premier temps, je restai devant ma place à table, serrant mon verre. Je grinçai des dents tandis que mon corps s'emplissait d'ombres, comme inondé par un sang noir échappé de veines éclatées.

– Cyra, répéta Ryzek à mi-voix.

Il n'avait pas besoin de me menacer. J'allais poser mon verre, le rejoindre et me plier à toutes ses demandes. Et il en irait toujours ainsi, aussi longtemps que nous serions tous les deux. Sinon Ryzek révélerait à tous ce que j'avais fait à notre mère. Cette pensée était une pierre dans mon estomac.

Je posai mon verre. Je le rejoignis. Et quand Ryzek me demanda de poser les mains sur Uzul Zetsyvis jusqu'à ce qu'il livre l'information que mon frère désirait obtenir, j'obéis.

Je sentis le lien s'établir entre Uzul et moi, et fus prise de l'envie de pousser toute l'ombre en lui, de le remplir de toute cette noirceur aussi sombre que l'espace, pour mettre fin à ma propre souffrance. Je pouvais même le tuer si je le voulais, rien qu'en le touchant. J'en avais déjà tué d'autres. Et j'aurais voulu recommencer, pour échapper à l'horrible force qui me rongeait les nerfs comme de l'acide.

Yma et Lety se serraient l'une contre l'autre en pleurant. Yma retint sa fille lorsque celle-ci voulut se jeter sur moi. Nos regards se croisèrent tandis que je projetais toute cette douleur dans le corps de son père, et je ne lus dans ses yeux que de la haine.

Uzul hurlait. Il hurla si longtemps que le son finit par me parvenir étouffé.

– Arrêtez ! gémit-il enfin.

Sur un signe de Ryzek, j'ôtai mes mains de la tête d'Uzul. Je reculai en trébuchant, des étoiles devant les yeux. Les mains de Vas se posèrent sur mes épaules pour m'empêcher de tomber.

– J'ai essayé de trouver les exilés, reconnut Uzul, le visage luisant de sueur. Je voulais fuir Shotet, vivre loin de cette... tyrannie. J'avais entendu dire qu'ils se trouvaient sur Zold, mais le contact qu'on m'a fourni là-bas n'a pas fonctionné. Il n'y avait rien. Alors j'ai renoncé. J'ai renoncé.

Lety pleurait. Yma Zetsyvis restait immobile, un bras autour de sa fille.

– Je vous crois, dit doucement Ryzek. Je prends note de votre honnêteté. Cyra va maintenant vous administrer votre châtiment.

De toute ma volonté, j'exhortai mon corps à expulser les ombres, comme si j'avais dû essorer une serpillière. J'exhortai le flux à me quitter, avec l'espoir qu'il ne revienne jamais ; un blasphème. Mais il y avait une limite à ma volonté. Sous le regard insistant de Ryzek, les ombres-flux ne firent que s'étendre, comme s'il les contrôlait davantage que moi. Ce qui était peut-être le cas.

Je n'attendis pas qu'il me menace. Je collai ma peau contre celle d'Uzul Zetsyvis jusqu'à ce que ses hurlements emplissent tous les espaces vides de mon corps, jusqu'à ce que Ryzek me demande d'arrêter.

▲
▲

:9 CYRA

Je ne voyais que confusément ce qui m'entourait : la marche en bois lisse sous mon pied nu – j'avais dû perdre une chaussure dans la salle à manger –, les reflets vacillants des globes de fenzu sur le parquet, et le réseau de filaments noirs qui recouvrait mes bras. Mes doigts semblaient tordus, comme s'ils étaient brisés, mais c'était seulement à cause de l'angle auquel ils étaient repliés, griffant l'air comme ils griffaient parfois mes propres paumes.

J'entendis un cri étouffé monter des entrailles du manoir des Noavek et je pensai aussitôt à Eijeh, bien que je n'aie pas entendu sa voix depuis de nombreux cycles.

Je ne l'avais revu qu'une fois depuis son arrivée, brièvement, dans un couloir près du bureau de Ryzek. Il était maigre, le regard éteint. Tandis qu'un soldat le rudoyait pour le faire avancer, j'avais fixé les salières qui creusaient ses clavicules, deux fossés profonds, vidés de chair. Soit Eijeh Kereseth était doté d'une volonté de fer, soit il n'avait pas menti en disant qu'il ne savait pas manier son don-flux. Si j'avais dû parier, j'aurais opté pour la deuxième hypothèse.

– Envoie-le chercher, aboya Ryzek à l'adresse de Vas. Après tout, il est là pour ça !

Mon pied balaya le parquet. Vas, le seul qui pouvait me toucher, me ramena à ma chambre en me portant presque.

– Envoyer chercher qui ? marmonnai-je.

Mais je n'écoutai pas la réponse. Une vague de douleur intolérable m'enveloppa et je me débattis dans les bras de Vas, comme si cela pouvait me permettre de la fuir.

Sans résultat, bien sûr.

Une fois dans ma chambre, Vas me laissa doucement glisser par terre. Je me recroquevillai à quatre pattes sur le plancher. Une goutte de sueur – ou peut-être une larme – coula de mon nez.

– Qui… demandai-je d'une voix rauque. Qui est-ce qui criait ?

– Uzul Zetsyvis. Ton don a de toute évidence un effet persistant.

J'appuyai mon front sur le sol frais.

Uzul Zetsyvis collectionnait les carapaces d'insectes fenzu. Il m'avait un jour montré les plus colorées, épinglées à une planche dans son bureau, étiquetées par saison de récolte. Elles étaient iridescentes, multicolores, comme si elles étaient parcourues par des écheveaux du ruban-flux. Il les avait caressées comme s'il s'était agi des trésors les plus précieux de sa maison, qui regorgeait de richesses. C'était un homme doux, et moi… moi, je l'avais fait hurler de douleur.

Un moment plus tard – je n'aurais su dire combien de temps –, la porte se rouvrit et les bottes de Ryzek, noires et bien cirées, apparurent. Je voulus me redresser pour m'asseoir, mais mes membres tremblaient trop et je dus me contenter de tourner la tête vers lui. Dans le couloir, dans une attitude hésitante, se tenait quelqu'un qu'il me sembla vaguement avoir déjà vu, comme dans un rêve.

Il était vraiment grand – presque aussi grand que mon frère –, et se tenait comme un soldat, le dos droit, avec assurance. Mais il était maigre, presque décharné, avec de petites ombres sous les pommettes, et son visage était encore émaillé d'ecchymoses et de coupures. Une fine cicatrice courait sur sa mâchoire de l'oreille jusqu'au menton, et un bandage blanc protégeait son bras gauche. Une nouvelle marque, pensai-je.

Il leva ses yeux gris sur moi. Ce fut leur lueur de défiance qui me rappela qui il était : Akos Kereseth, le troisième enfant de la famille Kereseth, devenu presque adulte.

Toute la douleur qui grondait en moi m'assaillit en bloc, et je me pris la tête entre les mains en étouffant un cri. Je voyais à peine mon frère à travers le brouillard de mes larmes, mais je tâchai de me concentrer sur son visage, pâle comme celui d'un cadavre.

Des rumeurs circulaient sur moi partout à Shotet et à Thuvhé, encouragées par Ryzek. Et comme tout le monde adorait médire sur les familles élues, peut-être s'étaient-elles même répandues dans la galaxie. Elles parlaient de la souffrance que mes mains pouvaient infliger, de malemarques couvrant mon bras sur deux rangées du poignet jusqu'à l'épaule, de mon esprit embrouillé jusqu'à la folie. J'étais à la fois redoutée et haïe. Mais la fille qui geignait, écroulée par terre, était quelqu'un d'autre.

Mes joues me brûlaient, et ce n'était pas à cause de la douleur mais de l'humiliation. Personne n'était censé me voir ainsi. Comment Ryzek pouvait-il le faire entrer ici en sachant dans quel état j'étais après que… enfin, après ?

J'essayai de ravaler ma colère afin qu'elle ne perce pas dans ma voix.

– Pourquoi l'as-tu amené ici ?

– Ne perdons pas davantage de temps, dit Ryzek en faisant signe à Akos d'avancer.

Ils s'approchèrent tous les deux, et je remarquai qu'Akos gardait le bras collé le long du corps, comme pour se tenir le plus loin possible de mon frère.

– Cyra, je te présente Akos Kereseth. Troisième enfant de la famille Kereseth. Notre… *loyal* serviteur, acheva-t-il avec un sourire satisfait.

Il faisait référence, bien sûr, au destin d'Akos de mourir pour notre famille. À notre *service,* selon la formulation officielle employée par l'Assemblée deux saisons plus tôt. La bouche d'Akos se tordit à ce rappel.

– Il a un don particulier qui, je pense, va t'intéresser, m'annonça Ryzek.

Il fit un signe de tête à Akos, qui s'accroupit à côté de moi et me tendit la main, paume vers le haut.

Je la regardai fixement, sans comprendre ce qu'il attendait. Voulait-il que je lui fasse mal ?

Pourquoi ?

– Crois-moi, tu vas apprécier, m'assura mon frère.

Je tendis la main, et l'ombre se répandit sous ma peau comme une tache d'encre qui s'étale. Je touchai la sienne et attendis qu'il crie.

Or, toutes les ombres-flux reculèrent, puis disparurent. Et ma douleur s'en alla avec elles.

Ce n'était pas comme le remède que j'avais bu avant le dîner, qui, au mieux, engourdissait toutes mes sensations et, au pire, me donnait la nausée. Cette fois, j'eus l'impression de me retrouver telle que j'étais avant l'apparition de mon don. Non… même alors, je n'avais pas connu le calme et la paix que j'éprouvais maintenant, ma main posée sur la sienne.

– Comment fais-tu cela ? demandai-je.

Il avait la peau sèche et rugueuse, comme un galet qui n'a pas encore été poli par la marée. Mais elle était tiède. Je fixai nos mains jointes.

– J'interromps le flux. Dans toutes ses manifestations.

Sa voix n'avait pas encore fini de muer, mais elle était étonnamment grave pour quelqu'un de son âge.

– Le don de ma sœur est puissant, Kereseth, déclara Ryzek. Mais il a perdu beaucoup de son utilité récemment à cause des effets handicapants qu'il a sur elle. *Voilà* qui me semble être la meilleure façon pour toi d'accomplir ton destin.

Puis, se penchant à l'oreille d'Akos, il ajouta :

– Bien sûr, tu ne devras jamais oublier qui dirige cette maison.

Akos ne réagit pas, mais une expression de dégoût passa sur son visage.

Je me redressai, en veillant à garder ma main sur celle d'Akos, même si je n'arrivais toujours pas à le regarder dans les yeux. C'était comme s'il était entré pendant que je me changeais ; il en avait vu plus que je ne laissais jamais personne le faire.

Il se releva en suivant mon mouvement. Malgré ma haute taille, je ne lui arrivais qu'au niveau du nez.

– Et qu'est-on censés faire ? demandai-je. Nous tenir la main partout où nous irons ? Que vont penser les gens ?

– Ils penseront que c'est un domestique, répliqua Ryzek. Parce que c'en est un.

Mon frère fit un pas vers moi en levant la main. Dans un mouvement de recul, je m'écartai vivement d'Akos et les vrilles noires m'envahirent de plus belle.

– Détecterais-je de l'ingratitude dans ta réaction ? reprit Ryzek. N'apprécies-tu pas à leur juste valeur les efforts que je fais pour assurer ton confort, et ce à quoi je renonce en t'offrant comme compagnon permanent un serviteur qui m'est aussi destiné ?

– Si. Merci, Ryzek.

Je devais veiller à ne pas l'irriter. La dernière chose que je souhaitais était de voir de nouveaux souvenirs de mon frère venir remplacer les miens.

– Je t'en prie, me répondit-il en souriant. Que ne ferais-je pas pour maintenir le premier de mes généraux au mieux de sa forme ?

Je savais très bien qu'il ne me considérait pas comme un général. Les soldats m'appelaient « le Fléau de Ryzek », son instrument de torture. Et en effet, il posait sur moi le même regard que sur une arme. Je n'étais qu'une lame pour lui.

J'attendis qu'il m'ait laissée seule avec Akos pour me mettre à arpenter la chambre, du bureau au pied du lit, puis aux armoires fermées contenant mes vêtements, avant de revenir à mon lit. Seuls les membres de ma famille – ainsi que Vas – pouvaient entrer dans ma chambre. La façon dont Akos observait tout ce qui l'entourait me déplut. On aurait dit qu'il laissait de petites empreintes sur chaque objet.

Il se tourna vers moi en fronçant les sourcils.

– Depuis combien de temps vivez-vous ainsi ?

– Ainsi comment ? rétorquai-je, un peu trop rudement.

Je ne pouvais penser qu'à l'impression que j'avais dû lui faire à son entrée, recroquevillée sur le plancher comme une espèce d'animal sauvage, trempée de sueur, le visage baigné de larmes.

– Comme ceci, en cachant votre souffrance, me répondit-il d'une voix adoucie par la pitié.

Or, je savais que la pitié n'était que du mépris enrobé sous une apparence de prévenance. Je devais réagir tout de suite, ou elle pousserait comme une mauvaise herbe. Mon père avait pris le temps de m'enseigner cela.

– Mon don s'est déclaré alors que je n'avais que huit saisons. À la grande joie de mon père et de mon frère. Nous avons décidé que je tairais ma douleur pour le bien de la famille Noavek. Pour le bien de Shotet.

Akos eut un petit ricanement. Eh bien, en tout cas, il en avait fini avec la pitié. Ça n'avait pas duré longtemps.

– Tends ta main, dis-je à mi-voix.

Ma mère parlait toujours à voix basse lorsqu'elle était en colère. Elle disait que cela forçait les gens à écouter. Je n'avais pas sa subtilité ; plutôt la légèreté d'un coup de poing dans la figure. Il m'obéit néanmoins avec un soupir résigné, tendant sa main paume vers le haut, prêt à soulager ma douleur.

Je lui attrapai le poignet, saisis son épaule de la main gauche et me tournai brusquement. C'était comme une danse : un mouvement de la main, un transfert de poids, et je me retrouvai derrière lui à lui tordre le bras, l'obligeant à se plier.

– Ce n'est pas parce que je souffre que je suis faible, murmurai-je. Tu nous es utile, mais pas indispensable. Est-ce clair ?

Il resta immobile, mais je sentis la tension raidir son dos et ses bras.

Je le relâchai sans attendre sa réponse et reculai. Mes ombres-flux revinrent, et une douleur fulgurante me fit monter les larmes aux yeux.

– Il y a une pièce où tu peux dormir, juste à côté.

Après l'avoir entendu quitter ma chambre, je m'allongeai sur mon lit en fermant les yeux. Je ne voulais pas de cet arrangement. Je n'en voulais pas.

▲
▲

10:
CYRA

Je ne m'attendais pas à ce qu'Akos Kereseth revienne, pas sans y être obligé. Or, il était devant ma porte le lendemain matin, tenant à la main un gros flacon rempli d'un liquide pourpre. Une garde l'accompagnait, quelques pas derrière lui dans le couloir.

– Votre Altesse, me dit-il d'un ton moqueur. Comme ni vous ni moi ne souhaitons maintenir un contact physique permanent, j'ai songé que vous pourriez essayer ceci. Ce sont mes dernières réserves.

Je me redressai. Lorsque la douleur était à son comble, je n'étais plus qu'un assemblage de parties de corps, cheville, genou, coude, vertèbres, chacune œuvrant à me tenir debout. Je repoussai mes cheveux emmêlés derrière mon épaule en prenant soudain conscience de l'étrange spectacle que je devais présenter, en chemise de nuit à midi, l'avant-bras gauche ceint d'un brassard.

– Un sédatif ? demandai-je. J'ai essayé. Soit ça ne marche pas, soit ça aggrave les choses.

– Vous en avez déjà pris à base de fleur-de-silence ? s'étonna-t-il. Dans un pays où leur usage est aussi mal vu ?

– Oui, dis-je platement. Des traitements d'Othyr, les meilleurs qui existent.

– Les traitements d'Othyr, répéta-t-il. Tss. Ce sont peut-être les meilleurs pour traiter les cas classiques, mais votre problème ne rentre pas dans cette catégorie.

– La douleur reste toujours la douleur.

Il tapota mon bras avec le flacon en ignorant ma remarque.

– Essayez quand même. Ça ne la fera peut-être pas entièrement disparaître, mais ça vous soulagera, et avec beaucoup moins d'effets secondaires.

Je l'observai d'un air méfiant, avant d'appeler la garde restée dans le couloir. Elle inclina la tête en arrivant sur le seuil.

– Goûtez cela, voulez-vous ? lui dis-je en montrant le flacon.

– Vous pensez que j'essaie de vous empoisonner ? me demanda Akos.

– Je pense que c'est tout à fait possible.

La garde prit le flacon, les yeux agrandis par la peur.

– Vous n'avez rien à craindre, la rassura Akos, ce n'est pas du poison.

Elle avala quelques gorgées et s'essuya la bouche sur le dos de sa main.

Nous attendîmes quelques secondes pour voir ce qui allait se passer. Comme rien ne se produisait, je lui pris le flacon des mains. Des ombres-flux apparurent sur mes doigts, accompagnées de piqûres et de picotements. La garde recula aussitôt, comme si elle s'était trouvée face à un Carapaçonné.

La potion avait une odeur de malt et de moisi. Je l'avalai d'un coup, sûre qu'elle serait aussi infecte que toutes ces mixtures ne manquaient jamais de l'être. À ma grande surprise, je lui trouvai un goût à la fois floral et épicé. L'épaisse substance me nappa la gorge, puis l'estomac.

– Il faut quelques minutes pour que ça agisse, m'informa Akos. Vous portez cette chose y compris pour dormir ?

Il désigna le brassard qui couvrait mon bras. Il était en peau de Carapaçonné, éraflé ici et là par des coups de lame. Je ne le retirais que pour prendre mon bain.

– Vous avez peur de vous faire attaquer ?

– Non, répliquai-je en lui fourrant le flacon vide dans les mains.

– Il couvre vos malemarques, déduisit-il.

Puis il fronça les sourcils.

– Pourquoi le Fléau de Ryzek chercherait-il à cacher ses marques ?

Je sentais la pression monter dans ma tête, comme si quelqu'un m'appuyait sur les tempes.

– Ne m'appelle pas ainsi. Personne ne m'appelle ainsi. Ne m'appelle *jamais* ainsi.

Une sensation de froid s'étendait peu à peu à tout mon corps en partant du centre, comme si mon sang se changeait en glace. Je crus d'abord que c'était de la colère, mais le phénomène était trop physique, trop indolore. Je regardai mes bras. Les taches d'ombre étaient toujours là, sous ma peau, mais elles étaient comme assoupies.

– Le sédatif se met à faire de l'effet, n'est-ce pas ?

Les sensations de déchirure et de brûlure persistaient partout sur le passage des ombres-flux, mais elles étaient plus faciles à ignorer. Et je commençais à avoir envie de dormir. Mais cela ne me dérangeait pas. J'allais peut-être enfin avoir une vraie nuit de sommeil.

– Un peu, admis-je.

– Tant mieux. Parce que j'ai un marché à vous proposer, et il implique que le calmant soit efficace.

– Un marché ? Tu te crois en position de passer un marché avec moi ?

– Absolument. Vous pouvez répéter tant que vous voulez que vous n'avez pas besoin de mon aide pour vous soulager, je sais que c'est faux. De deux choses l'une : soit vous me soumettez par la force pour l'obtenir, soit vous me traitez comme un être humain en écoutant ce que j'ai à dire, et ça a des chances de vous faciliter les choses. Le choix vous appartient, bien sûr, *Votre Altesse*.

J'avais moins de mal à réfléchir lorsque ses yeux n'étaient pas plongés dans les miens, et je fixai les rais de lumière filtrant à travers les lattes du store, qui découpaient en bandelettes la vue sur l'extérieur. Derrière la grille qui isolait le manoir des Noavek, des gens marchaient dans les rues en savourant l'air tiède, nimbés de nuages de poussière qui s'élevaient de la terre desséchée.

Akos m'avait vue en position de faiblesse, littéralement recroquevillée par terre à ses pieds. J'avais bien essayé de reprendre le dessus, mais rien n'y faisait. Je ne pouvais pas effacer ce qui sautait aux yeux : j'étais couverte d'ombres-flux, et plus les saisons passaient, plus la souffrance s'installait et moins ma vie n'avait de sens. Ce marché était peut-être une chance pour moi.

– Je t'écoute, dis-je.

– Bien.

Il porta la main à ses cheveux, bruns et épais, à en juger par la façon dont ses doigts s'y accrochaient.

– Hier soir, cette... prise que vous m'avez faite... Vous savez vous battre.

– C'est le moins qu'on puisse dire.

– Vous m'apprendriez si je vous le demandais ?

– Pour quoi faire ? Pour que tu continues à m'insulter ? Pour que tu puisses essayer – sans aucune chance de succès – de tuer mon frère ?

– Vous partez du principe que je veux le tuer ?

– Ce n'est pas le cas ?

Il prit le temps de la réflexion.

– Ce que je veux, dit-il enfin, en pesant chaque mot, c'est ramener mon propre frère chez nous. Et, pour y parvenir, pour survivre ici, je dois apprendre à me battre.

J'ignorais ce que c'était que d'aimer un frère à ce point ; ou je l'avais oublié. Et d'après ce que j'avais vu d'Eijeh – une frêle loque humaine – il ne semblait pas mériter autant de peine. Mais Akos, avec son allure de soldat, n'avait pas l'air de douter.

– N'as-tu pas déjà appris à le faire ? demandai-je. Pourquoi Ryzek t'a-t-il envoyé passer deux saisons sous la direction de mon cousin Vakrez, si ce n'était pas pour développer tes aptitudes ?

– Je suis apte. Je veux devenir *bon*.

Je croisai les bras.

– Tu ne m'as toujours pas expliqué ce que j'avais à y gagner.

– En échange de votre enseignement, je peux vous apprendre à fabriquer le sédatif que vous venez de boire. Vous n'auriez plus à dépendre de moi. Ni de personne d'autre.

À croire qu'il me connaissait, qu'il connaissait l'argument précis qui me tenterait le plus.

Car mon désir le plus ardent n'était pas l'apaisement de la douleur, mais bien l'autonomie.

– Très bien, dis-je. Entendu.

PLUS TARD, JE LE CONDUISIS dans une petite pièce dont la porte fermait à clé. Cette aile du manoir des Noavek n'avait pas été rénovée ; les serrures ne s'y ouvraient pas par simple pression du doigt, comme dans les salles les plus fréquentées par Ryzek, mais exigeaient des clés. J'en sortis une de ma poche. Je m'étais habillée, d'un pull et d'un pantalon ample.

La pièce contenait un comptoir tout en longueur. Dessus et dessous couraient des étagères chargées de flacons, d'éprouvettes, de couteaux, de cuillères et de planches à découper, et de longues rangées de bocaux blancs portant les symboles shotet des différentes fleurs-des-glaces. Nous en gardions quelques réserves, y compris des stocks de fleurs-de-silence, même si Thuvhé avait cessé toute exportation à destination de Shotet depuis des dizaines de saisons et qu'il nous fallait passer par un intermédiaire. Elles venaient s'ajouter aux autres ingrédients collectés dans toute la galaxie lors des ramassages. À droite, au-dessus des brûleurs, des casseroles en cuivre pendaient à une barre. Il y en avait de tous les formats, de la plus petite, de la taille de ma main, à la plus grande, grosse comme ma tête.

Akos s'empara d'un grand modèle qu'il posa sur le feu.

– Pourquoi avoir appris à vous battre alors qu'il vous suffit de toucher quelqu'un pour lui faire mal ? me demanda-t-il.

Il remplit une éprouvette au robinet et versa l'eau dans la casserole. Puis, ayant allumé le brûleur, il prit un couteau et une planche à découper.

– Cela fait partie de l'éducation de tous les Shotet, lui expliquai-je. On commence dès l'enfance.

Après une hésitation, j'ajoutai :

– Et j'ai continué par goût.

– Vous n'avez pas de fleurs-de-silence ici, je suppose ? s'enquit-il en promenant un doigt sur les bocaux.

– Étagère du haut à droite.

– Mais les Shotet ne l'utilisent pas…

– « Les Shotet », non, rétorquai-je abruptement. Nous sommes l'exception. Nous avons de tout, ici. Il y a des gants sous les brûleurs.

Il ricana doucement.

– Eh bien, *Madame l'Exceptionnelle*, vous devriez chercher un moyen d'en obtenir davantage. Nous allons en avoir besoin.

– Très bien.

J'attendis une seconde avant d'ajouter :

– Personne ne t'a appris à lire les caractères shotet pendant ta formation militaire ?

J'avais imaginé que Vakrez lui avait enseigné d'autres choses que les compétences de combat. À écrire, par exemple. La « langue de la révélation » ne faisait référence qu'à la langue orale, et tout le monde devait apprendre à écrire le shotet.

– Personne ne se souciait de ce genre de choses, là-bas. On me disait « marche », et je marchais. On me disait « arrête-toi », et je m'arrêtais. Ça n'allait pas plus loin.

– Un frêle garçon thuvhésit ne devrait pas se plaindre qu'on fasse de lui un solide homme shotet, signalai-je.

– Je ne peux pas devenir un Shotet. Je suis un Thuvhésit et je le resterai.

– Le fait que tu me parles en shotet en ce moment même semble prouver le contraire.

– Le fait que je parle shotet n'est qu'une anomalie d'ordre génétique, rétorqua-t-il sèchement. Rien d'autre.

Je ne pris pas la peine d'argumenter. Je faisais confiance au temps pour le faire changer d'avis.

Akos plongea la main dans le bocal de fleurs-de-silence, dont il sortit un bouton à main nue. Puis il brisa un morceau de pétale et le porta à sa bouche. J'étais si stupéfaite que je n'esquissai pas un geste pour le retenir. Une telle quantité de fleur-des-glaces aurait dû l'assommer instantanément. Il l'avala, ferma les yeux quelques secondes, et se tourna de nouveau vers la planche à découper.

–Tu es immunisé non seulement contre mon don-flux, mais aussi contre les fleurs, commentai-je.

– Non, rectifia-t-il, mais leur effet sur moi est atténué.

Je me demandai comment il l'avait découvert.

Il retourna le bouton de fleur-de-silence et appuya le plat de la lame à la base des pétales, qui se séparèrent. Puis il fit courir la pointe du couteau au milieu de chacun et ils se déplièrent un à un en s'aplatissant. On aurait dit de la magie.

J'observais attentivement les opérations. La potion se mit à bouillonner. D'abord de la couleur rouge de la fleur-de-silence, elle vira à l'orange lorsqu'il ajouta le fruit-salé au miel, puis au brun avec l'adjonction de tiges de sendes, sans les feuilles. Une pincée de poudre de fleur-de-jalousie et le mélange redevint rouge, ce qui était absurde, impossible. Akos éteignit le brûleur pour laisser la potion refroidir et se tourna vers moi.

– C'est un art complexe, me dit-il en embrassant d'un geste

tout l'équipement, bocaux, flacons, éprouvettes, brûleurs et casseroles. En particulier la réalisation du sédatif, parce qu'il contient de la fleur-de-silence. Une erreur dans la manière de préparer un ingrédient et on s'empoisonne. J'espère que votre brutalité naturelle ne vous empêche pas d'être précise.

Du bout du doigt, il frôla le bord de la casserole. Je ne pus m'empêcher d'admirer la vivacité de son mouvement, la vitesse à laquelle sa main se rétracta dès que la chaleur devint trop violente. Je devinais déjà dans quelle école de combat il s'était entraîné : zivatahak, l'école du cœur.

– Tu supposes que je suis brutale parce que c'est ce que tu as entendu dire, répliquai-je. Parlons un peu de ce que j'ai entendu sur toi. Es-tu un lâche et un idiot à la peau tendre ?

– Vous êtes une Noavek, persista-t-il d'un air buté. La brutalité coule dans vos veines.

– Je n'ai pas choisi le sang qui coule dans mes veines. Pas plus que tu n'as choisi ton destin. Toi et moi, nous sommes devenus ce qu'on nous a fait devenir.

Et je sortis en frappant le chambranle du dos de mon poignet, cuir contre bois.

Le lendemain, je me réveillai lorsque le calmant cessa d'agir, juste après le lever du soleil, alors que la lumière était encore pâle. Je sortis du lit comme je le faisais toujours, par à-coups, en m'arrêtant pour reprendre mon souffle telle une vieille femme. J'enfilai ma tenue d'entraînement, en tissu synthétique de Tepes, léger et flottant. Personne ne savait conserver la fraîcheur du corps comme les Tepesit, dont la planète était si brûlante que nul n'en avait jamais foulé le sol pieds nus.

Je tressai mes cheveux le front appuyé contre un mur de ma chambre, les yeux fermés, en tâtonnant pour saisir chaque mèche. Je ne brossais plus mes épais cheveux bruns, du moins plus comme lorsque j'étais enfant, méticuleusement, dans l'espoir que la brosse les amadouerait pour former des boucles parfaites. La douleur m'avait volé ces petits plaisirs.

Quand j'eus fini, je pris une petite lame-flux – éteinte, pour éviter que les vrilles noires du flux ne s'enroulent autour du métal affûté –, et me rendis dans le petit cabinet d'apothicaire au bout du couloir, là où Akos avait installé son lit. Je me penchai sur lui et appuyai la lame sur sa gorge.

Ses yeux s'ouvrirent, puis s'agrandirent. Il se débattit, avant de s'immobiliser lorsque j'augmentai la pression sur sa peau. Je lui décochai un sourire goguenard.

– Vous êtes folle ? me dit-il d'une voix encore enrouée par le sommeil.

– Bien sûr ! répondis-je gaiement. Tu as dû entendre les rumeurs ! Mais j'ai une autre question, plus importante : Toi, es-tu fou ? Tu es là, à dormir à poings fermés sans même avoir pris soin de te barricader, alors que l'un de tes ennemis loge au bout du couloir ? Si ce n'est pas de la folie, c'est de la bêtise. Je te laisse choisir.

Il plia vivement la jambe pour me frapper le flanc. Je parai avec le coude et pointai la lame sur son ventre.

– Tu avais déjà perdu avant de te réveiller, signalai-je. Première leçon : le meilleur moyen de gagner un combat est de l'éviter. Si ton ennemi a le sommeil lourd, tranche-lui la gorge pendant qu'il dort. S'il a bon cœur, fais appel à sa compassion. S'il a soif, verse du poison dans son verre. Tu me suis ?

– En résumé, jette ton honneur par la fenêtre.

– Ah, l'honneur, ricanai-je. Celui qui veut survivre doit oublier l'honneur.

Cette citation, extraite d'un livre ogran – traduit en shotet, bien sûr ; *personne* ne lisait l'ogran –, parut chasser toute trace de sommeil de son regard plus efficacement que ne l'avait fait mon attaque.

– Maintenant, lève-toi.

Je me redressai, glissai la lame dans ma ceinture et quittai la pièce pour le laisser se changer.

Le temps qu'on achève le petit déjeuner, le soleil s'était levé. Derrière mes murs, j'entendais les domestiques circuler dans les passages parallèles aux couloirs orientés est-ouest, portant du linge dans les chambres. Le manoir avait été agencé de manière à exclure tous ceux qui en assuraient le fonctionnement. Cette organisation reflétait celle de Voa, avec le manoir des Noavek en son centre, les demeures des riches et des puissants tout autour, tandis que les autres vivaient à l'extérieur de ce cercle, luttant pour y pénétrer.

Situé au bout du couloir depuis ma chambre, la salle de sport était vaste et lumineuse. De grands miroirs faisaient face au mur extérieur entièrement percé de fenêtres. Le lustre doré suspendu au plafond contrastait avec le sol synthétique noir et les piles d'armes et de protections rembourrées entassées sur le mur du fond. C'était la seule pièce du manoir dont ma mère avait permis la modernisation. Pour le reste, elle avait tenu à préserver son « intégrité historique », jusqu'aux poignées de porte ternies et aux tuyaux qui sentaient parfois le moisi.

J'aimais bien m'entraîner ; non pour améliorer mes talents de combattante, même si cet avantage secondaire était non négligeable, mais par goût pour les sensations qui y étaient associées : le corps qui se réchauffe, les battements de cœur qui s'accélèrent, la saine fatigue des muscles poussés à bout par l'effort. Cette douleur-là, je la choisissais, contrairement à l'autre, qui m'avait choisie. Au début, j'avais tenté de m'entraîner avec les soldats en formation, comme l'avait fait Ryzek. Mais l'encre du flux qui courait dans mes veines les faisait trop souffrir, et j'avais dû me résigner à me débrouiller toute seule.

Depuis un an, je lisais des textes sur notre forme de combat la plus ancienne, tombée dans l'oubli : l'elmetahak, l'école de l'esprit. Comme beaucoup d'autres éléments de notre culture, c'était un emprunt, un *ramassage*, où la férocité ograne, la logique othyrienne et notre propre capacité d'improvisation se combinaient assez intimement pour former un tout inextricable.

En entrant dans la salle avec Akos, je me penchai sur le livre que j'avais laissé la veille près du mur : *Principes d'elmetahak : philosophie sous-jacente et exercices pratiques.*

J'en étais au chapitre « Tactique centrée sur l'adversaire ».

– Toi, à l'armée, tu as été formé selon l'école zivatahak, lançai-je à Akos.

Comme il me regardait sans comprendre, je continuai :

– Altetahak, l'école du bras. Zivatahak, l'école du cœur. Elmetahak, l'école de l'esprit. Ceux qui t'ont entraîné ne t'ont pas expliqué cela ?

– Comme je vous l'ai déjà dit, ils ne se fatiguaient pas à m'apprendre le nom des choses.

– Eh bien, tu as été formé à l'école zivatahak. Cela se voit à ta façon de bouger.

Ma remarque parut le surprendre

– Ma façon de bouger. Et je bouge comment ?

– Je ne devrais pas m'étonner qu'un Thuvhésit se connaisse aussi mal.

– Savoir comment on se bat ne signifie pas se connaître, riposta-t-il. Se battre n'a pas d'importance tant qu'on vit entouré des gens qui ne sont pas violents.

– Ah ? Et de quelle espèce mythique s'agit-il ? Ou devrais-je dire « imaginaire » ? Tous les gens sont violents, poursuivis-je en secouant la tête. Il y a juste ceux qui résistent à leurs pulsions, et les autres. Mieux vaut l'admettre et pouvoir s'en servir pour accéder aux autres aspects de sa personne que de se mentir à soi-même.

– Je ne me *mens* p…

Il se tut, et soupira.

– Bon, d'accord. Vous disiez, sur les moyens d'accéder à soi-même ?

Je voyais bien qu'il n'était pas d'accord avec moi, mais, au moins, il acceptait de m'écouter. Il y avait du progrès.

– Toi, par exemple. Tu es rapide, mais pas particulièrement fort. Tu es réactif et tu t'attends toujours à être attaqué. Ça veut dire zivatahak, l'école du cœur : la vitesse. (Je me donnai une tape sur la poitrine.) La vitesse exige de l'endurance. L'endurance du cœur. Ce sont les ascètes guerriers de Zold qui nous ont appris cela. L'école du bras, altetahak, c'est la force. Elle applique des techniques adaptées du style des mercenaires. La dernière, elmetahak, est celle de la stratégie. La plupart des Shotet l'ont oubliée. C'est un mélange de styles en provenance de diverses planètes.

– Laquelle avez-vous étudiée ?

– Toutes. J'étudie tout ce qui se présente.

Je me redressai en m'éloignant du livre.

– Allons-y.

J'ouvris le tiroir d'une commode. Son vieux bois grinçait et sa poignée ternie ne tenait plus très bien, mais elle renfermait des lames d'entraînement fabriquées dans un nouveau matériau synthétique, à la fois flexible et résistant. Bien utilisées, elles pouvaient faire mal mais ne coupaient pas. J'en lançai une à Akos, en pris une autre et écartai le bras.

Il m'imita. Je le regardai reproduire mes gestes, pliant les genoux et déplaçant son centre de gravité pour refléter ma posture. C'était étrange d'être observée ainsi par quelqu'un qui avait une telle soif d'apprendre, quelqu'un qui savait que sa survie dépendait de ce qu'il parviendrait à assimiler. Cela me donna le sentiment d'être utile.

Cette fois, je fis le premier mouvement, visant la tête d'un ample mouvement du bras. Je reculai avant de l'avoir touché et lui lançai sèchement :

– Tes mains sont-elles aussi fascinantes que cela ?

– Quoi ? Non !

– Alors cesse de les fixer et regarde ton adversaire.

Il leva le poing au niveau du visage et se jeta sur moi en brandissant sa lame. J'esquivai d'un pas sur le côté, tournai vivement sur moi-même et le frappai à l'oreille du plat du manche de ma lame. Il se tordit sur le côté avec une grimace et tenta de me frapper avant d'avoir retrouvé l'équilibre. Je saisis son poing et le bloquai.

– Je sais déjà comment te vaincre, dis-je. Tu sais que je suis meilleure que toi et, malgré cela, tu restes planté là.

J'agitai la main pour désigner la surface qui se trouvait juste devant moi.

– Cette zone est celle où j'ai le plus de chances de t'atteindre et de te blesser, celle où tous mes coups auront le maximum de concentration et d'impact. Tu dois m'obliger à bouger, pour te créer une ouverture en dehors de cette zone-là. Décale-toi à l'extérieur de mon coude droit, et j'aurai plus de mal à parer tes attaques. Ne reste pas là, au milieu, à attendre de te faire taillader.

Au lieu de riposter par un sarcasme, il acquiesça d'un signe de tête et releva les mains. Cette fois, quand je m'avançai pour le « taillader », il m'esquiva en se déportant. Je lâchai un petit sourire.

On continua à se déplacer ainsi un moment, tournant en cercle l'un autour de l'autre. J'interrompis la séance quand je vis qu'il s'essoufflait.

– Alors, parle-moi de tes marques, lui demandai-je.

Après tout, j'en étais toujours au chapitre « Stratégie centrée sur l'adversaire ». Quels adversaires plus intéressants que ceux qu'on a marqués sur son bras ?

Il tressaillit.

– Pourquoi ?

Son bandage avait disparu, révélant une vieille malemarque près du coude – celle que j'avais vue deux saisons plus tôt dans la Salle d'armes, si ce n'est qu'elle était achevée, colorée du bleu presque noir de la teinture du rituel. Il y en avait une deuxième à côté, pas encore cicatrisée. Deux marques sur le bras d'un jeune Thuvhésit, voilà qui était une vision peu commune.

– Parce que connaître ses ennemis est le début de la stratégie. Et vu les marques que tu portes au bras, tu en as déjà affronté deux.

Il tourna le bras pour inspecter ses entailles, les sourcils froncés, et me dit du ton de quelqu'un qui récite une leçon :

– Le premier était l'un des hommes qui ont envahi ma maison. Je l'ai tué alors qu'ils nous traînaient mon frère et moi à travers l'herbe-plume.

– Kalmev.

Kalmev Radix avait été l'un des membres de la garde rapprochée de mon frère, capitaine du vaisseau de séjour et traducteur du fil d'informations de l'Assemblée – il parlait quatre langues, dont le thuvhésit.

– Vous le connaissiez ? demanda Akos en se crispant légèrement.

– C'était un ami de mes parents. Je l'ai rencontré quand j'étais petite, et j'ai vu sa femme pleurer au dîner de ses funérailles après que tu l'as tué.

Kalmev avait été un homme dur. Mais il avait toujours des bonbons dans sa poche. Je le voyais les fourrer discrètement dans sa bouche pendant les dîners de fête. Mais je n'avais pas pleuré sa mort. Ce n'était pas un proche.

– Et la deuxième marque ?

– La deuxième…

Akos déglutit. J'avais touché un point sensible. Parfait.

– … est le Carapaçonné qui m'a donné ma cuirasse, acheva-t-il.

J'avais acquis la mienne trois saisons plus tôt. J'avais attendu le coucher du soleil couchée dans les hautes herbes, près du campement de l'armée, et j'en avais suivi un dans le noir. Puis je m'étais glissée sous lui pendant son sommeil et je m'étais arc-boutée pour le poignarder à son point vulnérable, là où sa patte était reliée à son corps. Il s'était vidé de son sang pendant des heures avant de mourir, et ses plaintes horribles m'avaient donné des cauchemars. Mais il ne m'était jamais venu à l'idée de graver la mort de cette créature sur ma peau comme Akos l'avait fait.

– Les marques ne désignent que des humains, signalai-je.

– Le Carapaçonné aurait tout aussi bien pu être une personne, répondit-il à voix basse. Je l'ai regardé dans les yeux. Il savait ce que j'étais. Je l'ai empoisonné, puis je l'ai touché et il s'est endormi. J'ai eu plus de peine pour lui que pour l'homme qui a privé ma sœur de deux frères et d'un père.

Il avait donc une sœur. Je l'avais oublié, même si j'avais entendu proclamer son destin en même temps que les autres, le jour où le chef de l'Assemblée les avait lus : *Le premier enfant de la famille Kereseth succombera à la lame.* C'était un destin presque aussi sombre que celui de mon frère. Ou que celui d'Akos.

– Tu devrais barrer la deuxième marque, lui dis-je. En haut, en diagonale. C'est ce qu'on fait pour ceux qui n'ont pas été tués par quelqu'un : les enfants mort-nés, les conjoints morts de maladie, les fugueurs qu'on ne revoit jamais. Toute perte… importante qui n'a pas été causée par un autre.

Il me regarda, sans se départir de son air sombre, mais intrigué, et reprit :

– Alors mon père…

– La perte de ton père est gravée sur le bras de Vas. Une perte ne peut être marquée deux fois.

– C'est une *mise à mort* qu'on marque, dit Akos en plissant le front. Un meurtre.

– Non. Même s'il s'agit de morts violentes, ces marques symbolisent toujours une perte, et non une victoire. Quoi que puisse te raconter je ne sais quel crétin de Shotet.

Instinctivement, j'agrippai mon brassard en glissant les doigts dans ses courroies de fixation.

DEVANT MOI, sur la planche à découper, les pétales de fleur-de-silence étaient fermement enroulés sur eux-mêmes. Je passai la lame du couteau sur la longueur du premier, un peu maladroitement à cause des gants – Akos n'en avait pas besoin, mais tout le monde n'était pas immunisé contre leur effet.

Le pétale resta enroulé.

– Il faut toucher la veine qui passe au milieu, me dit-il, la ligne rouge plus foncée.

– *Tout ça,* c'est du rouge pour moi. Tu es sûr que tu n'as pas des visions ?

– Réessayez.

C'était sa réponse chaque fois que je perdais patience. Il me disait posément : « Réessayez. » Ça me donnait envie de le frapper.

Tous les soirs depuis plusieurs semaines, on s'installait devant cette planche, et il m'apprenait à manipuler les fleurs-des-glaces. On était au chaud et au calme dans la chambre d'Akos. On n'entendait que le *glou-glou* de l'eau qui bouillait et le *tchac-tchac-tchac* du couteau sur la planche. Le lit d'Akos était toujours fait, ses draps usés bien tirés sur le matelas. Il dormait le plus souvent sans son oreiller, qui prenait la poussière dans un coin.

Chaque variété de fleurs-des-glaces devait être coupée selon une technique spécifique : il fallait décider les fleurs-de-silence à se raplatir, trancher les fleurs-de-jalousie d'une manière donnée pour ne pas les faire exploser en nuages de poudre. Quant à la côte dure et indigeste de la feuille de harva, on devait d'abord la détacher puis la tirer par la queue. « Pas trop fort. Mais plus fort que ça », m'avait précisé Akos d'un ton exaspérant.

Je m'en sortais bien dans le maniement du couteau, mais je manquais de patience pour toutes ces subtilités, et mon odorat ne m'était presque d'aucune utilité. Lors de nos entraînements au combat, le rapport de force s'inversait. Akos rongeait son frein quand je m'appesantissais sur la théorie ou la philosophie, que je considérais comme des bases fondamentales. Il était vif, et efficace dès qu'il parvenait à frapper, mais il manquait de vigilance et d'aptitudes pour déchiffrer son adversaire. Cependant, j'affrontais plus facilement la douleur de mon don lorsque je l'instruisais ou que lui m'instruisait.

J'appliquai la pointe de mon couteau sur un autre pétale de fleur-de-silence et la fis glisser en ligne droite. Cette fois, le pétale se déplia et s'aplatit sur la planche. Je souris fièrement. Nos épaules se frôlèrent et je m'écartai avec un sursaut – je n'avais pas l'habitude des contacts physiques. Et je doutais de pouvoir m'y réhabituer un jour.

– Bien, me dit Akos en jetant dans l'eau une poignée de feuilles de harva séchées. Plus qu'à recommencer une centaine de fois et ça commencera à vous sembler facile.

– Seulement une centaine de fois ? Moi qui croyais que ça allait être long, fis-je en lui coulant un regard en biais.

Au lieu de riposter ou de lever les yeux au ciel, il eut un petit sourire.

– Je veux bien échanger cent pétales de fleurs-de-silence à couper contre cent pompes, sur le nombre que vous m'obligez à faire.

Je pointai sur lui le couteau taché de fleur-de-silence.

– Un jour, tu me remercieras.

– Moi, remercier une Noavek ? Jamais.

C'était dit sur le ton de la plaisanterie, mais ce n'en était pas moins un rappel. J'étais une Noavek, et lui un Kereseth. J'étais une noble, et lui un prisonnier. Tout instant de détente entre nous impliquait de faire abstraction de cette réalité. Nos sourires s'effacèrent, et nous reprîmes nos tâches respectives en silence.

Un bon moment plus tard, alors que j'avais coupé quatre

pétales – plus que quatre-vingt-seize ! –, des pas résonnèrent dans le couloir. Des pas rapides, qui n'étaient pas ceux d'un garde qui fait sa ronde. Je posai le couteau et retirai mes gants.

– Qu'y a-t-il ? me demanda Akos.

– Quelqu'un vient. Ne révèle rien de ce que nous faisons réellement ici.

Il n'eut pas le temps de me demander pourquoi. La porte s'ouvrit sur Vas, qui entra suivi d'un jeune homme. C'était Jorek Kuzar, fils de Suzao Kuzar, le cousin de Vas. Il était petit et mince, avec la peau d'un brun chaud et une barbiche sur le menton. Je le connaissais à peine – Jorek n'avait pas voulu suivre les traces de son père, soldat et traducteur. En conséquence, il était perçu par son entourage à la fois comme une déception et un danger pour mon frère. Quiconque ne se jetait pas avec enthousiasme aux pieds de Ryzek était suspect.

Jorek me salua en inclinant la tête. Assaillie par les ombresflux dès l'apparition de Vas, je parvins tout juste à lui retourner son salut. Vas croisa les mains derrière son dos et inspecta d'un air amusé la petite pièce, les doigts tachés de vert d'Akos et l'eau qui bouillonnait sur le brûleur.

– Qu'est-ce qui vous amène au manoir, Kuzar ? demandai-je à Jorek sans laisser à Vas le temps de faire une réflexion. Vous n'êtes sûrement pas venu rendre visite à Vas. Je ne peux pas concevoir que quiconque fasse cela pour son plaisir.

Le regard de Jorek passa de Vas, furieux, à moi, toute souriante, puis à Akos qui s'obstinait à fixer ses mains agrippées à la table. Je n'avais pas remarqué tout de suite à quel point il s'était raidi à l'arrivée de Vas. Le tissu de sa chemise se tendait sur les muscles crispés de ses épaules.

– Mon père a rendez-vous avec le souverain, me répondit Jorek. Et il s'est dit que Vas pourrait en profiter pour me ramener à la raison.

Je ris.

– Et cela a-t-il marché ?

– Cyra a de nombreuses qualités utiles au souverain, mais la « raison » n'en fait pas partie, intervint Vas. Je ne prendrais pas trop au sérieux l'opinion qu'elle a de moi.

– J'adore nos petits bavardages, dis-je, mais si vous me disiez ce que vous voulez ?

– Quelle est cette potion que vous préparez ? Un calmant ? demanda Vas avec un sourire narquois. Je croyais que ton calmant, c'était de te laisser tripoter par Kereseth.

– Que voulez-vous ? redemandai-je en me raidissant.

– Tu n'as sûrement pas oublié que la fête du Séjour commence demain. Ryz voulait savoir si tu assisterais aux duels à ses côtés. Avant que tu répondes, il souhaite te rappeler que les services du petit Thuvhésit qu'il t'a si gracieusement offerts ont aussi pour but de te remettre sur pied précisément pour que tu participes à ces festivités publiques.

Les duels. Je n'y avais pas assisté depuis de nombreuses saisons, me réfugiant derrière l'excuse de la douleur. En réalité, je n'avais aucune envie de regarder des gens s'entretuer dans l'arène pour le statut social, la vengeance ou l'argent. C'était une pratique légale – et même, à cette époque, glorifiée –, mais je n'avais pas besoin d'ajouter ces spectacles aux images de violence qui fourmillaient déjà dans ma tête. La plainte continue d'Uzul Zetsyvis, par exemple.

– À vrai dire, je ne suis pas encore tout à fait « sur pied », dis-je. Transmets mes regrets à mon frère.

– Très bien, fit Vas en haussant les épaules. Au fait, tu devrais apprendre à Kereseth à se détendre un peu quand il me voit, ou il va finir par se froisser un muscle.

Je glissai un coup d'œil vers Akos, qui se tenait toujours voûté au-dessus du comptoir.

– Je tiendrai compte de ton conseil.

PLUS TARD CE JOUR-LÀ, lorsque le fil d'informations passa en revue les actualités de chaque planète, celles qui nous concernaient inclurent le flash suivant : « L'important éleveur d'insectes fenzu shotet Uzul Zetsyvis a été retrouvé mort chez lui. Les premiers éléments de l'enquête indiquent que la cause du décès serait le suicide par pendaison. » Les sous-titres en shotet précisaient : « Shotet pleure la perte de l'éleveur de fenzu respecté Uzul Zetsyvis. L'enquête sur son décès privilégie l'hypothèse d'un meurtrier thuvhésit ayant agi pour éliminer un puissant concurrent. »

Bien sûr. Les traductions n'étaient qu'un tissu de mensonges, et seuls les proches de Ryzek maîtrisaient assez les langues étrangères pour le savoir. Rien de surprenant à ce que mon frère mette la mort d'Uzul sur le dos de Thuvhé plutôt que sur le sien.

Ou le mien.

Plus tard dans la journée, la garde postée dans le couloir m'apporta un message qui disait :

Marquez la perte de mon père. Elle vous appartient. Lety Zetsyvis.

Ryzek pouvait toujours accuser les Thuvhésit de la mort d'Uzul, sa fille savait parfaitement à qui l'imputer : à moi. À ma peau.

Lorsqu'une personne subissait mon don-flux sur une longue durée, celui-ci demeurait dans son corps longtemps après que j'avais retiré mes mains. Et plus le contact était prolongé, plus l'effet était long à se résorber. Sauf, bien sûr, si on le noyait dans la fleur-de-silence. Mais la famille Zetsyvis refusait ses bienfaits. Certains, acculés à choisir entre la mort et la douleur, préféraient la mort. Uzul Zetsyvis était de ceux-là : croyant au point de s'autodétruire.

Et en effet, je gravai la mort d'Uzul sur mon bras, juste avant de réduire le message de Lety en cendres. Puis j'ombrai la marque fraîche avec de l'extrait de racine d'herbe-plume, qui piquait si fort que les larmes me montèrent aux yeux. Enfin, je murmurai le nom d'Uzul, mais sans oser prononcer le reste de la formule rituelle, parce qu'il s'agissait d'une prière.

Cette nuit-là, je rêvai de lui. J'entendis ses hurlements et vis ses yeux exorbités, injectés de sang. Il me poursuivait dans une sombre forêt éclairée par des fenzu. Il me poursuivait jusque dans une grotte où m'attendait Ryzek. Les dents de mon frère étaient aiguës comme des pointes de couteau.

Je me réveillai en criant, trempée de sueur, et sentis la main d'Akos sur mon épaule. Son visage était tout proche du mien, sa chemise et ses cheveux encore froissés par le sommeil. Son regard était grave et prudent, et interrogateur.

– Je vous ai entendue, me dit-il simplement.

Je sentais la chaleur de sa main à travers ma chemise. Elle glissa sur mon col pour effleurer ma gorge, et ce contact suffit à éteindre mon don-flux et à soulager la douleur. Lorsqu'il ôta ses doigts, je faillis crier, trop épuisée pour me préoccuper de choses comme la dignité ou la fierté. Mais déjà il prenait ma main.

– Venez, dit-il. Je vais vous apprendre à chasser vos rêves.

À cet instant, avec nos doigts enlacés et le son de sa voix calme dans mon oreille, il aurait pu me faire faire n'importe quoi. Je hochai la tête et dégageai mes jambes des draps entortillés.

Il alluma la lumière dans sa chambre et nous nous campâmes côte à côte devant le comptoir. Les bocaux s'alignaient au-dessus de nos têtes sur l'étagère, désormais étiquetés en thuvhésit.

– Comme presque tous les mélanges, me dit-il, celui-ci commence avec de la fleur-de-silence.

▲
▲

:11
CYRA

La fête du Séjour commençait chaque saison par des martèlements de tambours au lever du soleil. Les premières mesures montaient de l'amphithéâtre situé au centre et rayonnaient dans la ville, se répandant à mesure que d'autres joueurs sortaient de chez eux. Les roulements de tambours symbolisaient nos débuts : les premiers battements de nos cœurs, les premières secousses de vie qui nous avaient menés à la puissance qui était la nôtre aujourd'hui. Pendant sept jours, nous allions célébrer notre passé, puis tous les valides s'entasseraient dans le vaisseau de séjour. Nous suivrions le ruban-flux à travers la galaxie jusqu'à ce qu'il vire au bleu, et là, nous nous poserions sur une planète pour le ramassage, avant de rentrer chez nous.

J'avais toujours adoré la musique des tambours, parce qu'elle annonçait le départ. Je me sentais toujours plus libre dans l'espace. Mais cette saison-là, alors qu'Uzul Zetsyvis hantait mes nuits, je n'entendais plus que les battements de son cœur ralentissant peu à peu.

Akos était apparu à ma porte. Ses courtes mèches de cheveux bruns partaient dans tous les sens.

– Quel est ce bruit ? me demanda-t-il, les yeux écarquillés.

Malgré les élancements de douleur causés par le flux, je ne

pus m'empêcher de rire. Je ne l'avais jamais vu aussi échevelé. Les jambes de son pyjama étaient tirebouchonnées et sa joue portait la trace rouge d'un drap froissé.

– Ce n'est rien, c'est juste le début de la fête du Séjour. Détends-toi. Et arrange-toi un peu.

Il rosit et rajusta la ceinture de son pantalon.

– Je ne pouvais pas deviner ! répliqua-t-il avec irritation. La prochaine fois que je devrai être réveillé à l'aube par des roulements de tambours qui grondent comme des tambours de guerre, vous sera-t-il possible de me prévenir ?

– Tu as vraiment décidé de gâcher tout mon plaisir.

– Sans doute parce que votre conception du « plaisir » est de me faire croire que je cours un danger mortel.

Je me dirigeai vers la fenêtre avec un petit sourire. La foule inondait les rues. Je regardai les gens déferler vers le centre de Voa en soulevant des nuages de poussière. Ils étaient tous vêtus de bleu, notre couleur préférée, de violet ou de vert, munis d'armes et d'armures, le visage peint, le cou et les poignets ornés de bijoux de pacotille ou de fragiles couronnes de fleurs. Ici, sur l'équateur, les fleurs n'avaient pas besoin d'être aussi résistantes que les fleurs-des-glaces pour survivre. Elles étaient parfumées et se réduisaient en bouillie dès qu'on les touchait.

Le programme des festivités comprenait des duels dans l'amphithéâtre, des spectacles de visiteurs venus d'autres planètes et des représentations d'épisodes de l'histoire shotet. Pendant ce temps, les équipages du vaisseau de séjour s'activeraient au nettoyage et aux réparations. Le dernier jour, Ryzek et moi nous rendrions solennellement du manoir des Noavek à la navette. Elle nous déposerait à bord du vaisseau, dont nous serions les premiers passagers officiels.

Tous les autres y monteraient à notre suite. Je connaissais bien ce rituel, qui m'était précieux, même si mes parents n'étaient plus là pour me guider le long de ses étapes.

– Le règne de ma famille est relativement récent, précisai-je à Akos. À l'époque de ma naissance, Shotet avait déjà changé sous le gouvernement de mon père. C'est du moins ce que j'ai lu.

Des enfants rieurs couraient derrière la grille du manoir en se tenant par la main. D'autres visages, brouillés par la distance, étaient tournés vers le manoir des Noavek.

– Vous aimez lire ? me demanda-t-il.

– Oui. (J'aimais lire et faire les cent pas. Cela m'aidait à me changer les idées.) Je crois que cette période est celle où nous nous rapprochons le plus des choses telles qu'elles étaient autrefois. La fête, le vaisseau de séjour… Nous étions un peuple errant, au début, pas des…

– Des meurtriers et des voleurs ?

J'agrippai mon bras gauche, et le bord de mon brassard me rentra dans la paume.

– Si vous aimez tant cette fête, pourquoi n'y allez-vous pas ?

– Pour passer toute la journée à côté de Ryzek ? Non merci, ricanai-je.

Akos me rejoignit pour regarder par la fenêtre. Une vieille femme avançait lentement au milieu de la rue en rajustant un foulard coloré sur sa tête. Il avait glissé dans la mêlée et ses doigts étaient malhabiles. Nous vîmes un jeune homme chargé de couronnes de fleurs en poser une sur ses cheveux par-dessus le foulard.

– Je ne comprends pas ces choses : le séjour, le ramassage… me dit Akos. Comment décidez-vous où vous allez ?

Les roulements de tambours continuaient de marteler les battements de cœur de Shotet. Sous leurs grondements s'élevait un vrombissement assourdi par la distance, et aussi des volutes de musique.

– Je peux te montrer si tu veux, dis-je. Ça devrait bientôt commencer.

PEU APRÈS, nous avancions dans le réseau de passages réservés aux domestiques. Un globe d'insectes fenzu suspendu un peu plus loin nous servait de phare, mais j'avançais prudemment. Des lattes du parquet étaient décollées, et des clous tordus dépassaient des poutres.

Plus loin, le passage se scindait en deux, et je tâtonnai le long d'une poutre à la recherche d'une encoche. Une marque me signala que le chemin de gauche menait au rez-de-chaussée. Je me retournai pour tendre la main vers Akos, trouvai sa chemise et le tirai derrière moi.

Il prit ma main et nous continuâmes ainsi. Je priais pour que les craquements des planches masquent ma respiration bruyante.

En suivant les passages, nous atteignîmes la salle où travaillaient les Analystes, non loin de la Salle d'armes. Je poussai sur le panneau et le fis glisser juste assez pour nous laisser passer. La salle était si sombre que les Analystes ne nous remarquèrent même pas. Debout au milieu d'un hologramme qui flottait au centre de la pièce, ils mesuraient des distances à l'aide de fins rayons de lumière blanche, ou criaient des coordonnées en consultant les écrans qu'ils portaient au poignet.

Leur tâche consistait à calibrer la galaxie. Quand ils auraient vérifié l'exactitude de leurs calculs, ils entameraient l'analyse du flux. Son mouvement de va-et-vient leur indiquerait où devait avoir lieu le prochain ramassage.

– C'est une modélisation de la galaxie, chuchotai-je.

– De la galaxie ? Mais il ne montre que notre système solaire.

– Les Shotet sont des explorateurs. Nous sommes allés bien au-delà des frontières du système solaire. Mais nous n'y avons trouvé que des étoiles, pas d'autres planètes. À notre connaissance, celles-ci sont les seules de la galaxie.

L'hologramme remplissait entièrement la pièce. Le Soleil luisait en son centre et des fragments de lune flottaient sur ses bordures. Les planètes semblaient solides, jusqu'à ce qu'un

Analyste les traverse pour aller mesurer autre chose. Alors, elles remuaient, presque comme si elles respiraient. Notre planète passa devant moi telle une sphère de vapeur, de loin la plus blanche de toutes. L'élément qui flottait le plus près du Soleil était le siège de l'Assemblée, un vaisseau encore plus grand que le vaisseau de séjour et qui constituait le cœur du gouvernement de la galaxie.

– Tout sera calibré dès que nous aurons placé Othyr au point le plus éloigné du Soleil, annonça l'un des Analystes. Plus qu'un izit ou deux.

Il était grand, avec les épaules un peu rentrées, comme s'il cherchait à se protéger.

Un « izit », ou IZ, correspondait environ à la largeur de mon auriculaire. Il m'arrivait d'ailleurs de me servir de mon petit doigt pour mesurer des choses lorsque je n'avais pas de faisceau sous la main.

– Super précis comme mesure ! ironisa un autre superviseur, un petit bonhomme dont le ventre commençait à bourgeonner au-dessus de sa ceinture. « Un izit ou deux », franchement, autant dire « une planète ou deux ».

– 1,467 IZ, précisa le premier Analyste. Comme si ça pouvait perturber le flux.

– Tu n'as jamais vraiment perçu toute la subtilité de notre art, lui lança une femme en traversant le Soleil à grands pas pour aller mesurer sa distance avec Othyr, l'une des planètes les plus proches du centre de la galaxie.

Tout chez elle était strict, de ses cheveux coupés au carré jusqu'aux épaulettes de sa veste bien amidonnée. Elle s'arrêta au centre du Soleil, qui l'auréola d'une lumière jaune pâle.

– Car c'est bien d'un art qu'il s'agit, poursuivit-elle, bien que d'aucuns insistent pour le qualifier de science. Mademoiselle Noavek, quel honneur de vous avoir parmi nous ! Ainsi que votre… compagnon.

Elle avait parlé sans me regarder, penchée pour pointer son faisceau de lumière sur l'équateur d'Othyr. Les autres Analystes sursautèrent à ma vue et eurent un mouvement de recul, même ceux qui se trouvaient à l'autre bout de la salle. S'ils avaient su combien il m'en coûtait de tenir plus de quelques minutes sans pleurer ni me tordre les doigts, peut-être auraient-ils eu moins peur de moi.

– C'est un domestique, répondis-je. Ne vous occupez pas de moi, je ne fais que regarder.

Ils reprirent leurs tâches, mais leurs bavardages insouciants avaient cessé. Je cachai mes mains derrière mon dos et serrai les poings jusqu'à ce que mes ongles s'enfoncent dans mes paumes. Les ombres-flux palpitaient sur mes joues. Mais j'oubliai la douleur dès que les Analystes activèrent l'hologramme du flux. Il ondula comme un serpent entre les planètes, mais comme un serpent éthéré, sans contours définis. Il touchait toutes les planètes de la galaxie, aussi bien celles qui étaient gouvernées par l'Assemblée que celles de la Bordure, avant de former un solide bandeau tout autour de la salle, comme une courroie maintenant la galaxie. Sa lumière se déplaçait sans cesse, si vibrante par endroits qu'elle faisait mal aux yeux, si ténue à d'autres qu'elle n'était plus qu'une fine volute.

Otega m'avait amenée ici enfant, pour m'expliquer le fonctionnement du ramassage. Ces Analystes passaient des journées entières à observer le ruban-flux.

– C'est toujours au-dessus de notre planète que la lumière et les couleurs du flux sont les plus vives, murmurai-je à Akos. D'après la légende, il s'enroule trois fois autour d'elle, et c'est pourquoi nos ancêtres l'ont choisie pour s'y installer. En revanche, son intensité fluctue autour des autres planètes, en élisant tantôt une, tantôt une autre, sans schéma logique. Chaque saison, nous suivons son cours, puis nous nous posons pour le ramassage.

– Pourquoi ? chuchota Akos.

« Nous retenons la sagesse de chacune des planètes pour la faire nôtre, m'avait chuchoté Otega, accroupie à côté de moi durant l'une de nos visites ici. Et ce faisant, nous montrons à chaque peuple ce qu'il mérite de chérir chez lui. Nous le révélons à lui-même. »

Comme en réaction à ce souvenir, mes ombres-flux s'affolèrent, surgissant, refluant, suivies par la douleur partout où elles allaient.

– Le renouveau, dis-je. Le ramassage célèbre le renouveau.

Je ne voyais pas comment le formuler autrement, n'ayant jamais eu à l'expliquer.

– Nous trouvons des choses qui ont été rejetées par les autres planètes et nous leur donnons une nouvelle vie. C'est… ce en quoi nous croyons.

– Activité observée autour de P1104, déclara un Analyste.

Il se baissa vers un objet mineur situé en bordure de la galaxie, si bas qu'on eût dit un insecte desséché, replié dans sa carapace. Il toucha une boucle du flux où la couleur – verte, maintenant, irisée de paillettes jaunes – s'assombrissait.

– Comme une vague qui s'apprête à frapper la côte, susurra la femme anguleuse. Elle peut s'amplifier, ou bien s'éteindre comme une bougie, c'est selon. Notez-le à toutes fins utiles. Mais, dans l'immédiat, la meilleure planète sur laquelle accomplir le ramassage me semble toujours être Ogra.

« Le ramassage est une faveur, avait murmuré Otega à mon oreille d'enfant. Destinée à eux comme à nous. Le ramassage est l'un des rôles qui nous sont attribués par le flux. »

– Pour ce à quoi nous avancent ces prévisions… maugréa le premier superviseur. Ne nous as-tu pas dit que Son Altesse avait uniquement requis des informations sur l'activité du flux au-dessus de Pitha ? On y distingue à peine un filet. Mais je suppose qu'il s'en moque.

– Son Altesse a ses raisons pour requérir des informations

et il ne nous appartient pas de les remettre en cause, répliqua la femme en glissant un rapide coup d'œil vers moi.

Pitha. Selon les rumeurs qui couraient sur cette planète, tout au fond de ses océans, là où les courants étaient atténués, étaient cachées des armes de haute technologie telles que nous n'en avions jamais vues.

Ryzek étant résolu à s'emparer, non seulement de la gouvernance de Shotet, mais du contrôle de toute la planète, de telles armes ne pouvaient que lui être utiles.

Je sentais la douleur monter derrière mes yeux. Cela commençait toujours ainsi quand mon don-flux était sur le point de me frapper plus violemment que d'habitude. Ce qui se produisait dès que j'imaginais Ryzek en train de se jeter dans une guerre, tandis que je me tiendrais passivement à ses côtés.

– Partons, dis-je à Akos.

Puis je me tournai vers les Analystes.

– Tous mes vœux pour vos observations.

Avant d'ajouter sur un coup de tête :

– Ne nous égarez pas.

Akos resta muet tandis que nous arpentions les passages pour rentrer. Il était toujours muet, songeai-je, lorsqu'il n'était pas en train de poser des questions. Je me demandai si j'éprouverais autant de curiosité à l'égard de quelqu'un que je détesterais. Mais peut-être était-ce justement la question, peut-être essayait-il de savoir s'il devait me détester ou non.

Dehors, les battements de tambours finirent par se taire, selon la coutume. Mais ce silence parut agir comme un signal sur Akos. Il s'arrêta sous un globe d'insectes fenzu. Le dernier insecte qui voletait encore dans le globe en verre ne diffusait plus qu'une pâle lumière bleutée, signe qu'il ne tarderait pas à mourir. Tous les autres gisaient sur le dos, les pattes rétractées.

– Allons voir cette fête, déclara brusquement Akos.

Je fus soudain frappée par sa maigreur. Des ombres creusaient son visage sous les pommettes, là où ses joues auraient dû arborer la rondeur de la jeunesse.

– Pas avec Ryzek, ajouta-t-il. Juste vous et moi.

Je fixai sa paume tendue. Il m'offrait de le toucher sans la moindre réticence, sans soupçonner combien son don-flux était précieux. Combien l'existence même d'une personne comme lui était précieuse pour quelqu'un comme moi.

– Pourquoi ? demandai-je.

– Pourquoi quoi ?

Je plissai le front.

– Tu es gentil avec moi en ce moment. Comme maintenant, par exemple. Pourquoi ? Qu'as-tu à y gagner ?

– Grandir ici vous a vraiment dénaturée…

– Grandir ici m'a permis de voir les gens tels qu'ils sont.

Il soupira, comme s'il renonçait à essayer de me convaincre. Cela lui arrivait fréquemment.

– On passe beaucoup de temps ensemble, Cyra. Être gentil, c'est une question de survie.

– Les gens me reconnaîtront. Même s'ils ne connaissent pas mon visage, ils reconnaîtront les ombres-flux.

– Vous n'en aurez pas. Vous serez avec moi.

Il pencha la tête et ajouta :

– À moins que ça vous gêne tant que ça de me toucher ?

Il me mettait au défi. Ou peut-être cherchait-il à me manipuler. Mais j'imaginai ma peau inoffensive au milieu d'une foule compacte, les gens me frôlant sans ressentir la douleur, l'odeur de sueur dans l'air, la possibilité de me fondre parmi eux. La dernière fois que je m'étais approchée d'une foule semblable à celle-ci, c'était juste avant mon premier séjour, lorsque mon père m'avait portée à bout de bras. Même si Akos avait une idée derrière la tête, le risque en valait peut-être la peine, si cela me permettait de sortir.

Je glissai ma main dans la sienne.

Nous étions de retour dans les passages des domestiques, vêtus pour la circonstance. Je portais une robe mauve – pas une robe de soirée de ma mère, cette fois, mais un vêtement ordinaire que je ne craignais pas d'abîmer – et, pour me camoufler, je m'étais peint une épaisse bande bleue en travers du visage, qui me couvrait entièrement un œil et une bonne partie de l'autre. Je m'étais attaché les cheveux, que j'avais recouverts de teinture bleue pour les tenir en place. Sans les ombres-flux, je ne ressemblerais pas à la Cyra Noavek que connaissait Voa.

Akos était habillé en noir et vert. Personne ne pouvant le reconnaître, il n'avait pas eu besoin de se déguiser.

Lorsqu'il me vit, il me dévisagea. Longtemps.

Je savais de quoi j'avais l'air. Mon visage n'était pas un apaisement pour les yeux, comme le sont ceux des gens dénués de complexité. C'était un défi, comme la couleur aveuglante du ruban-flux. Mon apparence m'importait peu, d'autant qu'elle était toujours brouillée par les veines mouvantes du flux. Mais je n'étais pas habituée à ce qu'Akos y fasse attention.

– Rentre tes yeux dans ta tête, Kereseth, lui dis-je. Tu es ridicule.

Nous traversâmes l'aile est de la maison et prîmes l'escalier. À tâtons, je cherchai sur les poutres les cercles gravés qui signalaient les sorties.

À cet endroit du manoir, l'herbe-plume poussait juste sous les murs et nous dûmes nous frayer un chemin à travers les tiges pour atteindre le portail, verrouillé par un code. Je le connaissais : c'était la date d'anniversaire de ma mère. Tous les codes de Ryzek avaient un lien avec ma mère – ses chiffres préférés, sa date de naissance, celle de sa mort, la date de son mariage –, sauf à proximité de ses appartements privés, où les portes étaient scellées par du sang Noavek. Je ne m'en approchais pas, passant le moins de temps possible avec mon frère.

Je sentis le regard d'Akos sur ma main tandis que je composais le code.

Mais ce portail permettait seulement de quitter le manoir, et non Shotet.

Nous prîmes une ruelle qui débouchait sur l'une des avenues principales de Voa. Je me raidis instinctivement quand le regard d'un homme s'attarda sur mon visage. Puis celui d'une femme. Puis celui d'un enfant. Partout, des yeux croisaient les miens, puis se détournaient.

J'agrippai le bras d'Akos et me penchai pour lui murmurer :

– Ils me dévisagent. Ils savent qui je suis.

– Non. Ils vous dévisagent parce que vous avez de la peinture bleue sur la figure.

Je touchai ma joue du bout du doigt, doucement, là où la peinture était sèche. Ma peau était rêche, écailleuse. J'avais oublié qu'aujourd'hui, cela ne voulait rien dire si les gens me dévisageaient.

– On ne vous a jamais dit que vous étiez paranoïaque ? ajouta Akos.

– Tu es bien impertinent pour quelqu'un à qui je flanque une raclée tous les jours.

Il éclata de rire.

– Bon, où allons-nous ?

– Viens. Je connais un endroit.

Je l'entraînai dans une rue plus calme, un peu à l'écart du centre. L'air était saturé de poussière, mais bientôt le vaisseau de séjour décollerait et nous aurions notre orage, qui nettoierait la ville en la teintant de bleu.

Les cérémonies officielles, celles qui étaient approuvées par le gouvernement, se déroulaient au centre de Voa, dans l'amphithéâtre et ses alentours. Mais ce n'était pas le seul endroit où l'on faisait la fête. Nous jouâmes des coudes dans une ruelle dont les maisons s'appuyaient les unes contre les autres comme des amoureux. Ici aussi, les gens dansaient et chantaient. Une femme couverte de bijoux de pacotille m'arrêta en me touchant, un luxe que je n'avais jamais savouré ; j'en eus presque la chair de poule. Avec un grand sourire, elle posa sur ma tête une couronne de fleurs de fenzu – appelées ainsi à cause de leur couleur bleu-gris, identique à celle des ailes des insectes.

Nous débouchâmes sur une place animée, remplie de petites tentes et d'étals aux auvents usés. Des gens marchandaient, des jeunes femmes caressaient des colliers qu'elles ne pouvaient s'offrir, des soldats zigzaguaient au milieu de la foule, leurs cuirasses étincelant au soleil. Je humai les odeurs de fumée et de viande rôtie et me tournai en souriant vers Akos.

Il avait une drôle d'expression, perplexe, un peu comme si cet aspect des Shotet n'avait rien à voir avec ce qu'il imaginait.

Main dans la main, nous nous engageâmes dans une allée du marché. Je m'arrêtai devant un étal où l'on vendait des couteaux aux manches gravés – des couteaux ordinaires, dont les lames, forgées dans un métal non conducteur, ne pouvaient pas être innervées par le flux.

– La dame sait-elle manier un couteau ? me demanda le vieux marchand en shotet.

Il portait la lourde robe grise aux manches larges des chefs religieux zoldiens.

Les croyants zoldiens n'utilisaient que des couteaux ordinaires. Pour eux – comme pour les Shotet les plus pieux –, l'usage de lames-flux représentait une utilisation frivole du flux, qui méritait plus de respect. Mais, à la différence de nos prêtres, les religieux zoldiens n'appliquaient pas leur pratique religieuse au quotidien, en œuvrant à changer les choses autour d'eux. Au contraire, ils vivaient plutôt retirés du monde, en ascètes.

– Sans doute mieux que vous, lui assurai-je en zoldien.

Je parlais mal cette langue – c'était le moins qu'on puisse dire –, mais j'étais contente d'avoir une occasion de la pratiquer.

– Vraiment ? me dit-il en riant. Votre accent est terrifiant !

– Hé là !

Un soldat s'approcha et frappa la table du vieillard de la pointe de sa lame-flux. L'homme considéra l'arme avec répugnance.

– On ne parle que le shotet, fit le soldat. Et si elle vous répond dans votre langue… (il émit un petit grognement) elle va le regretter.

Je baissai la tête pour qu'il ne puisse pas voir mon visage.

– Excusez-moi, dit le Zoldien dans un shotet hésitant. C'est ma faute.

Bombant le torse comme pour gonfler son plumage, le soldat laissa un moment son couteau planté dans la table. Enfin, il le rengaina et disparut dans la foule.

Le vieil homme reprit, d'un ton plus commerçant :

– Vous ne trouverez pas de couteaux mieux équilibrés dans tout le marché…

Il m'expliqua comment ils étaient fabriqués, avec un métal forgé au pôle Nord de Zold et du bois récupéré dans les vieilles maisons de Zoldia. Je ne l'écoutais que d'une oreille, en partie concentrée sur Akos et sa façon d'observer la place.

J'achetai un couteau, une arme robuste à la lame sombre et au manche taillé pour de longs doigts, que j'offris à Akos.

– Zold est une curieuse planète, à moitié recouverte d'une poussière grise émise par leurs champs de fleurs. On met un moment à s'y habituer. Mais leur métal est étonnamment flexible malgré sa résistance… Quoi ? Qu'y a-t-il ?

– Tout cela, répondit-il en englobant la place d'un geste. Ça vient d'autres planètes ?

Nos mains commençaient à être moites.

– Oui. Exceptionnellement, les marchands interplanétaires sont autorisés à vendre leurs produits à Voa durant la fête du Séjour. Certains de ces objets proviennent du ramassage, bien sûr – les Shotet restent des Shotet.

Il s'était arrêté au milieu de la foule pour se tourner vers moi.

– Pouvez-vous dire d'où viennent ces objets rien qu'en les regardant ? Êtes-vous allée sur toutes ces planètes ?

Je balayai rapidement la place du regard. Certains marchands étaient drapés de la tête aux pieds d'étoffes de couleurs vives ou au contraire entièrement noires, d'autres portaient de hautes coiffes pour attirer l'attention, ou caquetaient dans un shotet bruyant que j'avais du mal à comprendre à cause de leur accent. Des lumières jaillissaient d'un étal situé au bout de l'allée, parsemant le ciel d'étincelles qui s'éteignaient presque aussitôt. La femme qui le tenait exposait tant de chair pâle qu'elle semblait luire. Un autre étal disparaissait sous un nuage d'insectes si dense que je distinguais à peine le marchand assis derrière. Que pouvait-on bien faire d'une nuée d'insectes ? Mystère.

– J'ai visité les neuf planètes-nations, répondis-je en hochant la tête. Mais non, je ne peux pas dire d'où viennent tous ces produits. Pour certains d'entre eux, cela dit, c'est évident. Ceci, par exemple…

Sur une table à proximité était posé un instrument délicat, dont la forme abstraite variait selon l'angle de vue. Il était composé de petites facettes d'une matière iridescente, à mi-chemin entre le verre et la pierre.

– C'est un matériau de synthèse. Comme tout ce qui vient de Pitha, puisque cette planète est recouverte d'eau. Ils importent des matériaux de chez leurs voisins et les amalgament…

Je donnai une pichenette sur l'une des facettes, et un grondement de tonnerre monta des entrailles de l'instrument. Puis un frôlement sur les autres facettes suffit à déclencher une musique semblable au bruit des vagues. C'était une mélodie aérienne, aussi légère que la caresse de mes doigts, et des roulements de tambours résonnèrent dès que je frappai l'un des petits panneaux de verre. Chaque facette semblait briller d'une sorte de lumière intérieure.

– C'est censé imiter le bruit de la mer pour les voyageurs pithars qui ont le mal du pays, expliquai-je.

Je me tournai vers lui et le vis qui me souriait d'un air hésitant.

– Vous adorez tout ça, me dit-il. Tous ces endroits, tous ces objets.

– Oui… c'est vrai.

Je ne me l'étais jamais formulé ainsi.

– Et Thuvhé ? me demanda-t-il. Vous l'aimez aussi ?

L'entendre prononcer le nom de chez lui, à l'aise avec les syllabes ondulantes sur lesquelles j'aurais trébuché, me rappela que, s'il parlait couramment le shotet, il n'était pas l'un des nôtres.

Il avait grandi cerné par le froid, dans une maison éclairée par des pierres-ardentes. Sans doute rêvait-il encore en thuvhésit.

Je n'avais jamais visité les terres glacées du Nord, mais j'avais étudié leur langue et leur culture. Ces gens avaient l'amour des motifs géométriques complexes et des couleurs vives qui se détachaient sur la neige. J'en avais vu des images.

– Thuvhé, dis-je. Des fleurs-des-glaces et des constructions en verre plombé. Des villes flottantes et des étendues blanches à perte de vue. Oui, il y a des choses que j'aime à Thuvhé.

Il resta pensif. Je l'avais peut-être rendu nostalgique.

Il prit le couteau que je venais de lui offrir et l'examina en testant la pointe du bout de l'index.

– Vous m'avez donné cette arme sans hésiter une seconde, me dit-il. Alors que je pourrais m'en servir contre vous, Cyra.

– Tu pourrais *essayer*, rectifiai-je tranquillement. Mais je doute que tu le fasses.

– J'ai l'impression que vous vous faites des illusions sur moi.

Il avait raison. J'oubliais parfois trop facilement que c'était un prisonnier, et que, lorsque j'étais avec lui, j'étais en quelque sorte sa geôlière.

Mais si je le laissais s'enfuir pour tenter de ramener son frère chez lui, comme il en rêvait, je devrais me résigner à retomber dans une vie de souffrance. Rien que l'idée me fut intolérable. Je n'aurais pas la force d'affronter toutes ces saisons, tous ces Uzul Zetsyvis, toutes ces menaces voilées de Ryzek et ces soirées passées à boire à ses côtés.

Je me remis en marche dans l'allée.

– Il est temps d'aller voir le Conteur.

Pendant que mon père s'occupait de transformer Ryzek en monstre, mon éducation avait été laissée aux mains d'Otega. Régulièrement, lorsque j'étais enfant, elle me couvrait de lourds vêtements pour cacher les ombres qui me consumaient, et m'emmenait dans des coins de la ville où mes parents ne m'auraient jamais autorisée à aller.

Cet endroit en faisait partie. Il était enfoui dans l'un des quartiers les plus pauvres de Voa, où les maisons qui menaçaient de s'effondrer côtoyaient celles qui l'étaient déjà. Ici aussi, il y avait des marchés, mais ils étaient plus éphémères. Les marchandises étaient posées à même le sol sur des couvertures, pour pouvoir être ramassées et emportées à la va-vite.

Akos s'arrêta devant l'un de ces étals, qui proposait des flacons blancs disposés sur une couverture mauve. On voyait encore sur leur surface la colle d'anciennes étiquettes, sur laquelle s'agrégeaient des peluches.

– Ce sont des médicaments ? me demanda-t-il. On dirait que ces bouteilles viennent d'Othyr.

J'acquiesçai, la gorge nouée.

– Que soignent-ils ?

– Le Q900X, répondis-je. Plus connu sous le nom de « culbute » parce que ce mal affecte l'équilibre.

Il fronça les sourcils. Nous nous étions immobilisés au milieu de la ruelle, loin des bruits des festivités.

– On peut prévenir cette maladie. Vous n'avez pas de vaccin ?

Je fronçai les sourcils à mon tour.

– Tu oublies que nous sommes un pays pauvre. Nous n'exportons rien, et nous avons à peine les ressources naturelles nécessaires pour subvenir à nos besoins. Quelques autres planètes nous envoient leur aide – Othyr en particulier –, mais elle tombe toujours entre de mauvaises mains, et elle est redistribuée en fonction du statut plutôt que du besoin.

– Je n'avais jamais... Je n'avais jamais réfléchi à cela.

– Pourquoi l'aurais-tu fait ? Ce n'est pas l'une des préoccupations principales de Thuvhé.

– Moi aussi, je viens d'une famille riche vivant dans un endroit pauvre, observa-t-il. Cela nous fait un point commun.

Il sembla s'étonner que nous puissions avoir quoi que ce soit en commun.

– Et vous ne pouvez rien faire pour aider ces gens ? reprit-il en désignant les maisons qui nous entouraient. En tant que sœur de Ryzek, ne pouvez-vous pas...

– Il ne m'écoute pas, le coupai-je, sur la défensive.

– Vous avez essayé ?

Le rouge me monta aux joues.

– Tu en parles comme si c'était facile. Comme s'il me suffisait d'avoir une entrevue avec mon frère et de lui demander de changer tout le système.

– Je n'ai pas dit que c'était facile.

– L'élite shotet protège mon frère contre le risque d'insurrection, poursuivis-je en m'échauffant. En échange de leur loyauté, il leur fournit les médicaments, la nourriture et les signes extérieurs de richesse dont les autres sont privés. Sans ce rempart, il mourrait. Et avec mon sang Noavek, je mourrais avec lui. Alors non... non, je ne me suis pas embarquée dans une noble mission pour sauver les pauvres et les malades de Shotet !

J'avais parlé avec colère alors qu'en réalité, je mourais de honte. J'avais failli vomir la première fois qu'Otega m'avait amenée ici, à cause de l'odeur du cadavre d'un homme mort de faim qui gisait dans l'une de ces allées. Elle m'avait couvert les yeux quand nous étions passées devant, et je n'avais pas pu le voir de près. Voilà qui j'étais : le « Fléau » de Ryzek, invincible au combat, au bord de la nausée à la simple vue d'un cadavre.

– Je n'aurais pas dû aborder le sujet, me dit Akos en me touchant doucement le bras. Allons-y. Allons voir ce… Conteur.

Je hochai la tête et nous repartîmes.

Enfouie dans le dédale des étroites ruelles se trouvait une porte basse ornée de délicats motifs bleus.

Je frappai, et elle s'ouvrit aussitôt dans un grincement, juste assez pour laisser échapper une volute de fumée blanche à l'odeur de sucre brûlé.

Cet endroit dégageait une sorte d'atmosphère sacrée. Ce qu'il était peut-être, en un sens. C'était ici qu'Otega m'avait amenée le premier jour de la fête du Séjour pour m'initier à l'histoire de Shotet, de nombreuses saisons auparavant.

L'homme qui ouvrit la porte était grand, le teint pâle. Ses cheveux étaient rasés de si près qu'on voyait son crâne briller.

Il me tendit la main.

– Ah, petite Noavek, me dit-il en souriant. Je ne pensais pas te revoir. Qui amènes-tu donc avec toi ?

– Je vous présente Akos. Akos, voici le Conteur. Du moins, c'est ainsi qu'il aime se faire appeler.

– Bonjour, dit Akos.

Son changement de posture trahissait sa nervosité, sans plus de trace du soldat en lui.

Le sourire du Conteur s'élargit et il nous fit signe de le suivre.

Une fois dans le salon, Akos dut se pencher pour ne pas se cogner au plafond voûté, dont le centre était occupé par un globe d'insectes fenzu brillant d'un vif éclat. Un tuyau d'évacuation reliait un poêle rouillé à la seule fenêtre de la pièce pour laisser échapper la fumée. Je savais que le sol était en terre battue parce que j'avais, petite, discrètement soulevé les tapis beiges pour voir ce qu'il y avait dessous. Je me souvenais de leurs fibres dures qui piquaient les jambes.

Le Conteur nous désigna une pile de coussins où nous nous assîmes, un peu maladroitement, main dans la main. Je lâchai un instant celle d'Akos pour essuyer ma paume sur ma robe, et les ombres-flux ressurgirent aussitôt. Le Conteur sourit de nouveau.

– Ah, les voilà, dit-il. Sans elles, j'ai failli ne pas te reconnaître, petite Noavek.

Il posa un récipient en métal devant nous sur la table – faite de deux petits tabourets vissés ensemble, l'un en métal et l'autre en bois – ainsi que deux tasses dépareillées en terre vernissée. Je nous versai le thé. Il était rouge pâle, presque rose, et expliquait la douce odeur qui flottait dans l'air.

Le Conteur prit place en face de nous. Au-dessus de sa tête, le mur blanc s'effritait, révélant une vieille couche de peinture jaune. Cependant, même ici on trouvait l'inévitable écran fixé de travers sur le mur à côté du poêle. Ce salon débordait d'objets issus du ramassage : la théière en métal sombre venait clairement de Tepes, la grille du poêle était en planches de Pitha et les vêtements du Conteur étaient aussi soyeux que ceux de n'importe quel noble othyrien. Dans un coin de la pièce se trouvait une chaise dont je ne pus déterminer l'origine et que le Conteur était visiblement en train de réparer.

– Ton compagnon – Akos, c'est cela ? – sent la fleur-de-silence, dit le Conteur en fronçant les sourcils.

– Il est thuvhésit, expliquai-je. Il ne voulait pas vous manquer de respect.

– Lui manquer de respect ? s'étonna Akos.

– Oui. Je ne laisse pas entrer chez moi ceux qui ont consommé de la fleur-de-silence, ni aucune autre substance qui affecte le flux. En revanche, ils sont les bienvenus dès que leur organisme est purifié de ces produits. Il n'est pas dans mes habitudes de rejeter des visiteurs.

– Le Conteur est un chef religieux shotet, précisai-je à Akos. Nous les appelons des clercs.

– Est-il thuvhésit, vraiment ? demanda le Conteur en fermant les yeux, le front plissé. Vous devez faire erreur, jeune homme. Vous parlez notre langue sacrée comme un Shotet.

– Je sais quand même d'où je viens, rétorqua Akos, froissé. Et qui je suis.

– Je ne voulais pas vous offenser. Mais votre prénom est également d'origine shotet, ce qui explique ma perplexité. Des parents thuvhésit ne donneraient pas à leur enfant un nom aux consonances aussi rudes sans une raison précise. Comment s'appellent vos frères et sœurs, par exemple ?

– Eijeh et Cisi, répondit Akos d'un ton hésitant.

De toute évidence il ne s'était jamais posé la question.

Sa main serra la mienne, sans qu'il ait l'air de s'en rendre compte.

– Enfin, peu importe, dit le Conteur. Il est évident que vous êtes venus ici dans un but précis, et il vous reste peu de temps avant l'orage. N'en perdons pas davantage. À quoi dois-je l'honneur de cette visite, petite Noavek ?

– Je pensais que vous pourriez raconter à Akos l'histoire que vous m'avez relatée quand j'étais petite. Je ne sais pas très bien raconter les histoires.

– Oui, je comprends.

Le Conteur prit sa tasse, posée par terre à ses pieds. Dehors, l'air était frais, mais ici, il faisait chaud, presque étouffant.

– Pour ce qui est de notre histoire, reprit-il, elle n'a pas réellement de commencement. Nous n'étions pas conscients que notre langue était celle de la révélation et qu'elle circulait dans notre sang, pour la raison que nous étions toujours entre nous, à sillonner la galaxie en groupe comme des nomades. Nous ne possédions pas de maisons, pas de biens. Nous suivions le flux à travers la galaxie, partout où il nous conduisait. Nous voyions cela comme notre devoir, notre mission.

Le Conteur sirota son thé, le reposa et agita les doigts en l'air. La première fois que je l'avais vu faire ce geste, j'avais ri en trouvant son comportement étrange. Mais je savais maintenant à quoi m'attendre : des formes pâles, brumeuses, apparurent devant lui. Elles n'étaient pas éclairées comme l'hologramme que nous avions vu plus tôt, mais l'image était identique : des planètes en orbite autour d'un soleil, ceintes du ruban blanc du flux.

Les yeux gris d'Akos – de la même couleur que les dessins nébuleux du Conteur – s'écarquillèrent.

– Un jour, l'un des oracles eut une vision, qui était que notre famille régnante nous montrerait où installer nos foyers. Ce qu'elle fit : elle nous guida jusqu'à une planète froide et inhospitalière que nous baptisâmes Urek, ce qui signifie « vide ».

– Urek, intervint Akos. Est-ce le nom shotet de notre planète ?

– Tu t'attendais peut-être à ce que nous l'appelions Thuvhé ? ironisai-je.

Notre planète, qui hébergeait à la fois les peuples thuvhésit et shotet, portait officiellement ce nom, reconnu par l'Assemblée. Ce qui ne nous obligeait nullement à l'appeler ainsi.

L'illusion créée par le Conteur se modifia pour ne plus former qu'un unique bloc de fumée dense.

– Le flux y était plus puissant qu'à tout autre endroit que nous avions visité jusque-là, reprit le Conteur. Mais pour ne pas oublier notre histoire, notre impermanence, notre façon de donner une nouvelle vie aux objets, nous avons instauré le rite du séjour. Chaque saison, tous les valides de notre peuple remonteraient à bord du vaisseau qui nous avait transportés si longtemps dans la galaxie, et nous repartirions suivre le flux.

Si je n'avais pas tenu la main d'Akos, j'aurais pu sentir la vibration du flux dans mon corps. Je n'y pensais pas toujours, parce qu'à cette vibration s'associait la douleur, mais je partageais cela avec tous les individus de la galaxie. Enfin, tous sauf celui qui était assis à côté de moi.

Je me demandai soudain si cela lui manquait parfois, s'il se rappelait cette sensation.

Le Conteur poursuivit d'un ton plus grave :

– Mais au cours de l'un de ces séjours, ceux qui s'étaient installés au nord de Voa pour récolter les fleurs-des-glaces, et qui se faisaient appeler les Thuvhésit, s'aventurèrent dans le Sud. Ils entrèrent dans notre ville et virent que nous y avions laissé beaucoup de nos enfants, qui attendaient le retour de leurs parents. Et ils les enlevèrent, dans les rues, dans leurs lits. Ils volèrent nos petits et les emmenèrent dans le Nord, comme captifs et comme domestiques.

Ses doigts dessinèrent dans l'air une rue déserte, la silhouette ébauchée de quelqu'un qui courait, poursuivi par un nuage. Au bout de la rue, le nuage l'avala.

– Lorsque nos séjourneurs, à leur retour, découvrirent la disparition de leurs enfants, ils partirent en guerre pour les retrouver. Mais ils n'étaient pas formés pour le combat, seulement pour le ramassage et le calibrage de la galaxie, et ils furent tués en grand nombre. Ainsi, nous crûmes nos enfants perdus pour toujours. Mais une génération plus tard, lors d'un séjour, l'un des nôtres s'aventura seul sur la planète Othyr. Et là, parmi ceux qui ne parlaient pas notre langue, une enfant s'adressa à lui en shotet, sans même s'en rendre compte. C'était la fille d'un domestique thuvhésit, qui était venue chercher quelque chose pour son maître. La fillette fut ramenée ici, chez les siens.

Le Conteur se tut un instant.

– Alors nous décidâmes de devenir des soldats, pour ne plus jamais être envahis.

Tandis qu'il achevait son histoire dans un murmure et que la fumée de ses illusions se dissipait, les roulements de tambours du centre de Voa s'amplifièrent et d'autres tambours leur répondirent de tous les recoins du quartier pauvre. Ils grondaient et frappaient, et je regardai le Conteur dans l'attente de sa réaction.

– Voici l'orage, dit-il. C'est parfait, car mon histoire est terminée.

– Merci. Je suis désolée de…

– Va, petite Noavek, m'interrompit le Conteur avec un petit sourire. Ne le manque pas.

Je saisis Akos par le bras pour le faire lever. Il n'avait pas touché à sa tasse de thé rouge et fixait le Conteur d'un air sombre. Je l'entraînai en bas des marches de la maison et dans la rue. Déjà, on voyait le vaisseau arriver dans le lointain. Même à cette distance, je l'identifiais aussi bien que j'aurais identifié la silhouette de ma mère. Je reconnaissais son ventre bombé et son nez effilé. Je pouvais dire rien qu'à leur usure ou à leur teinte – orange, bleu, noir – de quels ramassages il tenait ses plaques bosselées. Notre vaisseau était assez grand pour couvrir tout Voa de son ombre.

Tout autour de nous, dans toute la ville, des acclamations s'élevèrent.

Par pure habitude, je levai ma main libre vers le ciel. Un point du vaisseau situé près de l'aire de chargement émit un craquement sec et sonore, comme le claquement d'un fouet. Des éclairs bleu sombre, fins comme des nervures, s'en échappèrent dans toutes les directions, s'enroulant autour des nuages ou en créant de nouveaux : c'était le cadeau que nous faisait le vaisseau.

Puis – comme à chaque saison depuis ma naissance – une pluie bleutée se mit à tomber.

Gardant une main fermement agrippée à celle d'Akos, je tendis l'autre paume pour attraper les gouttes bleu sombre. Celles qui roulaient sur ma peau y laissaient de légères taches. Au bout de la rue, les gens riaient, souriaient et chantaient en se balançant. Akos leva les yeux sur le ventre du vaisseau avant de les poser sur sa main et sur le liquide bleu qui coulait sur ses doigts. Son regard croisa le mien. Je riais.

– Le bleu est notre couleur préférée, lui précisai-je. C'est celle du ruban-flux au moment du ramassage.

– C'était aussi ma couleur préférée quand j'étais petit, bien que tous les Thuvhésit la détestent.

J'avançai la main, dans laquelle j'avais collecté un peu d'eau bleue et la lui étalai sur la figure. Akos commença par en recracher une partie et je l'observai en haussant les sourcils, attendant sa réaction. Soudain il tendit la main sous une coulée d'eau qui tombait d'un toit et se jeta sur moi.

Je fonçai dans la ruelle avec des cris perçants, mais pas assez vite pour esquiver l'eau froide qui ruissela dans mon cou. Je le pris par le bras, et nous continuâmes à courir ensemble au milieu de la foule qui chantait, dépassant des vieillards qui tanguaient, des couples qui dansaient en se collant de trop près, des marchands étrangers qui tentaient de protéger leurs marchandises en grommelant. Nous courûmes en sautant dans les flaques bleu vif, trempant nos vêtements. Et, pour la première fois, nous riions tous les deux.

▲
▲

:12

CYRA

Ce soir-là, après avoir frotté les taches bleues qui recouvraient ma peau et mes cheveux, je rejoignis Akos au comptoir du cabinet d'apothicaire pour préparer le sédatif qui devait me permettre de dormir. Je ne lui demandai pas ce qu'il avait pensé du récit du Conteur, qui faisait porter à Thuvhé et non à Shotet la responsabilité de l'hostilité entre nos deux peuples. Quand le calmant fut prêt, je le portai dans ma chambre et m'assis au bord de mon lit pour le boire. Puis je sombrai.

À mon réveil, j'étais affalée sur les couvertures. À côté de moi, la tasse de thé contenant le sédatif s'était renversée en teintant mes draps de rouge. Le soleil commençait tout juste à se lever, à en juger par la lumière pâle qui filtrait à travers les rideaux.

Le corps endolori, je m'assis en prenant appui sur un bras.

– Akos ?

Le thé m'avait assommée. Je me pressai le front. Je l'avais pourtant aidé à le préparer ; l'avais-je fait trop fort ? Je parcourus le couloir en titubant pour aller frapper à sa porte. Non, je n'avais pas pu le faire trop fort, je n'avais préparé que les tiges de sendes, pas le reste.

Il m'avait droguée.

Comme Akos ne répondait pas, je poussai la porte. La

chambre était vide, les tiroirs ouverts, les vêtements disparus, le couteau envolé.

J'avais trouvé sa gentillesse un peu suspecte quand il m'avait persuadée d'aller voir les festivités. Et j'avais eu raison.

Je m'attachai les cheveux pour dégager mon visage et regagnai ma chambre. Je glissai mes pieds dans mes bottines sans prendre la peine d'en nouer les lacets.

Il m'avait *droguée.*

Je fis volte-face et cherchai à tâtons le panneau que nous avions poussé la veille pour nous faufiler hors de la maison. Il y avait un petit interstice entre son rebord et la paroi. Je serrai les dents, luttant contre la douleur. Il m'avait poussée à quitter la maison avec lui pour que je lui montre comment sortir.

Et je lui avais fourni une arme en lui offrant ce couteau zoldien, je lui avais fait confiance pour préparer ma potion, et maintenant... maintenant, j'allais en payer les conséquences.

« J'ai l'impression que vous vous faites des illusions sur moi », m'avait-il dit.

Celui qui veut survivre doit oublier l'honneur, lui avais-je appris.

Je fonçai dans le couloir où un garde avançait déjà vers moi. Je m'appuyai contre la porte. Que venait-il m'annoncer ? Je ne savais pas quoi souhaiter, de l'évasion d'Akos ou de sa capture.

Le garde s'arrêta à quelques pas de moi et inclina la tête. Il faisait partie des plus jeunes – petit, avec des joues d'enfant. L'un de ceux qui continuaient à fixer mes bras les yeux écarquillés lorsque les lignes sombres s'étendaient sous ma peau. Il était armé d'une lame.

– Quoi ? grondai-je en serrant les dents. Qu'y a-t-il ?

La douleur était de retour, presque aussi violente qu'après que j'avais torturé Uzul Zetsyvis.

– L'intendant du souverain m'envoie vous avertir que votre domestique a été découvert cette nuit en train de s'échapper avec son frère, m'annonça le garde. Il est actuellement en détention, dans l'attente du jugement du souverain. Vas requiert votre présence à l'audience privée dans deux heures dans la Salle d'armes.

Avec son frère. Akos avait donc trouvé un moyen de le faire sortir. Je frissonnai en me rappelant les cris d'Eijeh juste après son arrivée ici.

Je me rendis à « l'audience privée » armée de pied en cap, en tenue de soldat. Ryzek avait fait tirer les rideaux et il faisait noir comme en pleine nuit dans la Salle d'armes, faiblement éclairée par la lueur de quelques insectes fenzu. Debout sur l'estrade, les mains derrière le dos, il fixait les armes suspendues au mur au-dessus de sa tête. Il était seul. Pour l'instant.

– Celui-ci était le préféré de notre mère, déclara-t-il tandis que je refermais la porte derrière moi.

Il toucha le bâton-flux accroché en biais sur le mur. C'était une perche presque aussi haute que lui. Chacune de ses extrémités était munie d'une lame contenant une tige conductrice, qui faisait circuler des ombres-flux sur toute sa longueur dès qu'elle entrait en contact avec la peau.

– C'est vraiment très élégant, ajouta Ryzek sans se retourner. Mais plus spectaculaire qu'autre chose. Savais-tu que notre mère ne brillait pas particulièrement au combat ? C'est père qui me l'a dit. Cependant, elle était maligne et faisait preuve d'une grande stratégie. Consciente de ses faiblesses, elle trouvait toujours le moyen d'éviter tout affrontement physique.

Il se tourna enfin vers moi, avec un sourire satisfait.

– Tu devrais chercher à lui ressembler davantage, Cyra. Tu excelles au combat, mais là-haut… (Il se tapota le crâne.) Enfin, disons que ce n'est pas ton point fort.

Les ombres coururent plus vite sous ma peau, aiguillonnées par la colère. Mais je m'efforçai de ne pas réagir.

– Tu as fourni une arme à Kereseth ? Tu lui as montré les passages ?

Mon frère secoua la tête.

– Et tu ne t'es pas réveillée pendant qu'il s'échappait ?

– Il m'a droguée, répondis-je platement.

– Vraiment ? Et peut-on savoir comment il s'y est pris ? me demanda-t-il d'un ton léger sans se départir de son sourire. Il t'a clouée au sol pour te verser la potion dans la bouche ? Je crois plutôt que tu l'as bue de ton plein gré. Que tu as bu en toute confiance une drogue puissante préparée par ton ennemi.

– Ryzek…

– Tu as failli nous coûter notre *oracle,* cracha-t-il. Et pourquoi ? Parce que tu as eu la bêtise de te laisser amadouer par le premier remède venu ?

Je ne cherchai pas à me défendre. Il avait fouillé la galaxie saison après saison à la recherche d'un oracle. Et, en une nuit, celui-ci avait failli s'enfuir. À cause de moi. Mon frère avait peut-être raison. La confiance que j'avais accordée à Akos, l'attrait qu'il avait pu avoir à mes yeux venaient peut-être de ce qu'il avait su soulager ma douleur. Je lui étais si reconnaissante d'avoir atténué mes souffrances… et mon isolement, que j'avais laissé mon cœur s'amollir. J'avais été stupide.

– On ne peut pas lui reprocher de vouloir secourir son frère, ni de vouloir s'enfuir d'ici, dis-je d'une voix tremblante.

– Tu ne comprends vraiment rien, hein ? fit Ryzek avec un petit rire. Il y aura toujours des gens qui auront de bonnes raisons de souhaiter notre perte. Ce n'est pas pour autant qu'il faut les laisser faire.

Il me désigna le fond de la salle.

– Mets-toi là-bas et ne dis pas un mot. Je t'ai fait venir pour que tu voies ce qui arrive lorsqu'on ne sait pas y faire avec les domestiques.

Je frissonnais, brûlante de fièvre. À me regarder, on eût dit que je me tenais sous une tonnelle de lianes qui projetaient leurs ombres sur moi. Je gagnai le mur en trébuchant, les bras plaqués sur ma poitrine. Ryzek lança l'ordre de faire entrer les prisonniers. Les énormes portes de la salle s'ouvrirent. Vas entra le premier, en cuirasse. Il se tenait bien droit, les épaules en arrière. Derrière lui, encadré par des soldats, apparut la silhouette vacillante et épuisée d'Akos Kereseth. Il avait le visage enflé et à moitié couvert de sang, qui coulait d'une entaille à l'arcade sourcilière. Sa lèvre était fendue. Ils l'avaient frappé. Cela dit, il avait appris à encaisser.

Derrière lui arriva Eijeh – également en sang, mais surtout... comme vide. Ses joues étaient mangées par une barbe éparse et il n'était plus que l'ombre efflanquée de l'adolescent que j'avais observé depuis ma cachette deux saisons plus tôt.

Même du fond de la salle, je pouvais entendre la respiration sifflante d'Akos. Il se redressa à la vue de mon frère.

– Eh bien, eh bien, dans quel état tu es ! lui dit Ryzek en descendant lentement les marches de l'estrade. Jusqu'où est-il allé, Vas ? A-t-il dépassé la grille du manoir ?

– Même pas. On l'a repris dans les cuisines.

– Alors, Kereseth, laisse-moi t'expliquer ton erreur. Feu ma mère avait beau apprécier l'aspect démodé de cette maison, cela ne m'a pas empêché de l'équiper des mesures de sécurité les plus modernes après sa disparition. Y compris de détecteurs de mouvement autour des pièces sécurisées, comme la chambre de ton frère, par exemple.

– Pourquoi le gardez-vous prisonnier ? demanda Akos entre ses dents. A-t-il seulement un don-flux, au fait ? Ou avez-vous réussi à l'en dépouiller à force de l'affamer ?

Vas – nonchalamment, paresseusement – le gifla du dos de la main. Akos se recroquevilla en se tenant la joue.

– Akos, intervint Eijeh dans un souffle, arrête.

– Qu'attends-tu pour lui répondre, Eijeh ? demanda Ryzek. Ton don-flux s'est-il déclaré ?

Akos regarda son frère. Eijeh ferma les yeux un instant, puis les rouvrit en acquiesçant d'un signe de tête.

– Oracle montant, murmura Akos en shotet.

Je ne compris pas tout de suite de quoi il parlait ; nous n'utilisions pas cette expression. Mais les Thuvhésit avaient des termes différents pour évoquer leurs trois oracles : un en déclin, proche de la retraite ; un autre en place, qui proclamait ses prophéties dans le temple ; et le dernier montant, en chemin vers la plénitude de son pouvoir.

– Tu aurais raison de penser que je n'ai pas réussi à lui faire exploiter son don à mon bénéfice, reprit Ryzek. J'ai donc décidé de le lui prendre.

– Le prendre ? dit Akos, faisant écho à mes propres pensées.

Ryzek s'approcha d'Akos et s'accroupit devant lui.

– Sais-tu quel est *mon* don-flux ?

Akos ne répondit pas.

– Dis-le-lui, ma chère Cyra, dit Ryzek en me désignant d'un mouvement du menton. Tu le connais intimement.

Toujours une main sur sa joue, Akos leva les yeux vers moi. Des larmes se mêlaient au sang qui barbouillait son visage.

– Mon frère peut échanger ses souvenirs avec ceux des autres. Il peut te donner l'un des siens et prendre l'un des tiens à la place.

J'avais parlé d'un ton neutre, vide de toute émotion. Ce que j'étais.

Akos se figea.

– Le don d'une personne provient de ce qu'il est, développa Ryzek. Et ce qu'il est correspond à ce que son passé a fait de lui. Prends ses souvenirs à quelqu'un et tu prends les éléments qui l'ont constitué. Tu prends son don. Et enfin…

Ryzek fit courir son doigt sur la joue d'Akos en essuyant le sang, qu'il examina tout en le frottant entre le pouce et l'index.

– Ainsi je n'aurai plus à dépendre d'un autre pour connaître l'avenir.

Akos se jeta sur lui les bras tendus et enfonça son pouce dans sa jugulaire en lui bloquant le bras droit. Il montrait les dents, dans un rictus purement animal.

Vas le neutralisa en quelques secondes ; il le tira en arrière et lui laboura les côtes de coups de poing. Lorsque Akos fut couché sur le dos, Vas appuya son pied sur sa gorge.

– L'un de mes soldats t'a déjà fait cela, juste avant que je tue ton père, dit-il en haussant les sourcils. Ça a paru marcher, cette fois-là. Si tu bouges, je te tue.

Akos tressaillit mais cessa de se débattre. Ryzek se releva en se massant le cou, épousseta son pantalon et rajusta les courroies de sa cuirasse. Puis il s'approcha d'Eijeh.

Les soldats qui étaient entrés en escortant son frère le tenaient maintenant fermement par les bras. Comme si c'était nécessaire... Eijeh semblait si hébété qu'on pouvait se demander comment il tenait éveillé.

Ryzek prit son visage entre ses mains et le fixa dans les yeux d'un air avide.

Avide de s'alléger du poids de ses souvenirs.

La scène n'avait rien de spectaculaire : Ryzek et Eijeh, reliés par les mains de Ryzek, les yeux dans les yeux, pendant un long moment.

La première fois que j'avais vu mon frère utiliser son don-flux sur quelqu'un, j'étais trop jeune pour comprendre vraiment ce qui se passait. Mais il lui avait suffi d'un instant pour échanger l'un de ses souvenirs. Ceux-ci fonctionnent par éclairs, ils sont beaucoup plus concentrés que la réalité. Il semblait choquant que des éléments aussi constitutifs d'un individu puissent disparaître aussi rapidement.

Le souffle coupé, je ne pouvais qu'assister passivement à la scène.

Lorsque Ryzek lâcha Eijeh, ce fut avec une expression étrange, égarée. Il fit un pas en arrière et regarda autour de lui comme s'il ne savait plus où il était ni qui il était.

Eijeh, de son côté, examinait la Salle d'armes avec l'air de quelqu'un qui se retrouve soudain dans son élément. J'aurais juré qu'un éclair de reconnaissance s'allumait dans son regard tandis qu'il suivait des yeux les marches de l'estrade.

Ryzek fit signe à Vas d'ôter son pied de la gorge d'Akos. Toujours sans bouger, celui-ci fixait Ryzek qui revint s'accroupir à côté de lui.

– Rougis-tu toujours aussi facilement ? lui demanda-t-il à mi-voix. Ou as-tu fini par te débarrasser de ce travers ?

Une grimace déforma le visage d'Akos.

– Jamais plus tu ne me manqueras de respect par de stupides projets d'évasion, reprit mon frère. Et comme châtiment pour cette seule et unique tentative, je vais garder ton frère à mes côtés et arracher tous ses souvenirs un à un, morceau par morceau. Jusqu'à ce qu'il soit devenu pour toi un parfait inconnu, que tu n'auras plus aucun désir de sauver.

Akos pressa le front contre le plancher et ferma les yeux.

Je le comprenais : Eijeh Kereseth était déjà perdu.

▲
▲

:13
CYRA

CETTE NUIT-LÀ, je dus me dispenser de sédatif. Je ne pouvais plus compter sur Akos, et je n'avais pas encore assez d'assurance pour le préparer moi-même.

En regagnant ma chambre, je trouvai sur mon oreiller le couteau que j'avais offert à Akos – laissé là par Ryzek en guise d'avertissement, supposai-je –, et je verrouillai sa chambre de l'extérieur.

Je n'aurais su dire lequel de nous deux ne parlait plus à l'autre. Quoi qu'il en soit, nous ne nous adressions plus la parole. Autour de nous, les festivités suivaient leur cours. Je dus y assister plusieurs fois aux côtés de mon frère, muette, le corps zébré par les ombres. Comme je ne pouvais me passer entièrement de son contact, Akos se tenait toujours derrière moi, le regard lointain. Chaque fois que sa peau frôlait la mienne pour me soulager, j'avais un mouvement de recul. Toute ma confiance s'était envolée.

Je passais la plupart de mon temps dans l'amphithéâtre, présidant les combats avec Ryzek. Les duels étaient une vieille tradition shotet, conçue initialement comme un sport pour affûter nos compétences au combat, du temps où nous étions faibles et maltraités par presque toute la galaxie. Entre-temps, il était devenu légal durant la semaine de la fête du Séjour de défier n'importe qui, pour peu qu'on ait à se plaindre de lui.

Les combats duraient jusqu'à ce que l'un des antagonistes se rende, ou jusqu'à la mort.

Nul ne pouvait défier quelqu'un dont le statut social – défini arbitrairement par Ryzek ou l'un de ses sbires – était supérieur au sien, mais le vainqueur pouvait hériter de celui de son adversaire. En conséquence, les gens multipliaient les duels afin de gravir un à un les échelons de la hiérarchie et pouvoir affronter leurs vrais ennemis. À mesure que les festivités avançaient, les duels se faisaient de plus en plus sanglants et mortels.

Ainsi la mort peuplait mes rêves et remplissait mes journées.

Le lendemain de mon seizième anniversaire, veille de notre embarquement sur le vaisseau de séjour, et cinq jours après que Ryzek avait commencé à échanger ses souvenirs avec ceux d'Eijeh, Akos Kereseth reçut la cuirasse qu'il avait gagnée de longs cycles auparavant dans le camp militaire.

Je venais de faire des sprints dans la salle de sport et je marchais dans ma chambre pour reprendre mon souffle, la nuque trempée de sueur. Vas signala sa présence en frappant sur le mur. Une cuirasse pendait à sa main.

– Où est Kereseth ? me demanda-t-il.

Prenant le couloir, j'allai ouvrir la porte d'Akos, que je trouvai assis sur son lit. À en juger par son regard vide, il avait pris de la fleur-de-silence, qu'il consommait maintenant crue, pétale par pétale. Il fourra le contenu de sa main dans sa poche.

Vas lui lança la cuirasse et il la rattrapa à deux mains. La tenant comme s'il avait peur de la briser, il la retourna et caressa du bout des doigts chacune de ses facettes bleu foncé.

– Ceci est ton dû, gagné, m'a-t-on dit, lors de ta formation auprès de Vakrez la saison dernière, déclara Vas.

– Comment va mon frère ? lui demanda Akos d'une voix enrouée.

– On n'a plus besoin de verrouiller sa porte pour qu'il reste dans sa chambre, répondit Vas. Il reste ici de son propre gré, maintenant.

– Je ne vous crois pas. Ce n'est pas possible.

– Va-t'en, Vas, dis-je.

Il était clair qu'ils allaient droit à l'affrontement. Et je n'avais aucune envie d'assister à ce qui se produirait quand cela éclaterait.

Vas m'observa d'un air narquois avant de s'incliner légèrement et de sortir.

Akos examina sa cuirasse. Elle avait été conçue spécialement pour lui, avec des courroies ajustables en prévision de sa croissance, des plaques flexibles au niveau du thorax et un rembourrage supplémentaire sur le ventre, qu'il oubliait toujours de protéger pendant nos entraînements. Un fourreau avait été aménagé au niveau de l'épaule droite pour qu'il puisse tirer son arme de la main gauche. C'était un grand honneur de porter une telle cuirasse, en particulier pour quelqu'un de si jeune.

– Je referme le verrou en partant, l'informai-je.

– N'y a-t-il aucun moyen de défaire ce que fait Ryzek ? demanda Akos comme s'il ne m'avait pas entendue.

Il semblait ne plus avoir la force de se lever. J'envisageai un instant de ne pas lui répondre.

– Aucun, à part lui demander poliment de procéder à l'échange de ses souvenirs dans l'autre sens, en espérant qu'il sera de bonne humeur.

Akos enfila la cuirasse. Lorsqu'il voulut fixer la première courroie sur son thorax, il ôta vivement son doigt avec une grimace de douleur. Les sangles étaient fabriquées dans la même matière que le reste de l'armure, et leur manipulation n'était pas aisée. Mes mains à moi étaient déjà couvertes de cals. Je pris la courroie entre deux doigts et tirai dessus d'un coup sec pour qu'Akos se rapproche de moi.

Puis je la resserrai par des petits mouvements de va-et-vient, jusqu'à ce qu'elle soit bien ajustée.

– Je ne voulais pas vous impliquer, me dit Akos à mi-voix.

– Oh, épargne-moi ta condescendance, répliquai-je sèchement. Me manipuler était une partie essentielle de ton plan. Je n'en attendais pas moins de toi.

En ayant fini avec les courroies, je fis un pas en arrière, réalisant à quel point il était grand – très grand – et fort, revêtu de sa cuirasse bleu sombre qui conservait tout l'éclat de la peau de la créature qu'il avait tuée. Il avait l'allure d'un soldat shotet, de quelqu'un qui aurait pu me plaire, si nous avions pu trouver un moyen de nous faire confiance.

– D'accord, reprit Akos toujours à mi-voix. J'avais prévu de vous impliquer. Mais je ne m'attendais pas à avoir des remords.

J'avais la gorge nouée, sans savoir pourquoi. Je décidai de l'ignorer.

– Et tu espères que je vais t'aider à alléger ta conscience, c'est ça ?

Je sortis en fermant la porte à clé sans lui laisser le temps de répondre.

DEVANT NOUS, derrière la haute grille métallique, s'étendaient les rues poussiéreuses de Voa, où une foule excitée nous attendait. Ryzek franchit le seuil du manoir en levant son long bras pâle pour la saluer et elle lui répondit par une clameur discordante.

La fête du Séjour touchait à sa fin. Aujourd'hui, tous les adultes valides de Shotet monteraient à bord du vaisseau de séjour et, peu après, nous quitterions la planète.

Vas sortit sur les pas de Ryzek, suivi d'Eijeh, vêtu d'une chemise blanche immaculée. Celui-ci semblait avoir plus de présence, maintenant. Il faisait de grandes enjambées, presque trop longues pour lui, les épaules rejetées en arrière, un coin de la bouche retroussé. Ses yeux glissèrent brièvement sur son frère avant de se poser sur la rue.

– Eijeh, dit Akos d'une voix brisée.

Une lueur de reconnaissance anima le visage d'Eijeh, comme s'il venait de l'apercevoir de très loin.

Je me tournai vers Akos.

– Plus tard, lui dis-je durement en l'attrapant par le bras. Ce n'est ni le moment ni l'endroit, d'accord ?

Je ne pouvais pas le laisser s'effondrer sous le regard de tous ces gens.

En reculant, je le vis déglutir avec effort. Il avait un grain de beauté juste sous l'oreille que je n'avais jamais remarqué.

Il hocha la tête sans quitter Eijeh des yeux.

Nous descendîmes les marches derrière Ryzek. Voa était le produit de tous les séjours effectués depuis des dizaines et des dizaines de saisons, un patchwork où des vieilles maisons de pierre et d'argile se mêlaient à des bâtiments modernes, utilisant de nouvelles technologies venant d'autres terres et d'autres cultures : constructions basses surmontées de tours en verre qui renvoyaient des images d'autres planètes, rues en terre battue au-dessus desquelles glissaient des vaisseaux fuselés aux parois réfléchissantes, carrioles proposant des talismans alimentés par le flux à côté d'autres qui vendaient des implants d'écrans sous-cutanés.

Ce matin-là, j'avais souligné mes yeux noirs, ombré mes paupières de poudre bleue et tressé mon épaisse chevelure. Je portais la cuirasse que j'avais acquise plus jeune en bordure de la Traverse, ainsi que mon brassard sur l'avant-bras gauche.

Je me retournai vers Akos. Lui aussi avait revêtu sa cuirasse, bien sûr, avec une chemise grise dont les manches le serraient aux avant-bras et des bottes noires toutes neuves. Il semblait effrayé. Le matin, tandis que je le regardais préparer le sédatif qui courait maintenant dans mes veines, il m'avait avoué qu'il n'avait jamais quitté la planète. Et puis il y avait Eijeh, transformé, qui marchait juste devant nous. Il y avait de quoi être effrayé.

Je lui fis un petit signe lorsque nous franchîmes la grille du manoir, et il me lâcha le bras. L'heure de ma septième Procession avait sonné, et je tenais à gagner la navette sans son aide. Le trajet se déroula pour moi dans un véritable brouillard : des cris et des applaudissements, les doigts de Ryzek qui effleuraient des mains tendues, son rire, mon souffle, les mains tremblantes d'Akos. De la poussière dans l'air, et la fumée des plats qui rôtissaient en plein air.

Je finis par atteindre la navette, où Vas et Eijeh nous attendaient. Ce dernier était en train de fixer ses courroies avec la facilité de quelqu'un qui l'a déjà fait des dizaines de fois. J'entraînai Akos à l'arrière, afin de l'isoler de son frère. Un rugissement sonore monta de la foule et Ryzek agita la main depuis la porte de la navette.

Aussitôt après la fermeture de la porte, Eijeh se laissa aller en avant contre la ceinture qui le retenait sur son siège, les yeux grands ouverts sur le vide, comme s'il regardait quelque chose qu'il était le seul à voir. Occupé lui aussi à attacher sa ceinture, Ryzek la défit brusquement pour se pencher vers lui, jusqu'à ce que son visage soit à quelques centimètres du sien.

– Qu'y a-t-il ?

– La vision d'un incident, répondit Eijeh. Une provocation en public.

– Évitable ?

On aurait presque dit qu'ils avaient déjà eu ce type de conversation avant. Ce qui était possible.

– Oui, mais dans le cas présent, vous devriez la laisser se produire, répondit Eijeh en se concentrant enfin sur lui. Vous pouvez la retourner à votre avantage. J'ai une idée.

Ryzek plissa les yeux.

– Dis-moi.

– Je le ferais volontiers, mais nous ne sommes pas seuls, répliqua Eijeh en nous désignant, Akos et moi.

– C'est vrai que ton frère nous gêne, fit Ryzek sans cacher sa contrariété.

Eijeh ne le contredit pas. Il se cala dans son siège et ferma les yeux en attendant le décollage.

J'AVAIS UN FAIBLE pour l'aire de chargement du vaisseau de séjour, un labyrinthe de métal s'étendant sur une vaste surface ouverte. Devant nous se dressait une flotte de navettes prêtes à nous conduire sur la planète du ramassage. Briquées pour la circonstance, elles reviendraient bientôt maculées de débris, de fumée, de pluie et de poussière d'étoile, témoignages des endroits qu'elles auraient visités.

Conçues pour accueillir six passagers et parfois plus, elles n'étaient ni rondes et trapues, comme les flotteurs individuels, ni crénelées et massives comme le vaisseau de séjour, mais fuselées tels des oiseaux en vol, aux ailes rejetées en arrière. Et elles étaient toutes multicolores, constituées de métaux divers.

Dès notre arrivée sur le vaisseau, des mécaniciens vêtus de combinaisons bleu foncé envahirent la navette. Ryzek descendit le premier, avant même que la passerelle ait fini de se déployer.

Akos s'était levé, les poings crispés jusqu'à faire saillir les veines de ses mains.

– Es-tu encore là, quelque part ? demanda-t-il tout bas à Eijeh.

Avec un soupir, Eijeh se cura soigneusement un ongle. Je l'observai attentivement. Mon frère ne supportait pas d'avoir les ongles sales, et aurait encore préféré s'en casser un que de laisser la crasse se glisser dessous. Ce geste appartenait-il aussi à Eijeh ou était-il l'apanage de Ryzek, et la preuve de la transformation d'Eijeh Kereseth ? Jusqu'à quel point mon frère avait-il pris possession de lui ?

– Je ne comprends pas ce que tu veux dire, répondit-il à Akos.

– Tu le comprends parfaitement.

Posant une main sur la poitrine de son frère, Akos le poussa contre la paroi métallique de la navette avec l'énergie du désespoir, mais sans violence, et approcha son visage du sien.

– Te souviens-tu de moi ? De Cisi ? De papa ?

– Je me souviens…

Eijeh cligna lentement des paupières, comme s'il se réveillait, et reprit d'un air hostile :

– Je me souviens de tes secrets. De la fois où tu as volé dans les affaires de maman pendant qu'on était tous couchés. De la manie que tu avais de me suivre partout parce que tu ne savais pas te débrouiller tout seul. C'est de ça que tu parles ?

Des larmes brillèrent dans les yeux d'Akos.

– Ça ne se résume pas à ça. Je ne peux pas représenter seulement cela pour toi. Tu le sais. Tu…

– Ça suffit, intervint Vas en nous rejoignant. Eijeh, viens avec moi.

Les mains d'Akos tressaillirent, prêtes à lui sauter à la gorge. Il était presque aussi grand que Vas, maintenant, et n'avait plus à lever les yeux pour le regarder, mais il était deux fois moins large que lui. Vas était une machine de guerre, une montagne de muscles. Je ne pouvais même pas les imaginer en train de se battre ; la seule image que je pouvais associer à cette idée était celle d'Akos gisant inanimé par terre.

Akos eut un brusque mouvement en avant et je l'imitai. Sa main était presque sur la gorge de Vas lorsque je posai une main sur la poitrine de chacun d'eux pour les séparer. Ce fut l'effet de surprise, et non la force, qui rendit ma tentative efficace : ils s'écartèrent aussitôt.

– Arrête, dis-je à Akos. Maintenant.

– Tu ferais mieux de l'écouter, Kereseth, dit Vas en riant. Ce ne sont pas des tatouages de cœur qu'elle cache sous ce brassard.

Puis il prit Eijeh par le bras, et ils quittèrent le vaisseau ensemble. J'attendis que le bruit de leurs pas se fut éloigné pour baisser ma garde.

– Vas est l'un des meilleurs combattants de Shotet, dis-je à Akos. Ne fais pas l'idiot.

– Vous ne pouvez pas comprendre, riposta-t-il. Quelqu'un a-t-il déjà compté assez pour vous pour que vous haïssiez celui qui vous l'a pris, Cyra ?

Une image de ma mère surgit dans mon esprit. Une veine palpitait sur son front, comme chaque fois qu'elle était en colère. Elle réprimandait Otega pour m'avoir emmenée dans des quartiers dangereux pendant nos leçons, à moins que ça ne soit pour m'avoir coupé les cheveux à hauteur du menton, je ne m'en souvenais plus. Je l'aimais encore plus dans ces moments-là, qui montraient qu'elle se préoccupait de moi, contrairement à mon père qui ne prenait jamais le temps de me regarder.

– En te jetant sur Vas à cause de ce qui arrive à Eijeh, tu n'arriveras qu'à te faire du mal et à me contrarier. Alors prends un peu de fleur-de-silence et ressaisis-toi, ou je te balance par les portes de l'aire de chargement.

L'espace d'un moment, je crus qu'il allait refuser, mais il glissa une main tremblante dans sa poche et en sortit un pétale qu'il plaça au creux de sa joue.

– Parfait, dis-je. Allons-y.

Je l'invitai à me prendre par le bras. Ensemble, nous traversâmes les couloirs vides du vaisseau, où des pas et des voix distantes résonnaient sur les parois en métal poli.

Mes appartements étaient tout le contraire de l'aile que j'occupais dans le manoir des Noavek, aux parquets sombres et aux murs impersonnels d'un blanc immaculé. Ici, ma chambre était bourrée d'objets en provenance d'autres mondes : des plantes exotiques insérées dans de la résine pendaient du plafond tels des lustres, et des insectes mécaniques aux carapaces luisantes voletaient autour d'elles en vrombissant, tandis que des lés de tissu posés ici et là changeaient de couleur selon l'heure du jour.

Contre le mur du fond s'alignaient des centaines de vieux disques contenant des hologrammes sur les danses, les arts du combat et les sports d'autres planètes. J'adorais imiter les brusques effondrements et les pas titubants des danseuses d'Ogra, ou les danses rituelles structurées et rigides de Tepes. Cela me demandait une concentration qui m'aidait à oublier la douleur. Ces disques comprenaient aussi des cours d'histoire et des films d'autres planètes : de vieux journaux d'actualités, de longs documentaires arides sur les sciences et le langage, des enregistrements de concerts. Je les avais tous vus.

Mon lit se trouvait dans un coin sous un hublot, surmonté d'un filet de minuscules lanternes de pierres-ardentes. Les couvertures, roulées en boule, n'avaient pas bougé depuis la dernière fois que j'y avais dormi. Je n'autorisais quasiment jamais personne à entrer dans ces appartements, pas même pour faire le ménage. Entre les plantes prises dans la résine, une corde tombait d'un trou au plafond. Elle permettait d'accéder à la pièce qui se trouvait au-dessus, que j'utilisais entre autres pour m'entraîner.

Je m'éclaircis la gorge.

– Tu vas t'installer ici, dis-je en traversant l'espace encombré.

J'agitai la main devant un capteur fixé à côté d'une porte fermée. Elle s'ouvrit en coulissant sur une deuxième chambre, percée elle aussi d'un hublot donnant sur l'extérieur.

– Autrefois, c'était un dressing. Il était tellement grand que c'en était absurde. Ces appartements étaient ceux de ma mère.

Je parlais pour ne rien dire. Je ne savais plus comment m'adresser à lui depuis qu'il m'avait droguée en profitant de ma gentillesse ; maintenant qu'il avait perdu ce pour quoi il se battait sans que j'eusse levé le petit doigt pour l'empêcher. C'était dans ma manière de fonctionner : rester passive pendant que Ryzek faisait des ravages.

Akos s'était arrêté à côté de la porte pour examiner une armure qui décorait le mur. Elle ne ressemblait en rien aux cuirasses shotet, massives et ornées d'embellissements superflus. Mais certains endroits, martelés d'un métal orangé étincelant ou drapés d'une solide étoffe noire, étaient magnifiquement travaillés. Akos entra lentement dans la pièce.

Elle était assez semblable à sa chambre au manoir. Le long d'un mur s'alignaient toutes les fournitures et les ustensiles nécessaires à l'élaboration de potions et de poisons, rangés à son goût. La semaine qui avait précédé sa trahison, j'avais envoyé une image de son organisation personnelle pour que tout soit rangé à l'identique. Il y avait un lit muni de draps gris foncé – qui n'avaient pas été faciles à trouver, la plupart des tissus shotet étant bleus. Les pierres-ardentes des lanternes suspendues au-dessus du lit avaient été frottées à la poudre de fleur-de-jalousie pour prendre un éclat jaune. Les étagères basses disposées près du lit contenaient des livres sur l'elmetahak et la culture shotet. J'appuyai sur un bouton près de la porte et une énorme carte holographique recouvrit le plafond. Dans l'immédiat, elle montrait Voa, puisque nous planions encore au-dessus de la ville, mais elle suivrait notre trajet à travers la galaxie à mesure de l'avancée de notre voyage.

– C'est *vous* qui avez conçu cette pièce ? me demanda-t-il d'un air indéchiffrable.

Je hochai la tête.

– Malheureusement, nous ne disposons que d'une salle de bains pour deux, précisai-je, continuant à parler à tort et à travers. Mais ce n'est que provisoire et…

– Cyra, me coupa-t-il. Rien n'est bleu. Même pas les vêtements. Et les étiquettes des bocaux de fleurs-des-glaces sont en thuvhésit.

– Les tiens pensent que le bleu est une couleur maudite, répondis-je à mi-voix. Et tu ne lis pas le shotet.

Mes ombres-flux s'étendirent rapidement sous ma peau et s'amassèrent sur mes joues. Ma tête me lançait si fort que je dus cligner des paupières pour chasser les larmes.

– Les livres sur l'elmetahak sont en shotet, malheureusement, mais il y a un traducteur automatique juste à côté. Il suffit de le poser sur la page pour…

– Mais après ce que je vous ai fait…

– J'avais envoyé les instructions avant.

Akos s'assit sur le bord du lit.

– Merci, me dit-il. Je suis désolé, pour… pour tout. Tout ce que je voulais, c'était sortir mon frère de là. Je ne pouvais pas penser à autre chose.

Je sentis se déployer en moi quelque chose qui était resté jusque-là en sommeil, mi-instinct, mi-flamme. Juste au-dessus de ses yeux, ses sourcils dessinaient une barre qui trahissait la colère sous sa tristesse. Il s'était coupé le menton en se rasant.

– Il était tout ce qu'il me restait, me dit-il dans un murmure instable.

– Je sais.

Mais je ne savais pas, pas vraiment. J'avais vu Ryzek commettre des actes qui m'avaient retourné l'estomac. Mais ma situation n'était pas comparable à celle d'Akos. Moi, au moins, je savais que j'étais capable des mêmes horreurs que mon frère. Tandis qu'Akos n'avait aucun moyen de comprendre ce qu'Eijeh était devenu.

– Comment pouvez-vous continuer ainsi ? me demanda-t-il. Comment pouvez-vous continuer à avancer alors que tout est aussi horrible ?

Horrible. Était-ce ainsi qu'il fallait qualifier ma vie ? Je ne me l'étais jamais formulé. Le temps était morcelé par la douleur. Je pensais à la minute, à l'heure suivante. Cela ne laissait pas assez de place dans ma tête pour rassembler tous les morceaux, ni trouver les mots qui résumeraient l'ensemble. Mais l'idée de « continuer à avancer », ça, oui, je connaissais.

– Trouve une nouvelle raison de continuer, lui répondis-je. N'importe laquelle. Elle n'a pas besoin d'être bonne ou noble.

Je connaissais la mienne : il y avait une faim en moi, depuis toujours. Elle était plus forte que la douleur, plus forte que l'horreur, et continuait à me ronger même quand tout le reste en moi avait renoncé. Ce n'était pas de l'espoir ; ça ne me portait pas ; ça rampait, ça me tirait en s'accrochant avec des griffes, sans me laisser le choix.

Et lorsque je cherchai finalement à le nommer, je m'aperçus que c'était quelque chose de très simple : le désir de vivre.

Cette nuit-là était la dernière de la fête du Séjour. Quand les dernières navettes se furent posées sur l'aire de chargement, nous fêtâmes l'événement tous ensemble sur le vaisseau. En principe, ceux qui partaient avec nous étaient pleins d'énergie, d'une assurance et d'une détermination renouvelées par les festivités de la dernière semaine. Et ils semblaient l'être, en effet ; la foule qui nous porta, Akos et moi, vers l'aire de chargement était bruyante et joyeuse. Je veillai à ne pas les frôler de ma peau nue ; je ne voulais pas attirer l'attention sur moi en faisant mal à quelqu'un.

Je gagnai l'estrade où Ryzek se tenait penché par-dessus la balustrade, avec Eijeh à sa droite. Mais où était Vas ?

Je portais ma cuirasse shotet, cirée à la perfection, sur une longue robe noire sans manches dont l'étoffe balayait les pointes de mes bottines à chaque pas.

Ryzek exhibait ses malemarques, le bras fléchi pour les mettre en valeur. Un jour, il entamerait une deuxième rangée, comme mon père. À mon approche, il me décocha un sourire éclatant qui me fit frémir.

Je pris ma place à sa gauche devant la balustrade. Dans ce genre de circonstances officielles, j'étais censée afficher mon don-flux, pour rappeler à tous qu'en dépit du charme de Ryzek, il ne fallait pas plaisanter avec nous. Je m'efforçai d'accepter la douleur, de l'absorber comme j'absorbais le vent froid lorsque je n'avais pas mis un manteau assez chaud, mais j'avais du mal à me concentrer. En face de moi, la foule ondulait dans l'attente.

Mon visage ne devait pas montrer ma douleur. Je ne devais pas grimacer… Je ne devais pas…

Je laissai échapper un soupir de soulagement lorsque les deux dernières navettes de transport franchirent l'écoutille. La foule applaudit quand leurs portes s'ouvrirent sur le dernier groupe de séjourneurs. Ryzek leva les mains pour la faire taire. C'était l'heure de son discours.

Mais à la seconde où il ouvrit la bouche, une jeune femme s'avança en se détachant du groupe qui venait de quitter la navette. Elle était coiffée d'une longue natte blonde et portait, non les couleurs vives arborées par le peuple, mais un tissu délicat aux subtiles teintes bleu-gris. Cette couleur était très en vogue chez les riches Shotet.

C'était Lety Zetsyvis, la fille d'Uzul. Elle brandissait bien haut une lame-flux dont les vrilles sombres s'enroulaient comme des cordes autour de ses poignets, reliant l'arme à son corps.

– Le premier enfant de la famille Noavek, cria-t-elle en se hissant sur la pointe des pieds, sera renversé par la famille Benesit !

C'était le destin de mon frère, formulé haut et fort.

– Tel est ton destin, Ryzek Noavek ! poursuivit Lety. Tomber et nous entraîner dans ta chute !

Déjà, Vas avait fendu la foule et la saisissait par le poignet avec le sang-froid d'un guerrier chevronné. Il se pencha sur elle en lui tordant le poignet pour l'obliger à s'agenouiller. La lame-flux tomba par terre.

– Lety Zetsyvis, dit simplement Ryzek d'un ton chantant.

Le silence était tel qu'il n'avait nul besoin de hausser la voix. Il souriait en la regardant se débattre. Les doigts de Lety viraient au blanc sous la poigne de Vas.

– Ceci… commença Ryzek, est un mensonge répandu par ceux qui souhaitent notre perte.

À côté de lui, Eijeh hochait doucement la tête, comme si la voix de Ryzek était une chanson qu'il connaissait par cœur.

Peut-être était-ce pour cela que Ryzek ne semblait pas surpris de voir Lety à genoux à nos pieds : Eijeh l'avait prédit. Grâce à son oracle, mon frère savait déjà quoi dire et quoi faire.

– Ces gens craignent notre force et cherchent à nous affaiblir. Je parle de l'Assemblée. De Thuvhé. Qui vous a fait croire à ces mensonges, Lety ? Comment pouvez-vous partager les opinions de ceux qui sont venus chez vous pour tuer votre père ?

Voilà donc comment Ryzek déformait la réalité. En proclamant le destin de mon frère, Lety n'était plus celle qui menait une croisade pour la vérité, mais une voix qui propageait les prétendus mensonges répandus par nos ennemis thuvhésit. Elle faisait partie des traîtres, peut-être même avait-elle ouvert la porte aux meurtriers de son père. C'était totalement absurde, mais certains ne cherchaient jamais plus loin que ce qu'on leur disait. C'était moins dangereux.

– Mon père n'a pas été assassiné, dit Lety à mi-voix. Il s'est ôté la vie parce que vous l'avez torturé, vous l'avez torturé avec cette chose que vous appelez une sœur. Et la douleur l'a rendu fou.

Ryzek lui sourit comme à une folle perdue dans ses délires. Il balaya du regard la foule qui retenait son souffle dans l'attente de sa réaction.

– Le voilà, dit-il à l'assistance en désignant Lety. Le voilà, le poison que nos ennemis tentent d'utiliser pour nous détruire ; de l'intérieur, et non du dehors. Ils racontent des mensonges pour nous dresser les uns contre les autres, nous dresser contre nos familles et nos amis. C'est pourquoi nous devons nous protéger, non seulement de toute action qu'ils pourraient tenter contre nos vies, mais aussi de leurs discours. Notre peuple a déjà montré sa faiblesse par le passé. Cela ne doit plus se reproduire.

Ses paroles suscitèrent un frémissement général. Nous venions de passer une semaine à nous remémorer tout le chemin parcouru par nos ancêtres éreintés par leur voyage à travers la galaxie, nos enfants arrachés à leurs familles, nos croyances universellement méprisées sur le ramassage et le renouveau. Nous avions appris à riposter, saison après saison. J'avais beau savoir que les préoccupations réelles de Ryzek n'étaient pas de protéger Shotet, mais bien lui-même et la dynastie des Noavek, j'aurais presque pu me laisser persuader par l'émotion de sa voix, et par cette force qu'il nous promettait comme une main tendue.

– Et il n'y a pas de coups plus efficaces que ceux frappés contre moi, chef de notre grand peuple, poursuivit Ryzek en secouant la tête. On ne peut laisser ce poison s'infiltrer dans notre société. Il doit être extrait, goutte après goutte, jusqu'à ce qu'il ait cessé de nous mettre en péril.

Les yeux de Lety débordaient de haine.

– Parce que vous êtes membre de l'une de nos familles les plus chères, et parce que vous êtes sous le choc de la mort de votre père, je vous accorde la chance de sauver votre vie dans l'arène. Et puisque vous accusez en partie ma sœur de cette mort, c'est elle que vous y affronterez. J'espère que vous saurez reconnaître la clémence de ma décision.

J'étais trop abasourdie pour protester – et trop consciente que cela m'exposerait à la colère de Ryzek. Que je passerais pour une lâche devant tous ces gens. Qu'ils cesseraient de me voir comme quelqu'un de redoutable, alors que cette réputation était mon seul atout. Et puis, bien sûr, il y avait la vérité sur la mort de ma mère, qui planait toujours au-dessus de ma tête.

Je me rappelai la façon dont les gens répétaient son nom comme une incantation tandis que nous traversions les rues de Voa au cours de ma première Procession. Son peuple la vénérait pour sa capacité à maintenir l'équilibre entre force et clémence. S'ils apprenaient que j'étais responsable de sa disparition, ils me tueraient sans une hésitation.

Des lignes sombres obscurcirent ma peau tandis que je fixais Lety. Elle me retourna mon regard en serrant les dents. Et je vis qu'elle m'ôterait la vie avec joie.

Tandis que Vas forçait Lety à se relever, les gens dans la foule lui jetèrent : « Traîtresse ! Menteuse ! »

Je ne ressentais rien, pas même la peur. Pas même la main d'Akos qui se posait sur mon bras pour me calmer.

– Ça va ? me demanda Akos.

Je secouai la tête.

Nous étions dans l'antichambre de l'arène. La pièce était seulement éclairée par la lueur d'Urek qui filtrait par le hublot, illuminée par le soleil pour encore quelques heures. Au-dessus de la porte figuraient des portraits de la famille Noavek : ma grand-mère, Lasma Noavek, qui avait assassiné tous ses frères et sœurs pour s'assurer que sa propre lignée soit élue du destin ; mon père, Lazmet Noavek, qui avait torturé mon frère jusqu'à le dépouiller de toute humanité, pour faire mentir son destin de faible ; et Ryzek Noavek, pâle jeune homme issu de deux générations perverses. Ma peau plus sombre et ma constitution plus solide me rattachaient à la famille de ma mère, une branche de la lignée des Radix ayant une lointaine parenté avec le premier homme tué par Akos. Tous les personnages arboraient le même sourire doux, dans leurs beaux habits et leurs cadres de bois noir.

Ryzek attendait à l'extérieur, ainsi que tous les soldats shotet qui pouvaient tenir dans l'entrée. J'entendais leurs bavardages à travers le mur. Mon frère avait déclaré que le duel se déroulerait avant le banquet. Rien de tel qu'une bonne lutte à mort pour ouvrir l'appétit des soldats.

– Est-ce vrai, ce qu'a dit cette femme sur ce que vous avez fait à son père ? me demanda Akos.

– Oui.

J'avais choisi de ne pas lui mentir ; mais mon aveu ne me soulagea pas pour autant.

– Quel moyen de pression Ryzek a-t-il sur vous, pour pouvoir vous faire commettre des actes qui vous font si honte ?

La porte s'ouvrit, et je frémis en songeant que l'heure était venue. Mais Ryzek la referma derrière lui. Il se tint sous son propre portrait, dont le visage rond et boutonneux lui ressemblait de moins en moins.

– Qu'est-ce que tu veux ? lui demandai-je. À part, bien sûr, cette exécution que tu as ordonnée sans me consulter.

– Qu'aurais-je gagné à te consulter ? répliqua-t-il. J'aurais dû supporter tes protestations exaspérantes, jusqu'à ce que je te rappelle combien tu as été stupide de te fier à celui-là (il désigna Akos du menton), et comment cela a failli me faire perdre mon oracle. Et tu aurais fini par accepter pour saisir cette chance de te faire pardonner.

Je fermai les yeux un bref instant.

– Je suis venu te dire de ne pas prendre de lame, ajouta-t-il.

– Pas de *lame* ? sursauta Akos. Elle risque de se faire poignarder avant même d'avoir posé la main sur cette femme ! Vous voulez sa mort ?

Non, songeai-je. *Il veut que je tue, mais sans lame.*

– Elle sait ce que je veux, répondit Ryzek. Comme elle sait ce qui arrivera si je ne l'obtiens pas. Bonne chance, petite sœur.

Et il ressortit d'un pas vif. Il avait raison : je le savais. Comme toujours. Il voulait montrer à tous que les ombres qui couraient sous ma peau provoquaient non seulement la douleur, mais aussi la mort. De Fléau de Ryzek, j'étais promue au titre de Bourreau.

– Aide-moi à retirer ma cuirasse, marmonnai-je.

– Quoi ? Mais pourquoi ?

– Ne discute pas, ripostai-je. Fais ce que je te dis.

– Vous n'allez pas la porter ? Vous allez tranquillement laisser Lety vous tuer ?

J'entrepris de défaire la première courroie. Elle était si serrée que je m'écorchai le bout des doigts malgré mes cals. Pour les autres, je donnai du jeu par à-coups, d'un geste fiévreux et saccadé. Akos posa sa main sur la mienne.

– Je n'ai pas besoin de cuirasse, expliquai-je. Ni de lame.

Les ombres s'enroulaient autour de mes jointures, denses et noires comme de la peinture.

J'avais veillé avec le plus grand soin à ce que personne ne découvre ce qui était arrivé à ma mère – ce que je lui avais fait. Mais il valait mieux qu'Akos le sache plutôt que de continuer à souffrir pour moi. Je ne voulais pas qu'il me prenne en pitié sur la base d'un mensonge.

– Comment crois-tu que ma mère est morte ? demandai-je avec un petit rire. Je l'ai touchée. Et j'ai poussé toute la douleur en elle, simplement parce que j'étais en colère de devoir aller voir encore un nouveau médecin, qui me donnerait encore un nouveau traitement inefficace. Elle essayait juste de m'aider, mais je n'ai pas su me contrôler et je l'ai tuée.

Je tirai sur mon brassard, juste assez pour révéler une cicatrice tordue sous mon coude, sur la face externe de mon avant-bras.

– Ma première malemarque. C'est mon père qui l'a gravée. Il m'a haïe pour cela, et en même temps… il était fier, ajoutai-je, la gorge nouée. Tu voulais savoir quel moyen de pression Ryzek a sur moi ? Le voilà.

Je ris de nouveau, à travers mes larmes, cette fois. Je détachai la dernière courroie de ma cuirasse, la retirai violemment et la projetai à deux mains contre le mur. Elle heurta la paroi métallique avec un bruit assourdissant qui remplit la petite pièce.

La cuirasse tomba par terre, intacte. Elle n'avait pas la moindre éraflure.

– Ma mère. Ma mère chérie, vénérée, a été volée à mon frère, volée à Shotet ! crachai-je.

Fort. J'avais crié fort.

– Volée par moi. Je me la suis volée à moi-même.

Je me serais sentie moins mal s'il m'avait regardée avec répulsion, avec dégoût. Mais non. Il me tendit ses mains porteuses d'apaisement. Je sortis de l'antichambre pour pénétrer dans l'arène. Je ne voulais pas qu'on m'apaise. Cette douleur, je la méritais.

LA FOULE ACCUEILLIT MON APPARITION par un rugissement. Le sol noir de l'amphithéâtre brillait comme du verre ; il avait dû être ciré pour la circonstance. J'y vis le reflet de mes bottines, aux boucles détachées. Tout autour de moi s'élevaient des rangées de gradins métalliques remplis de spectateurs, dont je distinguais mal les visages dans l'ombre. Lety était déjà là, revêtue de sa cuirasse et chaussée de lourdes bottes aux pointes métalliques. Elle secouait les mains pour se préparer.

Je l'évaluai d'un simple coup d'œil, en appliquant les préceptes de l'elmetahak : elle mesurait une tête de moins que moi mais elle était musclée. Elle avait noué ses cheveux blonds dans un chignon serré pour ne pas être gênée. Ayant été formée à l'école zivatahak, elle serait rapide et agile, dans les quelques secondes que durerait le combat avant sa défaite.

– Même pas de cuirasse ? ricana-t-elle. Ce sera rapide.

Je n'en doutais pas.

Elle sortit sa lame et le flux sombre lui enveloppa la main. Ses ombres-flux avaient la même couleur que les miennes, mais pas la même forme. Elles s'enroulaient autour de son poignet sans jamais toucher la peau, tandis que les miennes étaient enfouies en moi. Lety s'immobilisa, attendant que je sorte mon arme.

– Vas-y, lui dis-je avec un geste d'invite.

Un nouveau rugissement s'éleva de la foule, puis je cessai de l'entendre. Je restais concentrée sur Lety, sur la façon dont elle s'approchait progressivement tout en essayant de déchiffrer mes intentions. Mais je demeurais sans bouger, les bras détendus, en laissant mon don-flux monter en moi en même temps que la peur.

Finalement, elle décida de passer à l'action. Je le perçus dans la position de ses bras et de ses jambes juste avant qu'elle bande ses muscles, et j'esquivai sa charge d'un pas de côté en me cambrant comme une danseuse ograne. Prise de court, elle tomba en avant et se rattrapa sur la paroi de l'arène.

Mes ombres-flux formaient maintenant un réseau si dense et si intolérable que j'arrivais à peine à y voir. La douleur se mit à gronder en moi, et je m'en réjouis. L'expression de Lety, au front plissé par la haine et la concentration, fit ressurgir dans ma tête le visage d'Uzul Zetsyvis, déformé par la souffrance entre mes mains envahies d'ombres.

Elle se rua de nouveau sur moi en visant mes côtes. Je la repoussai d'un geste du bras et me jetai sur elle à mon tour pour la saisir par le poignet. Je lui tordis le bras, violemment, la forçant à baisser la tête. Et je lui décochai un coup de genou en plein visage. Sa bouche se couvrit de sang, et elle poussa un hurlement de douleur. Mais pas à cause du coup.

Je l'avais touchée.

Sa lame tomba par terre. Sans lui lâcher le bras, je l'obligeai à s'agenouiller et me plaçai derrière elle. Je repérai Ryzek assis sur l'estrade, calme, les jambes croisées, comme s'il assistait à une conférence ou à un discours.

Je le fixai jusqu'à ce que ses yeux rencontrent les miens et je poussai. De toutes mes forces, je poussai toutes les ombres, toute ma douleur dans le corps de Lety, sans rien garder pour moi. C'était facile, si facile. Je fermai les yeux tandis qu'elle hurlait, secouée de soubresauts. Puis ce fut fini.

L'espace d'un instant, tout devint flou autour de moi. Je lâchai son corps sans vie et me retournai pour regagner l'antichambre. Un silence total était tombé sur le public. En franchissant la porte, j'étais, pour une fois, débarrassée des ombres. Mais ce n'était qu'un répit. Elles ne tarderaient pas à revenir.

Akos surgit sur ma gauche sans que je l'aie vu arriver et m'attira contre lui. Il me serra contre sa poitrine dans un geste qui ressemblait à une étreinte, et me chuchota en thuvhésit, la langue de mes ennemis :

– C'est fini. C'est fini, maintenant.

Plus tard dans la soirée, je barrai la porte de mes appartements, pour être sûre que personne ne vienne nous déranger. Dans sa chambre, Akos stérilisa un couteau sur la flamme d'un brûleur et la rafraîchit sous l'eau du robinet. Je posai mon bras sur la table et défis une à une les attaches de mon brassard, du poignet jusqu'au coude. Il était épais et rigide, et j'avais toujours le bras couvert de sueur à la fin de la journée.

Akos s'assit en face de moi, couteau à la main, et me regarda soulever le bord du brassard du côté du poignet. Je m'abstins de lui demander ce qu'il imaginait. Comme la plupart des gens, il devait supposer qu'il recouvrait des rangées et des rangées de malemarques. Que j'avais choisi de les masquer parce qu'en cultivant le mystère autour de ces marques, je ne me rendais que plus menaçante. Je n'avais jamais démenti cette rumeur. La vérité était bien pire.

Il y avait bien plusieurs rangées de marques le long mon bras. De petites lignes sombres, parfaitement espacées, toutes de la même longueur. Et en travers de chacune, un petit trait en diagonale, qui, selon le code shotet, l'annulait.

Les sourcils froncés, Akos prit mon bras entre ses mains, du bout des doigts. Il le retourna et fit courir l'index le long d'une rangée. Lorsqu'il parvint au bout, il frôla l'une des petites barres tout en retournant son propre bras pour comparer ses marques aux miennes. Je frissonnai en voyant nos peaux côte à côte, l'une brune et l'autre pâle.

– Ce ne sont pas des malemarques, murmura-t-il.

– Je n'ai gravé que la mort de ma mère, dis-je, aussi bas que lui. Ne te méprends pas, j'ai causé d'autres morts, mais j'ai cessé de les répertorier après la sienne. Jusqu'à Zetsyvis, en tout cas.

– Mais alors… vous répertoriez quoi ? demanda-t-il en me pressant le bras. Que représentent toutes ces marques ?

– La mort est douce comparée aux tortures que j'ai infligées.

Alors, au lieu de répertorier des morts, je répertorie la souffrance. Chaque marque correspond à quelqu'un à qui j'ai fait du mal sur ordre de Ryzek.

Au début, j'en tenais le compte exact. Je ne me doutais pas alors du nombre de fois où mon frère se servirait de moi pour procéder à ses interrogatoires. Au fil du temps, j'avais cessé de les comptabiliser. Leur nombre ne faisait qu'aggraver les choses.

– Quel âge aviez-vous la première fois qu'il vous a fait faire ça ?

Je fus désarçonnée par le ton de sa voix, par sa douceur. Alors que je venais de lui donner la preuve de ma monstruosité, ses yeux exprimaient l'empathie plutôt que le jugement. Il n'avait pas dû comprendre ce que je lui disais, ou il ne m'aurait pas regardée ainsi. Ou peut-être croyait-il que je mentais ou que j'exagérais.

– J'étais assez grande pour savoir que c'était mal, répliquai-je.

– Cyra. Quel âge ?

Toujours aussi doucement.

– Dix ans, admis-je en me carrant dans mon siège. Et c'est mon père, et non Ryzek, qui me l'a demandé la première fois.

Il hocha pensivement la tête, appuya la pointe du couteau sur la table et marqua le bois en faisant tourner rapidement le manche sur lui-même.

– Quand j'avais dix ans, dit-il enfin, je ne connaissais pas encore mon destin. Je voulais devenir soldat à Hessa, comme ceux qui patrouillaient dans les champs de fleurs-des-glaces de mon père. Il était cultivateur.

Il appuya son menton sur sa main en m'observant.

– Mais un jour, des voleurs se sont introduits dans le champ où il travaillait pour piller la récolte, et mon père a essayé de les arrêter sans attendre l'arrivée des soldats. Il est rentré avec une énorme entaille en travers de la joue. Ma mère s'est mise à lui hurler dessus (il rit doucement). C'est un peu absurde, non, de crier sur quelqu'un parce qu'il a été blessé ?

– C'est parce qu'elle a eu peur pour lui.

– Ouais. Moi aussi, j'ai dû avoir peur, parce que cette nuit-là, j'ai décidé que je ne voulais plus devenir soldat, si c'était pour me faire taillader comme ça.

Je ne pus me retenir de rire.

– Oui, je sais, dit-il avec un petit sourire. Si j'avais su quelle vie j'aurais aujourd'hui !

Il pianota nerveusement des doigts sur la table, et je remarquai pour la première fois ses ongles déchiquetés et toutes les petites peaux arrachées autour. J'allais devoir lui faire perdre l'habitude de se ronger les ongles.

– Ce que je veux dire, poursuivit-il, c'est qu'à dix ans, la simple idée de la douleur me terrifiait à un degré presque insoutenable. Alors que vous, à dix ans, vous receviez l'ordre de l'infliger encore et encore, par quelqu'un de bien plus fort que vous. Quelqu'un qui aurait dû veiller sur vous.

L'espace d'un instant, cette idée me fit mal. Mais rien qu'un instant.

– N'essaie pas de me trouver des excuses.

Alors que j'avais voulu le rabrouer, je n'avais réussi qu'à prendre un ton implorant. Je m'éclaircis la gorge.

– D'accord ? Ça n'arrange rien.

– D'accord, acquiesça-t-il.

– T'a-t-on appris le rituel ? lui demandai-je.

Il hocha la tête.

– Grave la marque, dis-je, la gorge nouée.

Je tendis le bras en désignant un petit carré de peau nue sous l'os de mon poignet. Il y appuya la pointe de sa lame, la cala de sorte qu'elle respecte le même intervalle que les marques existantes, et l'enfonça. Pas très profondément, juste assez pour que l'extrait d'herbe-plume puisse y pénétrer.

À mon irritation, des larmes me montèrent aux yeux. Des gouttes de sang jaillirent de l'entaille et coulèrent sur mon bras tandis que je fouillais un tiroir de la cuisine à la recherche du bon flacon. Akos le déboucha et je trempai dans la teinture le petit pinceau que j'avais pris en même temps. Puis je prononçai le nom de Lety Zetsyvis en ombrant la marque qu'il avait gravée.

Ça brûlait. Chaque fois, je pensais en avoir pris l'habitude et, chaque fois, je me trompais. C'était censé brûler, pour nous rappeler que prendre une vie, graver une perte, n'avait rien de futile.

– Vous ne prononcez pas le reste de la formule ? s'étonna Akos.

Il parlait de la prière, de la fin du rituel. Je secouai la tête.

– Moi non plus, je ne la prononce pas, me dit-il.

La brûlure s'estompa. Akos enroula un bandage autour de mon bras, une fois, deux fois, puis une troisième, et le fixa avec du ruban adhésif. Ni lui ni moi ne prîmes la peine de nettoyer le sang qui avait coulé sur la table. Il allait sécher et je serais obligée de le gratter plus tard avec un couteau, mais tant pis.

Je grimpai à la corde pour gagner la pièce du niveau supérieur, en passant au milieu des plantes prises dans la résine. Des scarabées mécaniques s'étaient posés dessus pour se recharger. Akos me suivit.

Le vaisseau de séjour vibrait sous l'action des moteurs qui se préparaient à le propulser dans l'atmosphère. Le plafond de la pièce était tapissé d'écrans qui montraient ce qui s'étendait au-dessus de nous – en l'occurrence, le ciel d'Urek. Le petit espace encombré de tuyaux et de bouches d'aération n'était pas fait pour accueillir plus d'une personne. Repliés contre le mur du fond se trouvaient des strapontins. Je les rabattis et nous nous y installâmes.

J'aidai Akos à attacher sur sa poitrine et ses jambes les courroies qui le maintiendraient pendant le décollage, et lui tendis un sac en papier au cas où la pression lui donnerait la nausée. Puis je m'attachai à mon tour. Dans tout le vaisseau, le reste de la population devait faire de même, s'assemblant dans les couloirs pour rabattre les strapontins et s'aider à s'attacher.

Nous attendîmes le décollage en écoutant le décompte diffusé par le haut-parleur. Lorsque la voix arriva à dix, Akos me prit la main et je la serrai jusqu'à ce que le décompte atteigne zéro.

Les nuages défilèrent dans un éclair et la pression s'abattit sur nous en nous plaquant contre nos sièges. Akos lâcha un gémissement. Je me contentai d'admirer les nuages qui s'éloignaient et le bleu de l'atmosphère qui se noyait dans les ténèbres de l'espace. Tout autour de nous s'étendait le ciel étoilé.

– Tu vois tout ça ? dis-je en glissant mes doigts entre les siens. C'est beau, non ?

▴
▴

:14
CYRA

Ce soir-là, on frappa à la porte alors que j'étais allongée sur mon lit, le visage enfoui dans l'oreiller. Je me levai péniblement pour aller ouvrir. Deux soldats se tenaient dans le couloir, un homme et une femme, minces tous les deux. Il suffisait parfois d'un coup d'œil pour déterminer l'école de combat de quelqu'un, et je vis tout de suite qu'ils étaient de zivatahak, rapides comme la mort. Et que je leur faisais peur. Ce qui pouvait se comprendre.

Akos me rejoignit, et les deux soldats échangèrent un regard entendu qui me rappela ce que disait Otega sur la faiblesse des Shotet pour les commérages. C'était inévitable : Akos et moi vivions côte à côte. Cela ne pouvait que faire jaser sur nos relations, et sur ce que nous faisions derrière les portes closes. Je m'en souciais trop peu pour étouffer les rumeurs. Et puis, je préférais encore que les gens parlent de cela que des tortures que j'avais infligées.

– Pardon de vous déranger, mademoiselle Noavek, dit la femme. Le souverain souhaite vous parler. Seul à seule.

Le bureau de Ryzek sur le vaisseau de séjour était la copie en miniature de celui du manoir. Le bois sombre utilisé pour le parquet et les lambris, cirés à la perfection, était produit à Shotet. Il poussait le long de l'équateur, dans les forêts profondes au nord de Voa. C'était dans les cimes de leurs arbres que vivaient à l'état sauvage les insectes fenzu que nous enfermions dans des globes. Et comme la plupart des vieilles familles de Shotet les utilisaient pour s'éclairer, la famille Zetsyvis – désormais uniquement représentée par Yma – les élevait en grand nombre pour ceux qui étaient prêts à en payer le prix. Ryzek était de ceux-là. Il soutenait que leur lueur était plus agréable que celle des pierres-ardentes, même si cela ne me paraissait pas flagrant.

Lorsque j'entrai dans son bureau, Ryzek se tenait devant un bloc de texte compact affiché sur un grand écran, qu'il gardait généralement masqué derrière un panneau coulissant. Je mis quelques secondes à comprendre qu'il s'agissait d'une transcription des annonces des destins. Ceux de neuf branches de neuf familles réparties à travers toute la galaxie, aux chemins prédéfinis et irrévocables. Ryzek évitait d'habitude toute référence à sa « faiblesse », comme l'appelait mon père, au destin qui le hantait depuis sa naissance : être renversé par la famille Benesit. Une loi de Shotet interdisait formellement de dire ou de lire quoi que ce soit sur ce sujet, sous peine d'emprisonnement, voire de mort.

S'il était en train de lire les destins, il ne devait pas être de bonne humeur. La plupart du temps, cela signifiait que j'avais intérêt à marcher sur des œufs. Mais, ce soir-là, je n'avais pas envie de me donner du mal.

Ryzek croisa les bras et se tourna vers moi.

– Tu ne te rends pas compte de la chance que tu as d'avoir un destin aussi ambigu. *Le deuxième enfant de la famille Noavek franchira la Traverse.* Dans quel but la franchiras-tu ? Nul ne le sait et nul ne s'en soucie. Oui, tu as vraiment beaucoup de chance.

– C'est une façon de voir les choses, dis-je en riant.

– Voilà pourquoi il est si important que tu m'aides, poursuivit-il comme s'il ne m'avait pas entendue. Toi, tu peux te le permettre. Tu n'as pas besoin de te battre contre le destin que le monde a en tête pour toi.

Ryzek comparait sa vie à la mienne depuis que j'étais petite. Ma douleur constante, l'impossibilité dans laquelle j'étais de m'approcher de quiconque, les deuils que j'avais subis autant que lui, rien de cela ne semblait s'imprimer dans son esprit. Tout ce qu'il voyait, c'était que notre père m'avait ignorée au lieu de me soumettre aux mêmes horreurs que lui, et que mon destin n'incitait pas les Shotet à douter de ma force. À ses yeux, j'étais la plus chanceuse de nous deux, et il ne servait à rien d'en discuter.

– Qu'est-ce qui s'est passé ? demandai-je.

– Tu veux dire, hormis le fait que Lety Zetsyvis a rappelé mon destin ridicule à tous les Shotet ?

Je frémis en me rappelant la peau tiède de Lety à l'instant de sa mort, et je tâchai d'empêcher mes mains de trembler. La potion d'Akos n'éliminait pas totalement les ombres ; elle les ralentissait seulement. Elles continuaient à se déplacer sous ma peau, accompagnées d'une douleur lancinante.

– Mais tu t'y étais préparé, répondis-je sans le regarder dans les yeux. Personne n'osera plus répéter ce qu'elle a dit.

– Il n'y a pas que cela, répliqua-t-il avec un écho du ton qu'il avait plus jeune, avant que mon père s'en mêle. J'ai suivi la piste fournie par Uzul Zetsyvis lors de ses aveux et elle m'a conduit à une source. Il existe une colonie d'exilés quelque part dans la galaxie. Et peut-être même plus d'une. Et ils ont des contacts parmi nous.

Un frisson d'excitation courut dans mes veines. Ainsi, la rumeur d'une colonie d'exilés se confirmait. Pour la première fois, elle représentait pour moi non pas une menace, mais quelque chose… qui ressemblait à de l'espoir.

– Toute démonstration de force est toujours bonne à prendre, reprit mon frère, mais c'est insuffisant. Il ne doit rester aucun doute sur le fait que je suis à la tête de ce peuple, et que nous rentrerons de ce séjour encore plus respectés qu'auparavant.

Il laissa planer sa main au-dessus de mon épaule.

– Je vais avoir besoin de ton aide, maintenant plus que jamais, Cyra.

Je sais très bien ce que tu veux, songeai-je. Il voulait extirper jusqu'au dernier doute et au dernier murmure subsistant contre lui et les écraser. Et j'étais censée être son instrument à cette fin. Le Fléau de Ryzek.

Assaillie par des images de Lety, je fermai les yeux un instant, avant de les repousser.

– Je t'en prie, assieds-toi.

Il me désigna l'un des deux sièges disposés devant l'écran. C'était des chaises anciennes, tapissées d'un tissu brodé, qui avaient meublé jadis le bureau de mon père. Elles étaient de fabrication shotet, comme le tapis en herbes tissées qui couvrait le sol et tous les autres objets de la pièce. Mon père avait détesté la pratique du ramassage, trouvant qu'elle nous affaiblissait et que nous devrions l'abandonner peu à peu. Ryzek partageait visiblement cet avis. J'étais la seule de la famille à avoir gardé un goût pour les rebuts des autres.

Je m'assis au bord de la chaise et me retrouvai avec la tête juste à côté des destins des familles élues. Au lieu de s'installer en face de moi, Ryzek resta debout derrière l'autre chaise, les mains sur le dossier. Sa manche relevée dénudait ses bras, révélant ses malemarques.

Il agrandit un bloc de texte en tapotant l'écran de son index replié.

Les destins de la famille Benesit sont les suivants :

Le premier enfant de la famille Benesit portera son double au pouvoir.

Le deuxième enfant de la famille Benesit régnera sur Thuvhé.

Ryzek mit son doigt sur le mot « régnera » qui figurait dans le deuxième destin.

– On raconte que ce deuxième enfant est une Thuvhésit et qu'elle ne tardera pas à se faire connaître. Je ne peux plus ignorer les destins. Quelle que soit son identité, ils proclament qu'elle régnera sur Thuvhé et qu'elle signera ma perte.

Jusqu'ici, je n'avais pas vraiment assemblé les pièces du puzzle. Mais Ryzek devant être renversé par la famille Benesit, famille dont le destin était de régner sur Thuvhé, il était logique qu'il fasse une fixation sur eux.

– Mon intention, ajouta-t-il, est de la tuer avant que cela ne se produise, avec l'aide de notre nouvel oracle.

Je fixai le texte affiché sur l'écran. On m'avait toujours répété que les destins étaient voués à s'accomplir, quoi que l'on puisse tenter pour les modifier. Or c'était précisément le projet de mon frère : annuler son propre destin en tuant celle qui devait le mettre en œuvre, en se servant d'Eijeh.

– C'est… c'est impossible, dis-je avant d'avoir pu me retenir.

Il haussa les sourcils et ses doigts se crispèrent sur le dossier de la chaise.

– Impossible ? Pourquoi ? Parce que personne n'a jamais réussi à le faire ? Tu doutes que je puisse être le premier à défier son destin ?

– Ce n'est pas ce que je voulais dire, rectifiai-je en essayant de rester calme face à sa colère. Simplement, je ne crois pas que cela se soit jamais produit.

– Eh bien, tu ne tarderas pas à le voir, riposta-t-il d'un air irrité. Et tu m'aideras.

Je songeai brusquement à Akos, à ses remerciements pour la façon dont j'avais fait aménager sa chambre ; à son expression posée lorsqu'il avait découvert mon bras scarifié ; à son rire alors qu'on se poursuivait sous la pluie bleutée du séjour. Ces moments étaient les premiers instants de répit que j'avais connus depuis la mort de ma mère. Et j'en voulais d'autres. Et moins de… ceci.

– Non, dis-je. Je ne t'aiderai pas.

Sa vieille menace – révéler aux Shotet ce que j'avais fait à ma mère chérie si je ne lui obéissais pas – ne m'effrayait plus. Cette fois, il avait commis une erreur : il avait avoué qu'il avait besoin de moi.

Je croisai les jambes et repliai les mains sur mon genou.

– Avant que tu ne me menaces, poursuivis-je, laisse-moi te dire ceci : je ne crois pas que tu sois prêt à courir le risque de me perdre. Pas après tout le mal que tu t'es donné pour que j'inspire autant de terreur.

Car c'était bien ce qu'avait représenté le duel contre Lety : une démonstration de force. De *sa* force.

Or cette force, ce pouvoir, en réalité, m'appartenait.

Ryzek avait appris dès l'enfance à imiter notre père, qui avait un vrai talent pour masquer ses sentiments. Ce dernier se savait observé, toujours et partout, et estimait que toute réaction spontanée l'aurait rendu vulnérable. À son tour, Ryzek avait perfectionné ce talent saison après saison, mais il n'était pas encore parvenu à le maîtriser tout à fait. Je le fixai sans ciller, et je vis son visage se déformer sous l'effet de la colère. Et de la peur.

– Je n'ai pas besoin de toi, Cyra, me dit-il à mi-voix.

– C'est faux, répliquai-je en me levant. Et quand bien même ce serait vrai, tu aurais tort d'oublier ce qui se passerait si je décidais de poser la main sur toi.

Je lui montrai ma paume en essayant d'y faire venir les ombresflux. Par chance, elles répondirent à mon appel, affluant par vagues. L'espace d'un instant, elles s'enroulèrent autour de mes doigts telle une résille de fils noirs. Ryzek ne put s'empêcher de les regarder.

– Je continuerai à jouer le rôle de la sœur loyale, de l'arme redoutée, précisai-je. Mais je n'infligerai plus la souffrance pour toi.

Sur quoi je fis volte-face et me dirigeai vers la porte, le cœur battant.

– Attention à toi, gronda Ryzek dans mon dos. Tu pourrais regretter ces paroles.

– J'en doute, répondis-je sans me retourner. Après tout, ce n'est pas moi qui crains la douleur.

– Je ne crains pas la douleur, nia-t-il sèchement.

– Ah non ? fis-je en m'arrêtant. Alors approche et prends ma main.

Le visage crispé par les élancements qui persistaient, je lui tendis ma paume tachée par les ombres. Mais il ne bougea pas d'un pouce.

– C'est bien ce que je pensais, dis-je avant de sortir.

De retour dans ma chambre, je trouvai Akos plongé dans le livre sur l'elmetahak, aidé par le traducteur automatique. Il leva la tête d'un air inquiet. La cicatrice qui courait en ligne droite le long de sa mâchoire restait sombre. Avec le temps, elle finirait par pâlir et par se confondre avec sa peau.

J'allai m'asperger le visage dans la salle de bains.

– Que vous a-t-il fait ? me demanda-t-il en venant s'adosser au mur.

Je m'aspergeai de nouveau et me penchai au-dessus du lavabo. L'eau coula sur mes joues et mes paupières et goutta sur la céramique. Mon reflet me renvoya deux yeux égarés et une mâchoire crispée.

– Rien du tout, dis-je en prenant une serviette pour m'essuyer, avec une grimace qui tentait de passer pour un sourire. Il n'a rien fait parce que je ne l'ai pas laissé faire. Il m'a menacée et… j'ai riposté.

Un réseau de plaques sombres m'assombrissait les mains et les bras, comme des taches de peinture noire. J'allai m'asseoir dans la cuisine et éclatai de rire. Un rire qui montait du ventre, et qui me réchauffa bientôt tout le corps. Le nœud de honte qui sommeillait toujours en moi se desserra un peu. Je n'avais jamais résisté à Ryzek jusque-là. Et voilà que, tout à coup, je me révélais moins docile.

Akos s'assit en face de moi.

– Et… qu'est-ce que ça va changer ?

– Ça va changer qu'il va nous laisser tranquilles. Je… (Mes mains s'étaient mises à trembler.) C'est idiot, je ne sais pas pourquoi je me sens aussi…

– Vous venez de tenir tête à la personne la plus puissante de ce pays, me dit-il en me prenant les mains. C'est normal d'être un peu secouée…

Il n'avait pas les mains beaucoup plus grandes que les miennes ; juste des doigts plus épais, des tendons plus saillants, et des veines bleu-vert qu'on voyait courir sous sa peau pâle, presque transparente. Comme une confirmation de notre idée reçue sur la peau tendre des Thuvhésit, si ce n'est qu'Akos ne pouvait en aucun cas être qualifié de fragile.

Je retirai doucement mes mains.

Je me demandai à quoi nous allions occuper nos journées tous les deux, maintenant que nous étions débarrassés de Ryzek. Normalement, je passais les séjours livrée à moi-même. Une tache sur la plaque de cuisson rappelait que j'y avais cuisiné tous les soirs du séjour précédent, en me lançant dans des expérimentations avec des ingrédients de diverses planètes – tentatives globalement vouées à l'échec par mon absence totale de talent de cuisinière. J'avais aussi passé mes nuits à regarder des images d'autres planètes, en imaginant des vies différentes de la mienne.

Akos alla prendre un verre dans un placard et le remplit d'eau au robinet. Je penchai la tête en arrière pour contempler les plantes qui brillaient, suspendues au plafond dans leurs coques de résine. Certaines possédaient la propriété de luire dans le noir, d'autres se décomposaient, même dans la résine, en se parant de couleurs vives. Je les contemplais depuis déjà trois séjours.

Akos s'essuya la bouche et reposa son verre.

– Au fait, j'ai trouvé, déclara-t-il. Une bonne raison de continuer, je veux dire.

– Ah oui ?

– Oui, confirma-t-il avec des petits hochements de tête. J'étais miné par une chose que Ryzek m'avait dite… qu'il ferait d'Eijeh quelqu'un que je n'aurais plus envie de sauver. Eh bien, j'ai décidé que c'était impossible.

Lui qui, quelques jours plus tôt, ressemblait à une coquille vide, semblait soudain débordant d'énergie.

– Il ne peut exister aucune version d'Eijeh que je n'aie pas envie d'arracher aux griffes de Ryzek.

Il était là, le prix à payer pour cette douceur qui l'avait fait me considérer avec compassion et non avec dégoût le matin même : la folie. Continuer à aimer quelqu'un au-delà de tout espoir de sauvetage, de rédemption, c'était de la folie.

– Ça n'a pas de sens, objectai-je. À t'entendre, plus on découvre d'horreurs sur une personne, ou plus elle se montre horrible avec nous, plus il faudrait être bon avec elle. C'est du masochisme.

– Dit celle qui se scarifie pour se punir d'actes qu'elle a commis sous la contrainte.

Ce n'était pas drôle ; ni ses remarques, ni les miennes. Mais un grand sourire fendit mon visage. Puis le sien. Un sourire nouveau : pas celui qu'il affichait quand il était content de lui, ni celui qu'il se plaquait sur la figure quand il se sentait obligé d'être poli, mais un sourire avide, un peu fou.

– Alors, c'est vrai ? Tu ne me détestes pas pour ça ? demandai-je en lui montrant mon avant-bras cuirassé.

– Non.

Je n'avais jamais connu qu'un petit éventail de réactions vis-à-vis de ce que j'étais et de ce que j'étais capable de faire. La haine, de la part de mes victimes ; la crainte, de la part de ceux qui ne l'étaient pas mais qui pouvaient le devenir ; et la jubilation, de la part de ceux qui pouvaient m'exploiter à leur bénéfice. Mais cette réaction-ci était entièrement inédite. On aurait presque dit qu'il me comprenait.

– Tu ne me détestes même pas un petit peu, alors ? insistai-je dans un murmure, redoutant sa réponse.

Mais il me la donna sans une hésitation, comme une évidence :

– Non.

À cet instant, je me rendis compte que je ne lui en voulais plus de s'être servi de moi pour faire évader Eijeh. Il y avait été poussé par cette même qualité qui le rendait aussi tolérant avec moi. Comment aurais-je pu lui reprocher cela ?

– Très bien, soupirai-je. Lève-toi tôt demain, parce qu'il va falloir intensifier l'entraînement si tu veux sortir ton frère d'ici.

Je lui pris son verre des mains.

Il fronça les sourcils.

– Vous allez m'aider ? Même après ce que je vous ai fait ?

Je bus le fond de son verre et le reposai.

– Ouais. Faut croire.

▲
▲

3

:15
AKOS

AKOS PASSAIT et repassait dans sa tête le déroulé de sa tentative d'évasion avec Eijeh.

Il avait couru dans les passages secrets du manoir des Noavek, s'arrêtant aux bifurcations pour se repérer en glissant un coup d'œil dans les interstices des parois. Il avait avancé longtemps dans le noir, à avaler de la poussière et à s'enfoncer des échardes dans les doigts.

Enfin, il avait trouvé la pièce où Eijeh était consigné – et déclenché un détecteur de mouvement au passage, comme Ryzek le lui avait appris plus tard. Mais, sur le moment, il ne s'en était même pas rendu compte. Il s'était contenté de mettre les doigts dans la serrure qui fermait la porte. La plupart des portes modernes étaient verrouillées par le flux et il n'avait qu'à les toucher pour les ouvrir. Cela marchait aussi avec les menottes, ce qui lui avait permis de se libérer et de tuer Kalmev Radix en traversant l'herbe-plume.

Eijeh se tenait devant une fenêtre munie de barreaux, plusieurs étages au-dessus du portail arrière du manoir. Là aussi, il y avait de l'herbe-plume, dont les touffes oscillaient dans le vent. Akos se demanda ce que son frère voyait au-dehors. Leur père ?

Eijeh s'était tourné vers Akos et avait semblé le reconnaître peu à peu. Ils ne s'étaient pas vus depuis deux saisons, et tous deux avaient changé. Akos avait gagné en taille et en carrure. Eijeh, quant à lui, avait maigri, il avait le teint cendreux et ses cheveux bouclés étaient plaqués sur son crâne. Il vacilla légèrement et Akos le retint par les épaules.

« Akos, avait murmuré Eijeh. Je ne sais pas quoi faire, je ne… »

« Tout va bien. Ne t'inquiète pas. Je vais nous sortir de là, tu n'as pas besoin de faire quoi que ce soit. »

« Tu… Tu as tué un homme, l'un de ceux qui sont venus chez nous… »

« Oui. »

Akos connaissait le nom de sa victime : Kalmev Radix, qui n'était plus qu'une cicatrice sur son bras.

« Comment tout cela a-t-il pu arriver ? avait demandé Eijeh d'une voix brisée. Pourquoi maman ne l'a-t-elle pas vu ? »

Le cœur d'Akos s'était serré et il n'avait pas jugé utile de lui faire remarquer qu'en réalité, elle l'avait probablement prédit.

« Je ne sais pas. Mais je vais te sortir d'ici même si je dois y laisser ma peau. »

Il avait passé son bras autour de la taille de son frère pour le soutenir et ils étaient sortis de la pièce. D'une main, il lui avait fait baisser la tête pour s'engouffrer dans le passage. Eijeh avait le pas lourd et Akos était sûr qu'ils ne tarderaient pas à se faire repérer.

« C'est pas moi qui devrais te sauver, normalement ? avait murmuré Eijeh un peu plus tard. »

Du moins aussi bas qu'il lui était possible, la discrétion n'ayant jamais été son fort.

« Ça sort d'où, ça ? D'une espèce de règlement sur les usages entre frères ? »

« Quoi, tu n'as pas lu le tien ? avait demandé Eijeh en riant. Ça ne m'étonne pas de toi. »

Riant à son tour, Akos avait poussé la porte qui se trouvait au bout du passage. Campé en face d'eux dans les cuisines, faisant craquer ses jointures, Vas Kuzar les attendait.

UNE SEMAINE APRÈS LE DÉPART du vaisseau de séjour, Akos se rendit au gymnase pour s'entraîner. Il aurait pu le faire dans la pièce qui se trouvait au-dessus des appartements de Cyra, mais, dernièrement, elle avait pris l'habitude d'y regarder des documentaires. La plupart traitaient de formes de combat pratiquées sur les autres planètes. Or une semaine plus tôt, il l'avait surprise hissée sur les pointes, en train de dessiner des arabesques dans les airs en copiant les mouvements d'une danseuse othyrienne. Elle s'était montrée si renfrognée après cela qu'il évitait désormais d'y entrer à l'improviste.

Il n'eut même pas besoin de consulter la carte froissée que Cyra lui avait dessinée le deuxième soir. Le gymnase était plongé dans la pénombre et presque désert. Seules quelques personnes levaient des haltères tout au fond. *Bien*, songea-t-il. Il était connu à Shotet comme le captif thuvhésit, celui contre qui le don du Fléau de Ryzek était inopérant. Personne ne s'avisait de l'ennuyer – sans doute par peur de Cyra –, mais les regards insistants lui pesaient.

Ils le faisaient rougir.

Il était en train d'essayer de toucher ses orteils – d'essayer, seulement – lorsqu'il se sentit observé. Surgi de nulle part, Jorek Kuzar se tenait devant lui.

Jorek Kuzar, fils de Suzao Kuzar.

Ils ne s'étaient rencontrés qu'une fois, le jour où Vas avait fait entrer Jorek dans les appartements de Cyra au manoir des Noavek. Il n'y avait rien sur la peau brune de ses bras maigres. Akos avait pris le réflexe de regarder furtivement les bras de tous ceux qu'il croisait, et Jorek ne portait aucune marque. Surprenant son coup d'œil, celui-ci se gratta le cou, où ses ongles laissèrent des traînées rouges.

– Tu cherches quoi ? lui demanda Akos, sur la défensive.

– Quelqu'un avec qui m'entraîner…

Jorek brandit deux couteaux d'entraînement semblables à ceux de Cyra, faits d'un matériau synthétique rigide.

Akos le dévisagea. Jorek s'attendait-il réellement à ce qu'il accepte de… *s'entraîner* avec lui ? Avec le fils de l'homme qui lui avait un jour écrasé le visage sous sa botte ?

– J'allais y aller, fit-il.

Jorek haussa un sourcil.

– Je comprends que tu me trouves particulièrement impressionnant, Kereseth, dit-il en passant une main sur son torse étroit. Mais je parlais juste d'un entraînement.

Akos n'était pas prêt à avaler que Jorek cherchait seulement « quelqu'un avec qui s'entraîner ». Mais il préférait en avoir le cœur net. Et, après tout, Jorek n'avait pas choisi sa lignée.

– Très bien.

Ils gagnèrent l'une des surfaces d'entraînement, délimitée par un cercle de peinture fluorescente un peu écaillée. La température de la salle était élevée, à cause de l'eau chaude qui circulait dans des tuyaux au plafond, et Akos était déjà en sueur. Il prit le couteau que Jorek lui tendait.

– Je n'ai jamais vu quelqu'un d'aussi méfiant à propos d'un simple entraînement, observa Jorek.

Mais Akos n'était pas là pour discuter. Il balaya l'air de son arme pour tester la vitesse de son adversaire et Jorek, surpris, recula d'un bond.

Akos esquiva sa première attaque en pliant les genoux et lui asséna un coup de coude dans les reins. Jorek tomba en avant, se rattrapa du bout des doigts et se retourna pour revenir à l'assaut. Cette fois, Akos le saisit par le bras, le tira sur le côté et le projeta au sol.

Jorek bondit aussitôt sur ses pieds et, en se baissant, atteignit le ventre d'Akos de la pointe de son couteau.

– Pas très judicieux de viser l'estomac, Kuzar, commenta Akos. Dans un vrai combat, je porterais une cuirasse.

– Appelle-moi Jorek, pas Kuzar. Tu as acquis la tienne ?

– Oui.

Akos profita de cet instant de déconcentration de son adversaire pour le frapper à la gorge du plat de son arme. Jorek porta les mains à son cou en suffoquant.

– C'est bon, c'est bon, fit-il d'une voix étranglée en levant la main. J'ai la réponse à ma question.

Akos recula jusqu'en bordure du cercle.

– Quelle question ? Celle sur ma cuirasse ?

– Mais non ! Bon sang, tu m'as fait *mal*, dit Jorek en se massant. Je me demandais quel niveau tu avais atteint en t'entraînant avec Cyra. Mon père raconte qu'à ton arrivée, tu ne distinguais pas un pied d'une main.

La colère d'Akos mettait du temps à monter, mais, une fois là, devenait un bloc compact. Comme à cet instant.

– Ton père...

– ... est un homme de la pire espèce, oui, je sais. C'est justement de ça que je voulais te parler.

Akos fit tournoyer plusieurs fois son couteau d'entraînement, attendant la suite. Mais, quoi que Jorek eût à dire, ça ne paraissait pas facile. Akos jeta un coup d'œil vers ceux qui levaient des haltères à l'autre bout de la salle. Ils ne les regardaient pas, et ne paraissaient pas davantage les écouter.

– Je sais ce que mon père vous a fait, à toi et à ta famille, reprit enfin Jorek. Je sais aussi ce que tu as fait à l'un des soldats qui se trouvaient chez toi. Et je veux te demander quelque chose, acheva-t-il en désignant le bras marqué d'Akos.

D'après ce qu' Akos avait entendu dire, Jorek était une cruelle déception pour les siens. Porter le nom d'une noble famille shotet et travailler dans la maintenance... Il avait même des taches d'huile sur les mains.

– Quoi donc ? demanda-t-il en faisant de nouveau voltiger son couteau.

– Je veux que tu tues mon père, répondit Jorek de but en blanc.

Le couteau heurta le sol.

L'image de Suzao Kuzar était aussi vive dans l'esprit d'Akos que s'il avait été devant lui. Il se souvenait de sa botte lui écrasant la figure tandis que le sang de son père se répandait sur le parquet du salon.

Il ramassa le couteau d'entraînement.

– Quoi que vous pensiez des Thuvhésit, je ne suis pas complètement idiot, riposta-t-il en rougissant. Tu espères vraiment que je vais tomber dans le panneau ?

– Ça me fait courir autant de risques qu'à toi, répliqua Jorek. Rien ne t'empêche d'aller répéter ce que je viens de te dire à Cyra Noavek pour qu'elle aille le raconter à Ryzek ou à mon père. Mais j'ai choisi de me fier à ta haine. Et tu devrais te fier à la mienne.

– Me fier à ta haine, répéta Akos. Pour ton propre père. Pourquoi... souhaiterais-tu sa mort ?

Jorek mesurait une tête de moins qu'Akos et il était deux fois moins large d'épaules. Petit pour son âge. Mais son regard était résolu.

– Ma mère est en danger. Et ma sœur sans doute aussi. Et, comme tu as pu le constater, mes compétences au combat ne me laissent aucune chance de le vaincre.

– Alors quoi ? Tu penses directement à l'assassinat ? Mais c'est quoi, votre problème, aux Shotet ? gronda Akos. Si ta famille est vraiment en danger, tu ne peux pas trouver un moyen de faire partir ta mère et ta sœur, tout simplement ? Tu travailles dans la maintenance, il y a des centaines de flotteurs dans la soute.

– Elles ne partiraient pas. De toute façon, tant qu'il vivra, elles ne seront pas en sécurité. Je ne veux pas qu'elles aient à vivre ainsi, toujours en fuite, toujours dans la peur, dit Jorek d'un ton ferme. Je ne prendrai aucun risque inutile.

– Et il n'y a personne d'autre qui pourrait t'aider ?

– Le seul qui puisse forcer Suzao Kuzar à faire quoi que ce soit, c'est Ryzek, répondit Jorek avec un petit rire. Tu veux parier sur la réponse que donnerait le souverain de Shotet à ce genre de demande ?

Akos frotta ses marques, en songeant à la férocité dont elles témoignaient.

« Il a l'air plutôt insignifiant », avait dit la mère d'Osno à son propos. « Ça va, il est sympa », lui avait répondu son fils. Visiblement, ni l'un ni l'autre n'aurait imaginé ce qu'il apprendrait à faire avec un couteau...

– Tu veux que je tue un homme, c'est bien ça ? formula Akos, ne serait-ce que pour se donner le temps de réfléchir.

– Oui. Un homme qui a participé à ton enlèvement.

– Et pourquoi je ferais ça ? Par bonté d'âme ?

Akos secoua la tête et tendit le couteau d'entraînement à Jorek en lui présentant le manche.

– C'est non.

– En échange, je t'offre ta liberté, proposa Jorek. Tu l'as dit toi-même, il y a des centaines de flotteurs dans la soute. Ce serait un jeu d'enfant pour moi de t'aider à en voler un. De t'ouvrir les portes. De faire en sorte que le contrôleur du pont de commandement regarde ailleurs.

La liberté. Jorek l'offrait comme quelqu'un qui n'en connaissait pas la valeur, quelqu'un qui n'en avait jamais été privé. Mais cette notion avait perdu son sens pour Akos le jour où il avait appris son destin. Peut-être même dès l'instant où il avait promis à son père de ramener Eijeh à la maison.

Alors il secoua de nouveau la tête.

– Je ne marche pas.

– Tu ne veux pas rentrer chez toi ?

– J'ai des choses à régler ici. D'ailleurs, il faudrait vraiment que je m'y remette. Alors tu m'excuseras...

Comme Jorek ne faisait toujours pas mine de prendre le couteau, Akos le laissa tomber par terre avant de se diriger vers la porte. Il compatissait à la situation de la mère de Jorek, peut-être même aussi à celle de Jorek. Mais il avait déjà assez de problèmes comme ça. Et les deux marques sur son bras ne devenaient pas plus légères à porter avec le temps.

– Et ton frère, alors ? le rappela Jorek. Celui qui inspire quand Ryzek expire ?

Akos s'immobilisa en serrant les dents. *Cette fois, c'est toi qui as donné le bâton pour te faire battre*, se dit-il. *Ça t'apprendra à parler de « choses à régler »*. Mais ce constat n'était pas une consolation.

– Je peux le faire évader, reprit Jorek. Le ramener chez lui. Et là-bas, vous pourriez réparer les dégâts faits dans sa tête.

Akos repensa à sa tentative d'évasion avortée, à la voix brisée d'Eijeh qui lui demandait : « Comment tout cela a-t-il pu arriver ? » Ses joues creuses, son teint grisâtre, tout criait qu'il disparaissait saison après saison, jour après jour. Il ne resterait bientôt plus grand-chose de lui à sauver.

– D'accord.

Le mot était sorti dans un murmure rauque.

– D'accord ? répéta Jorek, le souffle court. Tu veux dire que tu acceptes ?

– Oui, se força à articuler Akos.

Pour Eijeh, la réponse était toujours oui.

Il n'y eut pas de poignée de main pour sceller leur marché, comme cela se faisait chez les Thuvhésit. Ici, le simple fait de formuler les choses dans une langue que les Shotet considéraient comme sacrée était suffisant.

Akos trouvait assez absurde la présence d'un garde au bout du couloir de Cyra puisque personne ne pouvait la vaincre en combat singulier. Le garde lui-même semblait partager cet avis ;

il ne prit même pas la peine de vérifier si Akos portait une arme lorsqu'il passa devant lui.

Cyra se tenait courbée devant la plaque de cuisson. Une casserole gisait à ses pieds au milieu d'une grande flaque d'eau. La trace de ses ongles était imprimée dans la chair de ses paumes et elle était couverte d'ombres-flux. Il se précipita vers elle en dérapant sur le sol mouillé.

Il lui prit les poignets et les ombres refluèrent, comme une rivière remontant vers sa source. Comme toujours, il ne sentit rien. Il entendait souvent les gens parler du bourdonnement du flux, des lieux et des moments où il perdait de sa force, mais ce n'était pour lui qu'un souvenir. Et encore, un souvenir confus.

La peau de Cyra était brûlante. Elle leva les yeux. Akos s'était vite aperçu qu'elle ne paraissait jamais « affectée » comme pouvaient l'être les autres – elle était en colère ou elle ne l'était pas, et c'était tout. Mais, maintenant qu'il la connaissait mieux, il percevait sa tristesse dans les fissures de sa cuirasse.

– Vous pensez à Lety ? lui demanda-t-il en glissant ses mains dans les siennes.

– Je l'ai laissée tomber, c'est tout, dit-elle en désignant la casserole.

Ce n'est jamais « tout », pensa-t-il. Mais il se garda d'insister. Dans un élan spontané, il lui lissa les cheveux. Ils étaient épais et bouclés, et il lui prenait parfois l'envie subite d'enrouler une mèche autour de ses doigts.

Ce petit geste fit surgir un éclair de culpabilité. Il n'était pas censé marcher droit sur son destin au lieu de lui résister. Lorsqu'il aurait regagné Thuvhé, tous ceux qui croiseraient son regard le considéreraient désormais comme un traître. Il ne pouvait pas les laisser avoir raison.

Cependant, parfois, il éprouvait la douleur de Cyra comme si c'était la sienne et ne pouvait s'empêcher de l'atténuer, pour leur bien à tous les deux.

Tournant ses mains dans celles d'Akos, Cyra effleura ses paumes, doucement, avec curiosité. Avant de le repousser.

– Tu reviens tôt, dit-elle en prenant un torchon pour essuyer le sol.

L'eau commençait à s'infiltrer à travers les semelles d'Akos. Les ombres s'étaient de nouveau emparées d'elle et tout son corps était crispé par la douleur. Mais si elle refusait son aide, c'était son choix.

– Oui, dit-il. Je suis tombé sur Jorek Kuzar.

– Qu'est-ce qu'il voulait ?

Elle continua d'éponger l'eau en passant le torchon avec son pied.

– Cyra ?

Elle jeta le torchon trempé dans l'évier.

– Oui ?

– Comment je dois m'y prendre pour tuer Suzao Kuzar ?

Elle pinça les lèvres, comme toujours lorsqu'elle réfléchissait. Il se sentit mal à l'aise d'avoir posé une telle question comme si elle était banale. Et qu'elle ait réagi de même.

Il était vraiment très, très loin de chez lui.

– Comme tu le sais, pour que ce soit légal, il faut que ça se passe dans l'arène, répondit-elle. Et tu as intérêt à ce que ce soit légal, ou c'est toi qui mourras. Donc tu dois attendre la fin du ramassage, puisque les défis sont proscrits jusque-là. Encore un vestige de nos traditions religieuses.

Puis elle ajouta avec une moue :

– Mais le problème, c'est que tu n'as pas le statut qui te permettrait de défier Suzao. Il faudrait que tu le provoques pour que ce soit lui qui te défie.

On aurait presque dit qu'elle y avait déjà pensé, or il savait bien que non. À des moments comme ceux-là, il comprenait pourquoi tous la craignaient. Ou pourquoi ils le devraient, même si elle n'avait pas eu ce don-flux.

– J'ai une chance de le vaincre, une fois dans l'arène ?

– Il est bon, mais pas excellent. Tu pourrais sans doute le maîtriser grâce à la technique, mais ton réel avantage est qu'il te voit encore comme l'enfant qu'il a rencontré.

Akos hocha la tête.

– Donc, je devrais lui laisser croire que je n'ai pas changé ?

– Exactement.

Elle remit la casserole sous le robinet pour la remplir. Akos avait bien remarqué les limites de ses talents de cuisinière. Elle laissait brûler pratiquement tout ce qu'elle préparait, et la petite pièce se remplissait de fumée à chaque fois.

– Mais réfléchis bien avant de prendre une décision, reprit-elle. Il ne faudrait pas que tu deviennes comme moi.

Elle n'avait visiblement pas dit cela pour qu'il la réconforte ou qu'il la contredise, mais avec une totale conviction. Comme si sa certitude d'être un monstre était une croyance profondément ancrée en elle. Peut-être même était-ce l'une des rares auxquelles elle adhérait.

– Quoi, v'croyez qu'chuis du genre à dev'nir une brute, comme ça, clac ? demanda Akos, en imitant avec un certain succès l'accent populaire qu'il avait entendu au camp militaire.

Elle noua ses cheveux avec l'élastique qu'elle portait autour du poignet et croisa son regard.

– Je crois que tout le monde est « du genre à dev'nir une brute, comme ça, clac ».

Akos dut se retenir de rire tellement la phrase était étrange dans la bouche de Cyra.

– Vous savez, la brutalité – ou la monstruosité, comme vous l'appelez – n'est pas une fatalité.

Elle parut méditer cette idée. Y avait-elle jamais pensé ?

– Bon, je m'occupe du repas, d'accord ? proposa-t-il. Comme ça, pas de risque d'incendie.

Il lui prit la casserole et de l'eau éclaboussa ses chaussures.

– C'est arrivé *une fois* ! protesta-t-elle. Je ne suis quand même pas un danger public.

Comme souvent lorsqu'elle parlait d'elle, elle plaisantait, mais à moitié seulement.

– Je sais bien, répondit-il avec sérieux, avant d'ajouter : C'est pour ça que vous allez hacher le fruit-salé pour moi.

Elle avait toujours l'air pensif – une expression surprenante sur ce visage qui se plissait si facilement – lorsqu'elle commença à découper le fruit-salé.

▲
▲

:16
CYRA

Mes appartements se trouvaient délibérément loin de tout, du côté de la salle des machines, et j'avais du chemin à faire pour regagner ma chambre depuis le bureau de Ryzek. Il m'avait fait appeler pour me donner mon programme : une réception prévue à la veille du ramassage en compagnie de l'élite shotet, afin de favoriser nos relations avec les responsables politiques de Pitha. Cette corvée n'exigeant que ma capacité à faire semblant, j'acceptai sans rechigner.

Comme l'un des Analystes l'avait laissé sous-entendre, Ryzek avait fixé comme destination de notre séjour la planète océane, réputée pour sa technologie très résistante aux conditions météorologiques les plus rudes. Les rumeurs sur leur armement étaient donc exactes, et Eijeh Kereseth avait dû les confirmer, maintenant qu'il était corrompu par les souvenirs de Ryzek. S'il parvenait à s'équiper de ces armes parmi les plus puissantes de l'Assemblée, mon frère n'aurait aucun mal à déclencher une guerre contre Thuvhé et à conquérir notre planète.

Je n'étais qu'à mi-chemin de ma chambre lorsque toutes les lumières s'éteignirent, plongeant le vaisseau dans le noir. Le bourdonnement lointain de la centrale d'alimentation énergétique s'était tu.

J'entendis des coups rythmés. Un, trois, un. Un, trois, un.

Je me plaquai dos au mur.

Un, trois, un.

Les ombres-flux se répandirent en un éclair sur mes bras et mes épaules. À l'instant où les bandes lumineuses d'urgence se mettaient à luire sous mes pieds, je vis une silhouette se ruer sur moi. Pliant les genoux, je projetai le coude en avant et jurai au contact d'une cuirasse. Les danses que je m'amusais à pratiquer avaient aiguisé mes réflexes ; je me dégageai vivement, sortis ma lame-flux et me jetai sur mon attaquant, ou plutôt mon attaquante, en la plaquant contre le mur, le couteau sous sa gorge. Son arme tomba à ses pieds.

Elle avait la tête enveloppée dans une épaisse capuche et son visage était couvert par un masque, dont l'un des trous ménagés pour les yeux avait été recousu. Elle était de la même taille que moi et avait acquis sa cuirasse de Carapaçonné.

Elle gémissait au contact de ma main.

– Qui es-tu ? demandai-je.

Au même moment, le vieux haut-parleur de secours du vaisseau crépita. C'était un vestige de l'un de nos premiers séjours, qui déformait les voix, les rendant métalliques.

« Le premier enfant de la famille Noavek sera renversé par la famille Benesit, annonça-t-il. La vérité peut être étouffée, mais jamais effacée. »

J'attendis la suite, mais le crépitement cessa et la machine s'éteignait. Le vaisseau se remit à vrombir. Mon assaillante geignait doucement, le cou toujours bloqué sous la pression de mon bras.

– Je devrais te faire arrêter, murmurai-je. Et t'envoyer voir mon frère. Sais-tu comment il interroge les gens ? Il se sert de moi. Il se sert de ça.

Mes ombres affluèrent dans mon avant-bras tandis que je les poussais encore davantage vers elle. Elle hurla.

Et à cet instant, j'aurais presque cru entendre de nouveau les cris de Lety Zetsyvis.

Je relâchai la femme en reculant.

À la lueur de l'éclairage d'urgence qui venait du sol, j'eus le temps de voir son œil unique fixé sur moi. Puis les lumières du plafond se rallumèrent et elle s'enfuit dans le couloir avant de disparaître à un angle.

Je l'avais laissée s'échapper.

Je serrai les poings pour empêcher mes mains de trembler. Je n'arrivais pas à croire à ce que je venais de faire. Si jamais Ryzek le découvrait...

Je ramassai son couteau... si on pouvait l'appeler ainsi. Ce n'était qu'un bout de métal au fil dentelé, affûté à la main, dont on avait enveloppé le bas de ruban adhésif pour improviser un manche. Puis je me mis en route sans bien savoir où j'allais, avant tout par besoin de bouger. Je n'étais pas blessée, je ne portais aucune trace de l'agression. Avec un peu de chance, il avait fait trop sombre pour que les images de sécurité me montrent en train de laisser s'enfuir une renégate.

Qu'est-ce que j'ai fait ?

Je m'élançai dans les couloirs du vaisseau, qui me renvoyèrent l'écho de mes pas pendant quelques secondes avant que je me retrouve plongée dans la cohue. Soudain, je fus cernée par le bruit et l'agitation, aussi chaotiques que les battements de mon cœur. Je rentrai les mains dans mes manches pour ne pas toucher quelqu'un par accident. Je ne retournai pas à mes appartements ; il fallait que je sois la première à voir Ryzek, pour m'assurer qu'il ne me soupçonnait pas d'être liée à cette insurrection. C'était une chose de refuser de torturer des gens, mais c'en était une autre de participer à une mutinerie. Je rangeai le couteau dans ma poche, hors de vue.

Enfin, j'atteignis les appartements de Ryzek, qui se trouvaient tout au bout du vaisseau, à l'extrémité la plus proche du ruban-flux. Les gardes s'écartèrent pour me laisser passer et me signalèrent qu'il était dans son bureau. Je n'étais pas sûre qu'il accepterait de me voir, mais il me cria aussitôt d'entrer.

Il était seul, une tasse d'extrait de fleur-de-silence dilué à la main – je reconnaissais désormais le produit sans peine. Il ne portait pas sa cuirasse. Il me regarda d'un air égaré.

– Que veux-tu ? demanda-t-il.

– Je…

Je n'en savais rien, à vrai dire. Je voulais avant tout me couvrir.

– Je voulais juste m'assurer que tu allais bien.

Il ouvrit le lourd rideau bleu du hublot – plus grand que la moyenne et presque aussi haut que lui – et regarda le ruban-flux, qui avait pris une couleur vert sombre. Il serait bientôt bleu, indiquant que nous avions atteint le lieu du ramassage.

– Évidemment que je vais bien. Tu crois que les remous puérils de quelques renégats peuvent suffire à m'atteindre ?

Je m'avançai d'un pas prudent, comme si j'avais affaire à une bête sauvage.

– C'est normal d'être un peu perturbé quand on se fait attaquer, tu sais.

– Qui te dit que je suis perturbé ? s'emporta-t-il.

Posant violemment sa tasse sur la table, il répandit de la boisson un peu partout, y compris sur la manche de sa chemise blanche, qui se tacha de rouge.

En l'observant, je revis soudain ses mains en train d'attacher ma ceinture de sécurité lors de mon premier séjour, et son sourire tandis qu'il se moquait gentiment de mon appréhension. Ce n'était pas sa faute s'il était devenu cet homme terrifié, à la cruauté si inventive. Il avait été façonné ainsi par notre père. Et le plus grand cadeau que m'eût jamais fait Lazmet Noavek, plus grand encore que le don de la vie, était de m'avoir laissée en paix.

J'étais toujours entrée dans le bureau de Ryzek pleine de

menaces, de colère, de dédain, de peur. Je n'avais jamais essayé la douceur. Tandis que mon père s'en remettait toujours aux menaces, ma mère, elle, maniait la douceur aussi habilement qu'une lame. Après tout ce temps, j'avais toujours plus de Lazmet en moi que d'Ylira. Mais il n'était pas trop tard pour changer.

– Je suis ta sœur. Tu n'as pas besoin de te comporter de cette façon avec moi, dis-je le plus gentiment possible.

Occupé à observer sa manche tachée, il ne me répondit pas. Je décidai de l'interpréter comme un bon signe.

– Tu te souviens quand on jouait avec mes petites figurines dans ma chambre ? Et quand tu m'as appris à me servir d'une lame ? Je serrais toujours le manche comme une folle, jusqu'à bloquer la circulation dans mes doigts, et tu m'as appris à corriger ça.

Il fronça les sourcils. Je me demandai si ces souvenirs lui revenaient, ou s'ils faisaient partie de ceux qu'il avait échangés avec Eijeh.

– Ça n'a pas toujours été comme ça entre nous, ajoutai-je.

Devant son silence, je m'autorisai à espérer ; qu'il puisse changer un peu le regard qu'il portait sur moi, que nos relations puissent évoluer, lentement, progressivement, pour peu qu'il se laisse aller à avoir moins peur. Son regard croisa le mien et je le sentis, j'arrivai à le voir, je l'entendis presque. Nous pouvions retrouver le lien d'autrefois.

– Ensuite tu as tué notre mère, murmura-t-il. Et maintenant, les choses resteront toujours comme cela entre nous.

Je n'aurais pas dû être aussi étonnée, aussi stupéfaite que ses paroles puissent me frapper comme un coup dans le ventre. Mais l'espoir m'avait rendue naïve.

JE PASSAI TOUTE LA NUIT ÉVEILLÉE, à redouter la manière dont Ryzek allait réagir au coup d'éclat des renégats.

La réponse vint dès le lendemain matin, lorsque sa voix calme, pleine d'assurance, sortit de l'écran d'informations de ma chambre.

Je m'extirpai du lit et traversai la pièce pour aller allumer la vidéo. L'image de mon frère emplit l'écran, pâle et squelettique. Les reflets de la lumière revoyée par sa cuirasse projetaient une lueur inquiétante sur son visage.

– Hier, nous avons connu un… incident, commença-t-il.

Il retroussa sa lèvre supérieure, comme s'il racontait une anecdote amusante. C'était logique ; il savait pertinemment qu'il ne devait pas montrer de peur, et qu'il avait tout intérêt à minimiser autant que possible les actes des renégats.

– Aussi puéril qu'ait été ce *coup d'éclat*, ses auteurs ont compromis la sécurité de notre vaisseau. En conséquence, ils doivent être identifiés et mis hors d'état de nuire.

Son ton était devenu sinistre.

– À compter de ce jour, des noms d'individus de tous âges seront pris au hasard dans la base de données du vaisseau et interrogés. Je déclare un couvre-feu sur tout le vaisseau de la vingtième heure à la sixième heure du lendemain. Il s'appliquera à l'ensemble de ses occupants à l'exception des personnes indispensables à son fonctionnement, et ce jusqu'à ce que le problème ait été réglé. Par ailleurs, le séjour est différé le temps d'assurer la sécurité du vaisseau.

– « Interrogés », fit Akos, qui m'avait rejointe. Il veut dire « torturés » ?

J'acquiesçai d'un hochement de tête.

– Si vous avez la moindre information sur l'identité des individus responsables de cette pantalonnade, reprit mon frère, je vous recommande de le faire savoir. Quiconque dont l'interrogatoire révélera qu'il a menti ou tu des informations sera également puni, pour le bien de Shotet. Soyez assurés que la sécurité du vaisseau et celle de tous ceux qui s'y trouvent sont mes premières priorités.

Akos ricana.

– Ceux qui n'ont rien à cacher n'ont rien à craindre, conclut

Ryzek. Maintenant, continuons à montrer aux autres planètes notre puissance et notre unité.

L'écran continua d'afficher son visage encore quelques instants avant le retour au fil d'informations en othyrien. On annonça une pénurie d'eau sur le continent occidental de Tepes. Les sous-titres shotet étaient fidèles. Pour une fois.

L'Assemblée débattait d'une loi imposant de nouvelles contraintes aux oracles, qui devait être votée à la fin de ce cycle. Les sous-titres affirmaient : « L'Assemblée tente de faire pression de manière tyrannique sur les oracles par une nouvelle procédure, qui doit prendre effet à la fin du cycle de quarante jours. » Fidèles mais tendancieux.

Une bande de pirates tristement célèbre venait d'être condamnée à quinze saisons de prison. Teneur des sous-titres shotet : « Un groupe de Zoldiens traditionalistes condamné à quinze saisons de prison pour avoir osé protester contre la réglementation abusivement restrictive de l'Assemblée. » Plus si fidèles que ça.

– « Montrer notre puissance et notre unité », dis-je en reprenant la formule de Ryzek, plus pour moi-même que pour Akos. C'est ça, le but du séjour, maintenant ?

– Quoi d'autre ? me demanda Akos.

– Le séjour est censé être l'expression de notre confiance dans le flux et dans celui qui le domine, répondis-je à mi-voix. C'est un rite religieux, et un hommage à tous ceux qui ont vécu avant nous.

– Le peuple shotet que vous décrivez n'est pas celui que j'ai vu.

– Peut-être parce que tu ne vois que ce que tu veux voir, répliquai-je en lui glissant un petit coup d'œil narquois.

– C'est peut-être vrai pour nous deux. Vous avez l'air inquiète. Vous pensez que Ryzek va encore essayer de se servir de vous ?

– C'est possible, si les choses se passent mal.

– Et si vous refusez de nouveau de l'aider ? Au pire, que peut-il faire ?

Je soupirai.

– Tu ne comprends pas. Le peuple vénérait ma mère. Il la considérait comme une déesse vivante. Tous les Shotet ont pleuré sa mort. On aurait cru que le monde avait volé en éclats.

Je fermai brièvement les yeux, laissant une image de ma mère traverser mon esprit.

– S'ils découvrent ce que je lui ai fait, ils me mettront en pièces. Ryzek le sait, et n'hésitera pas à s'en servir contre moi s'il se sent acculé.

Akos plissa le front et je me demandai, comme cela m'était déjà arrivé, ce qu'il éprouverait si je mourais. Pas parce que je pensais qu'il me haïssait, mais parce que je savais qu'il pensait avant tout à son destin chaque fois qu'il me regardait. Je pouvais très bien être la Noavek pour laquelle il était censé mourir, étant donné le temps que nous passions ensemble. Et je ne pouvais pas croire que ma vie valait autant que la sienne.

– Eh bien, dit-il, plus qu'à espérer qu'il ne le fera pas.

Nous n'étions séparés que par une quinzaine de centimètres. Nous étions souvent proches l'un de l'autre : pendant les entraînements, la préparation des potions, sans parler du fait qu'il devait me toucher pour tenir ma douleur à distance. Alors cela n'aurait dû me faire ni chaud ni froid que sa hanche soit aussi près de mon ventre, de voir comment ses muscles saillaient sur ses bras.

Et pourtant…

– Comment va ton ami Suzao ? demandai-je en reculant un peu.

– J'ai donné un somnifère à Jorek pour qu'il en verse dans le remède qu'il prend tous les matins.

– Jorek va droguer son propre père ? Intéressant.

– Oui, enfin, nous verrons bien si Suzao s'effondre au milieu du repas comme prévu. Si ça marche, ça pourrait le mettre assez en colère contre moi pour qu'il me provoque en duel.

– À ta place, avant de provoquer Suzao en lui révélant que c'est toi, le coupable, je le droguerais plusieurs fois. Quitte à le mettre en colère, autant qu'il ait peur.

– Difficile d'imaginer qu'un homme tel que lui puisse connaître la peur.

– Bah, tout le monde a peur, soupirai-je. Et les gens en colère sans doute plus que les autres.

Le ruban-flux passait lentement du vert au bleu, nous n'étions toujours pas en vue de Pitha, et Ryzek n'en persistait pas moins à retarder le séjour. Nous voguions en bordure de la galaxie, hors de portée de l'Assemblée. L'impatience pesait sur le vaisseau comme un nuage chargé d'humidité. Je la respirais chaque fois que je quittais l'isolement de mes appartements. Ce qui m'arrivait rarement ces derniers temps.

Ryzek ne pouvait pas reporter l'atterrissage indéfiniment. Il ne pouvait pas non plus annuler le séjour ; aucun souverain n'avait failli aux traditions de Shotet depuis plus d'une centaine de saisons.

Je lui avais promis de sauver les apparences, ce pourquoi, plusieurs jours après l'offensive des renégats, je me présentai à une soirée qui réunissait ses plus proches conseillers. La première chose qui me frappa en entrant fut l'obscurité de l'espace derrière les hublots, qui nous cernait comme si nous nous étions jetés dans la gueule d'une créature géante. Puis je vis Vas, qui serrait une tasse entre ses doigts ensanglantés. Suivant mon regard, il remarqua le sang et se tapota la main avec un mouchoir avant de le remettre dans sa poche.

– Je sais bien que tu ne ressens pas la douleur, Vas, observai-je, mais il n'est pas totalement absurde de faire attention à soi.

Il me répondit d'un haussement de sourcils et posa sa tasse. Les autres étaient attroupés par petits groupes à l'autre bout de la pièce, un verre à la main. La plupart s'étaient agglutinés autour de Ryzek comme des détritus autour d'une bouche d'égout.

Parmi eux, Yma Zetsyvis, visiblement tendue, dont les cheveux blancs semblaient presque étinceler sur fond de ténèbres.

Pour le reste, la salle était vide. Avec ses parois vitrées convexes, son sol noir lustré, je me serais presque attendue à ce que nous partions tous à la dérive en flottant dans l'espace.

– Depuis le temps qu'on se connaît, tu en sais bien peu sur mon don, me dit Vas. Sais-tu, par exemple, que je dois faire sonner des alarmes pour penser à boire et à manger ? Et me tâter constamment pour être sûr que je ne me suis rien cassé ?

Je n'avais jamais réfléchi à ce que Vas avait perdu en même temps que sa sensibilité à la douleur.

– C'est pour cela que je laisse passer les petites écorchures. C'est épuisant de devoir toujours faire attention à soi.

– Hmm. Je crois que je peux comprendre ça…

Je fus frappée par l'idée que nous étions diamétralement opposés ; et que ce contraste nous rendait néanmoins très semblables. Toute notre vie tournait autour de la douleur et nous devions dépenser des trésors d'énergie pour faire fonctionner notre corps. Cela me fit me demander si nous avions d'autres points communs.

– Quand ton don s'est-il déclaré ?

Vas s'adossa au mur et se passa la main sur ses cheveux ras. Le rasoir avait laissé des entailles près de son oreille. Il n'avait pas dû s'en apercevoir.

– J'avais dix saisons. Avant d'être pris au service de ton frère, j'allais à l'école. J'étais maigrichon, et les autres se moquaient de moi. Je me faisais toujours attaquer par les plus grands. (Il sourit.) Quand j'ai découvert que je ne ressentais plus la douleur, j'en ai battu un presque à mort. Après ça, ils ne m'ont plus jamais harcelé.

Il avait été menacé et son corps avait réagi. Son esprit avait réagi. Son histoire était la même que la mienne.

– Tu me vois comme je vois Kereseth, reprit-il. Tu penses que je suis le petit protégé de Ryzek comme Akos est le tien.

– Nous sommes tous au service de mon frère, rectifiai-je. Toi, moi, Kereseth, c'est pareil.

Je jetai un coup d'œil vers le groupe assemblé autour de Ryzek.

– Que fait Yma ici ?

– Après avoir été déshonorée par la conduite de son mari et de sa fille, tu veux dire ? Il paraît qu'elle a imploré le pardon de Ryzek en se traînant à genoux devant lui. C'est peut-être légèrement exagéré.

Je me glissai à gauche de Vas pour me rapprocher du groupe. Yma avait posé la main sur le bras de mon frère. Je m'attendais à ce qu'il se dégage, comme toujours quand on le touchait, mais il accepta la caresse. Il eut même l'air de l'encourager.

Comment pouvait-elle supporter de le regarder, sans parler de le toucher, après qu'il avait ordonné la mort de sa fille et de son mari ? Je la regardai rire à un de ses traits d'esprit et vis ses sourcils se rejoindre comme sous l'effet de la douleur. Ou du désespoir. Deux sensations qui se traduisaient souvent par la même expression.

– Cyra ! s'exclama-t-elle, attirant sur moi l'attention générale.

J'essayai de me forcer à la regarder en face, mais c'était difficile après ce que j'avais fait à Lety. Quand je rêvais d'elle, je voyais parfois sa mère penchée sur son cadavre, en train de hurler de toutes ses forces.

– Cela faisait un moment que je ne vous avais pas vue, me dit-elle. Que devenez-vous ?

Je croisai rapidement le regard de Ryzek.

– Cyra est en mission spéciale pour moi, répondit-il d'un ton détaché. Elle ne doit pas lâcher Kereseth d'une semelle.

Il me narguait.

– Ce jeune homme est-il donc si précieux que cela ? me demanda Yma avec un petit sourire.

– L'avenir le dira, éludai-je. En tout cas, c'est un Thuvhésit. Il sait des choses sur nos ennemis que nous ignorons.

– Ah, fit Yma évasivement. Je me demandais si c'était à cause de lui que vous ne participiez pas aux interrogatoires, Cyra. Comme vous le faisiez par le passé.

Je sentais la nausée me monter à la gorge.

– Malheureusement, mener des interrogatoires nécessite un certain art de l'argumentation et un esprit sensible à la subtilité, répondit Ryzek. Deux qualités qui ont toujours fait défaut à ma sœur.

Piquée au vif, je n'eus pas le réflexe de trouver une repartie. Ce qui tendait à lui donner raison sur mon absence de talent pour l'éloquence.

Alors je laissai s'étendre les ombres-flux et, quand la conversation passa à autre chose, je m'éloignai un peu pour aller contempler l'obscurité qui nous enveloppait.

Comme nous étions en bordure de la galaxie, les seules planètes – ou débris de planètes – qui restaient visibles n'étaient pas assez peuplées pour faire partie de l'Assemblée. Nous les nommions « planètes périphériques », mais en général on parlait tout simplement de « la Bordure ». Ma mère avait exhorté les Shotet à considérer ces peuples comme nos frères dans notre lutte pour la reconnaissance officielle des petites nations par l'Assemblée. En privé, mon père se moquait de cette idée, disant que les Shotet valaient bien mieux que tous ces avortons de la Bordure.

Depuis mon poste d'observation, j'en distinguais une devant nous, un petit point rouge trop gros pour être une étoile. Un fil lumineux du ruban-flux s'étirait jusqu'à elle avant de l'enserrer comme une ceinture.

– P1104, me dit Yma, qui venait de me rejoindre, en portant sa tasse à ses lèvres. C'est la planète que vous regardez.

– Vous y êtes déjà allée ?

Je m'efforçai de prendre un ton léger, malgré ma nervosité en sa présence. Derrière nous, les autres éclatèrent de rire à un mot d'esprit de Vakrez.

– Bien sûr que non, me répondit Yma. Les deux derniers souverains de Shotet ont interdit les voyages sur les planètes de la Bordure – et à juste titre. Il est préférable de montrer à l'Assemblée que nous maintenons nos distances avec elles. Si nous voulons être pris au sérieux, nous ne pouvons pas risquer d'être amalgamés à ces rustres.

Un discours de parfaite loyaliste shotet. Ou, plus exactement, de nationaliste. Elle avait bien appris son texte.

– En effet, fis-je. Alors… je suppose que les interrogatoires n'ont pas encore donné de résultats.

– Nous avons bien identifié quelques renégats insignifiants, mais aucun meneur. Et malheureusement, nous sommes pris par le temps.

« Nous ? » Elle s'incluait dans le cercle rapproché de mon frère avec beaucoup d'assurance. Peut-être avait-elle réellement imploré son pardon. À moins qu'elle n'ait trouvé une autre manière de s'attirer ses bonnes grâces.

Cette pensée me donna la chair de poule.

– Je sais, dis-je. Le ruban-flux est presque bleu. Il change un peu plus chaque jour.

– Tout à fait. Votre frère doit trouver un coupable. Le désigner au public. Montrer sa force avant le séjour. Vous comprenez l'importance d'une bonne stratégie par cette période de troubles, bien entendu.

– Et quelle peut être cette stratégie s'il ne trouve personne rapidement ?

Yma me gratifia de son étrange sourire.

– J'aurais pensé que vous la connaissiez déjà. Votre frère ne vous tient pas informée, malgré votre *mission spéciale* ?

J'eus le sentiment qu'elle savait aussi bien que moi que ma « mission » n'était qu'un mensonge.

– Si, bien sûr, répliquai-je sèchement. Mais vous savez, quand on a l'esprit aussi ralenti que le mien, on a la mémoire courte.

Par exemple, je suis sûre que j'ai oublié de fermer le robinet de la baignoire ce matin.

– Quelque chose me dit que votre frère n'aura aucune difficulté à trouver un suspect à temps pour le séjour. Il suffit que la personne soit crédible dans ce rôle, non ?

– Il va piéger quelqu'un ?

Je fus parcourue par un frisson glacé à la pensée qu'un innocent meure pour servir de bouc émissaire à mon frère, et ma réaction me surprit. Quelques cycles plus tôt – quelques semaines –, cela ne m'aurait pas dérangée autant. Mais une chose qu'Akos m'avait dite faisait son chemin dans ma tête : l'idée que ce que j'étais n'était pas figé.

Peut-être pouvais-je changer, en effet. Peut-être même avais-je déjà commencé à changer, du simple fait de le croire possible.

Je repensai à la femme borgne, à sa silhouette, à sa façon de bouger. Je pourrais facilement la reconnaître.

– Ce n'est qu'un petit sacrifice dans l'intérêt du régime de votre frère, reprit Yma en hochant la tête. Nous devons tous en consentir, dans l'intérêt collectif.

Je me tournai vers elle.

– Quel genre de sacrifices avez-vous faits, vous, par exemple ?

Elle me saisit le poignet et le serra de toutes ses forces, plus fort que je ne l'en aurais crue capable. Je savais que mon don-flux brûlait en elle, mais elle tint bon, et m'attira à elle jusqu'à ce que je sente son souffle.

– Je me suis refusé le plaisir de vous voir vous vider de votre sang, murmura-t-elle.

Puis elle me lâcha et rejoignit le groupe en ondulant des hanches. Ses longs cheveux presque blancs s'achevaient en une ligne parfaitement droite et se fondaient presque sur sa robe d'un bleu très pâle.

Je me frottai le poignet, qui portait la trace de ses doigts. J'étais sûre de me réveiller avec un bleu.

Les conversations cessèrent dès que j'entrai dans les cuisines. Seule une petite partie des domestiques du manoir nous avait suivis sur le vaisseau, mais je reconnus quelques visages. Ainsi que quelques dons-flux : l'un des plongeurs, les mains couvertes de mousse, faisait flotter les assiettes en l'air et un commis découpait les légumes les yeux fermés avec une régularité de métronome.

Otega avait la tête enfouie dans la boîte-à-froid. Alertée par le silence soudain, elle se redressa et s'essuya les mains sur son tablier.

– Ah, Cyra ! Personne ne sait faire taire les gens aussi bien que toi.

Les autres la regardèrent fixement, stupéfaits par sa familiarité, et je fus la seule à rire. Même lorsque nous ne nous étions pas croisées depuis un moment – je l'avais dépassée la saison précédente dans les matières qu'elle m'enseignait et nous ne nous voyions plus que rarement, et toujours brièvement –, elle retombait tout naturellement dans le ton de nos échanges.

– Je sais, dis-je, c'est un talent bien à moi. Je peux te parler en privé, s'il te plaît ?

– Tu formules comme une question ce qui serait plutôt un ordre, répliqua-t-elle d'un air espiègle. Je suppose que tu n'as pas d'objection à aller bavarder dans le local à ordures ?

– Une objection ? C'est mon *rêve*, dis-je avant de la suivre jusqu'à la porte du fond.

Dans le local à ordures, on avait juste la place de tenir à deux en se serrant. La puanteur était telle que mes yeux me piquaient. A priori, elle provenait d'un mélange d'épluchures pourries et de couennes rances. À côté de nous se dressait une grande porte qui donnait sur l'incinérateur. Il faisait chaud, ce qui n'arrangeait pas l'odeur.

Respirant par la bouche, je réalisai brusquement combien elle devait me voir comme une enfant gâtée, une petite nature, avec mes ongles propres et ma chemise d'un blanc éclatant. Otega, elle, portait un tablier maculé de taches de sauce, et l'on devinait qu'elle aurait dû avoir un physique plus massif, si elle avait pu manger assez pour cela.

– Que puis-je faire pour toi, Cyra ?

– Que dirais-tu de me rendre un service ?

– Faut voir. Ça dépend du service.

– Ça implique de mentir à mon frère s'il te questionne.

Otega croisa les bras.

– Que peux-tu mijoter qui nécessite de mentir à ton frère ?

Avec un soupir, je sortis de ma poche le couteau de la femme borgne et le lui tendis.

– Pendant le black-out provoqué par les renégats, une femme a essayé de me tuer. Je l'ai maîtrisée, mais elle s'est enfuie, et je n'ai rien fait pour la rattraper.

– Mais au nom du flux, qu'est-ce qui t'est passé par la tête, ma petite ? Même ta mère n'aurait jamais fait une chose pareille !

– Je ne… Peu importe, dis-je en retournant le couteau dans ma main.

Le ruban adhésif qui faisait office de manche était léger et élastique au toucher, moulé par la main de sa propriétaire, visiblement beaucoup plus petite que la mienne.

– Mais je veux la retrouver, poursuivis-je. Elle a lâché ce couteau, et je sais qu'il peut te mener à elle.

Le don-flux d'Otega était l'un des plus mystérieux que j'aie jamais rencontrés. Il suffisait de lui donner un objet pour qu'elle remonte à son possesseur. Elle l'avait fait plusieurs fois pour mes parents. Elle avait même réussi à identifier un homme qui avait tenté d'empoisonner mon père. Elle disait que les pistes étaient parfois difficiles à suivre, par exemple lorsque plusieurs personnes s'estimaient propriétaires de l'objet en question, mais elle était douée pour les interpréter. Si quelqu'un était capable de retrouver cette femme, c'était bien Otega.

– Et tu ne veux pas que ton frère l'apprenne.

– Tu sais ce qu'il lui ferait. Et l'exécution ne serait pas le moment le plus horrible.

Otega pinça les lèvres. Je me rappelai ses doigts agiles voletant dans mes cheveux pour les tresser sous la supervision de ma mère avant ma première Procession. Le claquement de mes draps tachés de sang qu'elle avait retirés de mon matelas quand j'avais eu mes premières règles, alors que ma mère n'était plus là pour m'aider.

– Et bien sûr, tu ne me diras pas pourquoi tu veux la retrouver.

– Non.

– Serait-ce une histoire de vengeance personnelle ?

Je souris.

– Vois-tu, répondre à cette question reviendrait à te *dire* pourquoi je veux la retrouver ; ce qui, comme je viens de te le préciser, n'est pas dans mes intentions. Allez, Otega ! Tu me connais, je suis une grande fille, je sais me débrouiller. C'est juste que je ne suis pas aussi dure que mon frère.

– Bon, bon, très bien, soupira-t-elle en prenant le couteau. Mais j'ai besoin d'un peu de temps. Reviens demain juste avant le couvre-feu, et je te conduirai à sa propriétaire.

– Merci.

Elle glissa une mèche de mes cheveux derrière mon oreille avec un petit sourire, pour masquer la grimace provoquée par le fait de me toucher.

– Non seulement tu n'es pas aussi dure que ton frère, ma fille, mais tu es loin d'être aussi inquiétante que lui. En tout cas, sois tranquille, je ne dirai rien à personne.

▲
▲

17: AKOS

LES ÉTOILES ÉTAIENT peu nombreuses dans la Bordure. Cyra adorait l'espace, Akos le voyait à la façon dont ses ombres-flux s'apaisaient lorsqu'elle regardait par le hublot. Lui, tout ce vide, toute cette obscurité lui donnaient des frissons. Mais comme ils approchaient de l'extrémité du ruban-flux, on commençait à distinguer un peu de violet au coin de l'hologramme qui flottait au plafond.

Pitha n'était pas la planète à laquelle menait le flux. Cyra et Akos l'avaient bien vu, le jour où ils étaient passés voir les Analystes. Ces derniers préconisaient Ogra, ou même P1104. Mais apparemment, Ryzek considérait leur diagnostic comme une pure formalité. Cyra disait qu'il avait choisi celle qui lui offrait l'alliance la plus utile.

Elle avait sa façon à elle de frapper à la porte : quatre coups légers. Il n'eut donc pas besoin de lever les yeux pour savoir que c'était elle.

– Dépêchons-nous, ou on va le rater, annonça-t-elle.

– Vous vous rendez bien compte que vous faites beaucoup de mystères ? lui demanda-t-il en souriant. Je ne sais toujours pas de quoi il est question.

– J'en suis consciente, oui, répondit-elle en souriant à son tour.

Elle portait une robe bleue d'un ton sourd, avec des manches qui lui arrivaient aux coudes. Akos tendit la main pour lui prendre le bras en veillant à bien la replier sur sa peau nue. Il trouvait que cette couleur ne lui allait pas vraiment. Elle était plus elle-même en violet, comme pendant la fête du Séjour, ou dans sa tenue d'entraînement foncée. Cela dit, quoi que fît Cyra Noavek, cela ne pouvait rien enlever à sa beauté, et il était à peu près sûr qu'elle le savait.

D'ailleurs, pourquoi aurait-elle cherché à nier l'évidence ?

Ils suivirent les couloirs d'un pas rapide, empruntant un chemin différent de ceux qu'Akos avait pris jusque-là. Les écriteaux fixés aux murs à chaque intersection indiquaient qu'ils se dirigeaient vers le pont de commandement. Ils montèrent un escalier étroit. Arrivée en haut, Cyra glissa la main dans une fente dans le mur et deux lourds battants de porte s'ouvrirent sur un énorme panneau de verre.

Derrière : l'espace. Des étoiles. Des planètes.

Et le ruban-flux, de plus en plus gros, de plus en plus lumineux à chaque seconde.

En face du panneau, des dizaines de personnes travaillaient devant des rangées d'écrans. Leur uniforme impeccable, bleu sombre et large d'épaules, rappelait la cuirasse shotet, mais un tissu souple remplaçait les plaques rigides de Carapaçonné. Un homme d'un certain âge s'inclina en reconnaissant Cyra.

– Mademoiselle Noavek. Je commençais à désespérer de vous voir.

– Je ne manquerais cela pour rien au monde, navigateur Zyvo.

Elle ajouta en se tournant vers Akos :

– Je viens ici depuis que je suis toute petite. Zyvo, je vous présente Akos Kereseth.

– Ah oui, répondit l'homme. J'ai entendu une ou deux histoires sur vous, Kereseth.

Le ton laissait supposer qu'il en avait entendu bien davantage, et Akos, nerveux, ne put s'empêcher de rougir.

– Les Shotet adorent les commérages, commenta Cyra. Surtout à propos des élus du destin.

– Je vois, parvint à dire Akos.

Élu du destin... C'était bien ce qu'il était, en effet. Cela lui paraissait tellement absurde, maintenant.

– Vous pouvez vous installer à votre place habituelle, mademoiselle Noavek, reprit Zyvo en désignant la paroi de verre.

Ils paraissaient bien petits à côté de la vitre gigantesque, dont le haut s'incurvait au-dessus de leurs têtes en suivant la courbe du plafond.

Cyra s'approcha des écrans et s'assit par terre en encerclant ses genoux de ses bras. Tout autour d'eux, les membres d'équipage bavardaient, se lançaient des chiffres et des instructions. Akos n'y comprenait rien.

– Qu'est-ce qu'on fait là ? lui demanda-t-il.

Elle eut un sourire joyeux.

– Le vaisseau va bientôt traverser le ruban-flux. Crois-moi, tu n'as jamais rien de vu de pareil. Ryzek reste sur le pont d'observation avec sa cour. Moi, il me laisse venir ici pour éviter que je me donne en spectacle en hurlant devant ses invités. Cela peut être... très intense, comme expérience. Tu verras.

À cette distance, le ruban-flux avait l'aspect d'un nuage d'orage, chargé, non pas d'eau, mais de couleurs. Son existence était admise par toute la galaxie – il eût été difficile de nier la présence de quelque chose d'aussi visible depuis n'importe quelle planète – mais tous ne lui donnaient pas la même signification. Les parents d'Akos en parlaient comme d'une sorte de guide spirituel qu'ils comprenaient mal. Mais il savait que beaucoup de Shotet le vénéraient, et que certaines sectes honoraient une entité supérieure censée le diriger. Pour d'autres, il s'agissait d'un simple phénomène naturel, qui n'avait absolument rien de religieux. Akos n'avait jamais interrogé Cyra sur son opinion. Il allait le faire lorsqu'une voix s'écria :

– Tenez-vous prêts !

Partout autour de lui, les gens s'accrochèrent à la première chose qui se présentait. Le nuage du ruban-flux envahit la totalité du panneau de verre et, presque à la même seconde, tous à part lui ouvrirent la bouche. Chaque centimètre carré de peau de Cyra devint noir comme l'espace. Ses dents étaient d'un blanc resplendissant dans toute cette noirceur, et on eût presque dit qu'elle souriait. Akos tendit la main vers elle mais elle arrêta son geste d'un signe de la tête.

Le mur de verre se couvrit de volutes d'un bleu profond. On y distinguait des lignes plus claires, et d'autres presque violettes ou bleu marine. Le ruban-flux était partout, énorme et étincelant. On se sentait comme enveloppé dans les bras d'un dieu.

Certains tendaient les mains dans un geste de dévotion, d'autres étaient à genoux, d'autres encore serraient les bras sur leur ventre ou leur poitrine. Les mains d'un homme luisaient d'une teinte aussi bleue que celle du ruban-flux. De petits points lumineux semblables à des insectes fenzu planaient autour de la tête d'une femme. Les dons s'affolaient.

Akos pensa à la fête de la Floraison. Si les rites des Thuvhésit n'étaient pas aussi démonstratifs que ceux des Shotet, ils avaient le même sens : se rassembler pour fêter quelque chose qui, parmi tous les habitants de la galaxie, n'arrivait qu'à eux, à un moment défini, et partager un même sentiment de profond respect pour cet événement, pour sa beauté unique.

Tout le monde savait que la poursuite du ruban-flux à travers l'espace représentait pour les Shotet un acte de foi. Mais, jusque-là, Akos n'avait jamais compris pourquoi et pensait que c'était tout simplement parce qu'ils voyaient cela comme une obligation. Mais maintenant qu'il assistait à ce spectacle, il ne pouvait plus imaginer sa vie sans le revoir.

Toutefois, il se sentait à part – pas seulement parce qu'il était thuvhésit, mais parce que, contrairement à lui, les autres ressentaient le bourdonnement du flux. C'était comme s'il n'était pas aussi réel qu'eux, pas aussi vivant.

À l'instant où il se faisait cette réflexion, Cyra lui tendit la main. Il la prit dans l'intention de la soulager des ombres, et fut surpris de voir des larmes dans ses yeux. Des larmes de douleur ou d'émotion, il n'aurait su le dire.

Puis elle lui fit une déclaration étrange, d'une voix un peu haletante, chargée de respect :

– Tu es comme le silence.

Lorsqu'ils regagnèrent les appartements de Cyra, le fil d'informations de l'Assemblée passait sur l'écran. Akos supposa qu'elle avait oublié de l'éteindre et s'approcha pour le faire pendant qu'elle se dirigeait vers la salle de bains. Mais avant qu'il ait pu appuyer sur le bouton, il lut le titre inscrit en bas de l'écran : « Les oracles se réunissent sur Tepes ».

Akos se laissa tomber sur le lit de Cyra.

Il allait peut-être revoir sa mère.

Souvent, il tentait de persuader son cœur qu'elle et sa sœur étaient mortes. C'était plus facile que de se dire qu'elles étaient toujours là et que son destin l'empêchait d'espérer les revoir un jour. Mais son cœur ne se laissait pas faire. Il refusait de croire à un mensonge.

Tepes apparut sur l'écran. C'était la planète la plus proche du soleil, la planète de feu, l'opposée de Thuvhé la planète de glace. Akos savait qu'il fallait porter une combinaison spéciale pour s'y déplacer dehors, de même qu'on ne sortait pas à Hessa durant le Temps de l'Endormissement sous peine de geler sur place. Il n'arrivait pas à imaginer son corps en train de brûler.

« Les oracles interdisent toute présence extérieure au cours des séances, mais ces images ont été tournées par un enfant à l'arrivée des derniers vaisseaux », annonça une voix off en othyrien.

La plupart des diffusions de l'Assemblée étaient commentées

dans cette langue, la plus parlée de la galaxie ; celle, bien sûr, de la planète la plus riche.

« Selon des sources internes, les oracles devraient débattre d'une nouvelle série de restrictions légales imposées par l'Assemblée la semaine dernière. Celles-ci visent à exiger que toutes leurs discussions soient désormais rendues publiques. »

Ces tentatives permanentes de s'immiscer dans les affaires des oracles étaient un vieux grief de Sifa. Elle accusait l'Assemblée de ne pas supporter qu'une seule chose dans la galaxie échappe à son contrôle. D'autant que les destins des familles élues et l'avenir des différentes planètes, dans la multitude de ses versions, n'étaient pas des points de détail. *Au fond, peut-être qu'un petit peu de contrôle sur les oracles ne serait pas un mal,* songea Akos, avec le sentiment d'être un traître.

La plupart des caractères du sous-titrage shotet étaient incompréhensibles pour Akos. Il ne déchiffra que les deux symboles qui désignaient respectivement les oracles et l'Assemblée. Cyra soutenait que celui qui représentait l'Assemblée laissait transparaître toute l'amertume des Shotet à son égard, à cause de son refus de les reconnaître. Toutes les décisions concernant la planète commune aux Thuvhésit et aux Shotet revenaient à Thuvhé seule, laissant les Shotet à la merci de leurs ennemis. Il fallait avouer qu'il y avait de quoi être amer.

Akos entendit de l'eau couler. Cyra prenait une douche.

Maintenant, on voyait deux vaisseaux sur l'image : le premier n'était clairement pas thuvhésit – trop effilé, avec un fuselage parfaitement lisse – mais l'autre l'était sans doute, parce qu'il avait des brûleurs équipés d'évents de chauffage au lieu du système classique de refroidissement. Ces évents lui avaient toujours évoqué des branchies.

La porte du second vaisseau s'ouvrit et une femme à l'allure fringante en bondit prestement, vêtue d'une combinaison réfléchissante. Voyant que personne ne la suivait, Akos sut que c'était bien un vaisseau thuvhésit. Chaque planète-nation comptait trois oracles. Mais depuis l'enlèvement d'Eijeh et la mort de l'oracle en déclin au cours de l'attaque shotet, il ne restait plus à Thuvhé que Sifa Kereseth.

À Tepes, le soleil emplissait tout le ciel et donnait l'impression que la planète était en feu, saturée de couleurs. On voyait la chaleur monter par vagues de la surface. Akos reconnut très bien la démarche de sa mère. Elle se dirigeait vers le monastère où avait lieu la réunion des oracles. Puis elle disparut derrière une porte, le reportage s'acheva et les informations passèrent à une famine frappant l'une des lunes extérieures.

Akos n'aurait pas su dire ce qu'il ressentait. C'était la première fois depuis bien longtemps qu'il revoyait des images en rapport avec Thuvhé. Mais surtout, c'était la première fois qu'il revoyait sa mère, une femme qui n'avait pas averti sa propre famille de ce qui était sur le point de lui arriver. Elle n'avait pas même jugé utile d'être là. Elle avait laissé son mari mourir, l'oracle en déclin se sacrifier et l'un de ses fils – devenu entre-temps la meilleure arme de Ryzek – se faire enlever, au lieu de se laisser capturer à sa place. *Que les destins soient maudits,* songea Akos. Et dire que c'était sa mère.

Cyra ouvrit la porte de la salle de bains pour laisser la vapeur se dissiper et ramena ses cheveux sur son épaule. Elle avait enfilé ses vêtements d'entraînement de couleur sombre.

– Tu l'as vue, dit-elle.

– Je crois, oui.

– Je suis désolée. Je sais que tu fais tout pour te préserver du mal du pays.

« Le mal du pays » n'était pas l'expression exacte. « L'égarement », plutôt. L'égarement dans le néant, au milieu d'étrangers, sans espoir de ramener son frère chez lui à moins d'assassiner Suzao Kuzar dès que ce serait légalement possible. Mais il se contenta de lui demander :

– Qu'est-ce qui vous fait dire ça ?

– Tu ne me parles jamais en thuvhésit, même si tu sais que je le comprends. C'est sans doute pour la même raison que je ne garde aucun portrait de ma mère. Il vaut parfois mieux … aller de l'avant.

Elle regagna la salle de bains et il la regarda se pencher vers le miroir pour tapoter un bouton sur son menton, s'humidifier le front et le cou. Accomplir les mêmes gestes que d'habitude, si ce n'est que, cette fois, il les remarqua, remarqua qu'ils lui étaient familiers, qu'il connaissait ses rituels, qu'il *la* connaissait.

Et qu'il tenait à elle.

▴
▴

18 : CYRA

– SUIS-MOI, me dit Otega quand je la retrouvai ce soir-là devant les cuisines.

Elle serrait dans son poing le couteau de la femme borgne, dont le ruban adhésif était visible entre ses doigts. Elle avait trouvé sa propriétaire.

Je remontais ma capuche et lui emboîtai le pas. J'étais bien couverte : pantalon glissé dans mes bottines, mains rentrées dans mes manches, capuche rabattue sur le visage, je ne risquais pas d'être reconnue. Mon portrait n'étant pas placardé dans tous les bâtiments publics comme celui de Ryzek, les Shotet ne savaient pas tous à quoi je ressemblais, mais il leur suffisait de voir une ombre-flux s'amasser sur ma joue ou au creux de mon bras pour m'identifier. Et ce jour-là, je tenais particulièrement à éviter ça.

Nous sortîmes de l'aile des Noavek, longeâmes le gymnase et la piscine – qui permettrait aux jeunes Shotet d'apprendre à nager en préparation du séjour –, puis une cafétéria qui sentait le pain brûlé, et plusieurs placards à balais.

Le temps que le pas d'Otega ralentisse, nous avions atteint la salle des machines.

Les moteurs étaient si bruyants qu'il aurait fallu crier pour s'entendre et une forte odeur d'huile flottait dans l'air.

Resserrant sa prise sur le couteau, Otega m'entraîna vers les cabines des techniciens, un peu à l'écart du vacarme, près de l'aire de chargement. Devant nous s'étirait un long couloir percé de deux rangées de portes, dont chacune arborait un nom. Certaines étaient ornées de guirlandes de lumières de fenzu ou de petites lanternes de pierres-ardentes de toutes les couleurs, de collages de dessins humoristiques griffonnés sur des feuilles de graphique, de photos de famille granuleuses. J'eus l'impression d'entrer dans un autre monde, totalement différent du Shotet que je connaissais. Je regrettai qu'Akos ne soit pas là pour le voir. Ça lui aurait plu.

Otega s'arrêta devant une porte à la décoration sommaire. Le nom « Surukta » était surmonté d'un petit bouquet d'herbes-plumes séchées, attaché par une breloque en métal. Il y avait aussi quelques feuilles de ce qui ressemblait à un manuel technique, rédigé dans une langue étrangère. En pithar, me sembla-t-il. Ce qui en faisait un livre interdit. Il était illégal de posséder tout document en langue étrangère autre que les traductions approuvées par le gouvernement. Mais ici, personne ne devait se préoccuper de faire appliquer ce genre de règlement. Être invisible aux yeux de Ryzek Noavek avait des avantages.

– Elle vit ici, me dit Otega en tapotant la porte avec le couteau. Même si elle n'y est pas pour l'instant. Je l'ai suivie jusqu'à cette porte ce matin.

– Dans ce cas, je vais l'attendre. Merci pour ton aide, Otega.

– Je t'en prie. Nous nous voyons trop rarement, je trouve.

– Alors rends-moi visite, de temps en temps.

Elle secoua la tête.

– La ligne qui sépare ton monde du mien n'est pas mince, me rappela-t-elle en me rendant le couteau. Fais attention à toi.

Je la regardai s'éloigner en souriant. Quand elle eut disparu à l'angle du couloir, j'actionnai la poignée de la porte. Elle n'était pas fermée à clé ; son occupante n'avait pas dû s'absenter pour longtemps.

À l'intérieur se trouvait le plus petit espace de vie que j'avais jamais vu. Il y avait un petit lavabo inséré dans un angle et, en face, un lit en hauteur sous lequel était posée une caisse retournée, couverte de câbles, d'interrupteurs et d'écrous. Sur un mur, une plaque magnétique servait de support à des outils si petits que je ne voyais même pas comment on pouvait les tenir dans ses doigts. Et à côté du lit, il y avait une photo.

Je me penchai pour l'examiner. On y voyait une petite fille aux longs cheveux blonds qui passait les bras autour du cou d'une femme aux cheveux encore plus clairs, de la couleur d'une pièce d'argent. À côté d'elles se tenait un petit garçon qui tirait la langue. Derrière eux, on distinguait quelques autres personnes au visage flou. Presque toutes avaient les cheveux pâles.

Surukta. Ce nom m'était-il familier ou était-ce le fruit de mon imagination ?

La porte s'ouvrit derrière moi.

Elle était petite et menue, comme dans mon souvenir. Le haut de sa combinaison trop grande pour elle était ouverte jusqu'à la taille sur un débardeur. Elle avait les cheveux d'un blond lumineux, noués en queue de cheval, et un bandeau sur l'œil.

– Que…

Ses doigts se raidirent, et je crus qu'elle allait sortir un outil de sa poche arrière en la voyant glisser sa main dans son dos, lentement, subrepticement.

– Vas-y, sors ton tournevis ou ce que tu as là-dedans. Je serais ravie de te battre une deuxième fois.

Son bandeau était noir, mal proportionné à son visage, et son œil unique brillait d'un bleu profond, tel que je me le rappelais.

– Ce n'est pas un tournevis, c'est une clé. Que fait Cyra Noavek dans mon humble demeure ?

Je n'avais jamais entendu prononcer mon nom avec autant de venin. Et ce n'est pas peu dire.

Elle avait pris un air étonné, qui aurait pu me berner si je n'avais pas eu la certitude d'être en présence de la bonne personne. Malgré l'opinion de Ryzek, je n'étais pas totalement insensible aux subtilités.

– Ton nom ? demandai-je.

– Vous débarquez chez moi et vous ne savez pas comment je m'appelle ?

Elle s'avança en refermant la porte.

Elle mesurait une tête de moins que moi, mais ses gestes puissants et déterminés révélaient des talents au combat. Ce qui expliquait que les renégats l'aient désignée pour m'attaquer. Je me demandais s'ils lui avaient donné pour consigne de me tuer. Mais cela n'avait plus beaucoup d'importance.

– Ça ira plus vite si tu me réponds, insistai-je.

– Bien. Mon nom est Teka Surukta.

– Bon, Teka Surukta, dis-je en posant son couteau de fortune sur le rebord du lavabo. Je crois que ceci t'appartient. Je suis venue te le rendre.

– Je… Je ne sais pas de quoi vous parlez.

– Je ne t'ai pas livrée ce soir-là. Qu'est-ce qui te fait croire que je le ferais aujourd'hui ?

J'essayai d'imiter son attitude nonchalante, mais cette posture ne m'était pas naturelle. Mes parents m'avaient appris à me tenir droite, les genoux joints, en croisant les mains quand je ne m'en servais pas. Les conversations décontractées n'existaient pas chez les Noavek et je n'en avais jamais appris l'art.

Elle avait renoncé à singer l'incompréhension.

– Tu sais, tu serais peut-être plus efficace si tu te servais de ces outils au lieu de ce… truc en ruban adhésif, dis-je en agitant la main vers les instruments délicats aimantés au mur. Ils ont l'air pointus comme des aiguilles.

– Ils sont trop précieux. Qu'est-ce que vous voulez ?

– Disons que cela dépend du genre de personnes que vous êtes, toi et ta bande de renégats.

On était environnées par des bruits d'eau qui gouttait et de tuyaux qui vibraient. La cabine sentait le moisi et l'humidité, une odeur de tombeau.

– Si les interrogatoires ne donnent pas de résultats dans les prochains jours, mon frère va faire porter le chapeau à je ne sais qui et l'exécuter. Ce sera probablement un innocent. Mais ça, il s'en moque.

– J'aurais cru que c'était aussi votre cas. Il paraît que vous êtes une sorte de sadique.

Je ressentis une douleur fulgurante tandis qu'une ombre-flux filait sur ma joue et s'étendait sur ma tempe, me vrillant les sinus. De toutes mes forces, je réprimai une grimace.

Je poursuivis sans relever sa pique :

– Je présume que vous avez tous accepté les risques associés à vos actes en vous engageant dans votre cause, quelle qu'elle soit. On ne peut pas en dire autant de celui que mon frère choisira comme bouc émissaire. Cette personne mourra parce que vous avez voulu jouer un sale tour à Ryzek Noavek.

– Un sale tour ? C'est comme ça que vous appelez le fait de regarder la vérité en face ? De déstabiliser le régime de votre frère ? De montrer que nous sommes capables de prendre le contrôle de ce vaisseau ?

– Si on compare cela avec les conséquences, oui.

Les ombres-flux coururent le long de mon bras et s'enroulèrent autour de mon épaule, visibles sous ma chemise blanche. Teka les suivit des yeux. Je serrai les dents et continuai :

– Si la mort d'un innocent signifie quelque chose pour vous, je vous suggère de me fournir le nom d'un vrai coupable d'ici ce soir. Dans le cas contraire, je laisserai Ryzek choisir sa victime. La décision est entre vos mains. Pour moi, cela ne change rien.

Elle décroisa les bras et se tourna pour se laisser aller dos contre la porte.

– Et merde, dit-elle.

Un moment plus tard, je suivais Teka Surukta dans le tunnel de maintenance qui conduisait à l'aire de chargement. Je sursautais à chaque bruit, à chaque grincement ; c'est-à-dire, dans cette partie du vaisseau, les trois quarts du temps. C'était un endroit bruyant, même si nous étions loin de la zone la plus peuplée.

Nous débouchâmes sur une plateforme surélevée, dont la largeur permettait tout juste à deux personnes menues de s'y croiser de profil ; et encore, à condition de rentrer le ventre. Elle surplombait un labyrinthe de machines, de réservoirs d'eau, de chaudières et de moteurs qui assuraient le fonctionnement et le déplacement du vaisseau. Si je m'étais perdue au milieu de tous ces tuyaux et de ces engrenages, je n'aurais jamais réussi à retrouver mon chemin.

– Autant te prévenir, lui signalai-je, si tu comptes m'isoler pour me tuer, ça risque d'être plus difficile que tu ne penses.

– J'aimerais d'abord bien comprendre à qui j'ai affaire. Vous n'êtes pas exactement la personne que j'imaginais.

– Même chose pour moi, rétorquai-je sombrement. Je suppose que je perdrais mon temps à essayer de savoir comment vous avez réussi à couper tout l'éclairage du vaisseau ?

– Oh non, la réponse est très simple.

Teka s'arrêta, posa une main à plat sur le mur et ferma les yeux. Aussitôt, le plafonnier enserré dans un grillage au-dessus de nos têtes se mit à clignoter. Une fois, puis trois, et encore une fois. Au même rythme que celui que j'avais entendu juste avant qu'elle m'attaque.

– Tout ce qui fonctionne avec le flux, je peux l'embrouiller, m'expliqua-t-elle. C'est pour ça que je suis devenue mécanicienne. Malheureusement, ça ne m'est utile que sur ce vaisseau. Tout l'éclairage de Voa est à base d'insectes fenzu ou de pierres-ardentes, et, là-dessus, je n'ai aucun pouvoir.

– Alors je suppose que tu te sens plus à l'aise sur ce vaisseau.

– Dans un sens, oui. Mais il y a de quoi se sentir un peu claustrophobe quand on vit dans une pièce grande comme un placard.

Nous arrivâmes dans un espace ouvert, sur une grille qui recouvrait l'un des convertisseurs d'oxygène. Deux fois plus larges et trois fois plus hauts que moi, ils aspiraient par les conduits du vaisseau le dioxyde de carbone que nous émettions et le recyclaient, par le biais d'un mécanisme trop technique pour moi. J'avais essayé de lire un livre sur le sujet lors de mon dernier séjour, mais tout cela me dépassait. J'avais mes limites.

– Restez ici, me dit-elle. Je vais chercher quelqu'un.

– Comment ça, rester ici ?

Mais elle était déjà partie.

J'attendis donc sur la grille, tandis que des gouttes de sueur coulaient le long de mon dos. J'entendis ses pas s'éloigner, mais l'écho m'empêcha de déterminer dans quelle direction. Allait-elle revenir avec une horde de renégats pour achever le travail qu'elle avait commencé ? Ou était-elle sincère en disant qu'elle ne pensait plus à me tuer ? J'avais mis les pieds dans cette histoire sans me préoccuper une seconde de ma sécurité, et je ne savais même pas vraiment pourquoi. Hormis le fait que je n'avais pas envie d'assister à l'exécution d'un innocent pendant que les coupables se terraient je ne sais où.

Enfin, un frottement de semelles dans l'escalier métallique me fit me retourner, et je vis une femme mince et de haute taille s'approcher à grandes enjambées. Ses longs cheveux brillaient comme de l'argent. C'était la femme de la photo qui se trouvait à côté du lit de Teka.

– Bonjour, mademoiselle Noavek. Je suis Zosita Surukta.

Elle portait la même tenue que sa fille, avec le bas de son pantalon roulé au-dessus des chevilles. Les rides profondes qui marquaient son front indiquaient qu'elle n'avait pas dû sourire souvent. Quelque chose en elle me rappela ma mère, digne, élégante, dangereuse. Elle m'intimidait, ce dont peu de gens pouvaient se vanter. Mes ombres-flux s'emballèrent, tels un rythme cardiaque ou une respiration qui s'accélèrent.

– Nous sommes-nous déjà rencontrées ? demandai-je. Votre nom me dit quelque chose.

– Je ne vois pas très bien dans quelles circonstances j'aurais pu faire la connaissance de Cyra Noavek.

Quelque chose dans son sourire fit que j'eus du mal à la croire.

– Teka vous a-t-elle expliqué pourquoi je suis là ?

– Oui, me répondit-elle. Même si elle ignore encore que j'ai décidé de me livrer.

– En lui demandant de me fournir un nom, je ne savais pas qu'il s'agissait de sa mère, dis-je, la gorge nouée.

– Nous sommes tous prêts à affronter les conséquences de nos actes. J'assumerai l'entière responsabilité de notre action, et ce sera crédible puisque je suis une exilée shotet. J'apprenais l'othyrien aux enfants, autrefois.

Parmi les Shotet, on trouvait encore des anciens qui parlaient d'autres langues, apprises avant l'interdiction. Mon père et Ryzek n'y pouvaient rien ; ils n'allaient pas les forcer à les oublier. Je savais que certaines de ces personnes les enseignaient, au risque de se faire bannir.

– C'est ma voix que vous avez entendue dans le haut-parleur.

– Vous... (Je dus m'éclaircir la voix.) Vous savez que Ryzek vous fera exécuter sans délai. Et publiquement.

– J'en suis bien consciente, mademoiselle Noavek.

Mes ombres-flux s'étendirent, m'arrachant une grimace.

– Bien. Et vous êtes prête à subir un interrogatoire ?

– Je supposais que ce serait inutile si je me livrais, me dit-elle en haussant un sourcil.

– La colonie d'exilés inquiète mon frère. Il va chercher à vous soutirer un maximum d'informations avant de...

La suite resta coincée dans ma gorge.

– De me tuer, acheva Zosita à ma place. Allons, mademoiselle

Noavek, auriez-vous l'âme trop sensible pour prononcer ce mot ?

Ses yeux se posèrent sur mon brassard.

– Non, ripostai-je.

– Ce n'était pas une insulte, reprit-elle plus doucement. Ce sont les âmes sensibles qui rendent l'univers vivable.

Je me surpris tout à coup à penser à Akos, qui m'avait murmuré spontanément une excuse en thuvhésit la veille après m'avoir frôlée dans la cuisine. Toute la soirée, sa phrase était passée et repassée dans mon esprit comme un refrain entêtant, et elle venait de ressurgir avec la même insistance.

– Je sais ce que c'est que de perdre sa mère, dis-je. Je ne le souhaite à personne, même pas à une renégate que je ne connais pas.

Zosita lâcha un petit rire en secouant la tête.

– Qu'y a-t-il ? demandai-je, sur la défensive.

– J'ai… Je me suis réjouie de la mort de votre mère. Et aussi de celle de votre père. Comme je l'aurais fait pour votre frère, et peut-être même pour vous. C'est étrange de se rendre compte que nos pires ennemis peuvent être aimés par leur famille.

Elle promena les doigts sur la rambarde et je revis furtivement les doigts de sa fille posés au même endroit un peu plus tôt.

« Vous n'avez pas connu ma mère », faillis-je riposter. Mais que m'importait l'opinion que cette femme avait d'Ylira Noavek ? De toute façon, Zosita était déjà à moitié effacée de mon esprit, telle une ombre, marchant vers sa mort. Et qu'avait-elle gagné ? Le plaisir de porter un coup à l'orgueil de mon frère ?

– Est-ce que cela en valait vraiment la peine ? demandai-je. De risquer sa vie pour cela ?

Elle souriait toujours de son drôle de sourire.

– Après ma fuite de Shotet, votre frère a convoqué chez lui ce qui restait de ma famille. J'avais prévu de faire venir mes enfants dès que j'aurais trouvé un endroit sûr, mais il a été plus rapide que moi. Il a tué mon fils aîné et éborgné ma fille, pour des crimes dont ils étaient innocents. (Elle rit.) Et vous, cela ne vous choque même pas. Je suppose que vous lui avez vu faire bien pire, comme votre père avant lui. Alors, oui, cela en valait vraiment la peine. Mais vous êtes incapable de comprendre cela.

Nous restâmes un long moment sans rien dire, avec pour seuls bruits le bourdonnement des tuyaux et les échos de pas lointains. J'étais trop perdue, trop fatiguée pour cacher ma douleur tandis que mon don-flux faisait son œuvre.

– Pour revenir à votre question, reprit-elle enfin, oui, je suis prête à affronter un interrogatoire. Mais vous, savez-vous mentir ?

Puis, après un autre sourire narquois, elle ajouta :

– Pardon, c'est une question idiote. Je devrais plutôt vous demander : « Êtes-vous prête à mentir ? »

J'hésitai un instant.

Depuis quand étais-je devenue le genre de personne qui soutient des renégats ? Elle venait de m'avouer qu'elle se réjouirait de ma mort. Au moins, Ryzek, lui, préférait que je vive. Quel sort me réserveraient-ils si jamais ils parvenaient à renverser mon frère ?

Mais, au fond, je m'aperçus que cela m'était égal.

– Les mensonges me viennent plus facilement que la vérité.

C'était un vers que j'avais lu un jour sur le mur d'un bâtiment de Voa, lors d'une de mes excursions avec Otega.

Je suis un Shotet. Je suis tranchant comme le verre, et tout aussi fragile. Les mensonges me viennent plus facilement que la vérité. Mon regard embrasse toute la galaxie sans que je l'entrevoie jamais.

– Eh bien, allons leur en servir quelques-uns, dit Zosita.

▲
▲

19:
AKOS

AKOS SE PENCHA sur la casserole pour humer la fumée jaune qui se répandait dans la pièce. Tout se brouilla devant lui et sa tête tomba lourdement en avant. Il se ressaisit instantanément.

« Bien, je crois que ça ira. Parfait. »

Il avait dû demander à Cyra de lui trouver des feuilles de sendes pour renforcer la potion et accélérer son action. Et ça avait marché. Il l'avait testée sur lui la veille et s'était endormi si vite après l'avoir bue que son livre lui était tombé des mains.

Il éteignit la flamme pour laisser refroidir la préparation et tressaillit en entendant frapper à la porte. Lorsqu'il vivait à Thuvhé, il était plus sensible au rythme du monde, sombre au Temps de l'Endormissement et clair à celui de l'Éveil, à la façon dont le jour tombait d'un seul coup comme une paupière. Ici, sans les repères du lever et du coucher du soleil, il n'arrêtait pas de regarder l'heure. C'était la dix-septième. L'heure de Jorek.

En ouvrant la porte, il tomba nez à nez avec le garde, qui le fixa d'un air sceptique. Jorek se tenait derrière lui.

– Kereseth, fit le garde. Celui-là dit qu'il vient te voir.

– C'est exact, confirma Akos.

– Je savais pas que t'avais droit à des visites, commenta le garde avec dédain. T'es pas chez toi, ici, pourtant.

– Mon nom est Jorek *Kuzar*, l'informa Jorek en insistant sur son nom de famille. Et je te conseille de lui ficher la paix.

Le garde haussa les sourcils en détaillant sa combinaison de mécanicien.

– Ménage-le un peu, *Kuzar*, intervint Akos. Le pauvre, il a le boulot le plus ennuyeux de la planète : protéger Cyra Noavek.

Sur quoi il regagna sa cabine, dans laquelle flottait une odeur d'herbe et de malt. Une odeur médicinale. Akos trempa un doigt dans la potion pour vérifier sa température. Elle avait assez tiédi pour qu'il puisse la transvaser. Il s'essuya le doigt sur son pantalon pour éviter que sa peau n'absorbe le produit et fouilla les tiroirs à la recherche d'un récipient.

Resté près de la porte, Jorek observait la pièce avec de grands yeux en se grattant le cou – une manie chez lui, décidément.

– Qu'est-ce que tu regardes comme ça ? lui demanda Akos en plongeant un compte-gouttes dans la potion.

– Rien. C'est juste que... je ne m'attendais pas à ce que les appartements de Cyra Noavek ressemblent à ça.

Akos répondit par un petit grognement – lui non plus ne les aurait pas imaginés ainsi – en faisant tomber quelques gouttes dans le flacon.

– Alors en fait, vous ne dormez pas dans le même lit.

Akos le foudroya du regard, les joues en feu.

– Non, pourquoi ?

– Oh rien, les rumeurs. En tout cas vous vivez ensemble. Vous êtes *très proches*, il paraît.

– Je l'aide à supporter la douleur.

– Et ton destin est de mourir pour sa famille.

– Merci de me le rappeler, j'avais failli oublier, riposta Akos. Bon, tu veux que je t'aide, oui ou non ?

– Oui, excuse-moi. Alors on fait comme l'autre jour ?

Ils avaient déjà opéré une fois. Jorek avait fait boire un somnifère à son père de manière à ce qu'il s'endorme en plein milieu du petit déjeuner. Depuis, Suzao était à cran et faisait des pieds et des mains pour découvrir qui l'avait ridiculisé devant tout le monde en le droguant. Akos se disait qu'il n'aurait plus besoin d'en faire beaucoup pour que le soldat – qui ne brillait pas particulièrement par son sens de la mesure – sorte de ses gonds et le provoque en duel. Mais il préférait recommencer pour mettre toutes les chances de son côté et être bien sûr de provoquer la fureur de Suzao. Après quoi Akos n'aurait plus qu'à attendre la fin du ramassage pour avouer sa culpabilité et l'affronter dans l'arène.

– Deux jours avant le ramassage, glisse ça dans son médicament, dit-il à Jorek. Et laisse sa porte entrouverte pour qu'il croie que quelqu'un s'est introduit de l'extérieur, sinon il risque de te soupçonner.

– Entendu.

Jorek prit le flacon et vérifia qu'il était bien fermé.

– Et ensuite... ?

– J'ai tout prévu, lui assura Akos. Après le ramassage, je lui dirai que c'est moi qui l'ai drogué, il me défiera et... et je m'occuperai de lui. Dès que les duels seront redevenus légaux. D'accord ?

– D'accord, dit Jorek en se mordant la lèvre.

– Et ta mère, ça va ?

– Euh...

Jorek détourna les yeux, promenant le regard sur les draps et les lanternes de pierres-ardentes suspendues au-dessus du lit.

– Ouais... Ça va.

– Tant mieux. Tu ferais mieux de filer.

Jorek fourra le flacon dans sa poche, mais Akos eut l'impression qu'il n'était pas pressé de partir. Il traînait près du comptoir en balayant la surface des doigts, qui allaient sans doute se retrouver tout poisseux. Akos et Cyra n'étaient pas très à cheval sur le ménage.

Lorsque Jorek se décida à ouvrir la porte, Eijeh et Vas étaient dans le couloir, sur le point d'entrer.

Eijeh avait maintenant les cheveux assez longs pour pouvoir les attacher et un visage émacié, vieilli, qui lui donnait non plus deux mais au moins dix saisons de plus que son frère. Akos fut pris d'une violente envie de le prendre par le bras et de s'enfuir avec lui, sans la moindre idée de ce qu'ils feraient ensuite, bien sûr, encore moins sur un vaisseau grand comme une ville au fin fond de la galaxie. Mais il rêvait de pouvoir le faire. Il rêvait de beaucoup de choses impossibles, ces derniers temps.

– Jorek ! dit Vas. Quelle surprise. Qu'est-ce qui t'amène ici ?

– Je m'entraîne à me battre avec Akos, lui répondit Jorek du tac au tac. Je venais voir s'il pouvait venir avec moi au gymnase.

Il savait mentir. *Il n'a pas dû avoir le choix*, pensa Akos, *dans une famille pareille, entouré de tous ces gens.*

– Tu apprends à te battre, toi ? ricana Vas. Vraiment ? Et avec Kereseth ?

– Tout le monde a besoin d'un peu d'exercice, intervint Akos d'un ton détaché. Peut-être demain, Jorek. Je suis en train de préparer une potion.

Jorek lui fit un petit signe de la main avant de s'éloigner. Akos attendit qu'il ait disparu pour se tourner vers les deux autres.

– C'est mère qui t'a appris à faire cela ? lui demanda Eijeh en désignant les fumées jaunes qui s'élevaient du brûleur.

– Oui. C'est *maman* qui m'a appris.

Akos était agité et tremblant, tout à coup, bien qu'il n'eût aucune raison d'avoir peur de son frère. Eijeh n'avait jamais appelé Sifa « mère » de toute sa vie. Ce mot-là était bon pour les gamins snobs de Shissa, ou pour les Shotet, pas pour les enfants de Hessa.

– C'était gentil de sa part de te préparer à ce qui t'attendait, commenta Eijeh. Dommage qu'elle n'ait pas éprouvé le besoin d'en faire autant pour moi.

Eijeh entra dans la cabine et promena sa main sur les draps bien tirés, et sur les livres de la bibliothèque. Puis il sortit son couteau et le fit sauter machinalement dans sa main en le rattrapant entre le pouce et l'index. Akos aurait interprété ce geste comme menaçant s'il n'avait pas vu Ryzek le faire aussi souvent.

– Elle ne pensait peut-être pas que ce futur-ci se réaliserait, argumenta Akos.

Il n'y croyait pas, mais n'avait rien trouvé d'autre à dire.

– Elle le savait. Je le sais. Je l'ai vue en parler dans l'une de mes visions.

Eijeh n'avait jamais évoqué ses visions avec son frère, n'en ayant jamais eu l'occasion. Akos ne pouvait pas imaginer ce que cela pouvait faire de voir le futur surgir brusquement dans le présent. De voir un nombre étourdissant de possibilités. De voir sa famille, sans pour autant savoir si ces images deviendraient réalité. De ne pas pouvoir en parler.

– Eh bien, on n'a qu'à rentrer chez nous et le lui demander, dit-il.

– Je suis très bien ici. Et il me semble que toi aussi, quand je vois ton... cadre de vie.

– Tu parles comme lui, à présent. Est-ce que tu t'en rends compte, au moins ? Tu parles comme *Ryzek Noavek*, l'homme qui a *tué* papa. Déteste maman autant que tu voudras, mais tu ne peux pas détester papa.

Les yeux d'Eijeh se perdirent dans le vague. Pas totalement absents, mais quelque part très loin.

– Je ne... Il était toujours au travail. Jamais à la maison.

– Il était *toujours* à la maison, cracha Akos, comme si les mots lui brûlaient la bouche. Il faisait la cuisine. Il nous aidait à faire nos devoirs. Il nous racontait des histoires. Tu as oublié ?

Mais il avait déjà la réponse, qui se lisait dans le regard vide de son frère. Bien sûr, *bien sûr* que Ryzek lui avait pris ses souvenirs de leur père. Son père à lui était si horrible qu'il avait volé le leur.

Brusquement, Akos se retrouva en train de plaquer son frère contre le mur en renversant une rangée de flacons au passage. Eijeh était si petit comparé à lui, si léger qu'il le souleva sans peine. Ce fut cela, plus que la molle expression d'étonnement de son frère, qui lui fit lâcher prise presque aussitôt.

Depuis quand suis-je aussi grand ? se demanda-t-il en fixant ses doigts. Des doigts longs, comme ceux de son père, mais plus épais. Qui pouvaient faire mal.

– Elle t'a aussi transmis sa brutalité, dit Eijeh en lissant sa chemise. Si j'ai oublié quelque chose, tu crois que c'est en me secouant que ça va me revenir ?

– Si c'était possible, je l'aurais fait depuis longtemps, répliqua Akos en reculant. Je ferais n'importe quoi pour que tu te souviennes de papa.

Puis il se détourna en se passant la main dans le cou, imitant le tic de Jorek. Il ne pouvait plus regarder son frère, ni lui ni l'autre homme qui se tenait dans sa cabine.

– Pourquoi êtes-vous là ? Vous voulez quelque chose ?

– On est là pour deux raisons, répondit Eijeh. Tout d'abord, il existe un mélange à base de fleur-des-glaces qui a la propriété d'éclaircir les idées. J'en ai besoin pour préciser certaines de mes visions. Je me suis dit que tu saurais peut-être comment le préparer.

– J'en déduis que Ryzek ne t'a pas encore volé ton don-flux.

– Je pense que, pour le moment, il est satisfait de ce que je fais pour lui.

– Tu te voiles la face si tu t'imagines qu'il va préférer dépendre de toi plutôt que de te contrôler, dit Akos à voix basse en s'appuyant contre le comptoir, les jambes en coton. En admettant que ce soit bien comme ça que ça fonctionne. Quant à ton mélange… je ne te donnerai jamais quoi que ce soit qui puisse aider Ryzek Noavek à déclarer la guerre à Thuvhé. Plutôt mourir.

– Tout ce fiel… commenta Vas.

Le cœur d'Akos se mit à lui marteler la poitrine comme si on lui avait donné des coups de poing. Il avait presque oublié la présence de Vas, qui les écoutait en tapotant la pointe de son couteau. Il ne pouvait pas regarder Vas sans le revoir en train d'essuyer le sang de son père sur son pantalon en sortant de chez eux, à Hessa.

L'intendant s'approcha de la casserole pour humer la vapeur de la potion qui s'estompait. Il resta penché dessus une seconde, avant de tourner sur ses talons pour pointer sa lame sur la gorge d'Akos. Celui-ci se força à ne pas bouger, le cœur battant toujours la chamade. La pointe de la lame était froide.

– Tu sais que mon cousin a été drogué, récemment, dit Vas.

– Je ne connais pas tous vos cousins.

– Je pense que tu connais celui-là. Suzao Kuzar. Il était chez toi quand ton père s'est vidé de son sang.

Akos glissa un coup d'œil vers son frère, espérant… quoi ? Qu'il le défende ? Qu'il se révolte d'entendre Vas parler de la mort de leur père sur ce ton ?

– Cyra a des insomnies. Elle a besoin d'un produit puissant pour dormir. C'est à ça que sert cette potion.

La pointe du couteau s'enfonça dans sa peau, juste au-dessus de la cicatrice que Ryzek lui avait infligée.

– Arrête, Vas, dit Eijeh, d'un ton un peu brusque qui fit naître une brève lueur d'espoir dans le cœur de son frère. Ryzek ne te laissera pas le tuer. Alors arrête de faire semblant que tu en as le pouvoir.

Vas rangea son couteau en grommelant et Akos relâcha ses muscles douloureux.

– Dites, il y a une fête shotet où on rend visite aux gens qu'on déteste pour leur pourrir la vie, aujourd'hui, ou quoi ? demanda-t-il en essuyant la sueur froide qui lui poissait la nuque. Si c'est le cas, je n'en suis pas. Fichez-moi la paix.

– Ta présence est requise pour assister à l'interrogatoire d'une renégate qui s'est rendue, l'informa Vas. Ainsi que celle de Cyra.

– À quoi pourrais-je bien être utile dans un interrogatoire ?

Vas ébaucha un sourire.

– On t'a amené ici pour soulager Cyra. Je suppose que c'est ce qu'on attend de toi là aussi.

– Si vous le dites.

Vas rengaina son arme, sachant probablement aussi bien qu'Akos qu'il n'en aurait pas besoin pour le faire venir. En outre, ils étaient à bord d'un vaisseau spatial. Au beau milieu de la galaxie.

Akos glissa ses pieds dans ses bottes et sortit derrière Vas, suivi par Eijeh. La potion se conserverait jusqu'à son retour, maintenant qu'elle avait refroidi. Comme sa mère se plaisait à le répéter, elle n'était capricieuse que pendant la cuisson.

Dans les couloirs, les gens s'écartaient largement sur le passage de Vas, sans même se risquer à le regarder. En revanche, ils dévisageaient Akos. C'était comme si son origine thuvhésit était inscrite sur son front : dans son habitude de mâcher des pétales de fleur-des-glaces, dans sa démarche légère et prudente acquise en marchant sur le verglas, ses chemises boutonnées jusqu'au cou. Eijeh, lui, marchait maintenant du pas lourd des Shotet et portait ses chemises ouvertes.

Akos n'était encore jamais venu dans cette partie du vaisseau. Ici, le sol n'était pas fait de grilles métalliques mais de parquet ciré. Il se serait cru de retour dans le manoir des Noavek, avec ses lambris et la lumière mouvante de ses globes de fenzu. Vas s'arrêta devant une grande porte et les gardes postés devant s'écartèrent pour les laisser entrer.

Ils pénétrèrent dans une grande salle, aussi sombre que la Salle d'armes. Le parquet luisait et le mur du fond était entièrement constitué de verre, laissant voir une volute brumeuse du ruban-flux qui partait dans une direction opposée au vaisseau. Ryzek l'observait, les mains dans son dos. Derrière lui, une femme était ligotée à une chaise par les poignets. Cyra était là aussi. Elle ne se tourna pas vers Akos à son entrée, ce qu'il interpréta comme une mise en garde. La porte se referma sur eux et il s'immobilisa.

– Cyra, explique-moi clairement comment tu t'y es prise pour identifier cette renégate, demanda Ryzek à sa sœur.

– Quand elle a parlé dans le haut-parleur, j'ai reconnu sa voix, lui répondit-elle, les bras croisés. Je ne sais toujours pas où je l'avais entendue. Peut-être dans l'aire de chargement. Mais j'ai su que ça me permettrait de la retrouver. Alors ensuite, j'ai tendu l'oreille dans les couloirs. Et ça a marché.

– Sans rien me dire de cette initiative ? Pourquoi ?

Ryzek fronça les sourcils, non à l'adresse de Cyra mais en regardant la femme, qui lui retourna son regard.

– J'ai pensé que tu te moquerais de moi. Que tu me dirais que je me faisais des idées.

– En effet, admit Ryzek, c'est sans doute ce qui ce serait produit. En tout cas, elle est là, maintenant.

Son ton était franchement sec, pas celui de quelqu'un qui vient d'obtenir ce qu'il voulait.

– Eijeh, cela change-t-il le futur dont nous avons parlé ?

Akos frémit en entendant le nom de son frère dans la bouche de son ennemi.

Eijeh ferma les yeux et dilata ses narines ; comme leur mère, parfois, lorsqu'elle se concentrait sur une prophétie. *Sans doute par mimétisme,* pensa Akos, *ou alors parce que les oracles ont besoin d'un surcroît d'oxygène.* Il eut un mouvement instinctif vers son frère et se cogna à Vas, qui resta raide comme un piquet.

– Eijeh, dit-il. Eijeh, ne fais pas ça.

Il fallait bien qu'il essaie.

Mais déjà, son frère répondait :

– Le futur tient bon.

– Merci, dit Ryzek. Où étiez-vous exactement toutes ces dernières saisons, Zosita Surukta ?

– Ici et là. Je n'ai pas trouvé la moindre colonie d'exilés, si c'est votre question.

Sans se redresser, Ryzek regarda sa sœur et les taches d'un noir d'encre qui s'étalaient sur ses bras. Elle se tenait recroquevillée, la main pressée sur le front.

– Cyra, dit-il en désignant Zosita. Voyons si cette femme dit la vérité.

– Non, dit Cyra, le souffle court. On en a déjà parlé. Je ne… Je ne peux pas.

– Ah non ? fit Ryzek en se penchant vers elle presque jusqu'à la toucher. Elle diffame notre famille, elle affaiblit notre position, elle s'allie à nos ennemis, et c'est tout ce que tu trouves à me dire ? Je suis ton frère et le souverain de Shotet. Tu *peux* faire ce que je te demande, et *tu le feras*. Est-ce clair ?

La noirceur se répandit sur la peau mordorée de Cyra, les ombres formant comme un réseau de nerfs sous sa peau. Elle parut suffoquer. Akos aussi respirait mal, mais il ne bougea pas. Il n'avait aucun moyen de l'aider avec Vas à côté de lui.

– Non !

Le cri de Cyra avait jailli de sa bouche comme une explosion et elle tendit vivement le bras vers Ryzek, les doigts repliés comme des griffes. Il voulut la repousser, mais elle était trop rapide, trop puissante. Ses ombres-flux envahirent ses mains, comme du sang affluant vers une blessure. Ryzek hurla et tomba à genoux en se tordant de douleur.

Vas se précipita sur Cyra et la jeta rudement à terre.

– Arrache-moi les yeux, les doigts, ce que tu voudras, cracha-t-elle à son frère en lui jetant un regard plein de rage. Mais je ne le ferai plus jamais.

Ryzek la fixa un moment tandis qu'elle serrait les dents pour résister à la brûlure du flux. Puis il remua deux doigts à l'adresse d'Akos pour lui ordonner d'approcher. Il était vain de lui résister, il parviendrait à ses fins d'une manière ou d'une autre. Akos commençait à comprendre pourquoi Cyra s'était résignée à lui obéir pendant toutes ces saisons. Au final, vouloir lui tenir tête n'était qu'une perte d'énergie.

– Je m'attendais un peu à cette réaction, reprit Ryzek. Vas, tiens-la, s'il te plaît.

Vas attrapa Cyra par le bras pour la forcer à se relever, et elle posa sur Akos des yeux agrandis par la terreur.

– Certes, je t'ai un peu laissée vivre ta vie, ces derniers temps. Mais je n'ai pas pour autant cessé de t'avoir à l'œil, Cyra.

Gagnant l'un des murs latéraux, Ryzek effleura un panneau qui coulissa pour révéler un mur couvert d'armes, similaire à celui du manoir, mais plus petit. *Il a dû sélectionner ses préférées,* songea Akos, qui sentit son esprit se dissocier de son corps en le voyant prendre une longue barre métallique. À peine Ryzek l'eut-il touchée que le flux s'enroula en ruisseaux sombres autour du métal, comme sur les bras de Cyra.

– Vois-tu, reprit Ryzek, j'ai remarqué quelque chose de curieux, et j'aimerais vérifier mon intuition. Si je ne me suis pas trompé, cela résoudra le problème avant même qu'il se soit posé.

Il tourna les crans sur la poignée de la barre et le flux s'intensifia. L'arme ne semblait pas mortelle, plutôt conçue pour provoquer la douleur.

Les ombres-flux de Cyra palpitèrent comme des flammes attisées par un courant d'air, et Ryzek éclata de rire.

– C'est presque indécent, fit-il en posant une main lourde sur l'épaule d'Akos.

Celui-ci résista au réflexe de le repousser, ce qui ne pouvait qu'envenimer la situation. Il commençait seulement à comprendre que cette barre de métal lui était destinée. Peut-être était-ce même la seule raison de sa présence ici : obliger Cyra à coopérer. Devenir le nouveau moyen de pression de Ryzek sur sa sœur.

– Tu préfères peut-être cesser de résister dès maintenant et te coucher par terre, lui glissa Ryzek à mi-voix.

– Je t'emmerde, répliqua Akos en thuvhésit.

Mais bien sûr, Ryzek avait déjà une réponse toute prête : il abattit la barre sur son dos. Une douleur incandescente parcourut tout le corps d'Akos, telle la brûlure d'une flamme ou d'un acide. Il gronda en serrant les dents. *Reste debout. Reste…*

Il hurla de nouveau quand Ryzek le frappa au flanc droit. À côté de lui, Cyra pleurait. Mais Akos observait Eijeh, qui regardait passivement par la fenêtre. Presque comme s'il ignorait ce qui se déroulait sous ses yeux. Ryzek lui porta un troisième coup et ses genoux lâchèrent. Cette fois, il ne cria pas. Il sentit la sueur couler le long de sa nuque et tout se mit à tourner autour de lui.

Là, Eijeh avait tressailli.

Un nouveau coup et Akos tomba en avant en se rattrapant sur les mains.

– Je veux apprendre tout ce qu'elle sait sur les exilés, dit Ryzek à Cyra. D'ici demain, jour de l'exécution.

Cyra se secoua pour se libérer de la poigne de Vas et s'approcha de Zosita, toujours liée à sa chaise par les poignets. Celle-ci lui adressa un petit signe, comme pour lui donner son accord, et Cyra posa les mains sur la tête de la renégate.

À travers un brouillard, Akos vit les mains de Cyra envahies par le réseau noir des ombres-flux, le visage de Zosita déformé par la douleur, le sourire satisfait de Ryzek. Des taches sombres apparurent devant ses yeux et il se força à respirer malgré la douleur.

Les cris de Zosita. Les cris de Cyra. Entremêlées.

Puis il s'évanouit.

Lorsqu'il reprit connaissance, Cyra était à genoux à côté de lui, le bras passé autour de ses épaules.

– Viens, lui dit-elle en l'aidant à se relever. Viens, on s'en va.

Il cligna lentement des paupières. Zosita respirait par à-coups, les cheveux dans la figure. Vas attendait un peu à l'écart, avec l'air de s'ennuyer. Quant à Eijeh, il était accroupi dans un coin, la tête enfouie entre ses bras. Personne ne fit mine de les empêcher de sortir ; Ryzek n'avait-il pas eu ce qu'il voulait ?

Ils regagnèrent la chambre de Cyra en chancelant. L'odeur maltée de la potion qu'il avait préparée flottait toujours dans la pièce. Elle le fit asseoir sur son lit et ramassa à la volée tout le nécessaire : serviettes, glaçons, sédatif. Ses gestes étaient frénétiques, et son visage, inondé de larmes.

– Cyra, dit-il d'une voix rauque, tandis qu'elle essayait de déboucher le flacon de sédatif d'une main tremblante.

– Tu ne seras plus jamais en sécurité. Tu comprends cela ? Et moi non plus.

Elle parvint enfin à ôter le bouchon et porta le flacon à la bouche d'Akos, bien qu'il eût tout à fait pu le faire lui-même. Mais il se contenta d'entrouvrir les lèvres sans rien dire.

– Je n'ai jamais été en sécurité, objecta-t-il. Pas plus que vous. En revanche, je ne vois pas pourquoi il a tenu à se servir de *moi*...

Il ne comprenait pas ce qui la mettait dans cet état. Ce n'était pas comme si elle venait seulement de découvrir que Ryzek était un monstre.

La jambe de Cyra frôla la sienne lorsqu'elle se campa entre ses genoux. Ils étaient presque de la même taille, ainsi, elle debout et lui assis sur le lit haut perché. Et elle se tenait tout près, comme parfois pendant leurs combats, quand elle lui riait au nez après l'avoir vaincu. Mais là, c'était différent. Complètement différent.

Elle ne riait pas. Son odeur était familière, un mélange de son parfum et des herbes qu'elle brûlait pour purifier la pièce des relents de cuisine. Elle posa une main sur son épaule, longea son cou avec des doigts tremblants, descendit sur son torse et appuya doucement la main sur sa poitrine. Sans le regarder.

– Tu es la seule personne qu'il puisse utiliser contre moi, murmura-t-elle.

Elle lui souleva le menton et l'embrassa. Sa bouche était

chaude, humide de larmes. Il sentit les dents de Cyra riper sur sa lèvre lorsqu'elle se recula.

Il ne respirait plus. Il n'était pas sûr de se rappeler comment on fait.

– Ne t'inquiète pas, lui dit-elle doucement. Je ne recommencerai pas.

Elle s'éloigna à reculons et alla s'enfermer dans la salle de bains.

▲
▲

20: CYRA

LE LENDEMAIN, comme prévu, je me rendis à l'exécution de Zosita Surukta. La foule était nombreuse et bruyante, avide d'assister au premier événement autorisé depuis la fête du Séjour. Je me tins sur le côté avec Vas, Eijeh et Akos tandis que Ryzek prononçait un long discours sur la loyauté et la force de l'union chez les Shotet, la jalousie des autres peuples de la galaxie et la tyrannie de l'Assemblée. Yma, à sa gauche, pianotait un petit air rythmé sur la balustrade.

Je ravalai mes larmes au moment où Ryzek passa son couteau en travers de la gorge de Zosita. La foule rugit lorsqu'elle s'effondra, et je fermai les yeux.

Quand je les rouvris, la main d'Yma tremblait sur la balustrade. Celle de Ryzek était tachée du sang de Zosita. Et au milieu de la foule, je vis Teka porter la sienne devant sa bouche.

Tandis que le sang de Zosita se répandait sur le plancher, comme l'avait fait le sang du père d'Akos et de tant d'autres, l'injustice de sa mort m'étouffa, comme un vêtement trop serré qu'on ne peut pas enlever.

C'était un soulagement, de constater que je pouvais encore éprouver cela.

Tout le long de l'aire de chargement étaient disposées des piles de combinaisons grises, classées par taille. Du haut de l'escalier, on aurait dit un alignement de rochers. Elles étaient imperméables, conçues spécialement pour un séjour sur Pitha. S'y ajoutaient, entassés contre le mur du fond, des masques étanches pour protéger les yeux des ramasseurs. C'était un vieil équipement qui datait d'un séjour précédent, mais il ferait l'affaire.

La navette de Ryzek, avec ses ailes dorées et fuselées, attendait près de la sortie. En compagnie d'Yma, Vas, Eijeh, Akos et quelques autres, nous nous rendions sur Pitha pour des négociations avec les dirigeants de la planète. Mon frère souhaitait établir des relations « amicales » – autrement dit, une alliance, probablement assortie d'une assistance militaire. Il possédait des talents de diplomate dont notre père était complètement dépourvu. Sans doute les tenait-il de notre mère.

– On devrait y aller, me dit Akos dans mon dos.

Le simple son de sa voix suffisait maintenant à me faire frissonner. En l'embrassant, quelques jours plus tôt, j'avais cru me débarrasser de ce genre de réaction en levant le mystère de ce que serait ce baiser. Or, cela n'avait fait qu'aggraver les choses. Maintenant que j'avais la réponse – que je connaissais le goût d'Akos –, je ne pensais plus qu'à une chose : recommencer.

– Oui, tu as raison.

Épaule contre épaule, nous descendîmes l'escalier de l'aire de chargement. Devant nous, la petite navette luisait comme du verre sous la lumière crue. Sur son flanc poli était peint le signe shotet qui symbolisait notre nom : Noavek.

Malgré son aspect extérieur tapageur, l'intérieur était aussi sobre que celui d'une navette ordinaire. Le long des parois étaient alignés des strapontins munis de ceintures de sécurité. Au fond se trouvaient le cabinet de toilette et un minuscule coin cuisine.

Mon père m'avait appris à piloter – l'une des rares activités que nous ayons jamais partagées. Il me faisait porter des gants épais pour que mon don-flux ne perturbe pas le fonctionnement des instruments. Comme le siège était trop grand pour moi, il y ajoutait un coussin. Il manquait de patience et me criait dessus plus souvent qu'à mon tour. Mais quand je réussissais, il me disait toujours : « C'est bien », avec un hochement de tête énergique, comme s'il enfonçait le compliment avec un marteau.

Il était mort quand j'avais onze saisons, lors d'un séjour. Alors qu'il voyageait seul avec Ryzek et Vas, ils avaient dû repousser une attaque de pirates. Ryzek et Vas étaient revenus avec les globes oculaires de leurs ennemis vaincus dans des bocaux, mais sans Lazmet Noavek.

Vas me rattrapa.

– On m'a demandé de te rappeler qu'on comptait sur toi pour faire bonne impression sur les Pithars.

– À croire que je ne suis une Noavek que depuis hier ! rétorquai-je. Je sais me tenir.

– Noavek ou pas, ton comportement est de plus en plus imprévisible.

– Fiche-moi la paix, Vas, soupirai-je, trop fatiguée pour me lancer dans un échange de piques.

Par chance, il m'obéit, allongeant le pas pour aller rejoindre mon cousin Vakrez et un mécanicien vers l'avant de la navette. Soudain, un éclair de cheveux blond pâle me signala la présence de Teka – elle se tenait dans un coin de l'aire devant un tableau grouillant de câbles. Elle n'avait pas d'outil et se contenait de les pincer un à un, les yeux fermés.

J'eus un instant d'hésitation, mue par l'élan d'agir mais sans trop savoir dans quel sens. Ma seule certitude était que j'étais restée passive trop longtemps pendant que d'autres se jetaient dans le combat, et qu'il était temps de bouger.

– Je te retrouve dans la navette, dis-je à Akos. Je voudrais parler une minute à la fille de Zosita.

Sa main plana brièvement près de mon coude, comme pour

me prodiguer un geste de réconfort. Puis, se ravisant, il la glissa dans sa poche et se remit en marche.

Alors que je m'approchais de Teka, elle ôta les mains du fouillis de câbles pour prendre une note sur une tablette qu'elle maintenait en équilibre sur un genou.

– Tu ne reçois jamais de décharge ? questionnai-je.

– Nan, me répondit-elle sans lever les yeux. Je sens juste un bourdonnement. Sauf si les câbles sont abîmés. Qu'est-ce que vous voulez ?

– Un rendez-vous. Avec tes amis. Tu sais qui.

– Écoutez, dit-elle en se tournant vers moi, les yeux rougis. Vous m'avez pratiquement forcée à livrer ma propre mère et votre frère l'a exécutée devant tout le monde il y a deux jours. Dans ces conditions, qu'est-ce qui vous fait croire que vous pouvez me demander quoi que ce soit ?

– Je ne te demande rien. Je dis simplement ce que je souhaite, et il me semble que ces gens que tu connais pourraient le souhaiter aussi. Maintenant, fais comme tu veux. Mais il ne s'agit pas vraiment de toi, là.

Son front luisait comme si elle avait transpiré toute la journée. Ce qui était bien possible : les cabines des mécaniciens jouxtaient les machines qui faisaient tourner le vaisseau.

– Comment peut-on vous faire confiance ? me demanda-t-elle à voix basse.

– Vous êtes aux abois, et moi aussi. Les gens aux abois n'arrêtent pas de prendre de mauvaises décisions.

À cet instant, la porte bâbord de la navette s'ouvrit en inondant le sol de lumière.

– Je verrai ce que je peux faire. Vous vous rendez utile, au moins, là-dedans ?, ajouta-t-elle en désignant la navette. Ou vous vous contentez de faire risette aux politiciens ? (Elle secoua la tête.) De toute façon, ce n'est pas la famille royale qui se salirait les mains pour le ramassage.

– Eh bien, en ce qui me concerne, si, fis-je, vexée.

Mais il eût été absurde de nier que je menais une vie de privilégiée. Surtout en face d'une fille borgne qui avait perdu toute sa famille et qui vivait dans un placard.

Elle émit un petit grognement et retourna à ses câbles.

AKOS OBSERVAIT VAS, assis en face de nous, comme s'il allait lui sauter à la gorge. Installée deux sièges plus loin, Yma était plus élégante que jamais, avec sa longue jupe sombre drapée de manière à couvrir ses chevilles. Dans cette tenue, on l'aurait plutôt imaginée venue prendre le thé lors d'un petit déjeuner au manoir que sanglée à un vulgaire strapontin dans une navette spatiale. Eijeh, les yeux fermés, occupait le siège le plus proche du fond de la navette. Il était séparé d'Yma par Vakrez, son mari Malan et Suzao Kuzar – qui avait justifié l'absence de sa femme en arguant qu'elle était trop malade pour être du voyage. Enfin, à côté de Rel, le capitaine, se tenait Ryzek.

– Quelle était la planète initialement désignée par les Analystes en fonction du mouvement du flux ? demanda Yma à mon frère. N'était-ce pas Ogra ?

– Si, confirma-t-il par-dessus son épaule avec un petit rire. Comme si ça avait pu nous avancer à quelque chose.

– Tantôt c'est le flux qui choisit, tantôt c'est nous, déclara Yma.

Exprimée ainsi, l'idée pouvait paraître pleine de bon sens.

Rel n'eut qu'à appuyer sur quelques boutons pour que les moteurs se mettent à bourdonner. Il tira sur le levier de vol stationnaire, et la navette se souleva dans un léger soubresaut.

Les portes de l'aire de chargement s'ouvrirent, révélant en dessous de nous l'hémisphère Nord de la planète océane.

Pitha, aux prises avec une tempête, était entièrement recouverte de nuages. Les villes – qu'ils masquaient à notre vue – flottaient sur les océans, construites pour suivre les mouvements montants et descendants des eaux et pour résister à des vents, des pluies et des orages violents. Rel propulsa la navette en avant, et nous filâmes dans l'espace à la vitesse de l'éclair, étreints par les ténèbres.

En un rien de temps, nous atteignîmes l'atmosphère de Pitha. La pression soudaine me donna la sensation que mon corps s'écroulait sur lui-même et j'entendis quelqu'un vomir à l'arrière. Serrant les dents, je me forçai à garder les yeux ouverts. La descente était mon moment préféré, celui où d'énormes étendues de terre se déployaient sous nos yeux – ou, ici, des étendues d'eau, car, à l'exception de quelques masses de terre détrempée, toute la planète était submergée.

Une exclamation de plaisir étouffée m'échappa lorsque nous traversâmes la barrière de nuages. La pluie se mit à tambouriner sur le toit et Rel dut allumer l'écran de visualisation. Mais, au-delà, derrière les gouttes et l'écran, je vis de gigantesques vagues bouillonnantes, d'une teinte entre le bleu, le vert et le gris, et des bâtiments en verre sphériques qui flottaient sur la surface, battus par les flots déchaînés.

Je ne pus me retenir de regarder Akos, dont le visage était figé.

– Au moins, ce n'est pas Trella, dis-je dans une tentative pour l'aider à reprendre ses esprits. Là-bas, il y a des milliers d'oiseaux dans le ciel. Une vraie pagaille quand ils heurtent le pare-brise. La dernière fois, il a fallu les décoller avec un couteau.

– Vous vous en êtes chargée vous-même, j'imagine ? me demanda Yma. Comme c'est charmant !

– Oui, vous allez découvrir que j'ai un seuil de tolérance très élevé pour tout ce qui est répugnant. J'y ai recours très fréquemment. Mais j'imagine que vous aussi.

Yma préféra fermer les yeux plutôt que de me répondre. Mais juste avant, il me sembla qu'elle regarda Ryzek du coin de l'œil ; l'une des choses répugnantes qu'elle devait tolérer, certainement. Je ne pouvais qu'admirer son talent pour survivre quel qu'en soit le prix.

Nous filâmes longtemps au-dessus des vagues, un peu secoués par les rafales. Vue du dessus, la mer ressemblait à une grande peau ridée. Alors que la plupart des gens trouvaient Pitha monotone, j'adorais observer sa surface, qui m'évoquait l'immensité de l'espace. Nous survolâmes l'un des énormes amas de déchets flottants où les Shotet se poseraient bientôt pour le ramassage. Il était plus gros que je ne l'aurais imaginé, au moins aussi étendu que tout un quartier de Voa, couvert de débris de métaux de toutes les teintes. J'avais hâte de fouiller parmi tous ces objets mouillés à la recherche de quelque chose d'utile. Mais ce serait pour plus tard.

La capitale de Pitha, Secteur 6 – les Pithars n'étaient pas connus pour leur sens de la poésie –, flottait sur les eaux gris sombre près de l'équateur. Les bâtiments ressemblaient à des bulles ballottées sur la surface. En réalité, ils étaient tous arrimés à une gigantesque structure immergée, considérée comme un miracle d'ingénierie et entretenue par les mécaniciens les mieux payés de la galaxie. Rel guida la navette jusqu'à la plateforme d'atterrissage et je vis par le hublot une sorte de passerelle mécanique couverte qui se déployait vers nous depuis un bâtiment proche ; pour nous maintenir au sec, semblait-il. Quel dommage ! J'aurais tellement voulu sentir la pluie sur mon visage.

Je descendis de la navette avec Akos en suivant les autres à distance, ne laissant que Rel dans notre sillage. Marchant en tête avec Yma, Ryzek salua le dignitaire pithar venu nous accueillir. Il lui répondit en inclinant sèchement la tête.

– Dans quelle langue souhaitez-vous mener nos échanges ? demanda-t-il à mon frère, dans un shotet si maladroit que j'eus du mal à le comprendre.

Il avait de grands yeux sombres et une fine moustache blanche qui évoquait plus de la moisissure que des poils.

– Nous parlons tous couramment l'othyrien, répondit Ryzek avec humeur.

À cause de la politique menée par mon père – et perpétuée par mon frère – pour garder notre peuple dans l'ignorance des affaires de la galaxie, les Shotet avaient la réputation d'ignorer les langues étrangères. Malgré cela, Ryzek se vexait toujours qu'on sous-entende qu'il n'était pas polyglotte, comme si cela revenait à le prendre pour un imbécile.

– C'est un soulagement, monsieur, avoua le dignitaire, en othyrien cette fois. Je crains que les subtilités du shotet ne m'échappent. Permettez-moi de vous conduire à vos appartements.

En suivant le tunnel provisoire martelé par la pluie, je fus prise d'une violente envie de me jeter sur le premier Pithar venu pour le supplier de m'éloigner de tout cela : de Ryzek, et de ses menaces, et du souvenir de ce qu'il avait fait subir à mon seul ami.

Mais je ne pouvais pas abandonner Akos, dont les yeux restaient rivés sur la nuque de son frère.

Quatre séjours s'étaient écoulés depuis celui où mon père était mort. Le dernier nous avait conduits sur Othyr, la planète la plus riche de la galaxie, où Ryzek avait établi les bases de la politique diplomatique shotet. Ça avait été autrefois le domaine réservé de ma mère, qui charmait les responsables de chaque planète que nous visitions pendant que mon père dirigeait le ramassage. Mais après sa mort, Lazmet avait dû admettre qu'il n'avait aucun talent pour la séduction – ce qui ne surprit personne – et la diplomatie était tombée aux oubliettes, laissant la place aux tensions entre les Shotet et le reste de la galaxie. Ryzek cherchait maintenant à apaiser ces discordes planète après planète, sourire après sourire.

Sur Othyr, on nous avait préparé un dîner d'accueil dans la salle à manger de la chancellerie, dorée du sol au plafond, depuis les assiettes jusqu'aux murs en passant par la nappe. L'épouse du chancelier nous avait expliqué qu'elle avait été choisie parce que sa couleur mettait en valeur le bleu foncé de nos cuirasses de cérémonie. Elle avait admis en souriant le caractère ostentatoire de la décoration, une délicatesse que j'avais trouvée très élégante. Le lendemain matin, chaque membre de notre délégation avait été convié à un rendez-vous avec le médecin personnel du chancelier, sachant qu'Othyr possédait la meilleure technologie médicale de la galaxie. J'avais décliné. J'avais déjà vu assez de médecins dans ma vie.

Je savais depuis le début que l'accueil de Pitha ne serait pas aussi frivole que celui d'Othyr. Chaque planète cultivait sa propre valeur : Othyr, le confort, Ogra, le mystère, Thuvhé, la fleur-de-silence, Shotet, le flux, Pitha, le pragmatisme, etc. Les Pithars étaient perpétuellement en quête des matériaux et des structures les plus durables, les plus flexibles et les plus polyvalents. La chancelière – son nom de famile était Natto mais j'avais oublié son prénom, que personne n'utilisait – vivait dans une bâtisse en verre, vaste mais fonctionnelle. Elle avait été élue par son peuple.

La chambre que je partageais avec Akos – le dignitaire nous l'avait proposée avec un regard lourd de sous-entendus que j'avais préféré ignorer – donnait sur l'océan. On y voyait des créatures aux formes indistinctes nager dans une atmosphère paisible, mais c'était son seul agrément. Les murs étaient nus, peints dans un ton neutre, les draps blancs et amidonnés. Dans un coin, il y avait un lit de camp sur des pieds métalliques enrobés de plastique.

Les Pithars avaient organisé non pas un dîner de réception mais ce que j'aurais appelé un bal, si on y avait dansé. Les gens se tenaient par petits groupes, vêtus dans ce qui devait être la vision pithare de l'élégance : des habits en toile raide et imperméable, de couleurs étonnamment vives – pour être repérables sous la pluie, sans doute. Il n'y avait pas une robe ni une jupe en vue. Je regrettai tout à coup d'avoir mis une robe longue de ma mère, au col montant, choisie pour masquer au mieux mes ombres-flux.

La salle était pleine de murmures. Des serveurs se déplaçaient de groupe en groupe avec des plateaux chargés de verres et de petits-fours. Si certains semblaient danser ici, c'étaient eux, avec leurs mouvements synchronisés.

– Comme c'est calme, ici, me dit doucement Akos, en passant ses doigts autour de mon coude.

Je frissonnai en tâchant d'ignorer la sensation de sa main. *Il fait juste cela pour atténuer ta douleur, rien n'a changé, tout est comme ça l'a toujours été...*

– Pitha ne se distingue ni par ses danses, ni par ses techniques de combat, dis-je.

– Alors je suppose que ce n'est pas votre planète préférée.

– J'aime bien le mouvement.

– J'avais remarqué.

Je sentais son souffle dans mon cou, bien qu'il ne fût pas si près que cela. Je n'avais jamais été aussi consciente de sa proximité. Je dégageai mon bras pour prendre le verre qu'une serveuse me proposait.

– Qu'est-ce que c'est ? m'informai-je, soudain gênée par mon accent.

Elle fixa un peu nerveusement mon bras taché par les ombres.

– Ses effets sont proches de ceux de la fleur-de-silence, me répondit-elle. Cela émousse les sens en améliorant l'humeur. C'est à la fois sucré et acide.

Ako prit un verre en lui souriant et elle s'éloigna.

– Si ce n'est pas de la fleur-de-silence, qu'est-ce que ça peut bien être ? se demanda-t-il.

À vrai dire, les Thuvhésit vénérant la fleur-de-silence, Akos connaissait mal les autres substances.

– Va savoir. De l'eau salée ? De la graisse de moteur ? Goûte ! Ça ne devrait pas te faire de mal.

Nous bûmes tous les deux. À l'autre bout de la salle, Ryzek et Yma souriaient poliment à Vek Natto, l'époux de la chancelière. Il avait le teint grisâtre et la peau flasque, comme liquéfiée.

À croire que la gravité avait plus d'effet sur lui que sur les autres. D'ailleurs moi aussi je me sentais comme alourdie, même si c'était surtout dû aux regards constants de Vas, s'assurant que je me tenais correctement.

Je fis la grimace devant mon verre à moitié vide.

– C'est infâme.

– Tiens, je me demandais, dit Akos : combien de langues parlez-vous ?

– En fait, juste le shotet, le thuvhésit, l'othyrien et le trellien. Et j'ai quelques rudiments de zoldien et de pithar. Je m'étais aussi mise à l'ogran, avant que tu viennes me distraire.

Il haussa les sourcils, apparemment impressionné.

– Quoi ? Je n'ai pas d'amis, ça me laisse beaucoup de temps libre.

– Et vous pensez que c'est parce que vous n'êtes pas « aimable ».

– Je sais très bien ce que je suis.

– Ah, et quoi donc ?

– Un couteau, dis-je. Un tisonnier brûlant. Un clou rouillé.

– Vous êtes bien plus que tout cela.

Il m'invita doucement à me tourner vers lui. Je savais que je le regardais bizarrement, mais je ne pouvais pas m'en empêcher. C'était mon visage qui décidait. Il retira sa main.

– Je veux dire, ce n'est pas comme si vous passiez vos journées à… faire bouillir vos ennemis dans des marmites.

– Ne dis pas de bêtises. Si je devais manger la chair de mes ennemis, ce serait rôtie, pas bouillie. La viande bouillie, quelle horreur !

Il rit, et tout me parut un peu plus léger.

– Où avais-je la tête ! s'exclama-t-il. J'ai parlé sans réfléchir. Désolé de devoir vous dire ça, mais il semble que le souverain réclame votre présence.

Et en effet, Ryzek, les yeux posés sur moi, m'adressa un petit signe.

– Tu n'aurais pas du poison sur toi, par hasard ? demandai-je en fixant mon frère. J'en glisserais bien dans son verre.

– Si j'en avais, je ne vous le donnerais pas.

Comme je me tournai vers lui d'un air incrédule, il se justifia :

– Pour l'instant, il est le seul à pouvoir rendre son intégrité à Eijeh. Une fois qu'il l'aura fait, je l'empoisonnerai avec plaisir. En chantant, même.

– Je ne connais personne d'autre qui ait autant de suite dans les idées, Kereseth. En attendant, tu as pour mission de composer la chanson de l'empoisonnement, pour me la chanter quand je reviendrai.

– Facile. « Dès l'matin, gai, gai, j'allons empoisonner… »

Je vidai mon verre d'infâme graisse de moteur pithare avec un petit sourire, le lui tendis et traversai la salle.

– Ah, la voilà ! s'exclama Ryzek avec son sourire le plus chaleureux. Vek, je vous présente ma sœur Cyra.

Il tendit le bras vers moi comme pour me serrer contre lui, ce dont il s'abstint, bien entendu. Les ombres-flux qui marquaient ma joue et mon nez étaient là pour l'en dissuader. Je saluai Vek d'un signe de la tête et il me dévisagea sans me répondre.

– Votre frère était en train de m'expliquer la logique shotet qui éclaire les affaires de « kidnapping » associées aux ramasseurs, depuis plusieurs dizaines de saisons. Il me disait que vous pouviez attester de son bien-fondé.

Ah, vraiment ?

Ma colère s'embrasa comme un feu de brindilles. Sur le coup, incapable de m'en libérer, je ne réussis qu'à fixer mon frère. Il me sourit, d'un air toujours aussi bienveillant. À côté de lui, Yma souriait aussi.

– En raison de ta proximité avec ton domestique, compléta Ryzek d'un ton léger.

Ah oui. Ma proximité avec Akos. Le nouvel instrument de contrôle de mon frère.

– Eh bien, nous ne les voyons pas comme des « kidnappings », bien sûr. Nous parlons de « restitution », car tous ceux qui sont ramenés chez nous parlent parfaitement la langue de la révélation, c'est-à-dire le shotet. On ne peut parler le shotet ainsi, de façon innée, sans être de sang shotet. Sans être des nôtres à un niveau fondamental. Et j'en ai d'ailleurs eu la… démonstration.

– De quelle façon ? s'enquit l'époux de la chancelière.

Il porta son verre à ses lèvres et je vis qu'il arborait une bague à chaque doigt. Je me demandai quel était l'intérêt d'avoir des anneaux lisses, que n'ornait aucune pierre.

– Mon domestique s'est révélé être un Shotet dans l'âme. Un bon combattant, avec une compréhension très fine de ce qui fait les qualités de notre peuple. Sa capacité à s'adapter à notre culture est… stupéfiante.

– Voilà qui confirme ce que je vous disais, intervint Yma. Cela prouve qu'il existe dans le sang des Shotet une mémoire culturelle, historique, qui permet à toutes les personnes « kidnappées » – des personnes qui ont le don de parler le shotet sans l'avoir jamais appris – de trouver un vrai sentiment d'appartenance en arrivant chez nous.

Décidément, elle était très douée pour simuler la loyauté.

– Eh bien, voilà une théorie très intéressante, commenta Vek.

– Et n'oublions pas les crimes commis par le passé sur notre peuple par… disons les planètes plus influentes de la galaxie, ajouta Ryzek en plissant le front, comme si cette simple pensée était une souffrance. Des invasions de notre territoire, l'enlèvement de nos enfants, la violence – voire les meurtres – perpétrée sur nos citoyens. Bien entendu, nous n'avons rien à reprocher à Pitha, envers qui nous n'avons toujours eu que de la sympathie. Mais tout cela exige réparation. De la part de Thuvhé, en particulier.

– Toutefois, j'ai entendu des rumeurs selon lesquelles les Shotet seraient responsables de la mort d'une oracle de Thuvhé et de l'enlèvement d'un autre, objecta Vek en entrechoquant ses bagues les unes contre les autres.

– Accusations totalement infondées, lui assura Ryzek. Quant à la raison du suicide de la doyenne des oracles de Thuvhé, nous ne pouvons la connaître. Comment pourrions-nous expliquer les actes des oracles ?

Il faisait appel au sens pratique bien connu des Pithars, qui considéraient les oracles comme des fous criant par-dessus les vagues.

Vek tapota son verre.

– Oui, nous pouvons peut-être poursuivre les discussions sur votre proposition, déclara-t-il d'un ton hésitant. Je n'exclurais pas la possibilité d'une entente entre notre planète et votre... nation.

– « Nation », répéta Ryzek avec un sourire. Oui, c'est exactement ainsi que nous souhaitons être désignés : comme une nation indépendante, libre de tracer son propre avenir.

– Excusez-moi, dis-je en effleurant le bras de Ryzek, et en espérant bien lui faire mal. Je retourne me chercher un verre.

– Bien sûr, Cyra, fit mon frère.

En me retournant, je l'entendis qui disait à Vek :

– Il faut savoir que son don-flux lui vaut des douleurs permanentes. Nous sommes toujours à la recherche de solutions pour la soulager. Certains jours sont meilleurs que d'autres...

Je m'éloignai en serrant les dents jusqu'à ce que je ne puisse plus l'entendre. Je me sentais nauséeuse. Nous avions choisi Pitha pour former une alliance à cause de son armement sophistiqué. Je savais ce que Ryzek comptait faire de ces armes : asservir Thuvhé, et pas simplement faire de Shotet une « nation indépendante ». Et, dans un sens, je venais de l'aider à y parvenir. Comment pourrais-je regarder Akos en face, maintenant, en sachant que j'aidais mon frère à préparer une guerre contre les siens ? Je n'avais aucune envie d'aller le retrouver.

On entendit soudain un grondement sourd, comme un bruit de tonnerre. Je crus d'abord – absurdement – que c'était celui de l'orage qui nous parvenait depuis la surface à travers l'océan. Puis, par des trouées dans la foule, j'aperçus à l'autre bout de la salle une rangée de musiciens. Les lumières baissèrent d'intensité, à l'exception des plafonniers qui se trouvaient au-dessus de leurs têtes. Chacun d'eux se tenait en face d'un instrument posé sur une table basse, du même genre que celui que j'avais montré à Akos au marché de Voa. Mais ceux-ci, bien plus volumineux et complexes, leur arrivaient à la ceinture. Leurs facettes grosses comme la moitié de ma paume scintillaient dans la pénombre.

Un craquement sec suivit le grondement de tonnerre, comme si la foudre avait frappé.

À ce signal, les autres musiciens se mirent à jouer. Les uns produisaient les tintements d'une pluie légère ou le martèlement de gouttes plus grosses, d'autres le son de vagues puissantes ou la caresse de l'eau sur la grève. Toute la salle se remplit de bruits d'eau, allant du *plic-plic* des gouttes tombant une à une d'un robinet jusqu'au rugissement d'une cascade. Une femme aux cheveux noirs qui se trouvait à côté de moi se mit à se balancer, les yeux fermés.

Sans que je l'aie voulu, mon regard tomba sur Akos. Il souriait doucement, nos deux verres à la main.

Il faut que je te sorte de là. Et je le ferai, lui promis-je intérieurement, comme s'il pouvait m'entendre.

▲
▲

:21
AKOS

DANS SA CHAMBRE froide et nue, quelque part dans la capitale de Pitha, Akos avait renoncé à trouver le sommeil. N'ayant jamais dormi dans la même pièce que Cyra, il ignorait jusque-là qu'elle grinçait des dents en dormant, ou qu'elle rêvait sans cesser de gémir et de marmonner. Il avait passé les trois quarts de la nuit les yeux ouverts à attendre qu'elle s'apaise, en vain.

Il n'avait jamais vu une pièce aussi dépouillée. Des murs pâles donnaient la réplique à un sol gris. Les lits, dépourvus de tout ornement, étaient recouverts de draps blancs. Au moins, il y avait une fenêtre. Aux petites heures du matin, alors que la lumière revenait doucement, Akos parvint à distinguer dans l'eau un dédale d'échafaudages, sur lesquels s'enroulaient des algues vertes et des lianes jaunâtres : les fondations de la ville.

Ainsi les Pithars et les Thuvhésit avaient un point commun : ils vivaient dans des endroits qui n'étaient pas faits pour les hommes.

Quand vinrent ces heures de l'aube, Akos fut assiégé par une question qui le taraudait : pourquoi ne s'était-il pas dérobé quand Cyra l'avait embrassé ? On ne pouvait pas dire qu'elle l'avait pris en traître : elle s'était penchée, lentement, en appuyant sa main chaude sur sa poitrine presque comme si elle le repoussait. Mais il n'avait pas bougé. Il s'était rejoué l'épisode des dizaines de fois.

Peut-être, pensa-t-il en se passant la tête sous le robinet de la salle de bains. Peut-être que ça m'a plu.

Mais cette simple idée l'effrayait. Elle impliquait que le destin qui le minait, ce destin qui tirait sur la corde rattachant son cœur à Thuvhé, n'était soudain plus qu'à quelques izits de son visage.

– TU ES BIEN SILENCIEUX, remarqua Cyra tandis qu'ils se dirigeaient côte à côte vers l'aire de chargement. C'est l'huile de moteur que nous avons bue hier qui ne te réussit pas ?

– Non. C'est simplement... le fait d'être dans un endroit nouveau.

Ça aurait été assez mesquin de la taquiner parce qu'elle parlait en dormant, sachant le genre de choses qui devait la hanter. Ce n'était pas vraiment un sujet de plaisanterie.

– Eh bien moi, j'ai des brûlures à l'estomac, l'informa-t-elle avec une grimace. Et j'avoue que je ne suis pas très captivée par Pitha.

– Sauf... commença-t-il, s'apprêtant à faire allusion au concert de la veille.

– Par sa musique, oui.

La main d'Akos la frôla, et il s'écarta aussitôt. Il avait une conscience bien trop aiguë de chaque contact avec elle, maintenant, même si elle avait promis de ne pas l'embrasser de nouveau et qu'elle n'y avait plus fait allusion.

Ils atteignirent la passerelle, où une partie de la délégation était déjà en train d'enfiler bottes et combinaisons. Ryzek, Yma, Vas et Eijeh n'étaient pas là mais ils tombèrent sur Vakrez et Malan, occupés à fouiller les piles de bottes à la recherche de leurs pointures. Malan était un homme petit et mince, avec des yeux vifs et le menton ombré par une barbe. Il formait un drôle de couple avec Vakrez, le froid commandant militaire qui s'était chargé de l'éducation shotet d'Akos.

– Bonjour, Cyra, fit Malan en la saluant d'un signe de tête, tandis que Vakrez détaillait Akos des pieds à la tête.

Celui-ci se redressa et leva le menton, sur la défensive. Il avait assez subi les reproches de Vakrez sur son dos rond, sa démarche traînante ou les mots qui lui échappaient en thuvhésit, même quand ce n'était que pour jurer.

– Kereseth, marmonna Vakrez. Tu t'es étoffé, on dirait.

– C'est parce que je le nourris, moi, contrairement aux cuisiniers de ta caserne, répliqua Cyra.

Elle colla dans les bras d'Akos une combinaison grise portant l'étiquette *XL*. Dépliée, elle lui parut presque aussi large que haute. Mais l'essentiel était que l'eau ne pénètre pas dans ses bottes.

– Bien dit, approuva Malan de sa voix un peu nasillarde.

– Tu y mangeais tous les jours, à une époque, et tu ne t'en plaignais pas, observa Vakrez en lui donnant un coup de coude viril.

– J'y allais juste pour attirer ton attention. Tu remarqueras que je n'y suis pas retourné depuis.

Akos regarda Cyra enfiler sa combinaison pour voir comment elle s'y prenait. Cela semblait si facile pour elle qu'il se demanda si elle n'était pas déjà venue, mais l'idée de la questionner devant Vakrez le mit mal à l'aise. Elle glissa les jambes dans la combinaison et resserra des sangles au niveau des chevilles dont il n'avait pas remarqué la présence. Elle fit de même avec d'autres sangles autour des poignets et remonta la fermeture jusqu'au cou. Sa combinaison était aussi informe que celle d'Akos, taillée pour quelqu'un qui n'avait pas souffert des restrictions alimentaires de Shotet.

– On pensait rejoindre l'une des équipes de ramassage, précisa Vakrez à Cyra. Mais si tu préfères qu'on y aille sur une navette à part…

– Non. J'aimerais autant essayer de me mêler aux soldats.

Ni « merci », ni autre formule de politesse. Dans le plus pur style de Cyra.

Une fois équipés, ils prirent la passerelle couverte qui menait à la navette – pas le véhicule qu'ils avaient utilisé la veille mais un flotteur plus petit, rond, au toit bombé pour que l'eau puisse s'écouler dessus.

Peu après, ils survolaient les vagues. En plissant les yeux, Akos avait un peu l'impression de voir des congères. Rel, le capitaine, leur désigna leur destination : une île vaste comme un secteur urbain, couverte d'une montagne de détritus. Les Pithars faisaient flotter leurs déchets en bloc à la surface de la mer.

De loin, on ne voyait qu'un gros tas brun et gris. Mais, en s'approchant, Akos distingua d'énormes plaques de métal tordues, de vieilles poutrelles rouillées dont dépassaient encore des broches et des écrous, des bâches détrempées de toutes les couleurs, des tessons de verre épais comme la main. Regroupés entre les tas les plus gros, il reconnut les soldats de Vakrez, tous revêtus de la même combinaison grise.

Ils se posèrent derrière eux et descendirent de la navette en file indienne, Rel fermant la marche. La pluie, qu'ils avaient juste entendue tambouriner sur le toit, se mit à crépiter sur eux à grosses gouttes qui leur frappaient la tête, les bras et les épaules. Akos fut surpris par sa tiédeur.

Un officier donnait ses instructions à ses troupes :

– Votre mission est de repérer les choses qui présentent une valeur : des moteurs de flux récents, des plaques de métal intactes, des armes cassées ou simplement jetées. Veillez à ne causer aucun incident. Si vous voyez des observateurs indigènes, montrez-vous polis et proposez-leur de venir me voir ou de s'adresser au commandant Noavek. Bienvenue, commandant.

Vakrez le salua d'un signe de tête et ajouta :

– Et n'oubliez pas qu'il en va de la réputation de votre souverain et de Shotet même. Les autres planètes nous considèrent comme des barbares et des ignorants. À vous de leur montrer qu'elles se trompent.

Cette dernière réplique provoqua quelques rires hésitants, comme si les soldats ne savaient pas trop s'il s'agissait d'une plaisanterie. Mais Vakrez n'ébaucha pas le plus petit sourire. Akos n'était pas sûr que ses muscles faciaux en soient capables, de toute façon.

– Au travail !

Quelques soldats s'élancèrent pour escalader le tas qui se dressait devant eux, principalement constitué de pièces de flotteurs. Akos concentra son attention sur les hommes qui s'attardaient derrière, à la recherche de visages qu'il aurait connus pendant sa formation, mais ils étaient difficiles à identifier, avec les casques qu'ils avaient sur la tête et les visières qui les protégeaient de la pluie. Cyra et lui n'en portaient pas et il n'arrêtait pas de cligner des paupières pour chasser les gouttes qui lui coulaient dans les yeux.

– Les casques ! s'exclama Malan. Je savais qu'on avait oublié quelque chose. Veux-tu que j'en demande un à un soldat, Cyra ?

– Non, répliqua-t-elle sèchement. Je veux dire… non merci.

– Ah, les Noavek, commenta-t-il. Comment se fait-il que des mots aussi simples que « s'il vous plaît » ou « merci » vous soient si peu naturels ?

– Ça doit être dans les gènes. Allez, viens, Akos. Je crois que je viens de repérer quelque chose d'intéressant.

Elle glissa une main dans la sienne, spontanément. Et peut-être cela aurait-il dû l'être pour lui ; un simple geste pour soulager sa douleur, comme par le passé. Mais après la façon dont elle l'avait touché sur le vaisseau de séjour, avec respect, ferveur, comment pouvait-il encore accomplir ce geste naturellement ? Il ne pouvait pas s'empêcher de se demander s'il le faisait comme il fallait. Serrait-il trop fort ? Pas assez… ?

Ils passèrent entre deux amas de pièces de flotteurs, puis se dirigèrent vers une zone recouverte de ferraille, dont certaines pièces avaient les tons chauds d'une peau dorée par le soleil. Akos s'approcha du bord de l'île, où d'énormes poutres métalliques lui donnaient sa forme, dictée par l'homme. Ils ne cherchaient ni armes, ni bouts de métal, ni machines, mais des petits objets qui raconteraient une histoire : jouets cassés, vieilles chaussures ou ustensiles de cuisine…

Cyra s'agenouilla à côté d'un poteau tordu, éraflé à la base comme s'il avait subi une collision. Elle tira dessus et il sortit de l'amas en remuant de vieilles boîtes de conserve et des tuyaux percés. Enfin, au bout du poteau, qui était deux fois plus grand qu'Akos, apparut un drapeau déchiré, gris, au centre duquel était tracé un cercle comportant des symboles.

– Regarde ça ! lui lança-t-elle en souriant. C'est leur ancien drapeau, celui qu'ils avaient avant d'être acceptés dans l'Assemblée des Neuf Planètes. Il a au moins trente saisons.

– Il devrait être totalement désintégré par la pluie, non ? s'étonna Akos en pinçant le bord élimé de la toile.

– Les Pithars sont spécialisés dans les matériaux durables : verre anti-érosion, métal inoxydable, tissu indéchirable. Sans parler des plateformes flottantes qui peuvent porter des villes entières.

– Ils n'ont pas de fil de pêche ?

Elle secoua la tête.

– Il n'y a pas assez de poissons vers la surface pour la pêche traditionnelle. Ils ont des engins de pêche hauturière pour ça. On dit qu'ils arrivent à nourrir une ville entière avec un seul poisson.

– Vous vous faites toujours un point d'honneur à apprendre autant de choses sur les endroits que vous n'aimez pas ?

– Comme je te l'ai signalé hier, je n'ai pas d'amis, ça me laisse du temps libre. Bon, essayons de dénicher d'autres reliques incrustées d'algues.

Akos poursuivit son inspection en bordure de l'île, à la recherche de… rien de spécial, à vrai dire. Au bout d'un moment, tout finit par se ressembler ; le métal rouillé lui paraissait aussi irrécupérable que le tissu rembourré et toutes les étoffes se brouillaient en une même couleur. Tout au bord, il repéra un squelette d'oiseau à moitié rongé, aux pattes palmées – un oiseau nageur, donc – et au bec recourbé.

Tout à coup, il entendit Cyra crier derrière lui et fit volte-face. Elle appelait les autres en souriant dans un éclair de dents blanches. Il revint vers elle, s'attendant à ce qu'elle lui montre quelque chose de brillant, quelque chose d'utile, mais ce n'était qu'un bout de métal, comme le reste. D'un ton d'argent terni.

– Mais… Commandant Noavek ! lança la femme soldat qui l'avait rejointe en premier, les yeux écarquillés sous sa visière ruisselante de pluie.

Vakrez arriva au pas de course.

– J'ai repéré un coin qui dépassait et j'ai creusé ! s'exclama Cyra, tout excitée. Ça m'a l'air d'être gros.

Akos vit de quoi elle parlait. Quoi que cela puisse être, c'était épais, et on voyait luire des éclats de la même matière entre les autres débris. La plaque semblait aussi longue que le mât du drapeau. Mais il ne comprenait pas leur enthousiasme.

– Cyr… Euh, mademoiselle Noavek ? dit-il d'un ton interrogateur.

– Il s'agit du matériau le plus précieux de Pitha, lui expliqua-t-elle en repoussant le pan de toile mouillée qui recouvrait la plaque. De l'agneto. Assez solide pour supporter des chocs aussi violents que des chutes d'astéroïdes, et très résistant à la pression quand on suit le ruban-flux. Depuis dix saisons, c'est la seule matière qu'on utilise pour réparer le vaisseau de séjour. Mais elle est très difficile à trouver.

La moitié de l'équipe était arrivée en courant et tous s'étaient joints à Cyra pour dégager la plaque, la plupart aussi ravis qu'elle. Reculant un peu, Akos les regarda creuser jusqu'à avoir dégagé assez de surface pour disposer d'une prise. Ensemble, ils la tirèrent de l'amas de détritus et la transportèrent sur la navette, dont la soute était assez grande pour la contenir.

Akos ne savait pas quoi penser du fait de voir Cyra et Vakrez Noavek travailler au milieu des soldats, la royauté se mêler au peuple. Cyra affichait cette expression qu'elle avait lorsqu'ils préparaient des mélanges de fleurs-des-glaces et que l'une de ses tentatives était enfin couronnée de succès. Une espèce de fierté, pensa-t-il, le sentiment de se rendre utile.

Ça lui allait bien.

Petit, il avait rêvé de voyager dans l'espace. Comme tous les enfants de Hessa, dont la plupart étaient trop pauvres pour espérer y aller un jour. La famille Kereseth faisait partie des privilégiés, mais ce n'était rien comparé aux fermiers de Shissa ou d'Osoc, plus haut dans le Nord. Cependant, son père lui avait promis qu'il l'emmènerait un jour visiter une autre planète. Celle qu'Akos choisirait. Il n'avait pas songé à Pitha. Personne à Thuvhé ne savait nager, l'eau se présentant le plus souvent chez eux sous forme de glace. Mais voilà qu'il y était allé. Il avait entendu le martèlement des vagues, vu la surface écumeuse depuis le ciel, ressenti sa propre insignifiance en arrivant sur la plateforme d'atterrissage cernée par les eaux, le crâne pilonné par la pluie tiède.

Maintenant, alors qu'il commençait tout juste à s'y habituer, ils repartaient. Il était assis dans le flotteur, sa combinaison dégoulinant sur le plancher, un flacon d'eau de pluie à la main. Cyra le lui avait donné pendant qu'ils chargeaient l'agneto à bord.

– En souvenir de ton premier voyage sur une autre planète, lui avait-elle dit en haussant les épaules, comme si c'était sans importance.

Si ce n'est qu'il était en train de découvrir que peu de choses étaient sans importance aux yeux de Cyra.

Akos ne voyait pas l'intérêt de garder un souvenir. À qui aurait-il pu le montrer ? Il ne reverrait jamais sa famille. Il mourrait chez les Shotet.

Mais il devait garder espoir, au moins pour Eijeh. Peut-être pourrait-il emporter le flacon chez lui, une fois que Jorek les aurait fait évader. Cyra serrait entre ses poings le vieux drapeau pithar posé sur ses genoux et, même si elle ne souriait pas, une énergie sauvage illuminait son visage.

– Vous avez fait du bon travail, on dirait, lui dit-il quand il fut sûr que Vakrez et Malan ne les écoutaient pas.

– Oui. Oui, c'est vrai.

Elle hocha la tête, une fois. Puis, au bout d'une seconde, elle ajouta :

– Sans doute que ça devait se passer un jour ou l'autre. Ça devait m'arriver.

– Vos ombres-flux sont moins sombres que d'habitude, observa-t-il en se laissant aller contre son siège.

Elle ne répondit pas et fixa les marbrures qui couraient sur sa paume – plus grises que noires, à cet instant –, pendant tout le trajet de retour jusqu'au vaisseau.

Ils rentrèrent assez rapidement, trempés jusqu'aux os. D'autres navettes de ramassage étaient déjà revenues et, un peu partout, des gens dégoulinants se racontaient leurs aventures. Ils enlevèrent leurs combinaisons – soi-disant – imperméables et les déposèrent sur des piles destinées au nettoyage.

– Comment se fait-il que les Shotet aient des stocks de combinaisons imperméables sous la main ? demanda Akos à Cyra tandis qu'ils regagnaient ses appartements.

– Nous sommes déjà venus à Pitha. Nos spécialistes préparent les séjours selon les spécificités de chaque planète. Et, à partir d'un certain âge, chaque Shotet sait à peu près comment survivre dans n'importe quel environnement. Dans le désert, la montagne, l'océan, les marais…

– Le désert… Je ne peux pas imaginer quel effet ça fait de marcher sur du sable brûlant.

– Tu le feras peut-être un jour.

Le sourire d'Akos s'effaça. Elle avait sans doute raison. Combien de séjours effectuerait-il avant de mourir pour la famille Noavek ? Deux ? Trois ? Vingt ? Sur combien de planètes poserait-il le pied ?

– Ce n'est pas ce que je… commença Cyra. La vie est longue, Akos.

– Mais les destins sont figés, objecta-t-il en repensant à sa dernière conversation avec sa mère.

Et peu d'entre eux semblaient aussi arrêtés que le sien. La mort. Au service de la famille Noavek. C'était assez limpide.

Cyra s'arrêta. Ils n'étaient pas loin du gymnase et l'air sentait la sueur. Elle lui saisit fermement le poignet.

– Si je t'aidais à partir, tout de suite, tu le ferais ?

Le cœur d'Akos se mit à battre plus fort.

– Qu'est-ce que vous racontez ?

Elle approcha son visage du sien. Il s'aperçut tout à coup qu'elle avait les yeux très sombres. Presque noirs. Et très vifs, comme si la douleur qui la tenaillait lui donnait en même temps un surcroît d'énergie.

– C'est la pagaille dans l'aire de chargement, répondit-elle. Les portes s'ouvrent toutes les cinq minutes pour laisser entrer une navette. Tu crois qu'ils arriveraient à t'arrêter si tu volais un flotteur, là, tout de suite ? Tu pourrais être chez toi dans quelques jours.

Chez lui dans quelques jours. Le souvenir de sa maison envahit Akos comme une odeur familière. Cisi, capable d'apaiser n'importe qui d'un simple sourire. Sa mère, qui les taquinait en leur posant des énigmes inspirées de ses prophéties. Leur petite cuisine toujours bien chauffée, avec sa lampe rouge à pierres-ardentes. La mer d'herbe-plume qui venait lécher leurs murs, avec ses plumeaux qui balayaient les fenêtres. L'escalier qui craquait pour monter dans leur chambre, à lui et à…

– Non, fit-il en secouant la tête. Pas sans Eijeh.

– C'est bien ce que je pensais, dit tristement Cyra en lui lâchant le bras.

Elle se mordit les lèvres d'un air préoccupé. Ils firent tout le reste du chemin en silence et elle fila dans la salle de bains pour mettre des vêtements secs. Akos, par réflexe, se planta devant le fil d'informations.

D'ordinaire, Thuvhé n'était mentionnée que dans les brèves qui défilaient en bas de l'écran, et, même alors, les nouvelles ne concernaient que la production de fleurs-des-glaces – la seule chose qui intéressait vraiment les autres planètes. Mais, ce jour-là, les images montraient une ville totalement enfouie sous la neige.

Akos connaissait cet endroit : Osoc, la ville la plus septentrionale de Thuvhé, blanche et gelée. Les constructions y flottaient dans le ciel comme des nuages de verre, maintenus dans les airs par une obscure technologie othyrienne. Ils étaient en forme de goutte d'eau, de pétale fané, aux deux extrémités en pointe. Équipés de leurs vêtements les plus chauds, les Kereseth étaient allés une fois à Osoc rendre visite à des cousins et ils avaient logé dans leur appartement, suspendu dans le ciel comme un fruit mûr qui ne tomberait jamais. Même aussi au nord, on trouvait encore des fleurs-des-glaces, mais on ne les distinguait que sous l'aspect de petites taches de couleur, loin, très loin, tout en bas.

Akos s'assit sur le lit de Cyra en mouillant les draps au passage avec ses vêtements humides. Il avait du mal à respirer, tout à coup. *Osoc, Osoc, Osoc,* tournait la litanie dans sa tête. Des flocons blancs dans le vent. Les motifs dessinés par le givre sur les fenêtres. Les tiges des fleurs-des-glaces rendues si cassantes par le gel qu'elles se brisaient dès qu'on les touchait.

– Qu'est-ce qui se passe ? lui demanda Cyra qui sortait de la salle de bains en se tressant les cheveux.

Ses mains retombèrent lorsqu'elle vit l'écran.

Le gros titre annonçait : « La chancelière prédestinée de Thuvhé sort de l'anonymat ».

Akos tapa sur l'écran pour monter le son. La voix marmonnait en othyrien : « … elle promet de s'opposer fermement à Ryzek Noavek, au nom des oracles de Thuvhé disparus il y a deux saisons dans une invasion shotet sur le sol thuvhésit ».

– Votre chancelière n'est pas élue par le peuple ? s'étonna Cyra. Je croyais qu'on disait « chancelier » et non « souverain » parce que cette position résultait d'un vote et non d'un héritage.

– Les chanceliers de Thuvhé sont élus par le destin. Ils disent, *on* dit qu'ils sont élus par le flux. À certaines périodes, nous n'en avons pas et nous sommes dirigés par des représentants régionaux. Eux sont élus par le peuple.

– Ah.

Cyra s'assit à côté de lui pour regarder l'écran.

On voyait des gens attroupés sur la plateforme d'atterrissage, chaudement couverts bien qu'elle fût abritée. La porte d'une navette posée en bordure de la plateforme était en train de s'ouvrir, et une femme en sortit, saluée par les acclamations de la foule. Les rétines fondirent sur elle et voletèrent en vibrant comme des mouches autour de son visage. Son nez et sa bouche étaient masqués par une écharpe, mais on distinguait ses yeux sombres à la forme un peu tombante, piquetés de gris plus pâle autour de la pupille. Il la connaissait.

Il la *connaissait*.

– Ori, murmura-t-il dans un souffle.

Tout de suite derrière elle surgit une autre femme, tout aussi grande, aussi mince et aussi emmitouflée. Lorsque les rétines se concentrèrent sur elle, Akos vit qu'elles étaient identiques : même silhouette, même yeux. Des jumelles, très probablement.

– Tu les connais ? demanda Cyra à mi-voix.

Akos hésita. Si Ori s'était toujours fait appeler Rednalis – un nom qui ne figurait pas parmi ceux des enfants prédestinés –, c'était que son identité réelle représentait un danger pour elle. Il valait donc peut-être mieux qu'il se taise.

Mais... eut-il juste le temps de penser, avant de laisser les mots débouler de sa bouche :

– C'était une amie de la famille quand j'étais petit. Quand elle était petite. Elle avait un faux nom.

– Isae et Orieve Benesit, lut Cyra sur l'écran.

Les jumelles montèrent les marches d'un bâtiment. Elles étaient gracieuses. Le vent plaquait contre elles leurs manteaux boutonnés sur l'épaule. Akos n'identifia pas le tissu noir, sans une trace de neige malgré la tempête, ni la fourrure de leurs écharpes. Sûrement des matières en provenance d'autres planètes.

– Elle se faisait appeler Rednalis, précisa-t-il. Un nom typique de Hessa. La dernière fois que je l'ai vue, c'est le jour où l'Assemblée a révélé les destins.

Isae et Orieve s'arrêtèrent sur le seuil pour saluer la foule. Puis, juste avant qu'elles disparaissent à l'intérieur, Akos entrevit un mouvement. L'une des deux passa le bras autour du cou de sa sœur pour lui faire pencher la tête vers elle. Comme le faisait Orieve avec Eijeh pour lui murmurer quelque chose à l'oreille.

Akos ne vit pas bien la suite, à cause des larmes qu'il avait dans les yeux. C'était Ori, qui avait son assiette à la table familiale, qui l'avait connu avant qu'il devienne... ça. Cet être vêtu d'une cuirasse, plein de rancœur, capable de tuer.

– Mon pays a une nouvelle chancelière, articula-t-il.

– Félicitations.

Puis Cyra demanda d'un ton hésitant :

– Pourquoi me dis-tu tout cela ? Ce n'est sans doute pas une information à crier sur les toits ici. Son faux nom, le fait que tu l'aies connue...

Akos chassa ses larmes.

– Je ne sais pas. Peut-être parce que je vous fais confiance.

Elle leva une main et la laissa planer au-dessus de son épaule avant de se décider à la poser, très doucement. Et ils restèrent assis côte à côte, les yeux rivés sur l'écran.

– Je ne t'empêcherais jamais de partir, reprit-elle dans un murmure presque inaudible, plus bas qu'il ne l'avait jamais entendue parler. Tu le sais, non ? Plus maintenant. Si tu voulais t'enfuir, je t'aiderais.

Il posa sa main sur la sienne ; c'était un geste léger, mais chargé d'une énergie nouvelle.

Comme un manque qu'il se déciderait à reconnaître.

– Si… Quand, *quand* j'arriverai à libérer Eijeh, un jour, vous viendrez avec moi ?

– Je crois bien que oui, figure-toi. Mais pour cela, précisa-t-elle avec un soupir, il faudra d'abord que Ryzek soit mort.

Tandis que le vaisseau reprenait le chemin de Shotet, des nouvelles du succès diplomatique de Ryzek sur Pitha leur parvinrent par bribes. Akos découvrit qu'Otega était la principale informatrice de Cyra. Et qu'elle savait interpréter les choses avant même qu'elles soient dites.

– Le souverain est content, annonça-t-elle un soir en venant leur déposer une marmite de soupe. Je crois qu'il a passé une alliance. Entre une nation traditionnellement respectueuse des destins comme l'est Shotet et une planète totalement laïque comme Pitha, ce n'est pas un mince exploit.

Elle posa sur Akos un regard intrigué.

– Kereseth, je suppose. Cyra ne m'avait pas dit que tu étais aussi…

Adossée au mur, les bras croisés, elle haussa les sourcils comme s'ils étaient montés sur ressorts. Elle mâchouillait une mèche de cheveux, ce qui lui arrivait souvent sans qu'elle s'en aperçoive. Puis elle la recrachait, l'air étonné de les trouver dans sa bouche.

– … grand, acheva-t-elle.

Akos se demanda quel mot elle aurait prononcé si elle s'était autorisée à être sincère.

– Et alors ? répliqua-t-il. Elle aussi, elle est grande.

Il se sentait à l'aise avec Otega, et se laissait aller sans réfléchir en sa présence.

– Oui. Vous êtes tous grands, de toute façon, fit Otega d'un ton évasif. Bon, j'espère que la soupe vous plaira.

Dès qu'elle fut partie, Cyra se dirigea droit vers l'écran pour traduire le fil d'informations à Akos. Cette fois, le décalage entre le discours en othyrien et les sous-titres était flagrant. Ceux-ci annonçaient : « La chancelière pithare entame des négociations en vue d'un soutien amical après la visite des Shotet sur sa planète. » Alors que la voix de l'Assemblée disait : « À la suite des discussions de Pitha avec les responsables de Shotet en vue de fournir à ces derniers une aide tactique, la chancelière Benesit de Thuvhé menace la planète océane d'un embargo sur les fleurs-des-glaces. »

– On dirait que ta chancelière n'apprécie pas l'opération de charme de Ryzek, observa Cyra.

– Logique, dit Akos. Ryzek est en train d'essayer de conquérir Thuvhé.

Cyra émit un petit grognement.

– En tout cas, cette traduction n'a pas la subtilité habituelle de Malan. Ils ont dû prendre quelqu'un d'autre. Il préfère toujours biaiser l'information que la changer complètement.

– Vous voulez dire que vous pouvez deviner qui s'est chargé de la traduction ? demanda-t-il avec un petit rire.

– Le baratin des Noavek requiert du talent, répondit Cyra en baissant le son. On nous y forme dès la naissance.

Leurs appartements – puisque c'était ainsi qu'Akos avait commencé à les considérer, non sans que cela le perturbe – constituaient l'œil du cyclone, une oasis de calme au milieu du chaos. Partout ailleurs sur le vaisseau, tout le monde s'activait aux préparatifs de l'atterrissage. Akos n'en revenait pas que le séjour touche déjà à sa fin. Il avait l'impression qu'ils venaient à peine de décoller de Voa.

Le jour où le ruban-flux perdit ses dernières traînées de bleu, il sut que l'heure était venue d'honorer la promesse faite à Jorek.

– Vous êtes sûre que Suzao ne va pas se contenter de me dénoncer à Ryzek pour l'avoir drogué ? demanda-t-il à Cyra.

– C'est un soldat dans l'âme, lui répéta-t-elle pour la centième fois en tournant une page de son livre. Il préfère régler ses problèmes lui-même. Te dénoncer serait de la lâcheté.

Fort de cette assurance, Akos prit la direction de la cafétéria, désagréablement conscient de ses battements de cœur précipités et des tics nerveux qui agitaient ses doigts. À ce moment de la semaine, Suzao mangeait dans l'une des cafétérias des niveaux inférieurs. Hiérarchiquement, il ne figurait qu'au dernier rang des zélateurs de Ryzek. En conséquence, il était la personne la moins importante presque partout où il allait. En revanche, aux niveaux inférieurs, près des ronflements de la salle des machines, pour une fois, il gagnait du galon. Ce qui faisait de cet endroit le lieu idéal pour le provoquer ; il ne pourrait pas se laisser humilier par un domestique devant des inférieurs sans réagir.

Jorek avait promis d'aider Akos pour la dernière étape de leur plan. Il se tenait quelques mètres devant son père dans la queue quand Akos entra dans la vaste salle humide, bondée et enfumée. Toutefois, il flottait dans l'air de riches odeurs d'épices qui le firent saliver.

À une table proche, des adolescents avaient repoussé leurs plateaux pour jouer avec des petits appareils qui auraient pu tenir dans une main. C'était des assemblages de fils métalliques et de rouages, posés en équilibre sur des roues. L'un d'eux était muni à l'avant d'une série de pinces, un autre d'une lame, et un troisième d'un marteau de la taille d'un pouce. Et ils se poursuivaient sur la table à l'intérieur d'un cercle tracé à la craie, dirigés par des télécommandes. À chaque collision, les observateurs braillaient des recommandations : « Attaque sa roue droite ! » ; « Hé, à quoi elles te servent, tes pinces ? » Les jeunes portaient des vêtements dépareillés, à dominante de bleu, de violet et de vert. Ils avaient un côté de la tête rasé et l'autre orné de tresses empilées sur le haut du crâne, et leurs bras nus étaient ornés de bracelets en ficelle de couleur. Un élan de sympathie s'empara d'Akos tandis qu'il s'imaginait soudain dans la peau d'un jeune Shotet, suivant le jeu les bras croisés ou muni d'une télécommande.

Cela n'était jamais arrivé et n'arriverait jamais. Mais, l'espace de quelques secondes, il eut le sentiment que cela aurait pu être.

Il prit un plateau près du comptoir. Puis, sa fiole de somnifère cachée dans son poing, il dépassa quelques personnes pour se rapprocher de Suzao. Pile au bon moment, Jorek bouscula la femme qui se trouvait devant lui et laissa échapper son plateau en lui aspergeant le dos de soupe. Elle lâcha un juron, et Akos profita de la diversion pour verser discrètement l'élixir dans la tasse de Suzao. Il passa ensuite devant Jorek, qui essayait d'aider la femme à s'essuyer tandis qu'elle le repoussait en pestant.

Akos respira un grand coup en voyant Suzao s'asseoir à sa table habituelle.

À Hessa, Suzao Kuzar s'était introduit chez lui avec les autres. Il avait regardé Vas tuer son père sans broncher. Il avait laissé l'empreinte de ses doigts sur les murs de la maison des Kereseth, celle de ses pas sur le sol, marquant de violence chaque recoin du havre de paix d'Akos. Ces souvenirs, plus vifs que jamais, raffermirent Akos dans sa résolution.

Il posa son plateau en face de celui de Suzao, dont les yeux comptèrent ses marques en glissant comme une main le long de son bras.

– Vous vous souvenez de moi ?

Akos avait beau dépasser Suzao en taille, celui-ci était si large d'épaules que le rapport de forces semblait toujours nettement à son avantage. Son nez était parsemé de taches de rousseur. Jorek ressemblait beaucoup plus à sa mère. Tant mieux.

– Le gamin pitoyable que j'ai traîné à travers la Traverse ? fit Suzao en mordant les dents de sa fourchette. Et rossé avant même qu'on ait regagné la navette ? Ouais, ouais, je me souviens. Maintenant, vire ton plateau de ma table.

Akos s'assit en croisant les mains. Une poussée d'adrénaline avait focalisé sa vision, dont Suzao occupait très précisément le centre.

– Ça va, vous ? Vous n'avez pas sommeil ? fit-il en posant le flacon devant son assiette.

Le flacon était encore humide du somnifère qu'il venait de verser dans la tasse de Suzao. Le silence, partant de leur table, s'étendit par vagues dans toute la salle.

Des plaques rouges se répandirent à toute vitesse sur le visage de Suzao, qui fixait le flacon d'un regard voilé par la rage.

Akos se pencha vers lui en souriant.

– Vos appartements ne sont peut-être pas aussi sécurisés qu'il le faudrait. Ça fait, quoi, trois fois qu'on vous drogue ce dernier cycle ? Vous devriez être plus vigilant.

Suzao se jeta sur lui. Le saisit à la gorge, le souleva et lui cogna la tête sur le plateau. Une giclée de soupe brûla Akos à travers sa chemise. Sortant son couteau, Suzao le pointa sur son visage comme s'il allait le lui ficher dans l'œil.

Akos vit des étincelles.

– Je devrais te tuer, gronda Suzao en postillonnant.

– Allez-y, se força à articuler Akos. Cela dit, vous devriez peut-être attendre de tenir sur vos jambes.

Et, en effet, Suzao ne semblait plus très assuré. Il lui lâcha la gorge.

– Très bien. Tu as raison. Nous réglerons ça dans l'arène. Dans un duel à mort. Avec des lames.

Exactement la réaction espérée.

Akos releva lentement la tête, en veillant à mettre en évidence ses mains tremblantes et sa chemise tachée de soupe. Cyra lui avait conseillé de faire de son mieux pour que Suzao le sous-estime avant leur affrontement dans l'arène. Il essuya les postillons de Suzao qui piquetaient sa joue et hocha la tête.

– J'accepte.

Comme aimantés, ses yeux croisèrent ceux de Jorek. Il paraissait soulagé.

▲
▲

22: CYRA

Je n'avais aucune nouvelle des renégats. Pas de petit papier glissé dans ma poche à la cafétéria, pas de message chuchoté à mon oreille dans les couloirs du vaisseau. Personne n'avait piraté mes écrans ni créé de perturbation pour essayer de me kidnapper. Quelques jours après le ramassage, je regagnais mes appartements lorsque je vis une tête blonde sautiller devant moi : c'était Teka. Elle tenait un chiffon sale dans ses mains graisseuses. Elle me fit signe en repliant l'index et en me glissant un petit coup d'œil, et je la suivis.

Elle me mena, non dans une pièce ou un passage secret, mais à l'aire de chargement. Il y faisait sombre, et les silhouettes des navettes faisaient penser à d'énormes bêtes roulées en boule dans leur sommeil. Une lumière était restée allumée dans le fond, suspendue à l'aile de l'une des navettes les plus grosses.

Si la pluie et le tonnerre étaient une douce musique aux oreilles des Pithars, c'était le ronronnement des moteurs qui charmait le plus celles des Shotet, parce qu'il représentait le bruit du vaisseau de séjour, celui de notre mouvement le long du flux. Il y avait donc une logique à ce que les renégats aient choisi cette zone-ci, outre le fait que l'écho des conversations y était noyé par le ronflement des machines. Je tombai sur un petit groupe d'individus dépenaillés, tous en combinaison de mécanicien – ce qu'ils étaient peut-être d'ailleurs –, aux visages couverts de masques noirs, comme celui que portait Teka quand elle m'avait attaquée.

Elle sortit un couteau et posa la lame sur ma gorge. Une lame froide, à l'odeur douce qui n'était pas sans rappeler les potions d'Akos.

– Fais un pas de plus vers eux et je t'égorge, me dit-elle.

– Ne me dis pas que c'est ça, ton équipe ?

Dans un coin de ma tête, je passai en revue les moyens de me libérer, envisageant sérieusement de lui écraser les orteils.

– Tu crois qu'on prendrait le risque de te présenter l'ensemble du groupe ?

L'une des attaches métalliques qui fixaient la lampe à la navette tomba et l'ampoule, qui ne tenait plus que par un côté, se mit à osciller.

– C'est toi qui voulais nous rencontrer, fit d'un ton bourru un homme massif qui me sembla plus âgé que les autres. Qu'est-ce que tu veux, au juste ?

J'eus du mal à avaler ma salive. Et ce n'était pas à cause du couteau que Teka pressait toujours sur ma gorge. Le plus dur était de me décider à formuler ce qui occupait mes pensées depuis des cycles. De passer enfin à *l'action*, pour la première fois de ma vie.

– Je veux un moyen de transport sûr pour faire quitter la planète à quelqu'un. Quelqu'un qui ne veut pas vraiment partir.

– Quelqu'un ? reprit l'homme. Qui ça ?

– Akos Kereseth.

J'entendis des marmonnements.

– Pourquoi chercher à le faire partir s'il ne le veut pas ?

– C'est… C'est compliqué. Son frère est ici aussi. Mais il est fichu. Impossible à sauver.

J'ajoutai après une pause :

– Il y a des gens que l'amour rend naïfs.

– Ah, murmura Teka. Je vois.

J'avais l'impression que ses compagnons se moquaient de moi, qu'ils souriaient sous leurs masques, et cela m'exaspéra. Je saisis le poignet de Teka et le tordis violemment en détournant son arme de ma gorge. Elle gémit et je m'emparai du couteau en pinçant la lame entre deux doigts. Puis je le fis tourner pour l'attraper par le manche, la main rendue glissante par une substance poisseuse qui recouvrait le métal. Avant que Teka ait pu recouvrer ses esprits, je la plaquai dos contre moi en pointant l'arme sur son flanc. Je me concentrai de toutes mes forces pour garder la douleur du flux en moi, les dents serrées pour ne pas crier, haletant dans son oreille. Elle resta immobile.

– Moi aussi, je suis peut-être naïve, mais je ne suis pas totalement stupide. Vous croyez que je ne saurais pas vous identifier à votre manière de marcher, de parler ? Si je voulais vous trahir, ce n'est pas en portant un masque ou en me menaçant avec un couteau que vous m'en empêcheriez. Et vous savez aussi bien que moi que je ne peux pas vous dénoncer sans me dénoncer en même temps. Alors, on mène cette discussion dans un esprit de confiance mutuelle, oui ou non ?

Je lâchai Teka et lui tendis son couteau. Elle me foudroya du regard en se frottant le poignet, mais le reprit sans un mot.

– Bon, c'est d'accord, dit l'homme.

Il ôta son masque, exhibant une barbe extrêmement fournie. Quelques autres l'imitèrent. Jorek était parmi eux, les bras croisés. Sa présence n'avait rien d'étonnant. D'autres étaient restés masqués, mais peu m'importait ; c'était leur porte-parole qui m'intéressait.

– Je m'appelle Tos, déclara celui-ci. Et je pense que nous pouvons faire ce que tu demandes. Mais tu te doutes bien que nous voulons quelque chose en échange.

– Que souhaitez-vous que je fasse ?

Tos croisa ses gros bras. Il portait des vêtements en tissu d'autres planètes, trop légers pour la saison froide de Shotet.

– On a besoin de ton aide pour pénétrer dans le manoir des Noavek, quand on sera rentrés du séjour.

– Tu es un exilé ? demandai-je. Ces habits ne sont pas de chez nous.

Les renégats étaient-ils en contact avec les exilés ? Ça aurait été logique, mais je n'avais pas réfléchi jusque-là à tout ce qu'impliquait une telle hypothèse. Les exilés représentaient sans conteste une force d'opposition plus puissante que les renégats qui s'étaient dressés contre mon frère, et un danger plus sérieux pour moi, à titre personnel.

– Nous ne faisons pas de distinction, me répondit-il. Nous voulons tous la même chose : renverser ton frère et retrouver la société shotet telle qu'elle existait avant que votre famille instaure le règne de l'injustice.

– *Le règne de l'injustice*... Jolie formule.

– Elle n'est pas de moi, répliqua Tos sans se dérider.

– En termes plus concrets, intervint Teka, vous nous laissez mourir de faim et vous vous accaparez les médicaments. Et je ne parle pas de nous arracher les globes oculaires, ou autres pratiques susceptibles de divertir Ryzek.

J'allais protester que je n'avais personnellement jamais rien de fait de tel, quand je réalisai que ce n'était pas vraiment la question.

– Bien. Donc... le manoir des Noavek. Et que comptez-vous y faire ?

C'était le seul endroit auquel je pouvais leur permettre d'accéder. Je connaissais tous les codes de Ryzek. Quant aux portes les plus sécurisées, il les avait fait équiper de serrures à empreinte génétique dans le cadre du système qu'il avait mis en place après la mort de mes parents. J'étais la seule à partager les gènes de Ryzek. Mon sang pouvait les faire entrer n'importe où.

– Je ne pense pas que tu aies besoin de le savoir.

Je fronçai les sourcils. Il n'y avait qu'un nombre limité de raisons susceptibles d'amener un groupe de renégats dans le manoir des Noavek. Je tentai une hypothèse :

– Soyons clairs. Vous me demandez de participer à une tentative d'assassinat sur mon frère ?

– Ça te pose un problème ?

– Non. Plus maintenant.

Malgré tout ce que m'avait fait Ryzek, je fus étonnée que la réponse me soit venue aussi facilement. C'était mon frère, nous étions du même sang. Et il représentait aussi la dernière garantie de sécurité qu'il me restait ; ceux qui le renverseraient n'auraient aucune raison d'épargner la vie de sa sœur, son Fléau. Mais, en me forçant à participer à l'interrogatoire de Zosita et en menaçant Akos, il avait perdu le peu de loyauté que j'avais encore envers lui.

– Bien, dit Tos. On te contactera.

TOUT EN LISSANT MA JUPE sur mes genoux croisés, je cherchai des yeux le régiment de Suzao Kuzar. Ses soldats étaient tous là, en haut du balcon, à échanger des regards excités.

Parfait, songeai-je. Ils étaient totalement confiants, ce qui signifiait que Suzao Kuzar l'était aussi. Cela le rendrait plus facile à vaincre.

L'arène résonnait de murmures. L'assistance n'était pas aussi nombreuse ce soir-là que pour mon duel avec Lety quelques cycles auparavant, mais bien plus que n'en attiraient généralement des duels contre les Restitués. Cela aussi, c'était une bonne chose. En principe, il suffisait d'en gagner un pour améliorer son statut social. Mais, pour que cette ascension ait une vraie valeur, il fallait que toute la société shotet s'accorde à la reconnaître. Plus la victoire d'Akos sur Suzao aurait de témoins, plus il serait considéré, et plus il lui serait facile de faire évader Eijeh. Le pouvoir dans un secteur avait tendance à se propager à d'autres sphères – en donnant de l'influence sur les bonnes personnes.

Ryzek n'assistait pas au duel, mais Vas me rejoignit sur la plateforme réservée aux officiels de haut rang. Nous étions assis chacun à une extrémité. On me dévisageait moins dans les lieux mal éclairés, où mon don-flux était plus discret. Mais je ne pouvais pas le cacher à Vas, qui se tenait assez près pour voir ma peau se couvrir de vrilles noires chaque fois que j'entendais le nom d'Akos dans la foule.

– Au fait, je n'ai pas signalé à Ryzek que tu avais parlé à la fille de Zosita dans l'aire de chargement, avant le ramassage, m'informa-t-il quelques instants avant que Suzao entre dans l'arène.

Mon pouls s'accéléra. J'avais brusquement la sensation que ma rencontre avec les renégats était inscrite sur mon front, visible pour quiconque me regarderait avec assez d'attention. Je tâchai de garder mon calme en répondant :

– À ma connaissance, aucun règlement n'interdit de bavarder avec les mécaniciens.

– Ça ne l'aurait peut-être pas intéressé avant, mais ça l'interpellerait certainement aujourd'hui.

– Suis-je censée te remercier pour ta discrétion ?

– Non. Plutôt considérer cela comme une deuxième chance. Veille à ce que ces bêtises ne soient qu'une faiblesse passagère, Cyra.

Je me tournai de nouveau vers l'arène. Les lumières baissèrent et les haut-parleurs grincèrent, signalant qu'on branchait les micros placés au-dessus des combattants. Suzao entra le premier, salué par des hurlements et des acclamations. Il leva les bras pour les encourager et obtint ce qu'il voulait : le public s'époumona de plus belle.

– Quelle arrogance, marmonnai-je.

Non pas à cause de son geste, mais de sa tenue : il se présentait en bras de chemise, n'ayant pas jugé nécessaire de se munir de sa cuirasse. Mais cela faisait longtemps qu'il n'avait pas vu Akos se battre.

Celui-ci arriva peu après, revêtu de celle qu'il avait acquise et des bottes solides qu'il portait à Pitha. Il fut accueilli par des huées et des gestes obscènes, mais ne parut pas s'en formaliser. Il semblait ailleurs ; même son éternelle lueur de défiance avait déserté son regard.

Suzao sortit une lame et les yeux d'Akos se durcirent, comme s'il venait de prendre une décision. Il prit son arme à son tour et je la reconnus ; c'était celle que je lui avais offerte, le couteau tout simple que j'avais acheté au Zoldien.

Aucune vrille du flux ne s'enroula autour de son poignet. Aux yeux des Shotet, si habitués à voir les gens combattre avec des lames-flux, il dut être immédiatement considéré comme un homme mort. En même temps, tous les murmures qui couraient sur sa résistance au flux se trouvaient soudain confirmés. Et tant mieux si son don-flux était de nature à les effrayer ; la capacité à inspirer la peur était aussi une forme de pouvoir. J'étais bien placée pour le savoir.

Suzao lançait son couteau en l'air et le rattrapait en le faisant tournoyer sur sa paume. Il avait dû apprendre ce geste de ses amis formés au zivatahak, car il était clairement un adepte de l'altetahak, à voir les muscles qui saillaient sous sa chemise.

– Tu m'as l'air inquiète, me dit Vas. Dois-je te tenir la main ?

– C'est pour ton soldat que je m'inquiète. Garde ta main pour toi, elle peut encore te servir.

– C'est vrai que tu n'en as plus besoin, répliqua-t-il avec un petit rire, maintenant que tu as trouvé quelqu'un d'autre pour te toucher.

– Qu'est-ce que ça veut dire ?

Un éclair de colère s'était allumé dans ses yeux.

– Tu le sais parfaitement. Tu ferais mieux de te concentrer sur ton petit animal de compagnie. Il n'en a plus pour longtemps.

Suzao s'était jeté mollement sur Akos, qui avait esquivé sa tentative sans battre un cil.

– Mais c'est qu'on est rapide, fit Suzao, dont la voix était répercutée dans l'amphithéâtre par des micros. Plus que quand tu as essayé d'ouvrir la porte pour t'enfuir de chez toi.

Il saisit Akos par la gorge et voulut le soulever pour le plaquer contre un mur. Mais Akos lui fit lâcher prise en le frappant violemment au poignet et se dégagea. Je reconnus les règles de l'elmetahak, qui préconisent de garder ses distances face à un adversaire plus lourd.

Akos fit tournoyer sa lame dans sa main à une vitesse fulgurante. Le reflet du soleil sur le métal se réfracta sur le sol en flaques de lumière miroitantes. Suzao suivit l'éclair des yeux et Akos profita de ce bref instant de distraction pour lui asséner un coup de la main gauche.

Suzao recula en trébuchant. Du sang jaillit de ses narines. Il ignorait qu'Akos était gaucher. Et que je lui avais fait faire des milliers de pompes depuis que je le connaissais.

Akos le poursuivit en repliant le bras et le frappa de nouveau dans le nez, cette fois avec le coude. Le cri de douleur de Suzao résonna dans toute l'arène. Il se mit à frapper à l'aveuglette, attrapa Akos par sa cuirasse et le projeta sur le côté. Akos perdit l'équilibre et Suzao, le bloquant au sol avec son genou, le frappa à la mâchoire.

Je serrai les dents. L'air étourdi, Akos remonta un genou devant son visage comme pour repousser son adversaire. Au lieu de quoi il sortit un deuxième couteau de sa botte et enfonça la lame dans le flanc de Suzao, entre deux côtes.

Celui-ci tomba à genoux en fixant le manche qui dépassait de sa chemise. Akos brandit alors son autre lame et un éclair rouge jaillit de la gorge de Suzao, qui s'effondra.

Je n'avais pas réalisé à quel point j'étais tendue, jusqu'à ce que le combat prenne fin et que mes muscles se relâchent.

Partout autour de moi, c'était le vacarme. Akos se pencha sur le corps de Suzao, reprit son couteau et le glissa dans sa botte après l'avoir essuyé sur son pantalon. J'entendais sa respiration saccadée, amplifiée par les micros.

Ne panique pas, lui enjoignis-je, comme s'il pouvait m'entendre.

Il épongea son front en sueur sur sa manche et leva les yeux vers la foule amassée dans l'arène. Puis il tourna sur lui-même, lentement, comme s'il défiait un à un chaque spectateur du regard. Enfin, il rengaina son deuxième couteau et enjamba le corps de Suzao pour se diriger vers la sortie.

J'attendis quelques secondes pour descendre de la plateforme et me mêler à la foule. Mes vêtements épais flottaient autour de moi. Je soulevai ma jupe longue à deux mains pour aller plus vite, mais Akos avait pris de l'avance ; je ne le vis nulle part dans les couloirs en regagnant mes appartements.

Arrivée devant ma porte, je m'arrêtai pour tendre l'oreille.

Je n'entendis d'abord qu'un souffle bruyant, entrecoupé de sanglots. Puis Akos cria de toutes ses forces et il y eut un bruit de chute, suivi d'un autre. Il cria de nouveau, et je collai l'oreille contre la porte en me mordant la lèvre. Je sentis le goût du sang envahir ma bouche tandis que les cris d'Akos se changeaient de nouveau en pleurs.

J'effleurai le capteur pour ouvrir.

Il était assis par terre dans la salle de bains, au milieu des bris de verre du miroir. Il avait arraché le rideau de douche du plafond et le porte-serviettes du mur. Il ne leva pas les yeux quand j'entrai, ni même quand j'avançai vers lui en évitant les morceaux de verre.

Je m'agenouillai au milieu des tessons et fis couler la douche en passant le bras par-dessus son épaule. Puis j'attendis que l'eau chauffe pour le tirer sous le jet.

Je me glissai sous la douche avec lui, tout habillée. Il respirait par à-coups contre ma joue. Je posai la main sur sa nuque pour tourner son visage vers le jet et il se laissa faire en fermant les yeux. Puis ses doigts tremblants cherchèrent les miens et il serra ma main contre sa poitrine, sur sa cuirasse.

Nous restâmes ainsi longtemps, jusqu'à ce que ses pleurs s'apaisent. Alors je coupai l'eau et le conduisis à la cuisine, en repoussant les tessons de verre du bout du pied.

Son regard restait perdu dans le vague et je me demandais s'il savait où il se trouvait et ce qui lui arrivait. Je desserrai les courroies de sa cuirasse et la passai au-dessus de sa tête, ôtai sa chemise qui lui collait à la peau et déboutonnai son pantalon dégoulinant, qui tomba à ses pieds.

J'avais déjà rêvé de le voir ainsi, et même, une fois, de le déshabiller ; de retirer une à une les couches qui me séparaient de lui. Mais on était dans la réalité ; il souffrait, et je voulais l'aider.

Je ne ressentais pas ma douleur à moi, mais en l'aidant à se sécher, je vis mes ombres-flux courir sur mes bras plus vite qu'elles ne l'avaient fait depuis longtemps. Comme si quelqu'un les avait injectées dans mes veines et qu'elles se déplaçaient au rythme des battements de mon cœur. Le Dr Fadlan disait que mon don-flux s'intensifiait quand j'étais perturbée. Eh bien, il avait raison. Je me moquais bien de Suzao – j'avais même prévu d'aller cracher sur son bûcher funéraire pour le plaisir d'entendre ma salive crépiter sur ses cendres –, mais je tenais à Akos, plus qu'à n'importe qui.

Entre-temps, il avait un peu retrouvé ses esprits, assez pour m'aider à lui bander le bras et pour se rendre tout seul dans sa chambre. Quand il se fut glissé sous les couvertures, j'allai poser une casserole sur le brûleur dans le cabinet d'apothicaire. Un jour, Akos avait préparé une potion pour me débarrasser de mes cauchemars. Maintenant, c'était mon tour.

▲
▲

23: AKOS

Tout glissait sur Akos, comme de la soie sur de la soie, de l'huile sur de l'eau. Il perdait la notion du temps, parfois. Un instant devenait une heure sous la douche, dont il ressortait les doigts fripés et la peau rougie, et une nuit de sommeil s'étirait jusque dans l'après-midi. À d'autres moments, il perdait la notion de l'espace et se retrouvait dans l'arène, éclaboussé du sang d'un autre, ou dans l'herbe-plume, trébuchant sur les squelettes de ceux qui s'y étaient égarés.

Il perdait le contrôle de ses mains, qui n'arrêtaient plus de trembler. Ou de ses mots, qui s'égaraient en chemin avant d'atteindre ses lèvres. Il oubliait les pétales de fleur-de-silence qu'il gardait constamment dans ses joues pour se calmer.

Pendant quelques jours, Cyra le laissa tranquille. Mais la veille de leur retour à Voa, alors qu'il venait de sauter plusieurs repas d'affilée, elle surgit dans sa chambre.

– Debout. Tout de suite.

Il s'assit sur le bord de son lit en la regardant d'un air égaré, sans paraître comprendre ce qu'elle venait de dire.

Levant les yeux au ciel, elle le tira par le bras, ce qui le fit grimacer comme s'il s'était fait piquer par une guêpe.

– Merde, c'est pas vrai ! fit-elle en le lâchant. Non mais tu te rends compte ? Tu es tellement faible que tu commences à perdre ton don-flux au point de sentir le *mien*. C'est pour ça qu'il faut que tu te lèves et que tu manges.

– Vous avez besoin de votre domestique, c'est ça ? cria-t-il.

Il avait perdu sa patience, aussi.

– Eh ben moi, j'en ai marre, poursuivit-il. Je veux bien mourir tout de suite pour votre famille, quoi que ça puisse vouloir dire.

Elle se pencha pour le regarder dans les yeux et déclara :

– Je sais ce que c'est de devenir quelqu'un qu'on hait. Je sais le mal que ça fait. Mais la vie, ça fait souvent mal.

Des ombres se concentrèrent sous ses orbites, comme pour souligner son propos.

– Et ta capacité à supporter ça est bien plus grande que tu ne le crois.

Elle continua à le fixer pendant plusieurs secondes, jusqu'à ce qu'il demande :

– C'est censé me remonter le moral, « la vie, ça fait souvent mal » ?

– Pour autant que je sache, ton frère est toujours là. Au pire, tu peux au moins te maintenir en vie pour le sortir de là.

– Eijeh, ricana-t-il. Comme si c'était lui, le problème.

Il n'avait pas pensé à son frère en assassinant Suzao. Rien qu'à son envie meurtrière de tuer son ennemi.

Elle croisa les bras.

– Alors, c'est quoi, le problème ?

– Qu'est-ce que j'en sais, moi ? s'écria-t-il en levant les bras avec emphase.

Il se cogna la main contre le mur et poursuivit en ignorant la douleur :

– À vous de me le dire ! C'est bien vous qui m'avez rendu comme ça, non ? *Celui qui veut survivre doit oublier l'honneur*, pas vrai ?

À cette évocation, une étincelle de colère s'alluma dans les yeux de Cyra. Il cherchait toujours comment atténuer ses dernières paroles lorsqu'on frappa à la porte. Lorsque Cyra ouvrit la porte, le garde affligé du boulot le plus ennuyeux de la galaxie se tenait dans le couloir avec Jorek.

– Ne le laissez pas entrer, dit Akos.

– Il me semble que tu oublies où tu es, répliqua-t-elle sèchement en s'écartant pour laisser entrer Jorek.

– Bon sang, Cyra ! s'exclama Akos en bondissant sur ses pieds.

Sa vision s'obscurcit l'espace de quelques secondes et il gagna la porte d'un pas titubant. Elle avait peut-être raison : il fallait qu'il mange.

Jorek écarquilla les yeux en le voyant.

– Bonne chance, lui dit Cyra en allant s'enfermer dans la salle de bains.

Jorek faisait des efforts évidents pour éviter de croiser le regard d'Akos, examinant tour à tour l'armure qui décorait le mur, les plantes suspendues au plafond, les casseroles étincelantes empilées sur la plaque de cuisson. Puis, comme chaque fois qu'il était nerveux, il se gratta le cou, laissant des marques sur sa peau. Akos s'approcha de lui d'un pas lourd et se laissa tomber sur une chaise. Ce simple effort suffit à lui couper le souffle.

– Qu'est-ce que tu fais là ? Tu as eu ce que tu voulais, non ? gronda-t-il avec une rage sourde en serrant les poings.

Il avait envie de mordre, même si Jorek ne méritait pas cela.

Jorek s'assit à côté de lui.

– Oui, répondit-il à voix basse. Je suis venu te remercier.

– Ce n'était pas un service mais un échange, lui rappela Akos. Je tue Suzao, tu m'aides à faire échapper Eijeh.

– Ce qui sera plus facile à faire une fois de retour à Voa, précisa Jorek, toujours sur le ton de quelqu'un qui tente d'apaiser un fauve.

Et Akos, pris de honte, pensa que c'était peut-être précisément ce qu'il essayait de faire.

– Écoute, je… reprit Jorek en plissant le front. Je ne m'étais pas vraiment rendu compte de ce que je te demandais. Je croyais… que ce serait facile pour toi. Tu avais l'air d'être le genre de personne à qui ça ne pose pas de problème.

– Je n'ai pas envie d'en parler, dit Akos en se prenant la tête entre les mains.

Il refusait de se rappeler combien cela avait été facile, justement. Suzao n'avait pas eu une chance, ne s'était pas douté une seconde de ce qui l'attendait, et Akos se faisait bien plus l'effet d'être un assassin que la première fois qu'il avait tué. Au moins, cette mort-là – celle de Kalmev Radix – avait été un acte spontané, sauvage, irréfléchi, accompli comme dans un rêve. Pas comme cette fois-ci.

Jorek lui posa la main sur l'épaule. Akos tenta de le repousser mais il tint bon, attendant qu'il se tourne vers lui.

– Ma mère m'a demandé de te donner ça, dit-il en sortant une longue chaîne de sa poche.

Au bout de la chaîne pendait une bague qui devait être en or rose, et sur laquelle était gravé un symbole.

– Cette bague porte le sceau de sa famille. Ma mère tient à ce que ce soit toi qui l'aies.

Akos passa ses doigts tremblants sur les maillons de la chaîne, très fins mais doublés par souci de solidité, et la serra si fort que le sceau s'imprima sur sa peau.

– Ta mère me *remercie* ?

Sa voix se brisa et il posa le front sur la table, mais les larmes ne vinrent pas.

– Ma famille est en sécurité, maintenant, répondit Jorek. Viens nous voir un de ces jours, si tu le peux. Nous habitons à l'extérieur de Voa, entre la Traverse et le camp d'entraînement, dans un petit village au bord de la route. Tu seras toujours le bienvenu chez nous, après ce que tu as fait.

Il se leva en passant doucement sa main sur la nuque d'Akos, qui fut surpris de trouver ce geste aussi réconfortant.

– Oh. Et… n'oublie pas de graver la marque de mon père sur ton bras. S'il te plaît.

Puis la porte se referma. Sans lâcher la chaîne, Akos enfouit sa tête entre ses bras. Ses phalanges étaient encore écorchées par le duel et il sentit les croûtes tirer sur ses jointures en repliant les doigts. La porte de la salle de bains grinça et Cyra en ressortit. Après s'être affairée un moment dans la cuisine, elle vint poser un morceau de pain devant lui. Il l'engloutit si vite qu'il faillit s'étouffer, puis lui tendit son bras gauche, coude vers l'extérieur, exposant ses malemarques.

– Gravez la marque, lui dit-il, d'une voix si rauque que les mots eurent du mal à sortir.

– Ça peut attendre, dit-elle en lui passant la main dans les cheveux.

Il frissonna à ce contact. Le don-flux de Cyra ne l'atteignait plus. Peut-être la visite de Jorek lui avait-elle fait du bien, après tout. Ou alors c'était le fait de manger.

– S'il vous plaît…

Il releva la tête.

– … faites-le maintenant.

Alors elle prit son couteau et Akos regarda les muscles de ses bras se contracter. Elle était tout en muscles, Cyra, sans un gramme de graisse. Mais en dedans, elle s'adoucissait un peu tous les jours ; un poing qui apprendrait à se desserrer.

Elle lui prit le poignet et Akos laissa reposer ses doigts sur son bras, atténuant les ombres qui couraient sous sa peau. Sans elles, on voyait mieux qu'elle était belle, avec ses longues boucles souples qui brillaient dans la lumière, ses yeux si sombres qu'ils semblaient noirs, son nez fin et aquilin, et sa tache de naissance au dessin élégant à la base du cou.

Elle positionna la pointe de la lame près de la deuxième marque, barrée d'une hachure.

– Prêt ? Un, deux…

Elle appuya sans pitié. Puis elle alla chercher le petit flacon et le pinceau dans le tiroir. Akos la regarda ombrer l'entaille toute fraîche avec la délicatesse d'un peintre devant son chevalet. Une douleur aiguë lui parcourut le bras, suivie d'un afflux d'énergie produit par l'adrénaline, qui expulsa le nœud de souffrance qui palpitait en lui.

Elle se pencha sur la marque pour murmurer le nom :

– Suzao Kuzar.

Soudain il les éprouva, les sentiments de perte, de responsabilité, de pérennité présents dans le rituel shotet. Et accepta le soulagement qu'il lui apportait.

– Je suis désolé, dit-il sans trop savoir de quoi il s'excusait, de sa brutalité envers elle un peu plus tôt, de tout ce qui s'était passé depuis le duel, ou encore d'autre chose.

À son réveil le lendemain du combat, il l'avait trouvée en train de balayer les débris du miroir dans la salle de bains, et l'avait vue ensuite revisser le porte-serviettes sur le mur. Il ne se souvenait pas de l'avoir arraché. Il avait aussi été très surpris qu'elle le fasse elle-même, comme une fille de famille modeste. Mais c'était Cyra, et Cyra était toujours étonnante.

– Moi, je suis tellement endurcie que je l'ai oublié, dit-elle en détournant les yeux. Ce sentiment que tout est brisé. Ou en train de se briser.

Elle mit sa main dans la sienne et posa l'autre dans son cou, tout doucement. Il tressaillit, avant de se détendre. Il portait toujours à cet endroit la marque de strangulation que lui avait faite Suzao à la cafétéria.

Puis elle ramena sa main vers son oreille en longeant la cicatrice infligée par Ryzek, et il s'y appuya en inclinant la tête. Il avait chaud, trop chaud. Ils ne se touchaient jamais comme cela. Et il n'était pas sûr de le vouloir.

– Je ne comprends rien à ce que tu es, lui dit-elle.

Puis sa paume fut sur la joue d'Akos, ses doigts s'enroulèrent autour de son oreille. De longs doigts fins aux tendons et aux veines affleurant toujours sous la surface. Ses jointures étaient si sèches qu'elles pelaient.

– Après tout ce que tu as vécu, n'importe qui d'autre serait devenu dur et désespéré. Comment est-il possible d'être… comme toi ?

Il ferma les yeux, les nerfs à vif.

– Mais il n'empêche que c'est la guerre, Akos.

Elle posa son front sur le sien. Ses doigts le maintenaient fermement, plaqués sur l'ossature de son visage.

– La guerre entre toi et ceux qui ont détruit ta vie. Tu n'as pas à avoir honte de la mener.

Puis il y eut une autre sorte de douleur. Comme un besoin qui lui nouait les entrailles.

Il la *désirait*.

Il désirait passer ses doigts sur ses pommettes aiguës, connaître le goût de la tache de naissance délicate dans son cou, sentir son souffle sur sa bouche et piéger ses cheveux autour de ses doigts.

Tournant la tête, il posa ses lèvres sur la joue de Cyra, en pressant assez fort pour ce ne soit pas juste un baiser. Leurs souffles se mêlèrent. Puis il se recula, se leva et se détourna, s'essuyant la bouche en se demandant ce qui pouvait bien clocher chez lui.

Elle se leva, juste derrière lui, assez près pour qu'il sente sa chaleur.

Elle posa la main sur son dos, entre les omoplates. Était-ce vraiment son don-flux qui faisait se dresser les poils sur les bras d'Akos ?

– J'ai quelque chose à faire, lui dit-elle. Je reviens bientôt.

Et, en une seconde, elle était partie.

▲
▲

:24
CYRA

Je parcourus les couloirs de la maintenance, le visage en feu. Le souvenir de sa bouche sur ma joue passait et repassait dans ma tête. J'essayai de l'étouffer comme une braise égarée sur un tapis. Je ne pouvais pas accomplir la tâche que je m'étais fixée tout en la laissant brûler.

Je donnai un petit coup sur la porte, et elle m'ouvrit presque aussitôt. Elle était pieds nus, habillée de vêtements amples, et avait remplacé son bandeau par un foulard noué sur son œil absent. Derrière elle, je vis son lit en mezzanine et le bureau de fortune glissé dessous, dégagé de ses outils, de ses vis et de ses écrous. Elle avait déjà rangé ses affaires pour l'atterrissage.

– Mais enfin ! s'exclama-t-elle en me tirant à l'intérieur, l'œil hagard. Vous ne pouvez pas débarquer comme ça sans prévenir ! Vous êtes folle ?

– Demain. Quoi que vous fassiez à mon frère, vous devez le faire demain.

– Demain ? Le jour qui suit aujourd'hui ?

– Aux dernières nouvelles, c'est la définition du mot « demain », oui.

Elle s'assit sur le tabouret bancal posé devant son bureau et se pencha en avant, les coudes appuyés sur ses genoux. Je vis un éclair de peau dans l'échancrure de sa chemise, sous laquelle elle ne portait rien. C'était étrange de la découvrir dans son élément. Je ne la connaissais pas assez bien pour pouvoir l'imaginer dans sa vie privée.

– Pourquoi demain ?

– Tout est désorganisé, le jour du retour, expliquai-je. Le système de sécurité du manoir sera vulnérable, tout le monde sera épuisé, c'est le moment idéal pour s'y introduire.

Teka fronça les sourcils.

– Vous avez un plan ?

– Le portail de derrière, la porte de derrière, les tunnels, tout ça, ce sera assez facile puisque je connais les codes. Ce n'est qu'en arrivant aux appartements personnels de Ryzek que les capteurs sont génétiques. Si vous pouvez être au portail de derrière à minuit, je peux vous aider pour la suite.

– Et vous êtes sûre d'être prête à le faire ?

Une photo de Zosita était fixée au mur au-dessus de la tête de Teka, juste au-dessus de son oreiller. Il y en avait une autre à côté, représentant un garçon qui devait être son frère. Ma gorge se noua. D'une manière ou d'une autre, ma famille était coupable de toutes les pertes qu'elle avait subies.

– Qu'est-ce que c'est que cette question idiote ? grommelai-je. Évidemment que je suis prête. Mais vous, vous êtes prêts à remplir votre part du marché ?

– Pour Kereseth ? Ouais. Vous nous faites entrer, on le fait sortir.

– Je veux que ça se passe en même temps. Pas question qu'il lui arrive du mal parce que je vous aurai aidés. Il est résistant à la fleur-de-silence, il va en falloir une bonne dose pour l'endormir. Et il sait se battre, ne le sous-estimez pas.

Elle hocha la tête et me dévisagea en se mordillant la joue.

– Qu'est-ce qui s'est passé ? Vous avez l'air... à cran. Vous vous êtes disputée avec lui ?

Je ne répondis pas.

– Je ne comprends pas. De toute évidence, vous êtes amoureuse de lui. Alors pourquoi vouloir le faire partir ?

Je faillis ne pas répondre à cela non plus. La sensation de sa peau rêche, de la chaleur de ses lèvres sur ma joue, me poursuivait. Il m'avait embrassée. Sans y être incité, et sans prendre de chemins détournés. J'aurais dû me sentir heureuse, remplie d'espoir. Mais ce n'était pas si simple…

J'avais des dizaines de raisons à donner à Teka. Akos était en danger, maintenant que Ryzek avait compris qu'il pouvait l'utiliser comme moyen de pression sur moi. Eijeh était perdu, et peut-être Akos pourrait-il l'accepter une fois de retour chez lui, auprès de sa mère et de sa sœur. Akos et moi ne serions jamais des égaux tant qu'il vivrait ici, prisonnier de Ryzek, et je n'avais pas d'autre choix que de l'aider à retrouver sa liberté. Mais ce fut précisément la raison qui me tenait le plus à cœur qui sortit de ma bouche :

– La vie ici, ça… ça le brise.

Je bougeai d'un pied sur l'autre, mal à l'aise.

– Je ne peux plus supporter ça.

– Je comprends, me dit-elle doucement. Mais en admettant que ça marche, si vous nous faites entrer, on le fait sortir. D'accord ?

– D'accord. Merci.

J'avais toujours détesté le retour.

Beaucoup de Shotet se rendirent sur le pont d'observation pour saluer l'approche de notre planète blanche par des acclamations. Dans une énergie joyeuse et frénétique, tous rangeaient leurs affaires et s'apprêtaient à retrouver les vieillards et les enfants qui avaient dû rester à la maison. Moi, j'étais triste.

Et nerveuse.

Je n'avais pas grand-chose à empaqueter. Quelques vêtements, quelques armes. Je jetai la nourriture périssable et enlevai les draps et les couvertures de mon lit. Akos m'aidait en silence, avec son pansement sur le bras. Son sac était déjà prêt. Je l'avais regardé ranger quelques habits et quelques-uns des livres que je lui avais donnés, dont il avait corné ses pages préférées. Je les avais tous lus, mais j'aurais voulu les rouvrir pour découvrir les passages auxquels il tenait le plus et m'immerger dans son esprit.

– Vous êtes bizarre aujourd'hui, me déclara-t-il quand nous eûmes fini et qu'il ne nous resta plus qu'à attendre.

– Je n'aime pas rentrer chez moi.

Au moins, je ne mentais pas.

Akos regarda autour de lui et haussa les épaules.

– On dirait que c'est ici, chez vous. On trouve plus de vous dans cette cabine que n'importe où à Voa.

Il avait raison, bien sûr. J'étais heureuse qu'il ait pu découvrir ce qu'était vraiment ce « plus de moi » ; que, pour m'avoir observée, il me connaisse aussi bien que je le connaissais.

Car je le connaissais bien, maintenant. Je pouvais le repérer dans une foule rien qu'à sa démarche. Je connaissais la teinte des veines qui couraient sur le dos de ses mains. Et quel était son couteau préféré pour hacher les fleurs-des-glaces. Et l'odeur épicée de son haleine, un mélange de fleur-de-silence et de feuille de sendes.

– La prochaine fois, peut-être que je pourrai arranger davantage ma chambre.

Tu ne seras plus là, la prochaine fois, pensai-je.

– Ouais, dis-je en me forçant à sourire. Bonne idée.

Ma mère m'avait dit une fois que j'étais douée pour faire semblant. Comme mon père n'aimait pas le spectacle de la douleur, je lui avais caché la mienne depuis le début – gardant une expression neutre alors même que mes ongles s'enfonçaient dans mes paumes. Et chaque fois que ma mère et moi revenions de chez un médecin à cause de mon don-flux, les mensonges à propos de ce que nous avions fait me venaient aussi spontanément que la vérité. Le mensonge, chez les Noavek, était une question de survie.

Je fis appel à ce talent pendant toutes les opérations d'atterrissage et de retour : le rassemblement dans l'aire de chargement après l'entrée dans l'atmosphère, l'entassement dans la navette, la procession en public sur les pas de Ryzek jusqu'au manoir des Noavek. Ce soir-là, je mangeai avec mon frère et Yma Zetsyvis, en faisant semblant de ne pas voir sa main qui pianotait sur le genou de Ryzek, ni son air aux abois lorsqu'un de ses traits d'esprit ne parvenait pas à le faire rire.

Puis elle parut se détendre et ils abandonnèrent les convenances, collés l'un contre l'autre à leur bout de la table, se cognant les coudes lorsqu'ils coupaient leur nourriture. J'aurais été dégoûtée par ce spectacle si je n'avais pas aussi bien compris ce qu'était le désir de vivre. Le *besoin* de vivre, quel qu'en soit le prix.

Je le comprenais, mais j'avais un autre besoin, plus urgent : mettre Akos en sécurité.

Ensuite, je m'efforçai d'écouter patiemment le cours d'Akos sur la façon d'évaluer la force d'une potion sans avoir à la goûter. J'essayai de fixer chaque détail dans ma mémoire. J'avais besoin de savoir préparer ces décoctions toute seule, puisqu'il serait bientôt parti. Si j'étais capturée ce soir-là dans mon expédition avec les renégats, je n'y survivrais sans doute pas. Si nous réussissions, Akos rentrerait chez lui et Shotet, sans son chef, plongerait dans le chaos. Quelle que soit l'issue, il était peu probable que je le revoie jamais.

– Non, non, dit Akos. Il ne faut pas la hacher mais la ciseler. La ciseler !

– Je cisèle ! Si tes couteaux n'étaient pas aussi émoussés…

– Émoussés ? Je pourrais vous trancher un doigt avec celui-là !

Je le fis tournoyer et le rattrapai par le manche.

– Ah, vraiment ?

Il rit et passa son bras autour de mes épaules. Je sentis mon cœur remonter dans ma gorge.

– Ne faites pas comme si vous ne saviez pas faire preuve de délicatesse. Je vous ai vue.

Je lui jetai un regard torve et tâchai de me concentrer sur le « cisèlement », les mains un peu tremblantes.

– Parce que tu m'as vue danser une fois, tu crois que tu sais tout de moi ?

– J'en sais assez, en tout cas. Regardez, vous voyez que ce couteau cisèle tout seul ! Je vous l'avais dit !

Il ôta son bras mais laissa sa main posée sur mon dos, juste sous mon omoplate. Je gardai cette sensation tout le reste de la soirée, pendant que nous achevions la préparation de l'élixir, et ensuite, lorsqu'il repoussa la porte qui séparait nos chambres. Je l'enfermai avant d'aller vider ma potion somnifère dans le lavabo.

J'enfilai des vêtements d'entraînement larges et souples, et des chaussures qui ne feraient pas de bruit sur le parquet. Je tressai mes cheveux et les attachai en chignon pour qu'ils ne donnent pas de prise à un adversaire pendant un combat. Je glissai mon couteau dans ma ceinture au creux de mes reins, de biais, pour le saisir plus facilement. Il y avait peu de chances que je l'utilise. Dans les situations critiques, je préférais me servir de mes mains.

Puis je franchis le panneau coulissant et suivis silencieusement les passages jusqu'à la porte de derrière. Je connaissais le chemin par cœur, mais je n'en vérifiais pas moins les entailles dans les poutres à chaque bifurcation pour m'assurer d'être au bon endroit. Je m'arrêtai près du cercle gravé dans la paroi près des cuisines, signe qu'il y avait une sortie.

J'étais vraiment en train de le faire : d'aider un groupe de renégats à assassiner mon frère.

Ryzek avait vécu dans un brouillard de cruauté sans en tirer aucun plaisir, continuant à appliquer les instructions d'un père mort depuis longtemps comme si celui-ci se tenait toujours derrière son épaule. Les hommes comme Ryzek Noavek ne naissaient pas : ils étaient fabriqués. Mais on ne pouvait pas revenir en arrière. Tout comme il avait été fait, il devait être défait.

Je poussai la porte secrète et traversai l'herbe-plume jusqu'au portail. Je vis des visages pâles dans l'herbe – ceux de Lety, d'Uzul, de ma mère – me faire signe en murmurant mon nom, qui ressemblait au bruissement des tiges dans la brise. Avec un frisson, je tapai la date de naissance de ma mère sur le boîtier du portail, et il s'ouvrit dans un déclic.

Quelques pas plus loin, dans le noir, se tenaient Teka, Tos et Jorek, le visage masqué. Ils franchirent le portail à mon signal, et je le refermai avant de passer devant eux pour les guider.

J'eus le sentiment, en les conduisant vers les appartements de mon frère, qu'un acte aussi colossal n'aurait pas dû s'accomplir dans le silence absolu. Mais peut-être ce calme respectueux était-il une façon de reconnaître l'importance de ce que nous faisions. Je tâtais les poutres à chaque tournant, à la recherche des encoches profondes qui signalaient les escaliers. Je me déplaçais en évitant de mémoire les clous qui dépassaient et les planches qui grinçaient.

À l'endroit où le passage se divisait en deux branches, dont celle de gauche menait chez moi et celle de droite chez Ryzek, je me tournai vers Tos en lui tendant la clé de la chambre d'Akos.

– Prends à droite, troisième porte. Il opposera un peu de résistance.

– Je ne m'inquiète pas pour ça.

Je ne m'inquiétais pas non plus. Tos était une véritable armoire à glace et Akos n'était pas de taille contre lui, malgré ses compétences au combat. Je regardai Tos serrer la main à Teka et à Jorek avant de disparaître dans le passage de gauche.

Je ralentis en approchant des appartements de Ryzek, me rappelant ce qu'il avait dit à Akos sur les mesures de sécurité renforcées dans cette partie du manoir. Teka me tapa sur l'épaule et passa devant moi. Elle s'accroupit, posa les mains à plat par terre et inspira à fond par le nez, les yeux fermés.

Puis elle se releva en hochant la tête.

– Rien dans le couloir, chuchota-t-elle.

Nous continuâmes un moment ainsi, en nous arrêtant régulièrement pour que Teka contrôle le système de sécurité à l'aide de son don. Ryzek n'aurait jamais pu prévoir qu'une fille qui vivait dans les câbles et les taches d'huile pourrait causer sa perte.

Le passage s'interrompit brusquement, fermé par des planches. Évidemment. Ryzek avait sûrement ordonné que les passages soient condamnés depuis la tentative d'évasion d'Akos.

Mon estomac se noua, mais je gardai mon calme. Je cherchai dans la paroi le panneau le plus proche, le fis coulisser et entrai dans un salon désert. Nous n'étions séparés de la chambre et du bureau de Ryzek que par quelques pièces. Auxquelles s'ajoutaient au moins trois gardes, et la serrure que seul mon sang Noavek pouvait ouvrir. Nous ne pourrions pas franchir le barrage des gardes sans attirer l'attention de leurs collègues.

J'arrêtai Teka en posant ma main sur son épaule et me penchai pour lui murmurer à l'oreille :

– Combien de temps vous faut-il ?

Elle me montra deux doigts.

Je hochai la tête et pris mon couteau que je maintins le long de ma jambe, sentant mes muscles tressaillir par anticipation. En sortant du salon, nous tombâmes sur le premier garde, qui arpentait le couloir. Je le suivis sur quelques pas en me calant sur son rythme, je plaquai une main sur sa bouche et j'enfonçai ma lame entre ses côtes, sous sa cuirasse.

Ma main étouffa son cri sans le faire taire complètement. Après l'avoir laissé glisser au sol, je fonçai vers les appartements de Ryzek. Les autres me suivirent sans plus se soucier d'être discrets. Des cris retentirent quelque part devant nous. Jorek me dépassa en courant et se rua sur un autre garde pour le plaquer au sol.

Je me chargeai du suivant, que je pris à la gorge pour le projeter contre le mur, tandis que les ombres-flux envahissaient mes mains. Puis je pilai devant la porte de Ryzek. Un filet de sueur coulait le long de mon oreille. Le capteur sanguin était constitué d'une fente dans le mur, juste assez haut et large pour qu'on y glisse la main.

Je levai la mienne, avec Teka qui soufflait bruyamment derrière moi. On entendait des appels et des pas précipités tout autour de nous, mais personne ne nous avait encore rattrapés. Le capteur me pinça la peau et j'attendis que la porte s'ouvre.

Il ne se passa rien.

Je retirai la main droite et essayai avec la gauche.

Toujours rien.

– Tu ne peux pas l'ouvrir avec ton don-flux ? demandai-je à Teka.

– Si c'était le cas, on n'aurait pas eu besoin de toi ! s'écria-t-elle. Je peux l'allumer et l'éteindre, mais je ne peux pas ouvrir…

– Ça ne marche pas. On dégage !

Je la saisis par le bras sans me préoccuper de la douleur que je lui causais et l'entraînai dans le couloir.

– Sauve-toi ! lança-t-elle à Jorek.

Celui-ci assomma le garde qu'il affrontait avec le manche de sa lame-flux, puis enfonça la lame sous la cuirasse d'un deuxième garde avant de foncer derrière nous dans le salon. Nous reprîmes notre course effrénée dans les passages.

– Ils sont dans les murs ! entendis-je crier.

Des lumières brillaient à travers tous les interstices dans les parois. Le manoir tout entier était en état d'alerte. Mes poumons me brûlaient à force de courir. Je perçus le grincement d'un panneau qui s'ouvrait derrière nous.

– Teka ! Allez retrouver Tos et Akos. Prenez à gauche, puis à droite, descendez l'escalier et encore à droite. Le code de la porte de derrière est 0503. Répète.

– Gauche, droite, descendre l'escalier, droite, 0503. Cyra !

– Foncez ! hurlai-je en la poussant dans le dos. Je vous ai fait entrer, vous le faites sortir, OK ? Mais vous n'y arriverez pas si vous êtes morts. Alors foncez !

Lentement, Teka hocha la tête.

Campée au milieu du passage, je les entendis plus que je ne les vis s'éloigner en courant. Des soldats envahirent l'étroit tunnel et je laissai la douleur monter en moi jusqu'à ce qu'elle me brouille la vue. Mon corps était tellement sillonné d'ombres que j'étais l'obscurité même, une parcelle de nuit, entièrement vide.

Je me jetai en hurlant sur le premier soldat. Un éclair de douleur le frappa dès que ma main s'abattit sur lui. Il cria et s'effondra. Le visage ruisselant de larmes, je courus vers le suivant.

Puis vers un autre.

Et encore un autre.

Il fallait juste que je gagne du temps pour aider les renégats. Pour moi, il était trop tard.

▲
▲

:25
CYRA

– Je vois que tu as modernisé la prison, dis-je à Ryzek.

Mes parents m'avaient amenée ici quand j'étais petite, devant cette rangée de cellules enfouies sous l'amphithéâtre. Ce n'était pas la prison officielle de Voa mais des geôles cachées au centre de la ville, conçues spécialement pour les ennemis de la famille Noavek. La dernière fois que j'y étais venue, ce n'était qu'un mélange de pierre et de métal tout droit sorti d'un livre d'histoire.

Désormais, le sol était fait d'une matière noire, proche du verre mais plus dure. Le mobilier de ma cellule se réduisait à un banc métallique et à des sanitaires masqués par un paravent. Quant aux murs, y compris celui qui me séparait de mon frère, ils étaient faits eux aussi d'un verre épais, mais transparent.

J'étais allongée sur le banc, dos au mur, les jambes étendues devant moi. Je me sentais lourde de fatigue et sombre de douleur, toute contusionnée à cause des coups donnés par Vas lorsqu'il m'avait empêchée de frapper ses gardes. Une grosse bosse à l'arrière du crâne continuait à me lancer.

– Quand as-tu basculé dans le camp des traîtres ? me demanda Ryzek.

Revêtu de sa cuirasse, le teint bleui par l'éclairage du plafond, il s'appuyait contre le mur qui se dressait entre nous.

C'était une question intéressante. Je n'avais pas tant l'impression d'avoir basculé que de m'être enfin mise en marche dans la bonne direction. Je me levai et fus assaillie par un mal de tête lancinant. Mais ce n'était rien comparé à la douleur de mes ombres-flux, qui bougeaient si vite que je n'arrivais plus à les suivre. Elles semblaient devenues folles. Ryzek les regardait courir sur mes bras, mes jambes et mon visage, comme s'il était incapable de voir autre chose en moi. D'ailleurs, il n'avait jamais vu autre chose.

– Eh bien, disons que je ne t'ai jamais été vraiment loyale, répondis-je en m'approchant de la paroi.

Nous n'étions séparés que par quelques mètres, mais je me sentais inatteignable, du moins à cet instant. Je pouvais enfin lui dire tout ce que je pensais.

– Cela dit, je n'aurais sans doute pas agi contre toi si tu nous avais laissés tranquilles, comme je te l'avais demandé. Mais quand tu t'en es pris à Akos, rien que pour me contrôler... là, tu as dépassé les limites de l'acceptable.

– Tu n'es qu'une idiote.

– Bien moins que tu ne le crois.

Il rit en balayant l'endroit d'un geste ample.

– On peut dire que tu l'as prouvé. Voilà bien le résultat d'un brillant esprit.

Toujours appuyé sur la paroi, il se pencha pour approcher son visage en embuant le verre de son souffle.

– Sais-tu que ton bien-aimé Kereseth connaît la chancelière thuvhésit ?

Je tressaillis d'effroi. Oui, je le savais. Akos m'avait parlé d'Orieve Benesit pendant que nous regardions les images de l'apparition officielle de la chancelière. Bien sûr, Ryzek l'ignorait, mais il ne m'en aurait pas parlé si Akos était parvenu à s'échapper du manoir avec les renégats. Que lui était-il arrivé ? Où était-il ?

– Non, je l'ignorais, dis-je, la gorge sèche.

– Cette histoire de jumelles est très contrariante. Je ne sais pas laquelle frapper en premier, et les visions d'Eijeh ont clairement spécifié que je devais les tuer dans un ordre précis pour aboutir à l'issue la plus favorable, m'expliqua-t-il en souriant. Ses visions montrent aussi sans équivoque qu'Akos connaît l'information dont j'ai besoin pour atteindre mon but.

– Donc, tu ne t'es toujours pas emparé du don-flux d'Eijeh, remarquai-je, dans l'espoir de gagner du temps.

J'ignorais ce que j'avais à y gagner, mais je savais que j'avais besoin de temps, du plus de temps possible, avant de devoir affronter ce qui était arrivé à Akos et aux renégats.

– Je ne tarderai pas à y remédier, répondit-il, toujours souriant. Je procède avec précaution, une notion que tu n'as jamais bien cernée.

Sur ce point, il n'avait pas tort.

– Pourquoi mon sang n'a-t-il pas ouvert la porte ?

Il continua à sourire et reprit sans me répondre :

– J'aurais dû te le dire plus tôt, mais nous avons capturé l'un de tes amis renégats. Un certain Tos. En faisant preuve d'un peu de bonne volonté, il a fini par nous avouer que tu avais participé à un attentat sur ma personne. Il est mort, à ce propos. Je crains de m'être laissé un peu emporter.

Son sourire s'élargit encore, mais il avait le regard un peu flou, comme s'il avait pris de la fleur-de-silence. Aussi cynique qu'il cherchât à paraître, je savais ce qui s'était passé en réalité : il avait tué Tos parce qu'il le jugeait nécessaire, mais ne l'avait pas supporté. Et il avait dû prendre de la fleur-de-silence pour se calmer.

– Qu'as-tu fait d'Akos ? demandai-je platement, la respiration laborieuse.

– Tu ne sembles pas éprouver le moindre remords, poursuivit-il comme s'il ne m'avait pas entendue. Si tu avais imploré mon pardon, peut-être aurais-je pu me montrer magnanime avec toi. Ou avec lui, selon ton choix. Mais voilà… tu ne l'as pas fait.

Il se redressa alors qu'une porte s'ouvrait derrière lui. Vas entra le premier, la pommette bleuie par le coup de coude que je lui avais asséné. Eijeh le suivait en soutenant un homme totalement avachi. Je reconnus la tête qui pendait sur la poitrine, le long corps maigre qui trébuchait à ses côtés. Eijeh le lâcha par terre dans le couloir et il s'affala en crachant du sang.

Il me sembla distinguer un éclair de compassion sur le visage d'Eijeh lorsqu'il regarda son frère, mais cela ne dura qu'un bref instant.

– Ryzek, dis-je, affolée, désespérée. Ryzek, il n'a rien à voir avec tout ça. S'il te plaît, ne le mêle pas à cette histoire. Il ne savait pas, il ne savait rien !

Mon frère éclata de rire.

– Mais je suis parfaitement conscient qu'il ignorait tout des renégats, Cyra. C'est ce qu'il sait sur la chancelière qui m'intéresse. Nous venons d'en parler, il me semble.

Les mains plaquées sur la paroi de verre, je me laissai tomber à genoux. Ryzek s'accroupit en face de moi.

– Tu vois ? Voilà pourquoi tu aurais mieux fait de ne pas t'attacher. Maintenant, je peux me servir de toi pour apprendre ce qu'il sait sur la chancelière, et me servir de lui pour découvrir ce que tu sais sur les renégats. La vie est si simple, parfois, tu ne trouves pas ?

Je reculai avec la sensation que tout mon corps battait au rythme de mon cœur, jusqu'à ce que mon dos bute contre le mur. Je ne pouvais pas fuir, je ne pouvais pas m'échapper, mais rien ne m'obligeait à lui faciliter la tâche.

– Faites-la sortir, ordonna Ryzek en ouvrant la porte de ma cellule. Voyons si Kereseth est assez affaibli pour que ça marche.

À l'instant où Vas entra, je me projetai en avant, me ruant sur lui de tout mon poids, et le renversai d'un coup d'épaule dans le ventre. Il tenta de me retenir, mais je lui griffai le visage et réussis à l'écorcher juste sous l'œil. Ryzek entra à son tour, me donna un coup de poing dans la mâchoire, et je basculai sur le côté, étourdie.

Vas me traîna jusqu'à Akos et nous nous retrouvâmes à genoux l'un en face de l'autre.

– Je suis désolée.

C'est tout ce que je trouvai à lui dire. C'était ma faute s'il en était là. Si je ne m'étais pas liée aux renégats… Mais il était trop tard pour les remords.

Tout ralentit autour de moi lorsque son regard croisa le mien, comme si le temps s'était arrêté. Je le contemplai attentivement, comme si je le caressai des yeux, je regardai ses cheveux bruns ébouriffés, les taches de rousseur de son nez, ses yeux gris, débarrassés de leur prudence pour la première fois. Je ne voyais pas les plaies ni les taches de sang. Je l'écoutai respirer. Juste après l'avoir embrassé, j'avais entendu son souffle tout près de mon oreille et j'avais remarqué que chacune de ses expirations était comme une petite explosion, comme s'il les retenait.

– J'ai toujours pensé que mon destin était de mourir en trahissant mon pays, me dit-il d'une voix rauque, comme s'il avait beaucoup crié. Mais, grâce à toi, ce ne sera pas le cas.

Et il m'adressa un petit sourire un peu fou.

À cet instant, je sus qu'il ne parlerait pas, quoi qu'il advienne. Je ne m'étais jamais rendu compte à quel point son destin l'accablait. Mourir au service de la famille Noavek était autant une malédiction pour lui qu'être « renversé » par la famille Benesit l'était pour Ryzek. Mais maintenant que je m'étais dressée contre mon frère, mourir pour moi ne signifiait plus trahir. Cela n'avait peut-être pas été si absurde de sacrifier nos deux vies en aidant les renégats. Cela avait peut-être un sens.

Maintenant, tout devenait simple. Nous allions souffrir et nous allions mourir. J'acceptai le caractère inéluctable de notre sort.

– Je vais être clair sur ce que j'attends de la suite des événements, annonça Ryzek.

Il s'accroupit à côté de nous, les coudes appuyés sur les genoux. Ses bottes étaient étincelantes, à croire qu'il avait pris le temps de les cirer juste avant de venir torturer sa sœur.

Je ravalai un drôle de petit rire.

– Vous allez souffrir tous les deux. Si c'est toi qui cèdes le premier, Kereseth, tu me diras ce que tu sais sur la chancelière de Thuvhé. Et si c'est toi, Cyra, tu me diras ce que tu sais sur les renégats et sur leurs liens avec la colonie d'exilés.

Il se tourna vers Vas.

– Tu peux y aller.

Je serrai les dents dans l'attente d'un coup, qui ne vint pas. Vas me prit le poignet et tira ma main vers Akos. Au début, je ne réagis pas, persuadée que mon contact ne l'affecterait pas. Mais soudain je me rappelai que Ryzek s'était demandé si Akos était « assez affaibli ». Cela signifiait qu'ils le privaient de nourriture depuis des jours, qu'ils avaient affaibli à la fois son corps et son don-flux.

Je résistai à l'étau de la poigne de Vas, mais il était trop fort pour moi. Mes phalanges frôlèrent le visage d'Akos. Mes ombres rampèrent vers lui. Je les implorai en silence de rester tranquille, mais je ne les maîtrisais pas. Akos gémit, tandis que son propre frère l'empêchait de bouger.

– Parfait. Ça fonctionne, se réjouit Ryzek en se relevant. La chancelière de Thuvhé, Kereseth. Parle-moi d'elle.

Je me débattis de toutes mes forces en essayant de frapper Vas, en vain. Et plus je luttais, plus les ombres s'intensifiaient et proliféraient, comme pour me narguer. Vas m'immobilisa et me força à tendre la main pour la poser à plat sur la gorge d'Akos.

Je n'aurais pas pu imaginer quelque chose de plus horrible : le Fléau de Ryzek utilisé contre Akos.

Je sentis sa chaleur sur ma main. La douleur qui était en moi se déversa en lui, avide d'être partagée. Mais au lieu de s'atténuer dans mon propre corps comme elle le faisait d'habitude, elle ne fit que se démultiplier, pour moi comme pour Akos. Mon bras tremblait sous l'effort que je faisais pour me détacher de lui. Il hurlait, et moi aussi, moi aussi. J'étais tout entière assombrie par le flux ; le centre d'un trou noir, un lambeau de la lisière sans étoiles de la galaxie. Chaque centimètre de mon corps brûlait, souffrait, implorait un répit.

Nos voix s'unirent comme deux mains qui s'étreignent. Je fermai les yeux.

Devant moi, il y avait un bureau en bois marqué par des taches d'eau. Dessus étaient éparpillés des cahiers dont chacun portait mon nom : Cyra Noavek, Cyra Noavek, Cyra Noavek. Je reconnus l'endroit : c'était le cabinet du Dr Fadlan.

« Le flux circule en chacun d'entre nous. Et, comme un liquide qui se coule dans un moule, il prend une forme et une manifestation uniques à chacun », disait-il.

Ma mère était assise à côté de moi, le dos droit, les mains croisées devant elle. Son image était d'une précision parfaite, de la mèche de cheveux échappée de son chignon qu'elle avait glissée derrière son oreille jusqu'à la petite tache qu'elle avait sur le menton, atténuée par le maquillage.

« Le fait que le don de votre fille lui fasse accueillir la douleur et la projeter sur les autres est une indication sur ce qui se passe en elle. Une première évaluation rapide montre qu'à un niveau ou à un autre, elle a le sentiment de mériter cette douleur. Et que les autres la méritent également. »

Au lieu de s'indigner comme elle l'avait fait à l'époque, ma mère pencha la tête sur le côté. Je voyais son pouls battre dans son cou. Elle se tourna vers moi, encore plus belle que je n'osais m'en souvenir. Mêmes les petites rides qui marquaient le coin de ses yeux étaient douces, harmonieuses.

« Qu'en penses-tu, Cyra ? me demanda-t-elle. Crois-tu que cela fonctionne ainsi ? »

Et tout en parlant, elle se transforma en danseuse ograne, aux yeux cernés d'un trait de craie, aux os luisant d'un éclat si vif sous sa peau que je distinguais jusqu'aux petits espaces qui les séparaient.

« Je ne sais pas. Tout ce que je sais, c'est que la douleur demande à être partagée, répondis-je de ma voix d'adulte. »

Et c'était aussi mon corps d'adulte qui était assis sur cette chaise.

« Vraiment ? demanda la danseuse avec un léger sourire. Même avec Akos ? »

« La douleur n'est pas moi, précisai-je. Elle ne fait pas de différence entre les gens. La douleur est ma malédiction. »

« Non, non », dit-elle.

Ses yeux restaient plongés dans les miens. Mais ils n'étaient plus bruns, comme quand je l'avais vue danser dans le salon ; ils étaient gris, et méfiants. Les yeux d'Akos, qui me restaient familiers même dans mes rêves.

« Chaque don-flux contient une malédiction, me dit-il. Mais aucun don-flux ne se réduit à cela. »

« Son aspect bénéfique est que personne ne peut me faire de mal. »

Mais avant même d'avoir achevé ma phrase, je réalisai que c'était faux. Les autres pouvaient toujours me faire du mal. Ils n'avaient pas besoin de me toucher pour cela ; ils n'avaient même pas besoin de me torturer. Tant que je tenais à la vie, à Akos, ou aux vies de renégats que je connaissais à peine, j'étais aussi vulnérable que n'importe qui.

Je battis des paupières tandis qu'une autre réponse me venait à l'esprit.

« Un jour, tu m'as dit que je ne me résumais pas à une lame, à une arme. Tu as peut-être raison. »

Il sourit, de son petit sourire familier qui creusait une fossette dans sa joue.

« L'aspect bénéfique, rectifiai-je, est la force que m'a donnée la malédiction. »

Cette nouvelle réponse était comme une fleur-de-silence en train d'éclore en déployant tous ses pétales.

« Je peux la supporter. Je peux supporter la douleur. Je peux tout supporter. »

Il tendit la main vers mon visage. Devenant tour à tour la danseuse, et ma mère, et Otega.

Puis je me retrouvai dans ma cellule, les bras tendus, les doigts sur la joue d'Akos, le poignet pris en étau dans la main de Vas. Akos serrait les dents. Et les ombres qui restaient normalement enfermées sous ma peau flottaient tout autour de nous, comme de la fumée. Si denses que je ne voyais plus ni Ryzek ni Eijeh, ni les parois de verre qui m'entouraient.

Les yeux d'Akos croisèrent les miens, remplis de larmes, remplis de souffrance. Je n'aurais eu aucun mal à pousser les ombres vers lui. Je l'avais fait souvent, gagnant chaque fois une nouvelle marque sur mon bras gauche. Il me suffisait de laisser le lien se former, de laisser la douleur passer de moi à lui comme un souffle, comme un baiser. De tout laisser couler hors de moi, nous apportant à tous les deux le soulagement dans la mort.

Mais il ne méritait pas cela.

Cette fois, je brisai le lien, comme si j'avais claqué une porte entre nous. Je rappelai la douleur en moi, poussant mon corps à devenir toujours plus noir, noir comme de l'encre. Je tremblais sous la violence de ce pouvoir, de cette agonie.

Je ne criais plus. Je n'avais pas peur. Je savais que j'avais la force de survivre à ça.

▲
▲

26:
AKOS

Dans l'espace intermédiaire entre la veille et le sommeil, il lui sembla voir de l'herbe-plume, penchée par le vent. Il s'imagina qu'il était chez lui et qu'il sentait le goût de la neige dans l'air, l'odeur de la terre froide. Il se laissa transpercer de part en part par le mal du pays, et se rendormit.

De l'huile perlant sur l'eau.

Il se revoyait à genoux dans la cellule, regardant les ombresflux s'échapper du bras de Cyra comme de la fumée. Cette vapeur teintait de gris foncé la main posée sur son épaule – celle d'Eijeh – et lui faisait voir Cyra comme dans un brouillard, le visage rejeté en arrière, les yeux fermés comme si elle dormait.

Et voilà qu'il était allongé sur un mince matelas, ses pieds nus enfouis sous un plaid. Une aiguille était plantée dans son bras, et il était menotté au montant du lit.

La douleur, et son souvenir, se dissipait dans la torpeur.

Il remua les doigts et l'aiguille plantée dans sa chair lui vrilla un nerf. Il fronça les sourcils. Il rêvait ; forcément, parce qu'il n'avait pas pu quitter ce tombeau creusé sous l'amphithéâtre de Voa, où Ryzek lui ordonnait de lui parler d'Ori Rednalis, ou Orieve Benesit, quel que soit le nom qu'elle portait désormais.

– Akos ?

La voix de la femme semblait pourtant bien réelle. Ce n'était peut-être pas un rêve, finalement.

Elle se pencha sur lui, le visage encadré par des cheveux raides comme des baguettes. Il aurait reconnu ces yeux n'importe où. Ils le fixaient autrefois par-dessus la table du dîner, et se plissaient chaque fois qu'Eijeh faisait une plaisanterie. Sa paupière gauche tressautait parfois quand elle était tendue. Elle était là, comme si le fait de penser à elle l'avait fait venir. Le son de son propre nom le ramena fermement à lui-même ; fini de dévier, de dériver.

– Ori ? croassa-t-il.

Une larme coula des yeux d'Ori et tomba sur le drap. Elle posa sa main sur la sienne, malgré le tube de l'intraveineuse. Sa manche recouvrait ses doigts et son vêtement en épaisse laine noire montait haut sur son cou selon la mode de Thuvhé, où les gens étaient prêts à s'étrangler pour empêcher la chaleur de s'échapper.

– Cisi arrive, lui dit-elle. Je l'ai appelée, elle va venir. J'ai aussi prévenu ta mère, mais elle est sur une autre planète. Il va lui falloir un peu de temps pour rentrer.

Il se sentait si fatigué.

– Ne pars pas, dit-il en fermant les yeux.

– Non, répondit-elle d'une voix rauque mais rassurante. Je ne pars pas.

Il rêva qu'il se trouvait entre les parois de verre de la cellule, les genoux raclant le sol noir, le ventre tenaillé par la faim.

Et il se réveilla à l'hôpital, avec Ori affalée à côté de lui sur son lit. Derrière elle, par la fenêtre, il vit des flotteurs passer comme des éclairs, et de gros bâtiments suspendus dans le ciel comme des fruits mûrs.

– Où sommes-nous ?

Elle cligna des paupières pour chasser le sommeil.

– À l'hôpital de Shissa.

– Shissa ? Pourquoi ?

– Parce que c'est là que tu as été déposé. Tu ne t'en souviens pas ?

Quand elle lui avait parlé la première fois, elle n'avait pas son ton habituel, semblait peser chaque mot. Mais déjà elle retombait dans leur vieux débit de Hessa, chaque syllabe se fondant dans la précédente. Il se surprit à faire pareil.

– Déposé ? Par qui ?

– Nous l'ignorons. On a pensé que tu nous le dirais.

Il fit un effort de mémoire, sans résultat.

– Ne t'inquiète pas, lui dit-elle en posant de nouveau la main sur la sienne. Avec la dose de fleur-de-silence que tu as dans le sang, tu devrais être mort à l'heure qu'il est. Personne ne s'attend à ce que tu te souviennes de quoi que ce soit.

Elle lui sourit, de ce sourire de travers qu'il connaissait par cœur, un coin de sa bouche faisant remonter sa joue.

– Sûrement quelqu'un qui ne devait pas te connaître si bien que ça, pour te déposer à Shissa comme un petit snob de la ville.

Il avait presque oublié leurs plaisanteries sur Shissa : les enfants d'ici ne savaient même pas reconnaître une fleur-des-glaces à force de ne les voir que depuis le ciel, ils ne savaient pas fermer un manteau correctement. Des citadins empotés, vivant dans leurs tours de verre.

Tout à coup, la mémoire lui revint :

– « Un petit snob de la ville. » Et c'est la chancelière de Thuvhé désignée par le destin qui parle. À moins que ce ne soit sa sœur jumelle. Laquelle de vous deux est l'aînée, d'ailleurs ?

– Je ne suis pas la chancelière, je suis l'autre. Dont le destin est de faire monter sa sœur sur le trône ou… je ne sais quoi. Ce qui est sûr, c'est que si j'étais à sa place, tu ne t'adresserais pas à moi avec le « respect dû à mon rang ».

– Snob.

– Racaille de Hessa.

– Je suis de la famille Kereseth, je te signale. Pas exactement de la racaille.

– Oui, je sais.

Son sourire s'adoucit, comme pour dire : « Comment aurais-je pu l'oublier ? » À cet instant, Akos se rappela qu'il était attaché avec des menottes. Il décida d'attendre un peu avant d'aborder le sujet.

– Ori, je suis vraiment à Thuvhé ?

– Aucun doute là-dessus.

Il ferma les yeux. Sa gorge était en feu.

– Tu m'as manqué, Orieve Benesit. Ou quel que soit ton nom.

Elle rit. Et elle pleurait aussi, maintenant.

– Si c'est vrai, tu aurais pu revenir plus tôt.

LORSQU'IL SE RÉVEILLA de nouveau, il ne se sentait plus aussi engourdi. Même si tout son corps lui faisait mal, le supplice qui ne l'avait pas lâché depuis Voa était derrière lui. La douleur que lui avait infligée le don-flux de Cyra avait dû être soulagée par la fleur-des-glaces.

La simple pensée de Cyra lui tordit les entrailles. Où était-elle ? Ceux qui l'avaient déposé ici l'avaient-ils sauvée, elle aussi, ou l'avaient-ils laissée mourir aux mains de Ryzek ?

Un goût de bile lui emplit la bouche et il ouvrit les yeux.

Une femme se tenait au pied de son lit, le visage encadré de boucles brunes, les yeux écarquillés. Il reconnut aussitôt le petit point qui tachait le gauche, juste au bord de la pupille – un défaut qu'elle avait depuis la naissance. Sa sœur, Cisi.

– Bonjour, dit-elle, simplement.

Sa voix n'était que caresse et légèreté. Il avait gardé précieusement le souvenir de cette voix, comme une dernière graine qu'on tient en réserve pour la semer.

C'était trop facile de pleurer maintenant, couché bien au chaud comme il l'était.

– Cisi, articula-t-il en chassant les larmes d'un battement de cils.

– Comment te sens-tu ?

Ça, c'est une bonne question, songea-t-il. Mais sachant qu'elle lui parlait de son état physique, il répondit :

– Bien. J'ai vu pire.

Elle s'approcha d'un mouvement fluide dans ses lourdes bottes typiques de Hessa et s'arrêta à côté du lit pour appuyer sur un bouton près de la tête d'Akos. La partie supérieure du lit remonta et il se retrouva assis.

Le mouvement lui arracha une grimace tant il avait les côtes meurtries.

Elle semblait si mesurée, si maîtresse d'elle-même qu'il fut pris de court lorsqu'elle se jeta dans ses bras. Au début, il ne bougea pas – il en était incapable –, puis il la serra contre lui. Enfants, ils ne s'étaient jamais fait beaucoup de câlins – à part leur père, ils n'étaient généralement pas très démonstratifs –, et l'étreinte de Cisi resta brève.

– Je n'arrive pas à y croire…

Elle soupira et se mit à marmonner une prière thuvhésit. Il n'en avait pas entendu depuis longtemps. Les prières de remerciements étaient les plus courtes, mais il ne pouvait pas réciter celle-ci avec sa sœur. Il avait l'esprit trop préoccupé.

– Moi non plus, dit-il quand elle eut terminé.

Elle s'écarta sans lui lâcher la main et lui sourit. Non, elle fronçait les sourcils, maintenant, en fixant leurs mains jointes. Et se toucha la joue, où coulait une larme.

– Je pleure. C'est la première fois que je réussis à pleurer depuis… depuis que mon don-flux s'est déclaré.

– Ton don-flux t'empêche de pleurer ?

Elle renifla en s'essuyant les joues.

– Je mets les gens à l'aise. Mais il semble aussi que je ne puisse rien faire de tout ce qui pourrait avoir l'effet contraire. Comme…

– … pleurer.

Que le don-flux de sa sœur soit en rapport avec le bien-être des autres ne le surprit pas. Mais à la façon dont elle le décrivait, on aurait plutôt dit qu'elle le vivait comme une main lui enserrant la gorge. Il ne voyait aucun bienfait là-dedans.

– Eh bien, mon don annule le tien. Comme ceux de tout le monde.

– C'est pratique.

– Quelquefois.

– Tu as fait le séjour ? lui demanda-t-elle tout à coup en lui pressant la main.

Il se demanda si elle allait se mettre à le bombarder de questions, maintenant qu'elle était libre de le faire.

– Excuse-moi, reprit-elle. Je… J'y ai pensé en regardant le fil d'informations. Comme tu ne sais pas nager, je me suis inquiétée.

Il ne put se retenir de rire.

– J'étais prisonnier des Shotet, sous la surveillance de Ryzek Noavek, et tu t'es inquiétée parce que je ne sais pas nager ?

Il se remit à rire.

– Je suis capable de m'inquiéter pour deux choses à la fois, figure-toi. Et même plus, rétorqua-t-elle, un peu sèchement, mais pas trop.

– Pourquoi m'a-t-on menotté à ce lit, au fait ?

– Tu portais une cuirasse shotet à ton arrivée. La chancelière a demandé qu'on fasse preuve de prudence avec toi.

Ses joues avaient rosi.

– Ori ne s'est pas portée garante ?

– Si, tout comme moi.

Elle ne précisa pas ce qui la mettait en position de fournir des garanties à la chancelière de Thuvhé, et il ne le lui demanda pas. Ce n'était pas le moment. Plus tard, peut-être.

– Mais la chancelière… ne se laisse pas persuader facilement.

Sans être une critique, cette remarque n'était pas dans le caractère de Cisi. Elle était capable d'éprouver de la compassion pour quasiment n'importe qui. Ce sentiment n'aidait pas toujours à avancer dans la vie, mais elle paraissait s'être bien débrouillée au long de toutes ces saisons où il avait été absent. Elle n'avait presque pas changé, juste un peu maigri, avec les pommettes et la mâchoire plus marquées qu'autrefois. Elles lui venaient de leur mère, mais le reste – le sourire trop large, les cheveux bruns, le nez délicat –, elle le tenait de leur père.

La dernière fois que sa sœur l'avait vu, il était encore un enfant aux joues pleines, plus petit que les autres. Toujours réservé, toujours sur le point de rougir. Et soudain, elle avait en face d'elle un homme plus grand que la moyenne, musclé, avec des traits durs et des malemarques gravées sur le bras. Le reconnaissait-elle, au moins ?

– Je ne ferai de mal à personne, signala-t-il, au cas où elle aurait eu un doute.

– Je sais.

On pouvait facilement la considérer comme une petite chose douce et fragile, mais il y avait comme un éclair métallique dans ses yeux et des rides précoces autour de sa bouche, les rides de quelqu'un qui avait souffert. Elle avait grandi.

– Tu as changé.

– Tu peux parler. Au fait, je voulais te demander…

Elle chercha ses mots en se mordillant un ongle.

– Je voulais te demander pour Eijeh…

Le poids de la main d'Eijeh sur son épaule lorsqu'il l'avait ramené dans sa cellule, alors qu'Akos murmurait son nom en implorant son aide, sa pitié, quelque chose à manger.

Il la sentait encore, cette main.

– Est-ce qu'il est vivant ? formula-t-elle d'une voix tremblante.

– Ça dépend de ce que tu entends par là, répondit-il sans ambages, comme l'aurait fait Cyra.

– La saison dernière, j'ai vu un fil d'informations shotet piraté où il était aux côtés de Ryzek Noavek.

Elle s'interrompit, comme pour lui laisser le temps de dire quelque chose, mais il ne savait pas quoi dire.

– Et toi, tu étais avec Cyra, acheva-t-elle.

Nouvelle pause.

Akos avait la gorge totalement desséchée.

– Tu en as vu d'autres, récemment ? lui demanda-t-il.

– Non. Les fils piratés sont difficiles à trouver. Pourquoi ?

Il avait besoin de savoir comment allait Cyra. Il en avait besoin comme une terre desséchée a besoin d'eau, prête à boire les moindres gouttelettes. Mais il se trouvait à Thuvhé, où le fil d'informations shotet ne passait pas à toute heure sur les écrans, où il n'y avait aucun moyen de savoir si elle était encore en vie, à moins d'y retourner.

Ce qui était un fait acquis. Il y retournerait. Il aiderait Cyra. Il ramènerait Eijeh à la maison, par tous les moyens. Eijeh n'était pas perdu. Pas encore.

– C'est pour cela qu'Isae – notre chancelière – t'a fait menotter au lit, précisa Cisi. Si tu pouvais juste nous expliquer pourquoi tu étais avec elle…

– Je n'expliquerai rien.

Elle parut aussi choquée que lui par la colère qui grondait dans sa voix.

– J'ai réussi à rester en vie, et je suis comme je suis. Rien de ce que je pourrais dire ne changera ce que vous imaginez.

Soudain, il était redevenu l'adolescent irritable qu'il était à quatorze saisons. Comme si, en rentrant chez lui, il avait remonté le temps.

– Je n'imagine rien du tout, dit-elle en baissant les yeux. Je voulais seulement t'avertir. La chancelière veut avoir la certitude que tu n'es pas… enfin… un traître, sans doute.

Les mains d'Akos se mirent à trembler.

– La certitude ? Qu'est-ce que ça veut dire ?

Elle allait lui répondre quand la porte de la chambre s'ouvrit. Un soldat thuvhésit entra en premier, vêtu de son uniforme d'apparat, une veste gris foncé sur un pantalon bordeaux. Il se posta sur le côté et la jumelle d'Ori entra derrière lui.

Akos sut tout de suite que ce n'était pas Ori, bien que ses yeux fussent les mêmes et qu'elle fût couverte de la tête aux pieds par une longue robe noire à capuche boutonnée jusqu'au cou, aux manches resserrées au niveau des poignets. Ses chaussures fraîchement cirées, noires également, claquaient à chacun de ses pas sur le carrelage. Elle s'arrêta au pied du lit. Elle croisa ses mains aux ongles soignés. Un trait noir impeccable allongeait ses cils. Un voile lui couvrait le bas du visage à partir du nez.

Isae Benesit, chancelière de Thuvhé.

L'éducation d'Akos ne lui avait pas appris comment se comporter face à une personnalité aussi importante.

– Chancelière, parvint-il à articuler.

– Je vois que vous n'avez aucun mal à me distinguer de ma sœur, dit-elle.

Elle parlait avec un drôle d'accent, comme ceux des planètes de la Bordure, pas avec l'accent snob des planètes les plus proches du siège de l'Assemblée comme il s'y serait attendu.

– C'est à cause des chaussures, avoua-t-il, la nervosité le privant du réflexe de mentir. Une fille de Hessa n'en porterait jamais des comme ça.

Ori, qui arrivait à son tour, éclata de rire. Leurs différences frappaient encore plus lorsqu'on les voyait côte à côte. Ori avait le visage mobile et se tenait un peu avachie, tandis qu'Isae semblait taillée dans un roc.

– Ori, puis-je savoir pourquoi tu as compromis un niveau de sécurité en lui montrant ton visage tout à l'heure ?

– Il est comme mon frère, répliqua fermement sa sœur. Je ne vais pas lui cacher mon visage.

– Qu'est-ce que ça peut faire ? demanda-t-il. Vous êtes jumelles, non ? Je connais votre tête à toutes les deux.

En réponse, Isae baissa son capuchon et retira son voile, et Akos la dévisagea. Fixement.

Sa figure était traversée par deux cicatrices : l'une lui barrait le front jusqu'au sourcil et l'autre courait de sa mâchoire jusqu'à son nez. Des cicatrices semblables à celles de Kalmev et à la sienne, faites par des lames bien aiguisées ; ce qui était rare, le flux étant généralement une arme suffisante. Voilà qui expliquait pourquoi les deux sœurs se couvraient le visage. Leur gémellité entretenait la confusion sur l'identité de la chancelière. Mais une fois leur visage mis à nu…

– Mais nous avons des sujets plus importants à aborder, reprit Isae encore plus sèchement. Je pense que votre sœur s'apprêtait à vous parler de mon don-flux…

– J'allais le faire, oui, confirma Cisi. Isae – Son Altesse, veux-je dire – peut faire surgir les souvenirs d'une personne rien qu'en la touchant. Son don-flux lui permet de vérifier les témoignages de ceux à qui elle n'est pas prête à faire confiance, pour une raison ou pour une autre.

Akos avait beaucoup de souvenirs qu'il ne souhaitait pas voir exposés. Le visage de Cyra, avec ses veines noires qui lui parcouraient les joues, apparut dans son esprit. Il se gratta la tête d'un air gêné en esquivant le regard de sa sœur.

– Ça ne marchera pas, répondit-il. Les dons-flux ne fonctionnent pas sur moi.

– Vraiment ? dit Isae.

– Oui, vraiment. Allez-y, essayez !

Elle s'approcha en faisant claquer ses talons sur le carrelage et se plaça juste à côté de lui, en face de Cisi. De près, on voyait les bourrelets de peau qui bordaient ses cicatrices encore sombres. A priori, elles n'étaient pas très anciennes.

Elle toucha son bras menotté, juste à côté du métal.

– Vous avez raison. Je ne vois rien et je ne sens rien.

– Alors je suppose que vous allez être obligée de me croire sur parole, répliqua-t-il d'un ton un peu abrupt.

– Nous verrons, se borna-t-elle à répondre en regagnant le pied du lit. Ryzek Noavek ou l'un de ses sbires vous a-t-il jamais posé des questions sur moi ? Nous savons que vous détenez des informations, puisque vous avez vu Ori le jour où les destins ont été annoncés.

– C'est vrai ? souffla Cisi.

– Oui, avoua-t-il d'une voix un peu hésitante. Oui, il m'a posé des questions.

– Que lui avez-vous dit ?

Akos remonta ses genoux contre sa poitrine, comme un gamin effrayé par l'orage, et regarda par la fenêtre. Shissa était lumineuse en fin de journée et chaque pièce luisait de rayures de lumière de toutes les couleurs. L'immeuble voisin était violet.

– Je savais que je devais me taire.

Son ton s'était fait encore plus hésitant. Ses souvenirs se rapprochaient tout doucement, petit à petit. Le visage de Cyra, le sol en verre, la main d'Eijeh posée sur lui.

– Je sais supporter la douleur, je ne suis pas un faible, je...

Il lui suffisait de s'entendre pour savoir qu'il devait passer pour un fou, à bredouiller de la sorte. Avait-il pu lâcher des informations, au cœur de toute cette souffrance ?

– Comme Ryzek a... accès aux souvenirs qu'Eijeh avait d'Ori, il lui suffisait de faire le lien entre Ori et son destin pour connaître vos visages, vos faux noms, vos origines... Alors j'ai essayé de me taire. Il veut savoir laquelle de vous deux est la plus âgée. Il sait que... Un oracle lui a dit qu'il valait mieux s'en prendre à vous dans un ordre précis. Donc, tout ce qui peut vous différencier vous met en danger. Il m'a questionné encore et encore, mais je... je crois que je n'ai rien dit. Mais je ne me souviens plus...

Dans un élan spontané, Ori lui saisit la cheville et la serra de toutes ses forces. La pression aida Akos à se reprendre.

– Dans le cas où vous lui auriez fourni une information utile, comme l'endroit où Ori a grandi, ou qui l'a élevée… pourrait-il venir nous attaquer en personne ? demanda Isae, apparemment imperturbable.

– Non. (Akos tenta de se calmer.) Je crois qu'il a peur de vous.

De toute façon, Ryzek ne venait jamais en personne. Il ne l'avait pas même fait pour capturer son oracle, pas même pour le kidnapper, lui. Il ne voulait pas mettre les pieds à Thuvhé.

Les yeux d'Isae lui avaient paru familiers lorsqu'il regardait les images d'Osoc. Mais la lueur qu'il y voyait à cet instant n'aurait jamais pu luire dans ceux d'Ori. Plus qu'une lueur, c'était un éclair, et tout bonnement meurtrier.

– Il a raison de me craindre, déclara-t-elle. Bien. Je n'en ai pas fini avec vous. Je veux savoir tout ce que vous savez sur Ryzek Noavek. Je reviendrai.

Elle remit son voile et son capuchon, et Ori en fit autant une seconde plus tard. Mais, avant de partir, celle-ci se retourna, la main sur la poignée de la porte

– Ne t'en fais pas, Akos. Tout se passera bien.

Il n'en était pas aussi convaincu.

▲
▲

27:
AKOS

Un rêve :

Ses genoux heurtèrent le sol de la prison souterraine. Les ombres-flux de Cyra rampaient sur lui comme des vers-perceurs autour de racines de fleurs-des-glaces. Soudain, elle relâcha son souffle et les ombres explosèrent en nuages noirs tout autour d'eux. Il ne les avait jamais vues faire cela auparavant, se séparer d'elle. Quelque chose avait changé.

Puis elle s'effondra sur le côté dans une mare de sang. Ses mains étaient crispées sur son ventre, le même geste que celui d'Aoseh quand Vas l'avait tué sous les yeux de ses enfants. Ses doigts, rouges et repliés, comprimaient ses entrailles.

Le sang se changea en pétales de fleur-de-silence, et il se réveilla.

Il en avait assez des menottes. Ou, plus exactement, de devoir garder le bras dans cette position et de sentir le contact permanent du métal, assez de ce jeu idiot qui consistait à faire semblant d'être impuissant. Il tourna le poignet pour toucher la serrure verrouillée par le flux, et il n'eut qu'à appuyer dessus pour que la menotte s'ouvre avec un petit déclic. Il avait découvert cet avantage de son don-flux sur le chemin de Voa, juste avant de tuer Kalmev Radix. Précisément *pour* tuer Kalmev Radix. Il arracha l'aiguille intraveineuse toujours fichée dans son bras et se leva. Son corps était douloureux, mais au moins il tenait sur ses jambes. Il alla à la fenêtre et regarda passer en flèche les lumières des flotteurs, rose fluo, rouge vif ou gris-vert, qui s'enroulaient comme des ceintures autour des bâtisses trapues, pas suffisamment vives pour éclairer autour d'elles, mais assez pour signaler leur présence.

Il resta ainsi longtemps, à regarder la nuit tomber, de plus en plus noire, tandis que la circulation s'amenuisait et que Shissa s'endormait. Puis une forme sombre passa sur la lueur violette du bâtiment d'en face. Une autre flotta au loin, au-dessus des champs de fleurs-des-glaces. Une troisième fila devant l'hôpital en faisant trembler la vitre de la fenêtre. Il reconnut les plaques de métal rapiécées. Le ciel de Shissa était sillonné par des vaisseaux shotet.

Une alarme retentit, et la porte s'ouvrit une seconde plus tard. Isae Benesit – aux chaussures toujours aussi bien cirées – jeta un sac en toile aux pieds d'Akos.

– C'est une bonne chose de savoir que nos menottes ne servent à rien avec vous, déclara-t-elle. Venez. Nous allons sortir d'ici ensemble.

Akos ne bougea pas. Le sac révélait les angles durs d'une cuirasse – la sienne, sans doute. Il devait également contenir ses armes et ses poisons. Si ceux qui l'avaient déposé à Shissa, quels qu'ils fussent, avaient pris la peine d'apporter sa cuirasse, le reste de son attirail devait y être aussi.

– Dites, j'aime bien qu'on m'écoute, de temps en temps, reprit-elle, oubliant un instant le protocole dans son impatience.

Il prit sa cuirasse et l'enfila. Tout en serrant les courroies d'une main, il fouilla dans le sac pour y prendre son couteau. C'était celui que Cyra lui avait offert dans la rue pendant les festivités. Il le lui avait rendu, pour se faire pardonner sa tentative d'évasion, mais elle l'avait posé sur la table du vaisseau de séjour juste avant d'en descendre.

– Et ma sœur ?

– Je suis là ! lança Cisi depuis le couloir. Ce que tu es grand, Akos !

Isae le prit par le bras en le tirant derrière elle, et Akos, un peu dérouté, eut l'impression que c'était elle qui devait l'aider à sortir de là et non l'inverse.

Alors qu'ils se hâtaient dans le couloir, toutes les lumières s'éteignirent brusquement, et il ne resta plus que quelques bandes d'éclairage de secours sur la gauche, le long des plinthes carrelées. Presque aussitôt, des cris aigus montèrent des entrailles du bâtiment.

Akos attrapa sa sœur par la main. Ils partirent tous les trois en courant et tournèrent sans ralentir vers la sortie de secours. Mais au bout du couloir se dressaient deux silhouettes sombres, revêtues de cuirasses shotet.

– Akos ! s'écria Cisi d'un ton horrifié.

Isae sortit l'arme qu'elle portait sur la hanche : une lame-flux, peu affûtée mais réglée à une intensité mortelle. Les soldats s'avancèrent, lentement, comme pour tenter d'approcher un animal farouche.

– Mais où est-ce qu'on va comme ça ? demanda l'un d'eux.

En shotet, bien sûr. Il ne parlait sans doute pas d'autre langue.

Celui qui venait de parler était plus petit qu'Isae, et plutôt robuste – pour le dire gentiment. Il sortit sa langue pour humecter ses lèvres desséchées par le froid. A priori, les soldats shotet ne s'aventuraient jamais aussi au nord. Ils ne devaient pas être préparés à affronter des températures aussi basses.

– Je pars, répondit Isae dans un shotet hésitant.

Les deux soldats éclatèrent de rire. Le second était tout jeune, sa voix n'avait même pas fini de muer.

– Joli accent, commenta le premier. Où as-tu appris notre langue ? Avec la racaille d'une planète de la Bordure ?

Isae se jeta sur lui. Akos y voyait mal dans la pénombre, mais il l'entendit gémir, visiblement touchée. Il s'interposa, protégé par sa cuirasse, son couteau à la main.

– Arrêtez, dit-il.

– Qu'est-ce que tu veux ? demanda le soldat le plus âgé.

Akos se plaça dans la lumière.

– Livrez-la-moi. Tout de suite.

Comme aucun des deux ne réagissait, il ajouta :

– Je suis un intendant de la famille Noavek.

Ce n'était qu'un demi-mensonge. Après tout, personne ne lui avait jamais précisé sa fonction à Shotet.

– Ryzek Noavek m'a envoyé ici pour la capturer. Ça risque d'être difficile si je vous laisse la tuer.

Plus personne ne bougeait. Akos avisa l'escalier de secours qui n'était qu'à quelques mètres. Ces deux-là représentaient le seul obstacle qui les en séparait. Le premier soldat se passa de nouveau la langue sur les lèvres.

– Et si moi, je te tue et que je remplis ta mission à ta place ? finit-il par demander. Ça pourrait me valoir une belle petite récompense de la part de notre souverain, non ?

– Arrête, intervint le plus jeune, les yeux écarquillés par la panique. Je le reconnais, il...

L'autre balaya l'air de sa lame, mais il était gros et lent, visiblement un sans-grade. Akos recula d'un bond en rentrant le ventre. Lorsqu'il projeta sa lame à son tour, celle-ci n'atteignit que la cuirasse du soldat dans un jet d'étincelles. Mais déjà sa main droite sortait de sa botte un autre couteau, qui, lui, rencontra la chair.

Le soldat s'affala sur Akos, qui sentit du sang tiède couler sur ses mains. Il le soutint, un peu choqué, non par ce qu'il venait de faire, mais par la facilité avec laquelle il l'avait fait.

– Je te donne le choix, dit-il au plus jeune, d'une voix entrecoupée qu'il eut du mal à reconnaître. Rester et mourir, ou fuir et vivre.

Le jeune soldat au rire de crécelle prit ses jambes à son cou, si vite qu'il glissa à l'angle du couloir. Cisi tremblait, les yeux brillants de larmes. Et Isae visait Akos de son couteau.

Il coucha le soldat sur le sol. *Ne vomis pas. Ne vomis pas.*

– Vous êtes un intendant de la famille Noavek ? articula Isae.

– Pas exactement.

– Je ne vous fais toujours pas confiance, dit-elle en abaissant néanmoins son couteau. Allons-y.

ILS GAGNÈRENT LE TOIT en courant et débouchèrent dans l'air glacial. Le temps d'atteindre le flotteur – un engin noir posé en bordure de la plateforme d'atterrissage –, Akos claquait des dents. Cisi ouvrit la portière en l'effleurant, et ils montèrent à bord.

Les commandes du flotteur s'allumèrent dès que Cisi prit place sur le siège du pilote : l'écran de vision de nuit s'élargit devant elle, affichant les données en vert, et le système de navigation se mit à luire en signe de bienvenue. Cisi éteignit les phares en pressant un bouton sous le tableau de bord, enregistra leur destination et mit le flotteur sur pilotage automatique. À vitesse maximale.

L'engin s'éleva à la verticale et s'élança en avant dans une secousse qui envoya Akos se cogner contre le tableau de commandes. Il avait oublié de s'attacher.

Il se retourna pour regarder Shissa rapetisser derrière eux. Chaque bâtiment était éclairé d'une couleur propre – violet pour la bibliothèque, jaune pour l'hôpital, vert pour le magasin d'alimentation – et flottait dans les airs comme une goutte d'eau en suspension, défiant les lois de la gravité. Il les contempla jusqu'à ce qu'ils ne soient plus qu'un amas de lumières. Lorsque la ville eut presque disparu dans l'obscurité, il se tourna vers Cisi.

– Tu… commença-t-elle.

Elle dut s'interrompre pour avaler sa salive. Quoi qu'elle eût à dire, elle n'y parvenait pas, bâillonnée par ce don idiot. Il tendit la main pour poser un doigt propre sur son bras – les autres étant rouges et poisseux.

– Tu as tué cet homme, articula-t-elle précipitamment.

Il passa en revue plusieurs réponses possibles, allant de « Et ce n'était pas le premier » à « Je suis désolé ». Mais aucune ne semblait convenir. Il ne voulait pas qu'elle le déteste, mais ne voulait pas non plus la laisser s'imaginer qu'il était sorti de Shotet blanc comme neige. Il n'avait envie ni d'en parler, ni de mentir.

– Il nous a sauvées, intervint sèchement Isae en allumant le fil d'informations.

Un petit écran holographique surgit au-dessus de la carte de pilotage automatique et Akos lut les gros titres qui tournaient en boucle :

Début d'invasion shotet sur Shissa deux heures après le coucher du soleil.

On signale la présence d'envahisseurs à l'hôpital de Shissa. Huit morts à déplorer chez les Thuvhésit.

– J'ai fait repartir Orieve dès qu'on a quitté la chambre, signala Isae. En principe, elle a dû sortir sans encombre. Mais je ne peux pas lui envoyer de message pour l'instant, il risquerait d'être intercepté.

Il laissa ses mains pendre le long de son corps, rêvant de pouvoir les laver.

UN FLASH D'INFORMATIONS apparut sur l'écran holographique alors qu'ils descendaient sur Hessa, quelques heures avant l'aube.

La police de Shissa signale que deux Thuvhésit ont été capturés par les Shotet. Des images montrent des soldats shotet emmenant une femme de l'hôpital. D'après les premiers éléments de l'enquête, il s'agirait soit d'Isae, soit d'Orieve Benesit.

Une boule de feu incendia les entrailles d'Akos.

Ori. Enlevée.

Il s'efforça de ne pas regarder Isae pour lui laisser le temps de se ressaisir, mais elle ne laissa rien paraître. Lorsque la main de Cisi se glissa jusqu'à elle, elle se contenta d'éteindre l'écran et de se tourner vers le hublot.

– Bien, dit-elle au bout d'un moment. Je n'ai plus qu'à aller la chercher.

▲
▲

:28
AKOS

ARRIVÉ À HESSA, le flotteur décrivit des cercles autour de la montagne avant de se diriger vers l'herbe-plume. Il se posa devant la maison des Kereseth en écrasant tiges et feuilles. Le sang qui recouvrait les mains d'Akos était sec, maintenant.

Isae reprogramma le pilotage automatique pour renvoyer le flotteur à Shissa. À peine Akos eut-il sauté à terre que la portière se referma et que l'engin s'éleva dans les airs. L'herbe-plume n'avait pas eu le temps de se redresser qu'il avait disparu.

Cisi passa la première et Akos en fut soulagé. Il ne s'en serait pas senti la force. Toutes les fenêtres étaient de sinistres rappels des derniers instants qu'il avait passés dans cette maison. Lorsque sa sœur ouvrit la porte et que des effluves d'épices et de fruit-salé haché lui parvinrent, il se serait presque attendu à trouver le corps de son père baignant dans une mare de sang.

Akos s'arrêta. Prit une grande inspiration. Puis se remit en marche.

Sur le chemin de la cuisine, il effleura les lambris de son poing replié, en longeant le mur nu sur lequel ils affichaient autrefois les photos de famille. Le salon avait totalement changé. Il était devenu une sorte de bureau, comprenant deux tables et des bibliothèques, sans un coussin en vue. Mais la cuisine, avec sa table en bois tout rayé et son banc grossièrement taillé, était toujours la même.

Cisi secoua le lustre suspendu au-dessus de la table pour allumer les pierres-ardentes. Leur lumière était toujours teintée de rouge.

– Où est maman ? demanda-t-il, tandis qu'une image de sa mère surgissait dans sa tête : Sifa debout sur un tabouret, en train d'astiquer le lustre avec de la fleur-de-silence.

– À une réunion d'oracles. Ils n'arrêtent pas de se voir, ces derniers temps. Elle ne rentrera pas avant plusieurs jours.

Ce serait trop long ; il serait déjà reparti.

L'envie de se laver les mains se mua en besoin urgent. Un morceau de savon fait maison était posé sur le rebord du lavabo, incrusté de petits pétales de fleurs-de-pureté pour faire joli. Il le fit mousser et se rinça les mains, une fois, deux fois, trois fois. Puis il passa ses ongles le long des lignes de sa paume et les récura. Quand il eut fini, ses mains étaient rose vif et Cisi était en train de poser des tasses sur la table pour le thé.

Il hésita, la main au-dessus du tiroir des couteaux. Il voulait graver la perte du soldat shotet sur son bras et il avait dans son sac un flacon d'extrait d'herbe-plume pour marquer l'ombre. Des mains propres, une lame propre, une nouvelle malemarque ? Il ferma les yeux, comme s'il avait besoin de l'obscurité pour s'éclaircir l'esprit. Quelque part, le soldat anonyme qu'il avait tué avait une famille, des amis, qui comptaient sur le fait que sa mort soit répertoriée. Akos savait – même si ce savoir le dérangeait – qu'il ne pourrait pas faire comme si ce meurtre n'avait pas eu lieu.

Alors il prit le couteau à découper et le stérilisa en passant la lame dans les flammes du poêle. Accroupi près de la source de chaleur, il grava un trait droit sur son bras à côté des autres marques. Puis il versa de l'extrait d'herbe-plume sur les dents d'une fourchette qu'il fit glisser le long de l'entaille. C'était du bricolage, mais ça ferait l'affaire.

Le temps que la douleur s'apaise, il resta assis par terre, la tête entre les mains. Le sang qui coulait sur son bras forma bientôt une petite flaque au creux de son coude.

– Les envahisseurs risquent de venir à Hessa, déclara Isae. À ma poursuite. Nous devons repartir le plus tôt possible à la recherche d'Ori.

– Nous ? réagit Akos. Je ne vais pas conduire la chancelière de Thuvhé à Ryzek Noavek, pas avec le destin que j'ai. Cela me marquerait définitivement comme un traître.

– Si vous ne l'êtes pas déjà, observa-t-elle en jetant un coup d'œil à son bras.

– Oh, la ferme, riposta-t-il.

Elle haussa un sourcil, mais il poursuivit :

– Vous croyez savoir comment mon destin va s'accomplir ? Vous croyez savoir mieux que moi ce qu'il recouvre ?

– Vous prétendez être loyal à Thuvhé et vous dites à sa chancelière de la *fermer* ?

Il y avait un soupçon d'amusement dans sa voix.

– Non, je dis ça à la femme plantée au milieu de ma cuisine qui me demande un service délirant. Je ne manquerais jamais de respect à ma chancelière de cette manière. Votre Altesse.

– Eh bien, emmenez la femme en question à Shotet.

Elle s'adossa à sa chaise avant d'ajouter :

– Je ne suis pas idiote. Je sais que j'ai besoin de votre aide pour y aller.

– Vous ne me faites même pas confiance.

– Je vous le répète : je ne suis pas idiote. Vous m'aidez à libérer ma sœur et je vous aide à libérer votre frère. Sans garantie, bien entendu.

Akos faillit lâcher un juron. Comment faisaient tous ces gens pour toujours savoir exactement quoi lui proposer pour lui faire faire ce qu'ils voulaient ? Non qu'il fût convaincu qu'elle puisse lui être utile, mais il était déjà sur le point d'accepter avant, de toute façon.

– Akos, reprit Isae, si quelqu'un vous disait que vous ne pouviez pas aller sauver votre frère parce que votre vie est trop importante pour la risquer pour lui, l'écouteriez-vous ?

L'emploi spontané de son prénom le désarçonna. Avec ses traits tirés, son visage parsemé de gouttelettes de sueur et sa joue encore rouge du coup donné par le soldat, Isae n'avait plus tellement l'allure d'une chancelière. Et ses cicatrices racontaient aussi autre chose sur elle : que, tout comme Cyra, elle savait ce que risquer sa vie signifiait.

– Très bien, céda-t-il. Je vous aiderai.

À cet instant, Cisi abattit sa tasse sur la table avec un bruit mat, en renversant du thé sur elle. Elle l'essuya avec une grimace et lui tendit sa main. Isae prit un air perplexe mais Akos, lui, comprit : elle voulait parler, et elle avait besoin qu'il bloque son don-flux pour s'exprimer. Aussi inquiet qu'il puisse être de ce qu'elle avait à dire, il ne pouvait pas refuser. Il lui prit la main et serra.

– Vous êtes conscients que je viens avec vous, j'espère ! lança-t-elle avec véhémence.

– Non, Cisi, dit-il. Hors de question. Tu ne peux pas t'exposer à un tel danger.

Elle se raidit et rétorqua avec une dureté qu'il ne lui connaissait pas :

– Ah non ? Et que crois-tu que je ressente, moi, à l'idée que tu repartes là-bas ? Cette famille a déjà connu assez d'incertitudes, assez de pertes.

Elle le fixait d'un air sombre. Isae réagit comme sous l'effet d'une gifle ; elle n'avait jamais dû voir Cisi aussi libre de parler, libre de pleurer, de crier et de mettre tout le monde mal à l'aise.

– Si on doit se faire tuer à Shotet, reprit celle-ci, on mourra ensemble, mais…

– Ne parle pas de la mort comme ça, comme si ce n'était rien !

– Je crois que tu ne comprends pas, Akos.

Un tremblement parcourut sa main, son bras, sa voix. Elle

regarda son frère dans les yeux et il se concentra sur la tache au bord de son iris.

– Quand maman est revenue, après votre enlèvement, elle était… comme insensible. C'est moi qui ai dû tirer le corps de papa dehors dans le champ pour l'incinérer. Et c'est moi qui ai nettoyé le salon.

Il ne pouvait pas imaginer, pas une seconde, l'horreur de devoir nettoyer le sang de son propre père. Mieux valait encore mettre le feu à la maison, partir pour ne plus jamais revenir.

– Alors je ne te permets pas de me dire que je ne sais pas ce qu'est la mort ! Je le sais très bien, crois-moi.

Alarmé, il posa une main sur la joue de sa sœur et attira sa tête sur son épaule. Ses cheveux bouclés lui chatouillèrent le menton.

– Entendu, se contenta-t-il de répondre.

Il n'y avait rien d'autre à dire.

Ils se mirent d'accord qu'il valait mieux dormir quelques heures avant de repartir. En montant dans sa chambre, Akos se rendit compte qu'il avait sauté la sixième marche par automatisme, un souvenir enfoui dans sa mémoire lui ayant signalé qu'elle grinçait. Le couloir du haut s'inclinait vers la droite tout de suite après la salle de bains en décrivant une courbe qui ne paraissait pas naturelle. La chambre qu'il avait partagée avec Eijeh se trouvait au fond. Il ouvrit la porte du bout des doigts.

Les draps du lit d'Eijeh formaient une masse, comme s'ils recouvraient un dormeur, et il y avait encore une paire de chaussettes sales par terre dans un coin, aux talons noircis par le frottement des bottes. Du côté d'Akos, les draps étaient parfaitement tirés sur le matelas et l'oreiller coincé entre le lit et le mur. Il n'avait jamais supporté les oreillers.

Derrière la grande fenêtre ronde, on voyait l'herbe-plume onduler dans le noir, et les étoiles.

Il s'assit et prit l'oreiller sur ses genoux. Les chaussures alignées au pied du lit étaient tellement plus petites que celles qu'il portait maintenant que cela le fit sourire. Puis il pleura, le visage dans l'oreiller pour étouffer ses sanglots. Il ne pouvait pas croire à ce qui lui arrivait, qu'il était là, chez lui, et qu'il lui fallait déjà repartir.

Ses pleurs finirent par s'apaiser, et il s'endormit tout habillé.

À SON RÉVEIL, il alla se doucher et resta sous le jet un peu plus longtemps que d'habitude dans l'espoir de se détendre. Sans succès.

En regagnant sa chambre, il trouva devant sa porte une pile de vêtements : ceux de son père. La chemise était trop large à la taille et aux épaules mais le serrait au niveau de la poitrine – Aoseh et lui n'étaient pas du tout bâtis sur le même modèle. Le pantalon était assez long, sans rien de trop, et rentrait tout juste dans ses bottes.

Il retourna dans la salle de bains pour y ranger sa serviette – voilà ce que trouverait leur mère à son retour : une serviette humide, des draps froissés et pas d'enfants – et tomba sur Isae, vêtue d'un pantalon noir de Sifa trop grand pour elle. Elle était en train de palper sa cicatrice du bout des doigts en s'examinant dans le miroir.

– Une seule remarque subtile et pertinente sur ma cicatrice, et je vous colle mon poing dans la figure, l'avertit-elle.

Avec un haussement d'épaules, il tourna son bras gauche pour lui montrer ses malemarques.

– Les vôtres ne sont pas aussi moches que les miennes.

– Au moins, vous étiez d'accord.

Un point pour elle.

– Comment est-ce arrivé ?

Chez les soldats shotet, les cicatrices autres que les malemarques étaient souvent l'objet de plaisanteries : un petit trait blanc sur une rotule, dû à un accident étant petit, une entaille de couteau de cuisine au cours d'une incursion à Hessa, la rencontre intempestive d'un crâne avec une porte après une beuverie. Ces récits les faisaient beaucoup rire. Mais l'histoire d'Isae était certainement moins divertissante.

– Le ramassage n'est pas toujours aussi pacifique qu'ils veulent le laisser croire, répondit Isae. Au cours de l'avant-dernier séjour, mon vaisseau a dû se poser sur Othyr pour des réparations, et un membre d'équipage est tombé très malade. Alors que nous attendions devant l'hôpital, nous avons été attaqués par des soldats shotet venus piller les réserves de médicaments. L'un d'eux m'a tailladé le visage et m'a laissée pour morte.

– Je suis désolé, dit Akos par réflexe.

Brusquement, il eut envie de lui expliquer à qui profitait l'aide médicale othyrienne – exclusivement aux partisans de Ryzek –, et le fait que la population l'ignorait. Mais le moment était mal choisi pour lui parler du fonctionnement de Shotet, d'autant plus qu'il ne voulait pas donner l'impression de chercher à excuser les actes du soldat.

Elle s'empara du savon comme si elle voulait le casser en deux et commença à se laver les mains.

– Pas moi, répliqua-t-elle. Cela m'aide à me rappeler qui sont mes ennemis.

Elle s'éclaircit la gorge avant d'ajouter :

– J'ai emprunté des vêtements de votre mère, j'espère que cela ne vous ennuie pas.

– Je porte les sous-vêtements d'un mort. Je ne vois pas pourquoi ça m'ennuierait.

Elle eut un petit sourire, ce qu'Akos considéra comme un progrès.

Ils ne souhaitaient pas attendre plus que nécessaire, Akos encore moins que les autres. Il savait que plus il s'attarderait, plus il aurait du mal à repartir. Plus tôt il rouvrirait la blessure, plus tôt elle guérirait.

Ils rassemblèrent du matériel, des provisions, des vêtements et des fleurs-des-glaces, et s'entassèrent dans le deuxième flotteur familial. Il contenait juste assez de carburant pour traverser l'herbe-plume, ce qui leur suffirait. Sous les doigts de Cisi, l'engin s'éleva à la verticale et Akos régla le pilotage automatique sur une destination qui semblait se trouver au milieu de nulle part. Ils commenceraient par se rendre chez Jorek, le seul endroit à peu près sûr qu'il connaissait à Shotet à l'extérieur de Voa.

Pendant le vol, Akos contempla les mouvements de l'herbe-plume qui s'inclinait et se retournait en suivant le vent.

– Que racontent les Shotet sur l'herbe-plume ? demanda soudain Isae. Enfin, pour nous, ce sont les premiers colons thuvhésit qui l'ont semée pour maintenir les Shotet à distance, il y a plusieurs centaines de saisons. Mais je suppose que ce n'est pas leur version de l'histoire ?

– Ils disent que ce sont eux qui l'ont semée. Pour prévenir les invasions thuvhésit. Quoi qu'il en soit, c'est une plante originaire d'Ogra.

– Je les entends encore d'ici, intervint sa sœur. Les voix dans les herbes.

– Les voix de qui ?

Dès qu'Isae s'adressait à Cisi, son ton perdait sa dureté.

– Celle de mon père, surtout.

– Moi, j'entends ma mère, dit Isae.

– Depuis quand est-elle morte ? demanda Akos.

– Deux saisons. Vers l'époque où j'ai eu cette cicatrice, par là.

Sa grammaire se relâchait. Et sa posture aussi avait changé, plus voûtée.

Elles continuèrent à bavarder tandis qu'Akos se taisait, l'esprit occupé par Cyra.

Si elle était morte, il était certain qu'il l'aurait senti, comme un coup de poignard au thorax. Il ne pouvait pas croire qu'il était possible de perdre une amie aussi proche sans le savoir. Même si le flux ne circulait pas en lui, la force vitale de Cyra, elle, le faisait forcément. Elle l'avait maintenu en vie assez longtemps. S'il se concentrait, peut-être arriverait-il maintenant à lui rendre la pareille, à distance.

Vers la fin de l'après-midi, alors que le soleil enflait en jetant ses derniers rayons, le niveau de carburant vint à baisser, et le flotteur se mit à vibrer. Au sol, l'herbe-plume se clairsemait, piquetée d'une herbe brun-gris qui s'agitait comme une chevelure dans le vent.

Cisi orienta le vaisseau pour le poser près d'un champ d'herbes sauvages. Même à proximité de l'équateur, il pouvait geler, mais des courants d'air chaud venant de la mer soufflaient sur la vallée de Voa, et le climat permettait d'y faire pousser des plantes plus variées que les fleurs-des-glaces.

Ils descendirent et se mirent à marcher. Le long de l'horizon, un petit îlot de constructions et l'éclat métallique de vaisseaux shotet se détachaient sur le rouleau violet du flux. Jorek avait expliqué à Akos comment venir chez lui. Il y était déjà venu une fois, juste après que Vas et les autres l'avaient roué de coups pour avoir tué Kalmev Radix. Mais ses souvenirs étaient flous. Par chance, le terrain était si plat qu'un village ne pouvait guère s'y cacher.

Il entendit du mouvement dans les herbes et repéra au milieu des tiges une énorme silhouette sombre. Il saisit la main d'Isae à sa gauche et celle de Cisi à sa droite pour leur intimer de ne pas bouger.

La créature rampait dans un cliquetis de pinces qui semblait venir de toutes les directions. Elle était grosse – aussi large qu'Akos – et son corps recouvert de plaques bleu foncé était doté d'innombrables pattes. On ne voyait de sa tête qu'une rangée de dents longues comme des doigts, qui luisaient dans sa large bouche incurvée.

Un Carapaçonné.

Le visage d'Akos n'était qu'à quelques izits du flanc de l'animal.

Celui-ci expira – presque dans un soupir – et ferma ses petits yeux ronds et noirs, abrités sous sa carapace. Akos sentit Cisi frémir de peur à côté de lui.

– Le flux peut provoquer des crises de rage meurtrière chez les Carapaçonnés, murmura-t-il, tout près de la créature, qui, aussi absurde que cela puisse paraître, venait de s'endormir. C'est pour cela qu'ils attaquent les gens : parce que ce sont d'excellents conducteurs du flux.

Akos fit lentement un pas en arrière. Ses paumes moites crissaient dans celles d'Isae et de Cisi.

– Mais vous, dit Isae d'un ton crispé, le flux ne circule pas en vous.

– C'est pour cette raison qu'ils perçoivent à peine ma présence. Venez.

Il les éloigna de l'animal assoupi, en regardant par-dessus son épaule pour s'assurer qu'il ne les suivait pas. Mais le Carapaçonné n'avait pas bougé.

– Je crois qu'on peut deviner comment vous avez acquis votre cuirasse, lui dit Isae.

– C'est de ces bêtes que viennent les cuirasses shotet ? s'étonna Cisi. Je croyais que toutes ces histoires de chasse n'étaient que des histoires thuvhésit idiotes.

– Non, ce n'est pas une histoire. Dans mon cas, il n'y a pas vraiment de quoi se vanter. Il s'est endormi, et je l'ai tué. Je me suis senti si mal ensuite que je l'ai marqué sur mon bras.

– Pourquoi l'avoir tué, alors ? demanda Isae. Si vous ne vouliez pas le faire ?

– Je voulais une cuirasse. Tous les Shotet n'acquièrent pas la leur. C'est une sorte de… de symbole, qui donne un statut. Je voulais qu'ils me considèrent comme un égal et qu'ils me fichent la paix avec leur baratin sur les Thuvhésit à la peau tendre.

– À la peau tendre ? On voit qu'ils n'ont jamais passé un hiver à Hessa, ironisa Cisi.

Il les conduisit vers le village, à travers des fleurs des champs si fragiles qu'elles se désintégraient sous leurs pas.

– Allez-vous enfin nous dire où nous allons, ou espérez-vous que je vais entrer dans ces bâtiments sans poser de questions ? demanda Isae lorsqu'ils furent assez près pour distinguer la pierre bleu-gris des murs.

Il n'y avait qu'une poignée de bâtisses, percées de petites fenêtres aux vitres teintées de toutes les couleurs, qui constituaient à peine de quoi former un hameau. Avec les reflets du soleil couchant sur les fenêtres et les fleurs sauvages qui poussaient jusqu'au pied des murs, l'endroit avait quelque chose de réellement charmant.

Akos prenait un risque en venant ici, mais ils étaient en danger de toute façon, et cette solution n'était pas pire qu'une autre.

Ses muscles tressaillaient convulsivement sous l'effet de l'appréhension. Ces maisons devaient recevoir le fil d'informations shotet. Il allait bientôt savoir ce qui était arrivé à Cyra. Tout en approchant, il garda la main gauche croisée sur l'épaule droite pour pouvoir dégainer sa lame en cas de besoin. Il n'avait aucune idée de ce qui l'attendait derrière ces fenêtres étincelantes. Il tira son arme en voyant une porte s'ouvrir. Une femme de petite taille, à l'œil vif, sortit sur le seuil. Elle avait les mains trempées et tenait un torchon à la main. Akos la reconnut : c'était Ara Kuzar, veuve de Suzao Kuzar et mère de Jorek.

Au moins, il ne s'était pas trompé d'endroit.

– Bonjour, leur dit Ara sans élever la voix.

Il ne l'avait vue qu'une fois – serrant fébrilement la main de son fils dans les gradins, tandis qu'il sortait de l'amphithéâtre après avoir assassiné son mari.

– Bonjour, répondit-il. Je suis…

– Je sais qui tu es, Akos. Je m'appelle Ara. Mais je pense que tu le sais aussi.

Inutile de le nier. Il acquiesça d'un signe de tête.

– Ne reste pas dehors. Tes amies peuvent entrer aussi, tant qu'elles ne créent pas de problèmes.

Isae regarda Akos en haussant les sourcils tout en passant devant lui pour monter les marches en premier. Elle gardait les mains près de ses cuisses, prête à saisir l'étoffe d'une jupe fantôme. Elle devait être habituée à porter de beaux vêtements et se tenait comme une femme de la bonne société, la tête haute et les épaules rejetées en arrière. Elle non plus n'avait jamais connu l'hiver à Hessa, mais il y avait des choses plus difficiles à vivre.

Sur les pas d'Ara, ils prirent un étroit escalier grinçant qui menait à la cuisine. La pièce était carrelée de dalles aux tons bleus irréguliers et la peinture blanche s'écaillait sur les murs. Mais il y faisait bon, et des chaises éparpillées autour d'une grande table rustique laissaient supposer qu'elle avait accueilli récemment tout un groupe. Le fil d'informations passait sur un écran niché dans le mur du fond. Sa lumière artificielle formait un contraste saisissant avec la peinture craquelée, dans un mariage d'ancien et de neuf typiquement shotet.

– J'ai envoyé un signal à Jorek pour qu'il revienne le plus vite possible, précisa Ara à Akos. Tes amies parlent-elles shotet ?

– Seulement moi, répondit Isae. Mais je ne l'apprends que depuis quelques saisons. Si vous pouviez parler lentement…

– Nous allons plutôt poursuivre en thuvhésit, proposa Ara.

Elle le parlait avec raideur, mais se faisait comprendre.

– Je vous présente ma sœur Cisi, lui dit Akos en désignant celle-ci. Et mon amie…

– Badha, compléta Isae sans hésitation.

– Je me réjouis de faire votre connaissance, répondit Ara. Mais je dois avouer, Akos, que je suis un peu vexée que tu n'aies pas gardé mon cadeau.

Elle regardait les mains du garçon, qui tremblaient un peu.

– Oh, fit-il.

Passant le pouce sous le col de sa chemise, il en tira une chaîne à laquelle pendait la bague qu'elle lui avait envoyée par l'intermédiaire de son fils.

En réalité, il avait sérieusement songé à la jeter ; la mort de Suzao n'était pas un événement dont il avait envie de se souvenir. Mais c'était quelque chose dont il avait *besoin* de se souvenir.

Ara hocha la tête en signe d'approbation.

– Comment vous êtes-vous rencontrés ? questionna Cisi de sa voix douce.

Il se demanda si elle avait parlé ainsi pour rendre la situation plus confortable. *Tu perds ton temps*, songea-t-il.

– C'est une histoire que je vous raconterai une autre fois, répondit Ara.

Mais Akos n'y tenait plus.

– Sans vouloir paraître impoli, intervint-il, j'ai besoin de savoir ce qui est arrivé à Cyra.

Ara croisa les mains sur son ventre.

– Que veux-tu savoir ?

– Est-ce qu'elle… ?

Il ne pouvait pas se résoudre à dire le mot.

– Elle est en vie.

Il ferma les yeux, s'accordant enfin un instant pour penser à elle. Dans chacun de ses souvenirs, elle bouillonnait de vie, lorsqu'elle semblait danser en s'entraînant au combat dans le gymnase, ou lorsqu'elle fouillait l'espace du regard par un hublot du vaisseau de séjour comme si elle contemplait un tableau. Elle avait l'art de rendre beau ce qui était laid, et il ne comprendrait jamais comment. Elle était vivante.

– Il est un peu tôt pour s'en réjouir, dit une voix.

En se retournant, Akos découvrit une fille menue, aux cheveux blonds presque blancs et à l'œil masqué par un bandeau rose. Il l'avait déjà vue sur le vaisseau de séjour, mais ne se rappelait pas son nom.

Jorek se tenait derrière elle. Une grosse mèche de cheveux

bouclés retombait devant ses yeux, et sa mâchoire était bleuie par une barbe naissante.

– Akos ? Qu'est-ce que tu... ?

Il se tut en voyant Isae et Cisi.

– Cisi, Badha, dit Akos en les désignant. Je vous présente Jorek, et...

– Teka.

Il se souvenait, maintenant. C'était la fille de la femme exécutée sur le vaisseau de séjour. Cyra était allée lui parler avant leur départ pour Pitha.

– Eh bien, reprit-il, Cisi est ma sœur, et Badha est une... amie. Elles viennent de Thuvhé. Cisi ne parle pas shotet. (Il se tourna vers Teka.) Comment cela, « un peu tôt pour s'en réjouir » ?

Teka s'assit sur une chaise ; s'affala dessus, plutôt, les genoux écartés et le bras en travers du dossier.

– A priori, la petite Noavek ne tiendra pas longtemps. On cherche un moyen de la libérer. Maintenant que vous êtes là – une idée stupide, devrais-je préciser –, vous allez peut-être pouvoir nous aider.

– La libérer ? (Akos se tourna vers Jorek.) Pourquoi voudriez-vous faire ça ?

Jorek sourit à Cisi d'un air endormi, comme le faisaient souvent les gens avec elle. À cet instant, Akos reconnut la valeur du don-flux de sa sœur : une force qui, si elle l'étouffait et l'empêchait de pleurer, lui donnait aussi un vrai pouvoir sur les autres.

– Eh bien, répondit Jorek, c'est un bastion de renégats ici, comme vous avez pu le deviner.

Akos n'y avait pas vraiment réfléchi. Jorek semblait savoir des choses ignorées par d'autres, mais cela n'impliquait pas nécessairement qu'il fût un renégat. Quant à Teka, elle était borgne, ce qui laissait imaginer que Ryzek n'était pas son ami. Mais cela n'allait pas forcément plus loin non plus.

– Et alors ? demanda-t-il.

– Euh, fit Jorek d'un air perplexe. Cyra ne t'a rien dit ?

– Dit quoi ?

– Elle travaillait avec nous, lui expliqua Teka. J'étais censée la supprimer sur le vaisseau de séjour – éliminer le Fléau de Ryzek en même temps qu'on annonçait le destin de son frère par haut-parleur.

– Ne l'appelle pas comme ça, protesta Akos.

Il sentit le regard d'Isae peser sur lui et rougit.

– OK, OK, dit Teka en éludant son reproche d'un geste. Toujours est-il qu'elle m'a vaincue. Ensuite, elle m'a retrouvée et a demandé à rencontrer le groupe. Elle nous a proposé de nous fournir ce qui nous intéressait – des informations, de l'aide, au choix – à condition qu'on fasse quelque chose pour elle en échange : te faire sortir de Shotet.

Elle ajouta à l'intention de Jorek :

– Elle ne voulait pas qu'on lui en parle parce qu'il aurait refusé de partir sans son frère.

Jorek leva les yeux au ciel.

Les semaines qui avaient suivi le chantage de Ryzek, après que Cyra avait dû torturer Zosita, elle avait continué à donner le change sur Pitha, laissant croire à Akos qu'elle se pliait toujours aux ordres de son frère. Elle lui avait laissé penser le pire à son sujet. Et pendant tout ce temps, elle œuvrait avec les renégats, en leur donnant ce qu'elle avait à leur offrir pour qu'ils le fassent évader. C'était comme si elle était devenue quelqu'un d'autre sans qu'il ait rien remarqué.

– Elle nous aidait à assassiner Ryzek quand elle s'est fait prendre, reprit Teka. Elle a réussi à nous faire sortir, mais pour elle, c'était trop tard. De notre côté, on a continué. On est revenus au manoir – on ne savait pas ce qu'ils avaient fait d'elle – et tu étais là, enfermé dans ta chambre, affaibli et à moitié mort de faim. Alors on t'a fait sortir. On a pensé que ça pourrait nous aider à la garder dans notre camp.

– Et puis, je voulais faire quelque chose pour toi, ajouta Jorek.

– Ouais, c'est ça, t'es un héros, fit Teka. On prend note.

– Pourquoi… ? commença Akos en secouant la tête. Pourquoi a-t-elle fait une chose pareille ?

– Tu sais très bien pourquoi, répliqua Teka. Qu'est-ce qui, pour elle, passe avant la peur que lui inspire son frère ?

Comme il ne répondait pas, elle soupira, clairement exaspérée.

– Cet honneur te revient, figure-toi.

Isae et Cisi le dévisageaient fixement, la première avec suspicion, la seconde avec perplexité. Il ne savait même pas par où commencer pour leur expliquer la situation. Connu de tous les Thuvhésit, le nom de Cyra Noavek était pour eux synonyme de « monstre », un monstre dont ils parlaient pour se faire des frayeurs. Que pouvait-on dire lorsqu'on savait que le monstre en question ne méritait pas ce qualificatif ?

Rien. Il n'y avait rien à dire.

– Que lui a fait Ryzek ? demanda-t-il sombrement.

– Montre-lui, dit Teka à Jorek.

Celui-ci toucha l'écran pour faire disparaître le fil d'informations et, en quelques glissements de doigts, fit surgir d'autres images. Apparut en zoom l'amphithéâtre éclairé d'une lumière blanche. Les gradins étaient pleins, depuis les bancs en bois du bas jusqu'aux sièges en métal des rangées supérieures, mais les visages graves annonçaient clairement qu'il ne s'agissait pas d'un jour de fête.

La rétine fit le point sur une plateforme suspendue au-dessus des sièges sur laquelle se dressait Ryzek. Son crâne rasé laissait voir des bosses sous sa peau luisante et sa cuirasse était aussi étincelante que ses bottes noires. Cisi et Isae eurent le même mouvement de recul instinctif. Akos, lui, avait dépassé sa peur de Ryzek, depuis longtemps muée en révulsion absolue.

À la gauche de Ryzek se tenait Vas, et à sa droite…

– Eijeh, souffla Cisi. Mais pourquoi ?

– Il a subi… une sorte de lavage de cerveau, répondit prudemment Akos, faisant ricaner Jorek.

L'image s'élargit pour inclure le bord de l'estrade, où des soldats entouraient une femme à genoux. C'était Cyra. Elle portait les mêmes vêtements que la dernière fois qu'il l'avait vue, mais déchirés et ensanglantés. Son épaisse chevelure lui couvrait le visage, et Akos se demanda un instant si Ryzek ne lui avait pas crevé un œil. C'était le châtiment qu'il infligeait parfois à ceux qu'il frappait de disgrâce, pour qu'ils ne puissent pas le cacher.

Cyra leva la tête, révélant quelques ecchymoses violacées et un regard éteint, mais ses deux yeux étaient intacts.

Puis Ryzek prit la parole :

« J'ai de tristes nouvelles à vous annoncer aujourd'hui. Une personne qui avait toute notre confiance – ma sœur, Cyra Noavek – s'est avérée être de la pire espèce des traîtres. Elle collaborait avec nos ennemis de l'autre côté de la Traverse en leur fournissant des informations sur notre stratégie, notre armée et nos projets. »

– Il ne veut pas admettre l'existence d'un groupe de renégats, expliqua Jorek par-dessus les cris d'indignation de la foule. Il préfère faire croire qu'elle s'est associée avec les Thuvhésit.

– Il sait choisir ses mensonges, admit Isae, d'un ton qui n'avait rien d'admiratif.

« On m'a également apporté la preuve que cette femme (Ryzek pointa Cyra du doigt en arborant une rangée de malemarques qui allait de son poignet à son épaule) est responsable de la mort de ma mère, Ylira Noavek. »

Akos enfouit son visage dans ses mains. Ryzek ne pouvait pas porter à Cyra un coup plus meurtrier.

« J'avoue que mon attachement fraternel avait obscurci mon jugement. Mais maintenant que j'ai appris sa trahison et son… (petit silence de Ryzek) son crime odieux sur la personne de notre mère, j'ai décidé que le seul châtiment possible pour cette ennemie de Shotet est celui du nemhalzak. »

L'image revint sur Cyra et Akos vit que ses épaules tremblaient, mais que ses yeux étaient secs. Elle riait. Et tandis qu'elle riait, les ombres-flux dansaient, non pas sous sa peau mais au-dessus, comme de la fumée autour d'un encensoir. Elles avaient fait la même chose le soir où Ryzek l'avait forcée à le toucher, s'échappant d'elle comme une brume.

Son don-flux avait changé.

Ryzek fit un signe de tête à Vas, qui traversa la plateforme en tirant son couteau. Les soldats qui entouraient Cyra reculèrent pour le laisser passer. Elle le fixa d'un air narquois et prononça des paroles inaudibles. Ryzek lui répondit, s'approcha à son tour et se pencha sur elle pour ajouter quelque chose, ses lèvres formant des mots rapides qu'ils étaient les deux seuls à entendre. Puis Vas la saisit par les cheveux pour basculer sa tête en arrière et exposer sa gorge. Tandis qu'il positionnait la lame et l'enfonçait, Akos détourna les yeux en serrant les dents.

– Tu vois le genre, commenta Jorek.

L'arrêt des images fut accompagné d'un silence.

– Qu'est-ce qu'il a fait ? demanda Akos d'un ton abrupt.

– Il l'a… mutilée en l'écorchant de la gorge jusqu'au cuir chevelu, répondit Teka. On ne sait pas très bien pourquoi. Tout ce que réclame le rite, c'est de prendre de la chair. Le reste est laissé au choix de Ryzek.

– Ce mot qu'il a prononcé, je ne le connais pas, intervint Isae. Nem… Nemhalzet ?

– Nemhalzak, rectifia Jorek. La déchéance du statut. Cela signifie qu'elle n'est plus considérée comme une Shotet, et que n'importe qui peut la défier pour un combat à mort. Vu tous les gens à qui elle a fait du mal sur l'ordre de Ryzek et la vénération que le peuple avait pour sa mère… ce ne sont pas les candidats qui manquent. Ryzek autorisera ces duels jusqu'à ce que quelqu'un réussisse à la tuer.

– Et avec sa blessure, elle perd beaucoup de sang, ajouta Teka.

Ils lui ont mis un pansement, mais de toute évidence ça ne suffira pas.

– Tous ces duels auront lieu dans l'arène ? demanda Akos.

– Vraisemblablement, confirma Teka. Ces événements sont censés être publics. Mais le champ de force qui protège l'amphithéâtre grille tout ce qui le touche…

– Je suppose que vous avez une navette, la coupa Akos, ou vous n'auriez pas pu me déposer à Shissa.

– Ouais, acquiesça Jorek. Rapide, et discrète en plus.

– Alors je sais comment la faire évader.

– Je n'ai pas le souvenir d'avoir donné mon accord pour une quelconque mission de sauvetage, intervint sèchement Isae. Et certainement pas pour la tortionnaire de Ryzek Noavek. Je n'ignore pas ce qu'elle a fait, Kereseth. Les rumeurs ne manquent pas dans le reste de la galaxie.

– Je me moque de ce que vous croyez savoir, répliqua Akos. Vous voulez que je vous aide ? Eh bien, vous allez devoir attendre que j'aie réglé cette affaire.

Isae croisa les bras d'un air buté. Mais Akos la tenait, et elle semblait l'avoir compris.

Ara proposa à Cisi et Isae une chambre d'amis à l'étage, et à Akos un lit de camp dans la chambre de Jorek. Mais à en juger par le regard insistant de sa sœur lorsqu'ils arrivèrent en haut de l'escalier, elle ne comptait pas le laisser disparaître aussi facilement. Il la suivit donc dans la petite chambre, meublée d'un grand matelas bien rembourré et d'un poêle. Le soleil couchant qui flamboyait derrière la fenêtre émaillait le sol de taches de lumière multicolores.

Akos retira sa cuirasse, mais garda son couteau dans sa botte, faute de savoir ce qui pouvait se produire ici. Il avait la sensation qu'à tout moment, Ryzek et Vas pouvaient bondir de n'importe quel recoin.

– Is… Badha, si tu faisais ta toilette en premier ? suggéra Cisi à Isae. Il faut que je parle à mon frère.

Celle-ci hocha la tête et sortit de la chambre en refermant la porte d'un coup de talon. Akos s'assit sur le lit à côté de Cisi. Des ronds de lumière bleus, verts et violets dansaient sur ses chaussures. Elle posa la main sur son poignet.

– Eijeh, dit-elle simplement.

Alors il lui raconta : tous les souvenirs que Ryzek avait déversés dans la tête de leur frère et tous ceux dont il l'avait vidé ; les mots nouveaux qu'il employait et sa façon de faire sauter un couteau dans sa paume. Il ne lui dit pas comment Eijeh avait assisté sans ciller aux tortures que Ryzek lui avait fait subir, non pas une fois, mais deux, ni qu'il exploitait ses visions pour aider leur ennemi. Akos n'avait pas de raison de faire perdre espoir à Cisi.

– C'est pour ça que tu n'as pas cherché à t'évader, dit-elle doucement. Parce que ça t'obligeait à l'enlever, et que c'était plus difficile.

« Presque impossible » serait plus exact, rectifia Akos intérieurement.

– En partie. Et puis, quel avenir ai-je maintenant à Thuvhé, Cisi ? Tu crois que je vais faire mentir mon destin alors que personne dans la galaxie n'y est jamais parvenu ? Il vaut peut-être mieux regarder la réalité en face, Cisi. On ne formera plus jamais une famille.

– Tu te trompes, répliqua-t-elle fermement. Tu pensais ne jamais me revoir et pourtant je suis là, non ? Tu ne sais pas comment un destin s'accomplit, pas plus que moi. Mais, en attendant, on est libres de faire tout ce qui est possible.

Elle lui pressa la main, et il retrouva un peu de leur père dans la courbure compatissante des sourcils et dans la fossette qui lui barrait la joue. Ils restèrent assis un moment en silence, épaule contre épaule, à écouter l'eau s'écouler dans la salle de bains, de l'autre côté du couloir.

– À quoi ressemble Cyra Noavek ? finit-elle par demander.

– Elle...

Akos secoua la tête. Comment décrire une personne en quelques mots ? Elle était coriace comme de la viande séchée. Elle adorait l'espace. Elle savait danser. Elle était victime de sa facilité à faire mal aux autres. Elle avait convaincu des renégats de le déposer à Thuvhé sans Eijeh parce qu'elle n'avait pas respecté sa fichue décision à lui, et il lui en était bêtement reconnaissant. Cyra... enfin, Cyra était Cyra.

Cisi souriait.

– Tu la connais bien. Les gens sont plus difficiles à résumer dans ce cas-là.

– Oui, j'imagine que je la connais bien.

– Si tu penses qu'elle mérite d'être sauvée, je suppose qu'on ne va pas avoir d'autre choix que de te croire. Même si c'est difficile.

Isae sortit de la salle de bains, les cheveux noués sur sa nuque en chignon si serré qu'ils semblaient fixés par de la laque. Elle s'était changée et portait une autre chemise de leur mère, au col brodé de petites fleurs. Elle secoua la première, qu'elle avait visiblement lavée, et la suspendit sur une chaise près du poêle pour la faire sécher.

– Tu as de l'herbe dans les cheveux, dit-elle à Cisi.

– J'essaie de changer de style.

– Ça te va bien. Comme tout le reste, d'ailleurs.

Cisi rougit et Isae se tourna vers le poêle pour se réchauffer les mains en évitant le regard d'Akos.

LORSQU'ILS REDESCENDIRENT, deux nouveaux inconnus avaient rejoint les autres dans la petite pièce sombre aux murs écaillés. Jorek leur présenta Sovy, une amie de sa mère. Elle avait la tête enveloppée d'un foulard brodé et vivait au bout de la rue. Quant à Jyo, c'était un garçon un peu plus âgé qu'eux dont les yeux ressemblaient beaucoup à ceux d'Isae, suggérant des ancêtres communs. Il jouait d'un instrument posé à plat sur ses genoux, en appuyant sur des boutons et en pinçant les cordes si vite qu'Akos n'arrivait pas à suivre ses doigts. Sur la table était étalée de la nourriture, et le repas était déjà bien entamé.

Akos s'assit à côté de Cisi et se servit une portion généreuse. Il n'y avait pas beaucoup de viande – elle était rare ici, à l'extérieur de Voa – mais du fruit-salé à profusion, de quoi se caler l'estomac. Avec un grand sourire, Jyo tendit à Isae une tige d'herbe-plume frite qu'Akos s'empressa de lui arracher des mains.

– Évitez de manger ça si vous ne voulez pas passer les six prochaines heures à halluciner.

– La dernière fois que Jyo en a fait manger à quelqu'un, dit Jorek, il s'est mis à courir partout dans la maison en hurlant qu'il était poursuivi par des bébés géants.

– Ouais, ouais, fit Teka. Ris tant que tu veux, mais tu ferais pareil si tu voyais des bébés géants partout.

– N'empêche que ça valait le coup, même s'il m'en veut à vie, dit Jyo avec un clin d'œil.

Il parlait un thuvhésit doux, un peu chuintant.

– Est-ce que ça marche sur toi ? demanda Cisi à son frère en désignant l'herbe-plume.

En guise de réponse, il mordit dans la tige, qui avait un goût terreux, salé et un peu acide.

– Ton don est vraiment étrange, ajouta-t-elle. Je suis sûre que maman aurait je ne sais quel sage commentaire sibyllin à faire à ce sujet.

– Oh, à ce propos, comment était-il quand il était petit ? demanda Jorek en croisant les doigts et en se penchant vers elle. Et d'ailleurs, est-ce qu'il a un jour été petit, ou est-ce qu'il est apparu un beau matin sous sa forme adulte, angoisse existentielle incluse ?

Akos le foudroya du regard.

– Il était petit et dodu. Irritable. Et très maniaque avec ses chaussettes.

– Comment ça, mes chaussettes ? s'exclama Akos.

– Oui ! Eijeh m'a raconté que tu les classais de gauche à droite par ordre de préférence. Et que tes préférées étaient jaunes.

Il s'en souvenait. Jaune moutarde, tricotées dans une grosse laine qui leur donnait un aspect rugueux. Sa paire la plus chaude.

– Comment vous êtes-vous connus, vous tous ? questionna Cisi.

Elle avait amené le changement de sujet avec assez de délicatesse pour dissiper la tension provoquée par l'allusion à Eijeh.

– Quand j'étais petit, commença Jorek, Sovy faisait des bonbons pour tous les gamins du village. Dommage qu'elle ne parle pas très bien thuvhésit, sinon elle se ferait un plaisir de te raconter tous mes méfaits.

– Moi, enchaîna Jyo, la première fois que j'ai rencontré Jorek, c'était dans des toilettes. Je sifflotais en… soulageant ma vessie, et Jorek s'est dit que ce serait drôle qu'on sifflote ensemble.

– Il n'a pas été très sensible à mon talent, commenta Jorek.

– Et moi, ma mère était un peu à la tête de la révolte, intervint Teka. Elle faisait partie des chefs, en tout cas. Il y a environ une saison, elle est revenue de la colonie d'exilés pour nous aider à monter une stratégie. Les exilés soutiennent nos efforts pour éliminer Ryzek.

Isae plissa le front – une expression qui lui était familière, comme si elle cherchait à annuler l'espace qui séparait ses sourcils – et Akos, cette fois, comprit pourquoi. Il ne s'intéressait pas beaucoup à la différence entre exilés et renégats ni aux liens qui les unissaient. Ses préoccupations étaient de mettre Cyra à l'abri et de faire sortir Eijeh de Shotet, le reste ne le concernait pas. Mais pour Isae, chancelière de Thuvhé, il importait de savoir que la dissension enflait contre Ryzek, à la fois à Shotet et au-dehors.

– Combien êtes-vous ? demanda-t-elle.

– Tu espères que je vais répondre à ça ? demanda Teka.

La réponse induite étant négative, Isae passa à autre chose :

– Ton implication dans la révolte est-elle la cause de… (Elle agita la main en direction du visage de Teka.)… ton œil ?

– Oh, ça ? J'ai deux yeux, en fait. C'est juste que j'aime bien les bandeaux.

– C'est vrai ? intervint Cisi.

– Ben… non.

Tout le monde éclata de rire.

La nourriture était simple, presque fade, mais Akos n'aurait pas songé à s'en plaindre. Elle le rapprochait de chez lui, l'éloignant des plats élaborés des Noavek. Teka se mit à fredonner sur la musique de Jyo et Sovy en tambourinant des doigts sur la table, si fort que la fourchette d'Akos tintait contre son assiette chaque fois qu'il la posait.

Puis Teka et Jorek se levèrent pour danser, et Isae se pencha vers Jyo pour lui demander :

– Et si ce groupe de renégats travaille au sauvetage de Cyra… que font les autres groupes ? En théorie, bien sûr.

Jyo la regarda en plissant les yeux, mais lui répondit néanmoins :

– En théorie, les Shotet qui vivent en bas de l'échelle n'ont pas de quoi satisfaire leurs besoins. Et il leur faudrait quelqu'un pour faire entrer des produits en contrebande.

– Comme… des armes ? suggéra Isae.

– Par exemple, mais ce n'est pas la priorité.

Jyo laissa échapper quelques fausses notes, jura et remit les doigts sur les bonnes cordes.

– La priorité, c'est la nourriture et les médicaments. Ça fait beaucoup d'allers et retours entre ici et Othyr. Il faut bien nourrir les gens si on veut qu'ils se battent, non ? Et plus on s'éloigne de Voa, plus on trouve de malades et d'affamés.

Le visage d'Isae s'assombrit, mais elle hocha la tête.

Akos ne se posait pas beaucoup de questions sur ce qui se passait en dehors des imbroglios des Noavek dans lesquels il s'était fourré. Mais il repensa à ce que lui avait dit Cyra, à propos du fait que Ryzek gardait tout pour lui, stockant et distribuant les produits à sa convenance, et il eut mauvaise conscience.

Teka et Jorek se balançaient et tournoyaient l'un autour de l'autre, et Akos fut surpris de voir Jorek aussi gracieux, avec son grand corps dégingandé. Cisi et Isae restaient assises épaule contre épaule, adossées au mur, et Isae souriait de temps en temps, d'un sourire fatigué. Akos trouvait qu'il ne lui allait pas ; Ori ne souriait pas ainsi, et c'était son visage qu'il voyait en regardant Isae, malgré les cicatrices. Mais il se dit qu'il finirait par s'y habituer.

Sovy chanta quelques mesures avec Jyo et ils mangèrent jusqu'à ce qu'ils soient repus, réchauffés et fatigués.

▲
▲

29:

CYRA

Je fis de mon mieux pour dormir, bien que ce ne soit pas très facile quand quelqu'un vous a écorché vif avec un couteau.

Le matin à mon réveil, ma taie d'oreiller était trempée de sang, même si je m'étais couchée du côté où Vas ne m'avait pas arrachée la peau depuis la mâchoire jusqu'au cuir chevelu. La seule chose qui m'avait évité de mourir vidée de mon sang était la compresse hémostatique appliquée sur ma plaie béante, une invention othyrienne qui refermait les blessures en se dissolvant au fur et à mesure. Mais elle n'était pas conçue pour des lésions aussi graves que la mienne.

Je retirai la taie d'oreiller et la jetai dans un coin. Les ombres dansaient sur mes bras, éveillant des picotements aigus. Pendant de nombreuses saisons, je les avais vues courir le long de mes veines. Mais à mon réveil après l'interrogatoire – un soldat m'avait raconté que mon cœur avait cessé de battre, avant de repartir de lui-même –, elles s'étaient mises à planer *sur* la surface de ma peau. Elles continuaient à me faire souffrir, mais la douleur était plus supportable. Je ne comprenais pas ce qui se passait.

Puis Ryzek avait déclaré le nemhalzak et ordonné à Vas de m'écorcher, avant de m'obliger à me battre dans l'arène. Et la douleur était de retour, aussi vive que jamais.

Il m'avait demandé où je voulais que s'étende la cicatrice. Si l'on pouvait appeler cela ainsi ; une cicatrice est une ligne sombre sur la peau, non une… *surface*. Mais le nemhalzak se payait avec de la chair, et la marque devait être exposée, être visible. L'esprit brouillé par la rage, je lui avais demandé de me marquer de la même façon qu'Akos à l'arrivée des frères Kereseth. De l'oreille à la mâchoire.

Et lorsque Vas avait achevé son œuvre, Ryzek lui avait ordonné : « Prends aussi ses cheveux. »

Je respirais par le nez. Je ne voulais pas vomir. Je ne pouvais pas me le permettre ; j'avais besoin de toutes les forces qu'il me restait.

Comme tous les jours depuis que j'étais revenue à la vie, Eijeh vint me regarder prendre mon petit déjeuner. Il déposa le plateau à mes pieds et s'adossa au mur en face de moi, le dos rond, se tenant plus mal que jamais. Sa mâchoire portait la trace d'un coup que je lui avais donné la veille, en essayant de m'enfuir sur le chemin de l'arène. J'avais juste réussi à lui en asséner quelques-uns avant que les gardes me séparent de lui.

– Je ne pensais pas que tu reviendrais, après ce qui s'est passé hier, lui dis-je.

– Je n'ai pas peur de toi. Tu ne me tueras pas, répliqua-t-il.

Il avait sorti son couteau et faisait tourner la lame sur sa paume comme une toupie, l'arrêtant quand elle avait accompli un tour complet. Il le faisait sans regarder ses mains.

– Je peux tuer n'importe qui, ricanai-je. Tu n'es pas au courant ?

– Moi, tu ne me tueras pas. Parce que tu aimes mon pauvre rêveur de frère. Beaucoup trop pour ton bien, d'ailleurs.

Je ne pus me retenir de rire. Je ne m'étais pas rendu compte que cet Eijeh Kereseth à la voix de velours me déchiffrait si bien.

– J'ai le sentiment de te connaître, déclara-t-il soudain. J'imagine que c'est le cas, d'ailleurs. Je te connais, maintenant.

– Je ne me sens pas vraiment d'humeur pour une discussion

philosophique sur ce qui fait l'identité d'une personne. Mais même si tu es devenu plus Ryzek qu'Eijeh, tu ne me connais toujours pas. Qui que tu sois, tu n'as jamais pris cette peine.

Eijeh leva les yeux au plafond.

– Pauvre petite princesse incomprise.

– Dit la poubelle ambulante remplie de tous les détritus que Ryzek préfère oublier, ripostai-je. Au fait, qu'attend-il pour me tuer ? Toute cette mise en scène me paraît bien alambiquée, même venant de lui.

Eijeh ne me répondit pas, ce qui constituait une réponse en soi. Ryzek ne m'avait pas encore tuée parce qu'il avait besoin de le faire en public. La nouvelle de ma participation à sa tentative d'assassinat s'était peut-être répandue, et il lui fallait maintenant détruire ma réputation avant de me laisser mourir. À moins qu'il eût juste envie de me regarder souffrir. Mais cette dernière hypothèse ne me convainquait pas.

– Est-il vraiment nécessaire de me donner des couverts inutilisables ? demandai-je en plantant mon couteau dans ma tranche de pain grillée au lieu de la découper.

– Le souverain craint que tu n'essaies d'attenter à ta vie avant l'heure due.

L'heure due. Je me demandai tout à coup si Eijeh avait choisi la façon dont j'allais mourir. L'oracle choisissant le futur idéal parmi l'éventail des possibilités.

– Attenter à ma vie avec cette *chose* ? Même mes ongles sont plus coupants.

J'abattis le couteau sur le matelas, pointe la première, si violemment que le sommier en trembla. Je le lâchai et le couteau tomba, trop émoussé même pour s'enfoncer dans du tissu. J'eus une grimace, sans trop savoir où j'avais mal.

– Il doit penser que tu es assez inventive pour trouver un moyen, me dit doucement Eijeh.

J'enfournai la dernière bouchée de ma tartine et m'adossai au mur en croisant les bras. J'étais dans l'une des cellules étincelantes aménagées dans le ventre de l'amphithéâtre, sous les gradins qui commençaient déjà à se remplir de gens venus me voir mourir. J'avais gagné le dernier duel, mais les forces commençaient à me manquer. Le simple fait d'aller aux toilettes ce matin-là avait frisé l'exploit.

– Quelle délicate attention de sa part, ironisai-je en écartant les bras pour exposer mes traces de coups. Regarde combien mon frère m'aime !

– Tu fais de l'humour, maintenant ? me lança Ryzek en arrivant à la porte de la cellule. Tu dois vraiment être à bout de ressources.

Sa voix me parvenait étouffée par la paroi de verre.

– Si quelqu'un est à bout de ressources, c'est toi, acculé à jouer à ce jeu idiot avant de me tuer rien que pour détruire mon image. Tu as si peur que cela que les gens prennent mon parti ? C'est pitoyable.

– Essaie un peu de te lever et on verra qui est pitoyable. Allez. C'est l'heure.

– Vas-tu au moins me dire qui je combats aujourd'hui ?

Je pris appui sur le sommier et poussai dessus pour me lever, les dents serrées.

Je dus rassembler toutes mes forces pour ravaler le cri de douleur qui enflait dans ma gorge.

– Tu ne vas pas tarder à le savoir, me répondit mon frère. J'ai hâte qu'on en finisse – et je suis sûr que toi aussi. Alors ce matin, j'ai prévu une rencontre un peu spéciale.

Ryzek portait ce jour-là une cuirasse en matière synthétique plus souple que le modèle shotet traditionnel, d'un noir mat, passée sur une chemise blanche boutonnée jusqu'au cou, et des bottes cirées noires qui le faisaient paraître encore plus grand. Sa tenue était presque identique à celle qu'il arborait aux funérailles de notre mère. Un choix tout à fait pertinent, puisqu'il avait décidé que ce jour était celui de ma mort.

– Quel dommage que ton bien-aimé ne soit pas là pour assister au spectacle ! reprit-il. Je suis certain qu'il aurait apprécié.

Je me repassais en boucle ce que Zosita m'avait dit avant son exécution. Lorsque je lui avais demandé si cela valait la peine de mourir rien que pour avoir défié Ryzek, elle m'avait répondu oui. J'aurais voulu pouvoir lui dire que je comprenais, maintenant.

Je relevai le menton.

– Tu sais quoi ? J'ai un peu de mal à définir ce qu'il reste de mon frère chez toi.

Puis, en passant devant lui pour sortir de ma cellule, je me penchai pour ajouter à son oreille :

– Mais je pense que tu serais quand même de bien meilleure humeur si tu avais réussi à voler le don-flux d'Eijeh.

L'espace d'un instant, je vis son assurance chanceler. Ses yeux croisèrent brièvement ceux d'Eijeh.

– Je vois. Quoi que tu aies tenté de faire, cela a échoué et tu n'as toujours pas son don-flux.

– Emmène-la, ordonna-t-il à Eijeh. Elle a une chose à faire, aujourd'hui : mourir.

Eijeh me poussa en avant. Il avait mis des gants épais, comme ceux qu'on utilise pour dresser les oiseaux de proie.

En me concentrant, j'étais capable de marcher droit, mais ma tête et ma gorge me lançaient terriblement. Un filet de sang – en espérant que ce n'était que cela – coulait sur ma poitrine.

Eijeh me poussa vers la porte de l'arène, et je sortis d'un pas chancelant. Le ciel était sans nuages, pâle autour du soleil, et la lumière extérieure m'éblouit. Les gradins de l'amphithéâtre étaient remplis de gens qui lançaient des cris et des acclamations, mais je ne comprenais pas ce qu'ils disaient.

En face de moi attendait Vas. Il me sourit, avant de mordre ses lèvres gercées. Il allait finir par saigner s'il continuait.

– Vas Kuzar ! annonça Ryzek, d'une voix amplifiée par les micros qui virevoltaient dans l'arène.

Juste au-dessus du mur de l'amphithéâtre, j'aperçus les bâtiments de Voa, des surfaces de pierre rapiécées par des parois de métal et de verre dont les reflets clignotaient au soleil. L'un d'eux était surmonté d'une tour en verre dont le bleu se confondait avec le ciel. Un champ de force protégeait l'arène contre le mauvais temps – et surtout contre toute tentative d'évasion. Les Shotet n'aimaient pas que leurs jeux guerriers soient interrompus par les orages, le froid, ou la fuite d'un prisonnier.

– Vas Kuzar, vous avez défié la traîtresse Cyra Noavek à un combat à mort avec des lames-flux !

Comme un seul homme, tout le public rugit aux mots de « traîtresse Cyra Noavek » et je levai les yeux au ciel, bien que mon cœur battît à se rompre.

– Ce défi est une réponse à sa trahison du peuple de Shotet. Êtes-vous prêt ?

– Je le suis, dit Vas de son habituel ton monocorde.

– Votre arme, Cyra, dit Ryzek.

Il sortit une lame-flux d'un étui dans son dos et la fit sauter dans sa main pour me la présenter par le manche.

Je m'approchai en poussant les ombres-flux à monter en moi, appelant la douleur qui y était associée. Ma peau se stria de lignes sombres. Je tendis la main comme pour prendre l'arme et, à la dernière seconde, lui saisis le bras.

Je voulais montrer à tous ces gens qui il était vraiment. Et la douleur faisait toujours cela : révéler la nature profonde de quelqu'un.

Ryzek gronda en serrant les dents et se débattit pour se libérer. Avec tous les autres, je m'étais contentée de laisser mon don-flux aller à sa guise, et il avait toujours cherché à être partagé. Avec Akos, je l'avais retenu, et j'avais failli en mourir. Mais cette fois, je le poussai vers Ryzek de toutes les forces qu'il me restait.

Malheureusement, Vas arriva bien trop tôt à mon goût et m'écarta de mon frère.

Mais le mal était fait. Tous dans les gradins l'avaient entendu crier à mon contact. Ils attendaient la suite en silence.

Eijeh me retint pendant que Ryzek retrouvait ses esprits. Celui-ci se redressa, rengaina la lame-flux et posa une main sur l'épaule de Vas.

– Tue-la, lui ordonna-t-il, juste assez fort pour n'être entendu que de nous deux.

– Quel dommage, Cyra, me dit doucement Eijeh à l'oreille. Je n'ai jamais souhaité qu'on en arrive là.

Je me dégageai d'une torsion du bras et je me reculai face à Vas, le souffle court. Je n'avais pas d'arme. Mais au fond, je préférais mourir de cette manière. En reprenant ma lame-flux, Ryzek avait montré à tous que le combat était inégal. Dans sa colère, il avait révélé sa peur, et je n'en demandais pas plus.

Vas s'avança vers moi de son pas assuré de prédateur. Il m'inspirait du dégoût depuis que j'étais toute petite, sans que je sache vraiment pourquoi. Il était grand et bien bâti, autant que n'importe quel homme que j'aurais pu trouver séduisant. C'était un bon combattant, aussi, et ses yeux étaient d'une couleur rare, très belle. Mais son visage couvert de griffures et d'ecchymoses, ses mains, si sèches que la peau fine entre ses doigts était toujours craquelée, me mettaient mal à l'aise. Et surtout, je n'avais jamais rencontré quelqu'un d'aussi... vide. Malheureusement, c'était également ce qui le rendait aussi redoutable dans l'arène.

Maintenant, un peu de stratégie, pensai-je. Je me rappelais les images de Tepes que je regardais dans le gymnase. J'avais appris les mouvements titubants, instables de leurs combats. Le plus important pour garder le contrôle de son corps était de bien sentir son point d'équilibre. Lorsque Vas se rua sur moi pour me frapper, je me tournai et vacillai sur le côté en agitant les bras. Dans le mouvement, ma main gauche le frappa durement à l'oreille. L'onde de choc se répandit en moi et une vague de douleur me traversa les côtes, m'arrachant une grimace.

Avant que j'aie pu récupérer, Vas avait fouetté l'air de sa lame et entaillé mon bras. La foule applaudit en voyant mon sang couler sur le sol de l'arène.

Je m'efforçai d'ignorer le sang, la brûlure, la souffrance. Mon corps vibrait de douleur, de peur et de rage. Je pressai mon bras contre ma poitrine. Il fallait que je touche Vas. Même s'il ne sentait rien, en canalisant suffisamment mon don-flux, je pouvais le tuer aussi bien qu'un autre.

Un nuage obscurcit le soleil et Vas chargea de nouveau. Cette fois, je l'esquivai et parvins à frôler du bout des doigts l'intérieur de son poignet. Les ombres dansèrent autour de lui, pas assez puissantes pour l'affecter. Il projeta sa lame, dont la pointe, cette fois, s'enfonça dans mon flanc.

Je gémis en me laissant aller contre la paroi.

C'est alors que j'entendis un cri :

– Cyra !

Une silhouette sombre sauta des gradins et atterrit en pliant les genoux. Un voile obscurcissait les bords de ma vision, mais je sus qui c'était rien qu'en le voyant courir.

L'extrémité d'une longue corde tomba au milieu de l'arène. Levant la tête, je vis, non pas un nuage qui couvrait le soleil, mais une vieille navette rouillée faite d'un assemblage de divers matériaux aux tons de cuivre et de miel, aussi brillante que le soleil, qui planait juste au-dessus du champ de force. Vas agrippa Akos à deux mains et le projeta violemment contre la paroi. Akos, les mâchoires crispées, posa ses mains sur celles de Vas. Et il se produisit quelque chose d'étrange : Vas *tressaillit,* et le lâcha.

Akos se précipita vers moi et passa un bras autour de ma taille pour me soutenir. Puis nous courûmes jusqu'à la corde. À peine l'eut-il empoignée qu'elle s'éleva vivement dans le ciel. Trop vivement pour que Vas puisse l'attraper.

L'amphithéâtre était empli du rugissement de la foule et Akos dut crier dans mon oreille :

– Je vais avoir besoin que tu te tiennes toute seule !

Je lâchai un juron. J'avais du mal à ne pas regarder les gradins pleins à craquer à nos pieds, le public déchaîné, le sol tout en bas. Alors je me concentrai sur la cuirasse d'Akos en l'agrippant par le col. Je serrai les mâchoires lorsqu'il me lâcha – j'étais trop faible pour m'accrocher sans son aide, trop faible pour soutenir mon propre poids.

Akos tendit la main vers le champ de force qui enveloppait l'amphithéâtre. À son contact, les lumières brillèrent brièvement d'un éclat plus vif, avant de clignoter et de s'éteindre. La corde remonta dans une saccade et j'étouffai un cri en manquant lâcher prise, mais, une seconde plus tard, nous étions dans la navette.

Nous étions dans la navette, dans un silence de mort.

– Tu as fait ressentir la douleur à Vas, dis-je, le souffle court.

Je touchai son visage, suivis son profil, le long de son nez, puis sa bouche.

Il était en moins piteux état que la dernière fois que je l'avais vu.

– Oui, répondit-il.

– Eijeh était dans l'amphithéâtre, il était *là* ! Tu aurais pu l'emmener ! Pourquoi n'as-tu pas…

Ses lèvres – toujours sous mes doigts – tremblèrent dans un sourire.

– Parce que je suis venu pour toi, andouille.

Je me mis à rire en me laissant aller contre lui, trop faible pour tenir debout toute seule.

▴
▴

:30 AKOS

L'ESPACE D'UN INSTANT, il n'y eut plus que Cyra contre lui, sa chaleur, et un profond sentiment de soulagement.

Puis tout le reste réapparut : les gens entassés dans la petite navette, leur silence tandis qu'ils les dévisageaient, Isae et Cisi attachées à leurs sièges près du poste de pilotage. Cisi sourit à Akos en le voyant attraper Cyra par la taille pour la porter. Elle était grande et tout sauf frêle, mais il y arrivait. À condition de ne pas devoir le faire trop longtemps.

– Où sont vos réserves de médicaments ? demanda-t-il à Teka.

– Jyo a une formation médicale, il peut s'occuper d'elle.

Mais Akos n'aima pas le regard que Jyo posait sur Cyra, comme si elle était un objet de valeur dont il pourrait tirer un bon prix. Les renégats ne l'avaient pas sauvée par bonté d'âme ; ils comptaient bien obtenir quelque chose en échange, et il n'avait aucune intention de la leur livrer.

Les doigts de Cyra se refermèrent sur les courroies de sa cuirasse et il frissonna.

– Elle n'ira nulle part sans moi.

Teka haussa les sourcils. Avant qu'elle ait pu s'opposer à lui – ce qu'elle s'apprêtait visiblement à faire –, Cisi défit sa ceinture et les rejoignit.

– Je vais m'en occuper, proposa-t-elle. Moi aussi, je m'y connais. Et Akos pourra m'aider.

Teka la fixa un instant avant de leur désigner la cuisine.

– Je vous en prie, mademoiselle Kereseth.

Cyra n'était pas totalement inconsciente – elle gardait les yeux ouverts –, mais elle ne semblait plus vraiment présente, et cela l'inquiétait.

– Allez, Noavek, on se secoue, lui intima-t-il.

Il se tourna sur le côté pour franchir la porte et une secousse de la navette le fit trébucher.

– Ma Cyra aurait déjà fait au moins deux commentaires sarcastiques.

– Hmm, marmonna-t-elle avec un petit sourire. « Ta Cyra. »

La cuisine était étroite et crasseuse. Des tasses et des assiettes empilées autour de l'évier s'entrechoquaient à chaque virage, et les maigres bandes de lumière crue qui l'éclairaient clignotaient comme si elles allaient s'éteindre. Tout était fabriqué dans le même métal, fixé par des boulons. Il attendit que Cisi ait nettoyé la petite table intercalée entre les deux comptoirs et qu'elle l'ait essuyée avec un chiffon propre.

Le temps qu'il puisse enfin y déposer Cyra, il avait les bras tétanisés.

Le petit placard était bien rangé ; tous les ingrédients étaient emballés individuellement dans des petits paquets bien alignés, classés par ordre alphabétique.

– Il faut que tu m'aides, Akos, lui dit sa sœur. Je ne sais pas lire les caractères shotet.

– Euh… moi non plus, en fait.

Il en connaissait quelques-uns, mais trop peu.

– On aurait pu croire qu'après tout ce temps passé à Shotet, tu aurais fait quelques progrès, le nargua Cyra en lui désignant mollement les paquets. La peau-d'argent est là. L'antiseptique est à gauche. Prépare-moi un sédatif.

– Hé, j'ai quand même retenu quelques trucs, protesta-t-il en lui pressant la main avant de se mettre au travail. Le plus rude a été d'apprendre à me débrouiller avec toi.

Comme il avait un flacon de sédatif dans son sac, il retourna le chercher sous le siège où il l'avait laissé, sur le pont principal, en foudroyant Jyo du regard parce qu'il ne poussait pas ses jambes assez vite. Il trouva le rouleau de cuir – ou l'espèce de rouleau en peau de Carapaçonné, trop rigide pour être vraiment malléable – dans lequel il rangeait ses potions, et prit le flacon violet, qui pouvait soulager Cyra.

Lorsqu'il regagna la cuisine, Cisi avait enfilé des gants et ouvrait des paquets.

– Tu as les mains stables, Akos ? lui demanda-t-elle.

– Assez. Pourquoi ?

– Je sais comment m'y prendre, bien sûr, mais je ne peux pas la toucher à cause de son don-flux. En tout cas pas de façon assez précise pour la soigner. C'est une tâche délicate. Tu vas t'en charger pendant que je t'expliquerai.

Des ombres-flux circulaient encore sur les bras de Cyra et autour de sa tête, mais elles n'avaient pas le même aspect que la dernière fois qu'il les avait vues, alors qu'elles dansaient au-dessus d'elle, comme déchiquetées.

– Akos ? demanda Cyra d'une voix rauque. Elle, c'est… ?

– Ma sœur ? Oui, c'est elle. Cyra, je te présente Cisi.

– C'est un plaisir de vous rencontrer, dit Cyra en l'observant attentivement.

Si Akos ne se trompait pas, elle cherchait les ressemblances entre eux. Elle n'en trouverait pas. Cisi et lui étaient totalement différents.

– Pour moi également, lui répondit Cisi en souriant.

Si elle avait peur de la jeune femme allongée devant elle – une jeune femme sur qui elle avait entendu tant d'horreurs, depuis toujours –, elle n'en laissait rien paraître.

Akos porta le flacon de sédatif aux lèvres de Cyra. Il avait du mal à la regarder. La compresse hémostatique qui protégeait la partie gauche de son cou et de sa tête était presque noire et durcie par le sang séché. De plus, Cyra était à bout de forces.

– Tu me rappelleras de te passer un savon pour être revenu, lui dit-elle tandis que le sédatif commençait à agir.

– Bien sûr.

Mais il était soulagé, parce qu'il retrouvait sa Cyra, à la peau dure comme la cuirasse du Carapaçonné, solide comme la glace au Temps de l'Endormissement.

– C'est bon, elle dort, dit Cisi au bout de quelques instants. Recule-toi un peu.

Il s'écarta pour lui faire de la place. Elle pinça le pansement de ses petites mains fines, aussi délicatement que si elle avait enfilé un fil dans le chas d'une aiguille, attentive à ne pas frôler la peau de Cyra, et retira la compresse. Le pansement se détacha sans difficulté, tout détrempé de sang et de pus. Cisi le jeta bande après bande dans un plateau posé sur la table.

– Alors comme ça, tu as fait des études de médecine, dit Akos en observant ses gestes.

– J'ai trouvé que ça correspondait bien à mon don.

Son don-flux lui permettait d'apaiser, de soulager. Mais ces capacités, elle les avait toujours eues, même avant que le don se déclare. Elle avait aussi le geste sûr, le caractère posé et l'esprit vif. Elle était bien plus que quelqu'un de gentil et de facile à vivre, en admettant que quiconque puisse n'être que cela.

Lorsque toute la blessure fut débarrassée du pansement, qui ne servait plus à rien, Cisi la baigna d'antiseptique en tapotant les bords pour décoller le sang séché.

– Bon, je crois qu'on peut mettre la peau-d'argent, maintenant, annonça-t-elle en se redressant. Cette matière se comporte comme si elle était vivante. Il suffit de la positionner correctement et elle adhère de manière permanente à la peau. Du moment que tes mains ne tremblent pas, il n'y aura pas de problème. Prêt ? On y va.

La peau-d'argent était encore une innovation d'Othyr : une substance stérile et synthétique qui, effectivement, semblait presque vivante. Elle était utilisée pour remplacer la peau définitivement endommagée, dans les cas de brûlures, par exemple. Elle tenait son nom de son apparence : une texture lisse aux reflets soyeux, un peu argentés. Une fois appliquée, on ne pouvait plus la retirer.

Cisi découpa soigneusement les bandes, une pour la zone de peau située au-dessus de l'oreille de Cyra, une autre pour l'arrière de l'oreille et la troisième pour sa gorge. Après une ou deux secondes de réflexion, elle les reprit pour en arrondir les angles, leur donnant l'aspect de la neige érodée par le vent, ou de pétales de fleur-des-glaces.

Akos enfila des gants pour que la peau-d'argent n'adhère pas à ses mains et Cisi lui tendit la première bande. Elle était lourde, et froide au toucher, mais moins glissante qu'il ne l'aurait cru. Cisi l'aida à positionner ses mains au-dessus de la tête de Cyra.

– Maintenant, tu n'as plus qu'à la poser, lui indiqua-t-elle.

Il le fit, et n'eut même pas à appuyer ; la peau-d'argent ondula comme de l'eau et s'enfouit dans le cuir chevelu de Cyra à la seconde où elle entra en contact avec sa chair.

Guidé par la voix claire de sa sœur, Akos mit en place les deux autres bandes. Aussitôt, elles se fondirent les unes dans les autres sans laisser de ligne de démarcation entre elles.

Puis il prit soin des autres blessures. Toujours en prêtant ses mains à Cisi, il recouvrit les entailles sur les bras et les côtes de Cyra de compresses hémostatiques et appliqua un baume réparateur sur les ecchymoses. Pour la plupart, ces plaies guériraient d'elles-mêmes et le plus dur pour elle serait d'oublier de qui elle les tenait. Mais il n'existait pas de pansement pour les blessures de l'âme, aussi réelles fussent-elles.

– Et voilà, dit Cisi en retirant ses gants. Tu n'as plus qu'à attendre qu'elle se réveille. Elle va avoir besoin de repos, mais ça devrait aller, maintenant qu'on a arrêté l'hémorragie.

– Merci.

– Je n'aurais jamais imaginé qu'un jour, je soignerais Cyra Noavek. Encore moins dans une navette bourrée de Shotet.

Puis, en le regardant en coin :

– Mais je comprends ce qui te plaît chez elle.

– J'ai l'impression de... (Akos soupira et s'assit sur la table à côté de Cyra.)... d'avoir foncé droit sur mon destin sans l'avoir décidé.

– Eh bien, si ton destin est de servir la famille Noavek, tu aurais pu tomber plus mal que sur une femme prête à subir tout ça pour te permettre de rentrer chez toi.

– Et toi, tu crois que je suis un traître ?

– Je suppose que ça dépend des valeurs que cette femme représente, non ?

Elle posa la main sur son épaule.

– Je vais retrouver Isae, maintenant.

Il réprima un petit sourire.

– Oui, bien sûr.

– Ça veut dire *quoi,* ce sourire ?

– Rien, rien.

Akos n'avait conservé de l'interrogatoire que des souvenirs flous, et les lambeaux qui s'immisçaient dans son esprit étaient déjà assez pénibles sans les détails qui les auraient rendus plus réels. Néanmoins, il laissa remonter les images de Cyra.

Elle ressemblait à un cadavre, avec son visage qui semblait comme nécrosé et creusé par les ombres-flux. Et elle hurlait, résistant de toutes ses fibres pour ne pas lui faire mal. S'il n'avait pas dit à Ryzek ce qu'il voulait savoir sur Isae et Ori, peut-être l'avait-elle fait, rien que pour empêcher son frère de le tuer. Si c'était le cas, il ne pouvait pas lui en vouloir.

Elle se réveilla dans un sursaut, en geignant. Puis elle tendit la main vers lui et effleura son visage.

– Alors, lui demanda-t-elle d'une voix pâteuse, est-ce que tu te souviendras toujours de moi comme de quelqu'un qui t'a fait du mal ?

Les mots sortaient difficilement, comme s'ils lui donnaient des haut-le-cœur.

– Les bruits que tu faisais… Je n'arrive pas à les oublier…

Elle pleurait, à moitié sonnée par le sédatif, mais elle pleurait.

Il ne se rappelait pas ce qu'il avait fait pendant qu'elle le touchait – pendant que Vas la *forçait* à le toucher, plutôt, les torturant l'un et l'autre. Mais il savait qu'elle avait ressenti tout ce qu'il ressentait. C'était ainsi que son don fonctionnait : il projetait la douleur dans les deux sens.

– Non, non, dit-il. Ce qu'il a fait, il nous l'a fait à tous les deux.

La main de Cyra se posa sur son torse comme si elle allait le repousser, ce qu'elle ne fit pas. Elle promena les doigts sur sa poitrine et il sentit sa chaleur à travers sa chemise.

– Mais maintenant, tu sais ce que j'ai fait, reprit-elle en fixant sa main, puis le torse d'Akos, mais pas son visage. Avant, tu m'avais juste vu le faire à d'autres, mais maintenant tu sais quelle souffrance j'ai infligée à tous ces gens, juste parce que j'étais trop lâche pour tenir tête à Ryzek.

Elle retira sa main d'un air sombre.

– La seule bonne action que j'ai jamais accomplie a été de te faire évader, et elle ne sert plus à rien, maintenant que tu es revenu, espèce de… d'imbécile !

Elle pressa une main sur ses côtes avec une grimace. Elle s'était remise à pleurer.

Akos lui caressa le visage. La première fois qu'il l'avait vue, il l'avait prise pour une créature redoutable, un monstre à fuir. Mais elle s'était dévoilée petit bout par petit bout, révélant son humour espiègle – en lui mettant un couteau sous la gorge dans son sommeil –, lui parlant d'elle avec une sincérité lucide et sans pitié, et montrant un amour profond pour la galaxie sous tous ses aspects, y compris ceux qu'elle était censée détester.

Contrairement à ce qu'elle lui avait dit un jour, elle n'était ni un clou rouillé ni un tison brûlant, ni une lame dans la main de Ryzek. Elle était une fleur-de-silence, tout en pouvoir et en potentiel. Capable du bien comme du mal à parts égales.

– Non, Cyra, ce n'est pas ta seule bonne action.

Il s'était mis à parler en thuvhésit, parce que cela lui semblait être la langue la mieux adaptée à cet instant, la langue de chez lui, que Cyra comprenait mais ne parlait jamais avec lui, comme si elle craignait que ça le blesse.

– Ce que tu as fait, ça vaut tous les trésors pour moi. Ça change tout.

Il posa son front contre le sien, et ils respirèrent le même air.

– J'aime quand tu parles en thuvhésit, lui dit-elle doucement.

– Je peux t'embrasser ? Ou ça va te faire mal ?

Elle écarquilla les yeux, et répondit, le souffle court :

– Même si ça fait mal, et après ? La vie, ça fait souvent mal.

La respiration un peu saccadée, il pressa sa bouche contre la sienne. Il ne savait pas trop quel effet cela ferait de l'embrasser ainsi, en l'ayant décidé, pas comme la première fois quand c'était elle qui l'avait fait sans qu'il ait le réflexe de la repousser. Elle avait le goût du sédatif qu'elle venait de boire, un mélange de malt et d'épices, et se montrait un peu hésitante. Mais l'embrasser, c'était comme approcher une allumette d'un tas de brindilles. Il se consumait pour elle.

Une secousse de la navette fit tinter toute la vaisselle. Ils allaient se poser.

▲
▲

:31
CYRA

Je m'autorisai enfin à le penser : il était beau. Ses yeux gris me rappelaient les eaux houleuses de Pitha. Lorsqu'il tendit la main pour me caresser la joue, un petit pli marqua la séparation entre deux muscles sur son bras. Il avait les ongles tachés de jaune – sûrement de la poudre de fleur-de-jalousie. Ses doigts agiles, sensibles, frôlèrent ma pommette. J'eus le souffle coupé à l'idée qu'il me touchait uniquement parce qu'il en avait envie.

Je m'assis sur le matelas, lentement, en tâtant la zone couverte de peau-d'argent derrière mon oreille. Bientôt, elle adhérerait aux nerfs de ce qui me restait de cuir chevelu et je ne ferais plus la différence avec ma propre peau. Mes cheveux ne repousseraient jamais à cet endroit, et je me demandai soudain à quoi je ressemblais, maintenant. Mais cela n'avait pas vraiment d'importance.

Il avait envie de me toucher.

– Qu'est-ce qu'il y a ? me demanda-t-il. Tu me regardes bizarrement.

– Rien. C'est juste que tu es beau, comme ça.

En le disant, je réalisai que c'était un peu idiot de lui dire ça. Il était en sueur, couvert de poussière, taché de mon propre sang. Ses vêtements étaient froissés et ses cheveux emmêlés. Mais les autres expressions auxquelles je pensais en auraient dit trop, trop tôt.

Néanmoins, il me sourit comme s'il avait compris ce que je voulais dire.

– Toi aussi, tu es belle, comme ça.

– Je suis répugnante, avec toute cette crasse, dis-je. Mais c'est gentil de mentir.

Je pris appui sur le bord de la table pour me lever. Au début, je vacillai, le pied instable.

– Tu as encore besoin que je te porte ? me demanda-t-il.

– C'était trop humiliant. Et d'ailleurs, ça ne se reproduira plus jamais.

– Humiliant ? On pourrait voir ça autrement. Disons... chevaleresque.

– Ah oui ? Eh bien, un jour, je te porterai comme un bébé devant des gens dont tu essaies de gagner le respect, et tu me diras ce que ça te fait.

– Ça marche, me répondit-il en souriant jusqu'aux oreilles.

– Je consens à ce que tu m'aides à marcher. Et ne t'imagine pas que je n'ai pas remarqué la présence de la chancelière de Thuvhé dans la pièce d'à côté.

Puis elle ajouta, en secouant la tête :

– Dommage que je ne connaisse pas ce que dit l'elmetahak à propos de l'acte d'amener son chancelier en territoire ennemi.

Je m'agrippai fermement à son bras pour marcher – ou tituber – jusqu'au pont principal. C'était une petite navette, avec une large fenêtre d'observation à l'arrière. De là, on voyait Voa, bordée sur un côté par l'océan et encaissée par des falaises à pic sur les trois autres. Derrière les collines s'étendait la forêt, à perte de vue. Des trains, essentiellement alimentés par les vents marins, ceinturaient la ville et en rejoignaient le centre comme les rayons d'une roue. Je n'étais jamais montée dans un train.

– Comment faites-vous pour ne pas vous faire repérer par Ryzek ? demandai-je.

– Grâce à une sorte de cape holographique, me lança Teka

depuis le poste de pilotage. Conçue par moi. Ça nous donne l'apparence d'une banale navette militaire shotet.

La navette piqua du nez et plongea dans un trou dans le toit effondré d'un bâtiment, en périphérie de Voa. Ryzek ne connaissait pas ce secteur – personne ne s'en souciait, d'ailleurs. Il était clair que cette bâtisse avait été autrefois un immeuble d'habitation, vidé par une opération de destruction, peut-être un programme de démolition resté inachevé. Au cours de la descente, j'eus le temps d'entrevoir le décor d'une demi-douzaine de vies : un lit aux oreillers dépareillés dans une chambre éventrée, une moitié de cuisine suspendue au-dessus du gouffre, des coussins rouges couverts de poussière et de gravats dans un salon dévasté.

Nous nous posâmes et quelques membres de l'équipe masquèrent le trou avec une grande bâche, à l'aide d'une corde accrochée à une poulie. Elle laissait filtrer un peu de lumière – assez pour faire rougeoyer les plaques de métal disparates de la navette – mais plongeait l'appartement dans la pénombre. Le sol était un mélange de terre battue et de dalles maculées de poussière. De fragiles fleurs shotet, grises, bleues et violettes, poussaient dans les fissures du carrelage.

Au pied de la passerelle qui s'était déployée depuis la soute se tenait Isae Benesit, dont j'avais déjà vu les yeux un peu tombants dans les images que j'avais regardées avec Akos. Je fus choquée de découvrir son visage balafré, visiblement par une lame shotet.

– Bonjour, lui dis-je. J'ai beaucoup entendu parler de vous.

– Moi de même.

Je n'en doutais pas. On lui avait forcément raconté comment je prodiguais la souffrance et la mort à tous ceux que je touchais. Et peut-être aussi que j'étais folle, trop dérangée pour parler, une espèce d'animal malade.

Après m'être assurée que la main d'Akos était toujours posée sur mon bras, je lui tendis la mienne, curieuse de voir si elle allait la prendre. Elle le fit. Sa main était fine, mais rêche et calleuse, ce qui m'étonna.

– Nous pourrions peut-être échanger nos récits. En privé, proposai-je prudemment.

Si les renégats ignoraient encore son identité, mieux valait, pour sa sécurité, ne pas la leur révéler.

Teka nous rejoignit, et je faillis éclater de rire à la vue de son bandeau fluo. Même si je la connaissais peu, cela lui ressemblait assez d'attirer l'attention sur son œil manquant plutôt que de tenter de le cacher.

– Salut, Cyra, me dit-elle. Ravie de voir que tu vas mieux.

Je dégageai mon bras de la main d'Akos pour que les ombres-flux se répandent de nouveau sur moi. Elles avaient totalement changé, s'enroulant maintenant comme des mèches autour de mes doigts au lieu de rester sous ma peau. Je portais un tee-shirt ensanglanté et déchiré, et je ne comptais plus mes contusions. Mais je fis de mon mieux pour paraître digne.

– Merci d'être venus me chercher, dis-je à Teka. Compte tenu des nos précédentes discussions, je suppose que toi et tes amis, vous attendez quelque chose de moi en échange.

– On peut voir ça plus tard, me répondit-elle avec un demi-sourire. Mais on doit pouvoir affirmer que nos intérêts se rejoignent. Si tu veux te laver, on a l'eau courante. Et elle est chaude. Tu peux choisir ton appartement, n'importe lequel.

– C'est le grand luxe, commentai-je.

Je me tournai vers Isae.

– Venez avec nous. On a beaucoup de choses à se dire.

Je pris sur moi pour faire croire que je me sentais bien jusqu'à ce qu'on arrive dans une cage d'escalier, hors de vue des autres. Là, je m'adossai au mur pour reprendre mon souffle. Je ressentais des élancements autour de la peau-d'argent. Le contact d'Akos apaisait la douleur de mon don-flux, mais il ne pouvait rien pour le reste, ma chair entaillée, les duels où j'avais dû lutter pour survivre.

– Quelle tête de mule ! Tu deviens ridicule, grommela Akos.

Glissant un bras derrière mes genoux, il me prit dans ses bras, pas aussi doucement que je l'aurais souhaité. Mais j'étais trop épuisée pour protester. Mes orteils frôlèrent le mur tandis qu'il me portait dans l'escalier.

Au premier étage, nous trouvâmes un appartement poussiéreux mais relativement épargné. La moitié de salon qui restait surplombait l'endroit où s'était posée la navette. Cela nous permettait d'observer les renégats, qui s'activaient à dérouler des couchages, trier les provisions et allumer un feu dans un petit poêle.

La salle de bains, contiguë au salon, était vaste et confortable. Elle était carrelée de céramique bleue, avec un lavabo contre le mur et une baignoire au milieu. Akos testa les robinets et l'eau se mit à couler après quelques crachotements, comme Teka l'avait promis.

J'étais tiraillée entre l'envie de me laver et celle de discuter avec Isae Benesit.

– Je peux attendre, m'assura-t-elle en s'apercevant de mon hésitation. De toute façon, j'aurai du mal à me concentrer sur une conversation tant que vous serez couverte de sang.

– Oui, dans cet état, je ne suis pas vraiment digne de fréquenter une chancelière, répondis-je un peu sèchement.

Comme si c'était ma faute si j'étais couverte de sang. Comme si j'avais besoin qu'on me le rappelle.

– J'ai passé une bonne partie de ma vie dans un petit croiseur qui sentait les pieds, me précisa-t-elle. Moi-même, je ne suis pas toujours digne de me « fréquenter », selon les critères habituels.

Elle ramassa un gros coussin et le tapota en faisant voler un nuage de poussière. Après l'avoir épousseté, elle le posa par terre et s'assit dessus, réussissant à rester digne en se tortillant pour se mettre à l'aise. Cisi s'installa à côté d'elle, avec plus de simplicité, et m'adressa un sourire chaleureux. J'étais déconcertée par son don-flux, par la façon dont il ralentissait le rythme de mes pensées effrénées et tenait à distance mes souvenirs les plus pénibles. Sa présence pouvait sûrement devenir une drogue pour quelqu'un d'angoissé.

Je rejoignis Akos dans la salle de bains. Il avait ouvert les robinets de la baignoire et il était en train de desserrer prestement les courroies de sa cuirasse.

– Ne me dis pas que tu n'as pas besoin de mon aide, me lança-t-il. Je ne te croirais pas.

Je me retirai dans un coin, hors de vue du salon, et essayai de soulever mon tee-shirt. Je ne l'avais remonté qu'au niveau de mon ventre quand je dus m'arrêter, à bout de souffle. Akos posa sa cuirasse et me prit des mains l'ourlet du tee-shirt. Je ris doucement tandis qu'il le passait au-dessus de ma tête et le faisait glisser sur mes bras.

– C'est un peu gênant, dis-je.

– En effet, acquiesça-t-il en rougissant, sans me regarder.

Je ne m'étais jamais laissée aller à imaginer une telle situation. Ses doigts qui m'effleuraient avaient réveillé le souvenir de sa bouche sur la mienne, si vivement que je la sentais encore.

– Je crois que je peux me débrouiller avec le pantalon, signalai-je.

Le fait de montrer mon corps ne me gênait pas. J'étais loin d'être frêle, j'avais des cuisses épaisses et une petite poitrine, mais je les assumais. Ce corps m'avait toujours soutenue à travers les épreuves et il était comme il devait être. Cependant, je dus retenir un gloussement nerveux quand Akos me regarda de la tête aux pieds.

Il m'aida à grimper dans la baignoire, où je m'assis sans quitter mes sous-vêtements. Puis il fouilla dans la petite armoire sous le lavabo, dont il sortit un peigne aux dents cassées, un rasoir rouillé et un flacon vide à l'étiquette à moitié effacée avant de dénicher un morceau de savon desséché.

Puis il resta là en silence, une main sur mon épaule afin d'atténuer les ombres-flux, pendant que je me frottais pour enlever les taches de sang. Le plus dur était de m'aventurer aux alentours de la peau-d'argent pour en ôter la crasse, épaisse de plusieurs jours. Je commençai par là histoire de m'en débarrasser, les mâchoires serrées pour ne pas crier. Akos se mit à me masser avec son pouce, travaillant les muscles noués de mon épaule et de mon cou. Mes bras se couvrirent de chair de poule.

Ses doigts voletaient sur mes épaules, s'attardant sur les contractures. Son regard croisa le mien, doux et presque timide, et j'eus envie de l'embrasser pour le voir rougir de nouveau.

Mais ce n'était pas le moment.

Après avoir vérifié d'un coup d'œil vers le salon que Cisi et Isae ne pouvaient pas me voir, je détachai mon brassard et le retirai.

– J'ai de nouvelles ombres à marquer, dis-je doucement.

– Les morts peuvent attendre, me répondit Akos. Tu as déjà perdu assez de sang.

Il fit mousser le savon et frotta mon bras délicatement. Dans un sens, c'était encore mieux qu'un baiser. Il ne se faisait aucune illusion sur ma bonté, illusion qui aurait été vouée à voler en éclats. Non ; il me connaissait, et il m'acceptait telle que j'étais. Il tenait à moi telle que j'étais.

– Bon, dis-je, je crois que ça ira.

Il me tint les mains pour me relever et me souleva hors de la baignoire. L'eau ruisselait sur mes jambes. Pendant que je remettais mon brassard, il alla chercher une serviette et rassembla des habits – un pantalon d'Isae, des sous-vêtements de Cisi, un tee-shirt et des chaussettes à lui, et mes propres bottes. C'était une chose de me voir en sous-vêtements. Quant à m'aider à les enlever…

Eh bien, si cela devait se produire, je voulais que ce soit dans d'autres circonstances.

– Cisi ! lança Akos, qui fixait lui aussi le petit tas de vêtements. Tu pourrais peut-être nous aider ?

– Merci, dis-je.

– Ça devient *vraiment* difficile de te regarder dans les yeux, commenta-t-il avec un sourire.

Je lui fis une grimace tandis qu'il sortait de la pièce.

Puis Cisi entra, et la paix entra avec elle. Elle m'aida à dégrafer ma brassière. À ma connaissance, c'était un accessoire spécifiquement shotet, destiné non à rehausser les formes mais à stabiliser la poitrine et à la protéger lorsqu'on portait une cuirasse. Visiblement, les Thuvhésit en portaient aussi, mais celle que Cisi me tendit ressemblait davantage à un maillot, douce au toucher, conçue dans un souci de confort et de chaleur. Elle était trop grande pour moi, mais tant pis.

– Ton don-flux, dis-je pendant qu'elle m'aidait à l'attacher, cela ne te complique pas la tâche pour faire confiance aux gens ?

– Comment ça ?

Elle me tendit la serviette afin de me donner un peu d'intimité pour me changer. Ce que je fis, avant de glisser une jambe dans le pantalon.

– Tu ne peux jamais savoir si on recherche ta compagnie pour toi ou pour ton don.

– Mon don vient de moi. Il est une manifestation de ma personnalité. Donc, au fond, ça revient au même.

C'était à peu de chose près ce que le Dr Fadlan avait expliqué à ma mère : mon don provenait du plus profond de moi, et il ne changerait qu'à condition que, moi, je change. En observant les ombres-flux qui enserraient mes poignets comme des bracelets, je me demandai si leur évolution indiquait que l'interrogatoire avait fait de moi quelqu'un d'autre. Quelqu'un de meilleur, de plus fort.

– Tu penses que le fait d'infliger la douleur aux autres fait partie de ma personnalité ?

Elle m'aida à enfiler le tee-shirt propre, les sourcils froncés. Je roulai les manches, bien trop larges pour moi.

– Tu essaies de tenir les gens à distance, me répondit-elle enfin. Mais pour savoir pourquoi ton don se traduit par la douleur, il faudrait que je te connaisse mieux.

Son front se plissa encore davantage.

– C'est bizarre, normalement, je n'arrive pas à parler aux gens aussi librement. Encore moins avec quelqu'un que je viens à peine de rencontrer.

Nous échangeâmes un sourire.

Dans le salon, Isae était toujours assise par terre, les jambes repliées sur le côté. Une petite pile de coussins m'attendait, et je m'affalai dessus avec soulagement. À l'attitude d'Isae, j'eus l'impression d'être un sujet reçu à l'audience d'une reine. Ce qui démontrait un grand talent de sa part, entre la table basse au verre brisé et le plancher jonché de débris et de coussins sales.

– Quel est votre niveau de thuvhésit ? me demanda-t-elle.

– Très bon, dis-je en changeant de langue.

Akos sursauta en entendant sa langue maternelle sortir de ma bouche, même si ce n'était pas la première fois.

– Donc, commençai-je, vous êtes venue ici pour retrouver votre sœur.

– Oui. Vous l'avez vue ?

– Non. Je ne sais pas où elle est détenue. Mais mon frère finira par la déplacer. C'est à ce moment-là qu'il faudra frapper.

Akos, debout derrière moi, posa une main sur mon épaule. Je ne m'étais même pas rendu compte que les ombres-flux s'étaient réveillées, tant mon attention était accaparée par mes autres douleurs.

– Va-t-il lui faire du mal ? me demanda Cisi en s'asseyant à côté d'Isae.

– Non. Il n'inflige pas la douleur sans raison.

Isae ricana.

– Je ne plaisante pas, insistai-je. Mon frère est un monstre un peu atypique. Il n'a jamais pris de plaisir au spectacle de la souffrance. Sans doute parce que cela lui rappelle qu'il y est exposé, lui aussi. Cela devrait vous rassurer. Il ne lui fera pas de mal aveuglément, gratuitement.

Sans la regarder, Cisi prit la main d'Isae et la serra. Leurs mains jointes reposaient entre elles sur le plancher, si étroitement mêlées que je ne distinguais les doigts de Cisi que par sa peau plus mate.

Je poursuivis :

– Quoi qu'il compte faire – on peut supposer qu'il a prévu de l'exécuter –, cela se déroulera certainement en public, précisément dans le but de vous tendre un piège. C'est vous qu'il veut tuer, plus encore qu'elle, et il compte le faire selon les conditions qu'il aura décidées. Croyez-moi, ce n'est pas sur ce terrain-là qu'il faut l'affronter.

– Ton aide pourrait nous être utile, me dit Akos.

– Je suis à votre disposition.

Je lui pressai la main pour renforcer mon propos.

– La difficulté va être de convaincre les renégats, ajouta-t-il. Ils ne voient pas ce que ça leur rapporterait de voler au secours d'un membre de la famille Benesit.

– Pour ça, laisse-moi faire, dis-je. J'ai mon idée.

– De tout ce que j'ai entendu sur vous, quelle est la part de vérité ? me demanda Isae. Je vois que vous gardez votre bras couvert. Je vois ce que vous êtes capable de faire avec votre don-flux. J'en déduis que ce qu'on m'a raconté est vrai, au moins en partie. Dans ce cas, comment puis-je vous faire confiance ?

J'eus le sentiment, en la regardant, qu'elle aurait voulu que le monde autour d'elle soit simple, que les gens soient simples. Ce besoin venait peut-être du fait qu'elle portait le destin d'une planète-nation sur ses épaules. Mais j'avais appris qu'on ne pouvait pas accorder le monde à ses désirs.

– Vous essayez de faire rentrer les gens dans des catégories très tranchées : bons ou mauvais, faibles ou forts, dis-je. Je comprends, c'est plus facile. Mais personne ne se résume à cela.

Elle m'observa longuement. Si longuement que même Cisi se mit à s'agiter sur son coussin.

– Par ailleurs, que vous me fassiez confiance ou pas ne change rien pour moi, finis-je par préciser. Ça ne m'empêchera pas de réduire mon frère en poussière.

En bas des marches, avant de sortir de la pénombre de la cage d'escalier, je retins Akos par le bras. On y voyait assez pour que je perçoive sa surprise. J'attendis que Cisi et Isae se soient éloignées pour le lâcher, laissant les ombres-flux monter entre nous comme de la fumée.

– Quelque chose ne va pas ? me demanda-t-il.

– Non… Donne-moi juste une minute.

Puis je fermai les yeux. Depuis le jour où, en me réveillant après l'interrogatoire, j'avais découvert que mes ombres flottaient désormais au-dessus de ma peau, je m'étais mise à réfléchir au discours du Dr Fadlan, et à la façon dont mon don était apparu. Comme la plupart des choses qui constituaient ma vie, tout semblait lié à Ryzek. Mon frère redoutant la douleur, le flux m'avait accordé un don qu'il craindrait ; le seul, même, qui pouvait me protéger de lui.

Le flux ne m'avait pas frappée d'une malédiction. Et ses enseignements m'avaient rendue forte. Mais je ne pouvais pas nier ce qu'avait dit le Dr Fadlan : qu'à un niveau indéterminé, j'estimais que nous méritions de souffrir, moi comme les autres. Or, au plus profond de moi, j'avais la certitude qu'Akos, lui, ne le méritait pas. En m'accrochant à cette idée, je tendis la main et la posai sur sa poitrine.

Je rouvris les yeux. Les ombres étaient restées sur moi, puisque j'étais en contact avec le tissu de son tee-shirt et non avec sa peau. Mais tout mon bras gauche, depuis l'épaule jusqu'au bout de mes doigts qui le touchaient, était intact. Même si Akos avait été sensible à mon don-flux, je ne lui aurais pas fait de mal.

Ses yeux, en général si réservés, s'écarquillèrent d'étonnement.

– Lorsque je tue les gens en les touchant, c'est parce que je décide de leur transmettre toute ma douleur, sans en retenir en moi. Parce que je n'en peux plus de la subir et que mon seul désir est d'en être soulagée quelques instants. Mais pendant l'interrogatoire, j'ai réalisé que j'étais assez forte pour la supporter toute seule. Que j'étais peut-être la seule à pouvoir le faire. Et je n'aurais jamais compris cela sans toi.

Je clignai des paupières pour chasser mes larmes.

– Tu m'as vue comme quelqu'un de meilleur que je ne l'étais. Tu m'as dit que je pouvais choisir de changer, que mon état n'était pas une fatalité. Et j'ai commencé à te croire. Garder toute cette douleur a failli me tuer, mais ensuite, quand je me suis réveillée, mon don n'était plus le même. Il ne me fait plus aussi mal. Parfois, j'arrive même à le contrôler.

Je retirai ma main.

– Je ne sais pas comment appeler cela, ce qui nous lie l'un à l'autre. Mais je voulais que tu saches que ton amitié m'a… littéralement changée.

Pendant de longues secondes, il se contenta de me fixer. Même après tout le temps passé à ses côtés, j'avais toujours de nouvelles choses à découvrir sur son visage : de légères ombres sous ses pommettes, une petite cicatrice en travers de son sourcil.

– Tu ne sais pas comment appeler cela ? me demanda-t-il enfin.

Sa cuirasse tomba par terre avec un bruit sec. Il glissa son bras autour de ma taille pour m'attirer contre lui, et murmura tout près de ma bouche :

– Sivbarat. Zethetet.

Un mot shotet et un mot thuvhésit. *Sivbarat* désignait l'ami intime, une personne si proche que le perdre reviendrait à perdre un bras. Quant au mot thuvhésit, je ne le connaissais pas.

Nous ne savions pas très bien comment nous accorder. Qu'à cela ne tienne, nous recommençâmes, et cette fois, ce fut comme l'étincelle qui naît du frottement des pierres-ardentes, un embrasement d'énergie dans tout mon corps.

Il m'agrippait la taille en serrant mon tee-shirt dans ses poings. Ses mains étaient agiles à force de manipuler des couteaux et des poudres, et il en avait l'odeur : un mélange d'herbes, de potions et de vapeurs.

Je me collai contre lui, les paumes plaquées sur le mur rugueux de la cage d'escalier, sentant son souffle chaud et rapide dans mon cou. Je m'étais demandé, souvent, à quoi cela pouvait ressembler de vivre sans être assailli par la douleur. Mais ce n'était pas à l'absence de douleur que j'avais toujours aspiré ; au contraire, je recherchais la sensation pure. La douceur, la chaleur, le désir, le poids. Tout.

Une sorte de remue-ménage nous parvint du rez-de-chaussée. Juste avant de m'écarter pour aller voir ce qui se passait, je lui demandai tout bas :

– Qu'est-ce que ça veut dire, *zethetet* ?

Il détourna les yeux d'un air gêné et une rougeur s'étendit dans son cou.

– « Bien-aimée », me répondit-il doucement.

Il m'embrassa de nouveau, ramassa sa cuirasse et passa devant moi pour aller retrouver les renégats.

Je ne pouvais pas m'arrêter de sourire.

L'agitation s'expliquait par le fait qu'un flotteur venait de déchirer la bâche qui recouvrait le toit pour se poser dans notre refuge. La bande de lumière qui le ceinturait était violette et il était maculé de boue.

Je m'immobilisai, terrifiée par la forme sombre qui descendait vers nous, avant de distinguer des mots peu familiers sur le ventre du petit véhicule : *Véhicule individuel n° 6734.*

C'était du thuvhésit.

▲
▲

:32
AKOS

Il s'agissait d'un flotteur individuel rebondi, juste assez grand pour accueillir deux personnes. Des lambeaux de la toile qu'il venait de déchirer tombèrent à sa suite en voletant sur le courant d'air. On distinguait maintenant à travers la bâche trouée le ciel bleu foncé, sans étoiles, traversé par le cours ondulant du ruban-flux devenu rouge sombre.

Les renégats encerclèrent le flotteur, armes au poing. Une femme en descendit en levant les mains. Elle avait les cheveux parsemés de mèches grises, et son regard était tout sauf un regard de reddition.

– Maman ? dit Cisi.

Elle courut vers elle et se jeta dans ses bras. Tout en l'étreignant, Sifa observa le groupe de renégats par-dessus l'épaule de sa fille. Ses yeux s'arrêtèrent sur Akos.

Soudain, il eut envie d'être ailleurs. Il s'était dit que, peut-être, s'il la revoyait un jour, il se sentirait comme un enfant en face d'elle. Mais il se produisit exactement le contraire : il se sentait vieux, tout à coup. Et gigantesque. Il brandit sa cuirasse shotet devant lui comme un bouclier, comme pour se protéger d'elle, avant de regretter de toutes ses forces qu'elle l'ait vue avec, qu'elle sache qu'il l'avait acquise.

Il avait peur de la choquer, ou de la décevoir, ou qu'elle voie en lui autre chose que ce qu'elle voulait voir. Mais il ignorait ce qu'elle voulait voir.

– Qui êtes-vous ? demanda Teka. Comment nous avez-vous trouvés ?

Sifa lâcha Cisi.

– Je suis Sifa Kereseth. Je suis désolée de vous avoir effrayés. Je ne vous veux pas de mal.

– Ça ne répond pas à ma question.

– J'ai su où vous trouver parce que je suis l'oracle de Thuvhé.

Aussitôt, comme dans une scène qu'ils auraient répétée, tous les renégats baissèrent leurs lames-flux. Même les Shotet qui ne vénéraient pas le flux n'auraient pas osé menacer un oracle, tant leur culture religieuse était profondément ancrée en eux. La crainte et le respect à l'égard de Sifa étaient inscrits dans leurs os, couraient dans leur moelle.

– Akos, dit simplement sa mère, presque sur un ton interrogatif. Puis elle ajouta en thuvhésit :

– Mon fils ?

Il s'était imaginé leurs retrouvailles des dizaines de fois. Ce qu'il lui dirait, ce qu'il ferait, ce qu'il éprouverait. Or, il ne ressentait que de la colère. Elle n'était pas venue à son secours le jour de son enlèvement. Elle n'avait même pas averti les siens de ce qui allait se présenter devant leur porte, ne s'était pas attardée pour leur dire au revoir ce matin-là avant leur départ pour l'école. Rien.

Sifa posa ses mains rêches sur les épaules d'Akos. Elle portait une chemise élimée, aux coudes rapiécés, qui avait appartenu à Aoseh. Elle sentait la feuille de sendes et le fruit-salé, l'odeur de chez lui. La dernière fois qu'il s'était tenu devant elle, il ne lui arrivait qu'à l'épaule. Maintenant, il la dépassait d'une tête.

Les yeux de Sifa brillèrent.

– Je voudrais tellement pouvoir t'expliquer, murmura-t-elle.

Et lui donc. Mais encore plus que cela, il aurait voulu qu'elle puisse se détacher de sa foi absolue dans le destin, de ses convictions qu'elle plaçait plus haut encore que ses propres enfants. Malheureusement, ce n'était pas aussi simple.

– Est-ce que je t'ai perdu ?

La voix de sa mère se brisa, et il n'en fallut pas plus pour que la colère d'Akos fonde.

Il se pencha vers elle et la serra dans ses bras, sans se rendre compte qu'il l'obligeait à se hisser sur la pointe des pieds.

Il eut l'impression de tenir un sac d'os. Avait-elle toujours été aussi maigre, ou l'imaginait-il plus solide autrefois seulement parce qu'il était enfant et qu'elle était sa mère ? Il lui sembla qu'il n'aurait eu aucun mal à l'écraser.

Elle se mit à tanguer un peu. Elle avait toujours fait cela, comme si elle avait besoin de s'assurer de la stabilité de son étreinte.

– Bonjour, lui dit-il, incapable de trouver quoi dire d'autre.

Elle s'écarta pour le regarder.

– Tu as tellement grandi ! J'ai beau avoir vu une demi-douzaine de versions de ce moment, je ne m'attendais pas à ce que tu sois si grand.

– Et moi, je n'aurais jamais cru que quelque chose puisse t'étonner.

Elle rit doucement.

Tout n'était pas pardonné, loin de là. Mais si ce moment devait être l'une de leurs dernières rencontres, il ne voulait pas le passer en étant en colère. Elle lui lissa les cheveux et il la laissa faire.

La voix d'Isae rompit le silence.

– Bonjour, Sifa.

L'oracle inclina la tête sans cérémonie devant la chancelière. Akos n'eut pas besoin de lui signaler que les renégats ignoraient son identité ; elle le savait déjà, comme toujours.

– Bonjour, répondit-elle à Isae. Je suis heureuse de vous voir. Chez nous, tout le monde était inquiet pour vous. Et pour votre sœur, aussi.

Des paroles prudentes, chargées de sous-entendus. Thuvhé devait être sens dessus dessous, à la recherche de sa chancelière disparue. Akos se demanda si Isae avait informé quiconque de son départ et du fait qu'elle était toujours en vie. Se souciait-elle assez des Thuvhésit pour cela ? Après tout, elle n'avait pas grandi à Thuvhé. Jusqu'où allait sa loyauté envers leur pays de glace ?

– Eh bien, oracle, déclara Jorek avec chaleur en thuvésit, votre présence nous honore. Veuillez partager notre repas.

– Ce sera avec plaisir. Mais je dois vous avertir que je viens armée de visions qui devraient vous intéresser.

Quelqu'un traduisait à mi-voix, pour ceux des renégats qui ne comprenaient pas le thuvhésit. Akos, lui, était obligé de se concentrer pour déterminer quelle langue il entendait. Voilà sans doute où était la particularité d'un savoir qui venait du sang. C'était *là*, tout simplement.

Il aperçut Cyra derrière la foule, à mi-chemin entre les renégats et l'escalier. Elle paraissait… à vrai dire, elle paraissait terrifiée. De rencontrer l'oracle ? Non, plutôt de rencontrer sa mère. Plus logique…

On pouvait lui demander d'assassiner son propre frère ou de se jeter dans un combat à mort, et elle n'hésitait pas une seconde. Mais elle avait peur de rencontrer la mère d'Akos. Cette idée le fit sourire.

Les autres étaient en train de s'assembler autour du petit poêle où les renégats avaient allumé un feu pour se réchauffer. Tandis qu'Akos aidait Cyra à l'étage, ils avaient rassemblé une demi-douzaine de tables, toutes de styles différents : l'une était carrée, en métal, une autre étroite et tout en bois, une troisième en verre, une autre en bois sculpté… Des plats étaient déjà disposés dessus : du fruit-salé rôti, des lamelles de viande séchée, une miche de pain qui grillait sur une broche, et des coquilles de fenzu sautées, un mets recherché auquel il n'avait jamais goûté.

La nourriture était accompagnée de petits bols de poudre de fleurs-des-glaces, prête à être mélangée et infusée.

Connaissant Jorek comme il le connaissait, Akos aurait parié qu'il comptait sur lui pour le faire. Le repas n'était pas aussi complet que celui qui leur avait été servi la veille, mais il y en avait pour tout le monde.

Il n'eut pas à guider sa mère jusqu'à Cyra. Dès qu'elle la vit, Sifa marcha droit sur elle, ce qui n'eut pas l'air de rassurer la jeune fille.

– Mademoiselle Noavek.

Les mots avaient un peu buté dans sa gorge et elle regarda la peau-d'argent qui couvrait le cou de Cyra.

– Oracle, dit celle-ci en inclinant la tête.

C'était la première fois qu'il la voyait faire ce geste d'un air sincère.

Une ombre s'épanouit sur la joue de Cyra et se répandit dans son cou, comme trois rivières d'encre noire qui évoquaient la forme d'une hirondelle. Akos posa la main sur son coude pour lui permettre de serrer la main de sa mère, et celle-ci enregistra son mouvement avec intérêt.

– C'est grâce à Cyra que je suis rentré, maman.

Il ne savait pas trop quoi dire de plus sur elle. Ni quoi dire de plus tout court. Les rougeurs qui l'avaient poursuivi toute son enfance revinrent sournoisement ; il les sentit derrière ses oreilles et tenta de les contenir.

– Ce qui lui a coûté très cher, comme tu peux le voir.

Sa mère examina de nouveau Cyra.

– Mademoiselle Noavek, je vous remercie pour ce que vous avez fait pour mon fils. J'ai hâte que vous m'expliquiez pourquoi.

Puis, avec un étrange sourire, elle s'éloigna en invitant Cisi à lui donner le bras. Cyra resta plantée à côté d'Akos en haussant les sourcils.

– C'est ma mère.

– J'avais compris. Tu…

Elle passa les doigts derrière les oreilles d'Akos, où la peau chauffait toujours.

– Tu rougis.

Et lui qui essayait de le cacher… Son visage s'enflamma et il sut qu'il était devenu écarlate. N'aurait-il pas dû apprendre à se contrôler, depuis le temps ?

– Tu ne sais pas comment me présenter, ajouta-t-elle en longeant du doigt la joue d'Akos. J'ai remarqué que tu rougissais quand tu ne savais pas comment dire les choses. Ce n'est pas grave. Moi non plus, je ne saurais pas comment m'expliquer devant ta mère.

À quoi s'était-il attendu ? À ce qu'elle le taquine ? Elle ne se gênait pas, quelquefois. Mais elle avait dû sentir que ce serait malvenu. Cette compréhension immédiate, implicite, lui fit chaud au cœur. Il glissa ses doigts entre les siens.

– Le moment n'est peut-être pas idéal, mais je préfère te prévenir que je vais avoir du mal à la charmer, ajouta-t-elle.

– Alors, n'essaie pas. Elle non plus, elle ne fait pas d'efforts.

– Méfie-toi, tu ne sais pas jusqu'où je peux être « non charmante ».

Elle porta leurs mains jointes à sa bouche.

AKOS PRIT PLACE À TABLE à côté de Sifa. S'il existait une tenue typique de Hessa, c'était bien celle qu'elle portait : un pantalon en toile épaisse, sans doute molletonné, et des bottes munies de petits crampons pour ne pas glisser sur la glace. Un ruban rouge nouait ses cheveux. Sûrement un ruban de Cisi. De nouvelles rides marquaient son front et le coin de ses yeux, comme si les saisons lui avaient volé quelque chose. Et c'était bien le cas.

Autour d'eux, les renégats se passaient des bols de nourriture, des assiettes et des couverts. En face d'eux étaient assis Teka, avec cette fois un bandeau à motifs fleuris, Jorek, aux boucles encore humides de la douche, et Jyo, avec son instrument posé à la verticale sur ses genoux et calé sous son menton.

– Tout d'abord, mangeons, décréta Sifa en réalisant que les renégats attendaient qu'elle prenne la parole. Les prophéties ensuite.

– Bien sûr, approuva Jorek en souriant. Akos, tu pourrais nous préparer quelque chose qui nous détende un peu ?

Pari gagné. Akos ne chercha même pas à prendre un air contrarié. Sa mère venait de tomber du ciel dans un flotteur thuvhésit, et il était content de s'occuper les mains.

– Oui, OK.

Il suspendit la bouilloire à un crochet au-dessus du petit poêle et s'installa au bout de l'assemblage de tables pour garnir de ses potions toutes les tasses disponibles. Dans la plupart, il prépara le mélange classique qui levait les inhibitions, afin d'alléger l'humeur et de faciliter la conversation. Puis il prépara un sédatif pour Cyra et un calmant pour lui-même. Tandis qu'il remuait les mixtures, il entendit sa mère dire à Cyra :

– Mon fils avait visiblement hâte que je fasse votre connaissance. Il doit vous considérer comme une amie chère.

– Euh… oui, répondit Cyra. Je pense, oui.

Tu « penses », songea Akos en levant les yeux au ciel. Il avait pourtant été assez explicite, dans la cage d'escalier, mais elle ne parvenait pas à y croire tout à fait. L'ennui, avec les gens persuadés d'être des monstres, c'est qu'ils vous soupçonnent de mentir dès que vous ne les voyez pas comme eux se voient.

– Je me suis laissé dire que vous aviez un certain talent pour donner la mort, reprit Sifa.

Akos avait bien fait d'avertir Cyra de l'absence de délicatesse de sa mère. En la regardant du coin de l'œil, il vit qu'elle serrait nerveusement son bras gauche contre elle.

– Un talent, oui, sans doute. Mais je n'ai pas de goût pour cela.

Le bec de la bouilloire lâcha un jet de vapeur, encore trop

mince pour qu'Akos puisse verser l'eau. Il eut l'impression qu'elle mettait des heures à chauffer.

– Vous avez passé beaucoup de temps ensemble, tous les deux, reprit Sifa.

– Oui.

– Est-ce grâce à vous qu'il est resté en vie durant toutes ces saisons ?

– Non. Votre fils reste en vie grâce à sa propre volonté.

Sifa sourit.

– Vous paraissez sur la défensive.

– Je ne me vante pas de la force des autres. Seulement de la mienne.

Le sourire de Sifa s'élargit encore.

– Et un peu présomptueuse.

– Ce n'est pas le pire reproche qu'on m'ait fait.

Cette fois, la vapeur était suffisante, et Akos versa l'eau dans les tasses.

Isae vint en chercher une et se haussa sur la pointe des pieds pour lui chuchoter à l'oreille :

– Au cas où cela ne vous aurait jamais effleuré, vous devriez commencer à entrevoir que votre amie et votre mère ont beaucoup de points communs. Mais je vais me taire, pour laisser à ce fait irréfutable le temps de vous glacer jusqu'à la moelle.

Il la regarda en coin.

– Serait-ce de *l'humour*, chancelière ?

– D'aucuns vous diront qu'il m'est déjà arrivé de le manier, occasionnellement.

Elle but une gorgée de thé, qui devait être bouillant. Cela ne parut pas la déranger. Elle serra sa tasse entre ses deux mains contre sa poitrine.

– Vous connaissiez bien ma sœur, quand vous étiez enfants ?

– Eijeh la connaissait bien mieux que moi. J'étais beaucoup moins sociable.

– Elle parle beaucoup de lui. Son enlèvement lui a brisé le cœur. Elle a quitté Thuvhé quelque temps, pour venir m'aider à récupérer après mon « accident ». Je n'y serais pas arrivée sans elle. Ces imbéciles du siège de l'Assemblée ne savaient plus quoi faire de moi.

Akos n'avait entendu parler du siège de l'Assemblée que vaguement. C'était un vaisseau géant qui tournait en orbite autour de leur soleil, hébergeant une bande d'ambassadeurs et de politiciens à la dérive.

– Vous ne devriez pas avoir trop de mal à vous faire une place parmi eux, commenta-t-il.

Ce n'était pas un compliment, et elle ne le prit pas comme tel.

– Ne me jugez pas sur les apparences, dit-elle en haussant les épaules.

De fait, elle portait peut-être des chaussures bien cirées lorsqu'elle était venue le voir à l'hôpital de Shissa, mais elle ne s'était pas plainte une seule fois du manque de confort depuis le début de leur voyage. Si elle avait réellement passé presque toute sa vie à bord d'un croiseur au milieu de l'espace, elle n'avait certainement pas vécu comme une reine. Mais il avait du mal à la cerner. Comme si elle n'était issue d'aucun groupe, d'aucun lieu.

– Eh bien, que vous ayez bien connu Ori ou non, je… je vous suis reconnaissante pour votre aide. Et à Cyra aussi. Les choses ne sont pas telles que je les avais imaginées. (Elle leva les yeux vers la bâche trouée.) *Rien* ne se passe comme je l'avais imaginé.

– Je connais ce sentiment.

Elle se racla la gorge et reprit :

– Si vous arrivez à faire évader Eijeh sans y laisser votre peau, nous rejoindrez-vous ensuite à Thuvhé ? Votre connaissance des Shotet me serait bien utile. Ma seule rencontre avec eux fut un peu… à sens unique, comme vous le savez.

– Vous espérez employer quelqu'un qui a été désigné comme un traître par le destin sans soulever les protestations ?

– Vous pourriez changer de nom.

– Je ne peux pas cacher qui je suis. Pas plus que je ne peux fuir le fait que mon destin est de vivre de l'autre côté de la Traverse. Plus maintenant.

Elle but une nouvelle gorgée, avec une expression… presque triste.

– Vous l'appelez « la Traverse ». Comme eux.

Il l'avait fait spontanément, sans réfléchir. Les Thuvhésit l'appelaient juste « l'herbe-plume ». Comme lui-même l'avait fait pendant longtemps.

Elle plaqua une main légère contre le visage d'Akos, geste qui le surprit. Sa main était froide.

– Souvenez-vous seulement d'une chose : ces gens se moquent des vies des Thuvhésit. Et, qu'il y ait ou non dans votre sang les derniers vestiges d'une lignée shotet, c'est tout ce que vous êtes pour eux. Vous appartenez à mon peuple et non au leur.

Il n'aurait jamais imaginé qu'une Thuvhésit insisterait sur son appartenance à Thuvhé ; plutôt le contraire.

Isae laissa retomber sa main et retourna s'asseoir à côté de Cisi. Jyo était en train de lui interpréter un air de musique, avec ces yeux endormis auxquels Akos commençait à s'habituer. Manque de chance pour lui, n'importe qui pouvait voir que Cisi ne s'intéressait qu'à Isae. Et Akos aurait presque juré que c'était réciproque.

Il porta le sédatif à Cyra. Sifa était en train de saucer le fond de son assiette avec un morceau de pain. Fait à base de graines moulues cultivées autour de Voa, il était assez proche de celui qu'ils mangeaient à Hessa – l'une des rares choses qu'ils avaient en commun avec les Shotet. La conversation avait dérivé sur un autre sujet.

– Ma mère nous y a emmenés une fois, disait Cyra. C'est là que j'ai appris à nager, avec une combinaison spéciale contre le froid. Ça aurait pu nous servir pour le dernier séjour.

– Vous étiez bien à Pitha ? demanda Sifa. Et toi aussi, Akos ?

– Oui. J'y ai passé presque tout mon temps sur une île-poubelle.

– Tu as voyagé dans l'espace, dit-elle avec l'un de ses étranges sourires.

Puis, glissant une main dans la manche gauche de son fils, elle compta chacune de ses malemarques et son sourire se dissipa.

– De qui s'agit-il ? demanda-t-elle doucement.

– Deux des hommes qui nous ont attaqués, répondit-il à mi-voix. Et le Carapaçonné qui m'a donné sa peau.

Les yeux de Sifa se posèrent sur Cyra.

– Akos est-il très connu, chez vous ?

– Pour autant que je sache, il fait l'objet de diverses rumeurs, presque toutes fausses. Ils savent qu'il peut me toucher, qu'il sait préparer des potions puissantes, et que c'est un prisonnier thuvhésit qui a réussi à acquérir sa cuirasse.

Dans les yeux de Sifa s'alluma la lueur qu'elle avait toujours à l'arrivée d'une vision, et qui effrayait son fils.

– J'ai toujours su ce que tu deviendrais, tu te souviens ? lui murmura-t-elle. Quelqu'un qui se ferait toujours dévisager. Tu es ce que tu dois être. Quoi qu'il en soit, j'aime celui que tu as été, celui que tu es, et celui que tu deviendras. Tu comprends ça ?

Il se sentit pris par son regard, par sa voix, comme s'il se trouvait dans le temple au milieu des fleurs-des-glaces séchées qui brûlaient et qu'il la regardait à travers un nuage de fumée. Comme s'il était assis par terre chez le Conteur, le regardant dessiner le passé dans la vapeur. Il était facile de tomber dans la fascination, mais Akos souffrait depuis trop longtemps sous le poids de son propre destin pour s'y laisser prendre.

– Donne-moi une réponse claire, au moins une fois, lui dit-il. Est-ce que je vais sauver Eijeh, oui ou non ?

– J'ai vu des futurs où tu y arrives et d'autres où tu échoues.

Et elle ajouta en souriant :

– Mais à chaque fois, tu essaies.

Une fois la vaisselle empilée au bout de la grande table en bois et leurs tasses presque vides, les renégats se tinrent au garde-à-vous autour de la table, le temps que l'oracle leur décrive ses visions. Teka s'était emmitouflée dans une couverture que Sovy lui avait brodée, et Jyo avait rangé son instrument. Même Jorek avait cessé de se gratter le cou et glissé ses mains sous la table. Depuis tout petit, Akos voyait les gens prendre une attitude de respect en face de sa mère ; mais ici, c'était perturbant. Cela lui donnait encore une raison de plus de rester en retrait, s'il lui en fallait une.

– Trois visions, commença Sifa. Dans la première, nous quittons cet endroit avant l'aube, avant qu'on se fasse repérer à travers le trou dans la bâche.

– Mais… c'est *vous* qui l'avez fait, ce trou, l'interrompit Teka. Si vous saviez que ça nous obligerait à partir, vous auriez pu éviter.

C'était typique de Teka d'atteindre aussi rapidement les limites du respect, songea Akos. Visiblement, elle n'aimait pas être prise pour une idiote.

– Je me réjouis de voir que vous suivez, commenta tranquillement Sifa.

Akos étouffa un rire, et Cisi parut en faire autant quelques chaises plus loin.

– Dans la deuxième vision, Ryzek Noavek se tient devant une foule immense à l'heure du zénith.

Elle leva un doigt à la verticale.

– Ça se passe dans un amphithéâtre, rempli de micros et de rétines. Un événement public… Une cérémonie, peut-être.

– On rend hommage à une section de soldats demain, intervint Jorek. C'est peut-être ça. Sinon il y a aussi les prochaines cérémonies qui précèdent la fête du Séjour.

– C'est possible, dit Sifa. Dans la troisième vision, je vois Orieve Benesit se débattre entre les mains de Vas Kuzar. Elle est dans une cellule. Une grande cellule tout en verre, sans fenêtres. Ça sent…

Elle renifla, comme si l'odeur flottait dans l'air autour d'elle.

– … le renfermé. C'est une cellule souterraine, je pense.

– Elle se débat ? intervint Isae. Est-ce qu'elle est blessée ? Comment va-t-elle ?

– Il lui reste encore une belle énergie. À ce qu'il semble, en tout cas.

– La cellule de verre… dit Cyra d'une voix éteinte, c'est une cellule qui se trouve sous l'amphithéâtre. C'est là que j'ai été détenue, avant que… (Elle remua les doigts près de son cou.) Les deuxième et troisième visions se déroulent au même endroit. Mais se passent-elles au même moment ?

– Mon impression est qu'elles se superposent, répondit Sifa. Mais mon sens de la datation n'est pas toujours très précis.

Ses mains retombèrent sur ses genoux et elle en glissa une dans sa poche. Akos la regarda en sortir quelque chose, un petit objet luisant. C'était un bouton de veste, aux contours jaunis par l'usure. Il revit les doigts de son père triturer ce bouton tandis qu'il se plaignait de devoir assister à l'un des dîners de militaires donnés par sa sœur à Shissa, en tant que représentant des cultivateurs de fleurs-des-glaces. « Comme si cette veste allait tromper quelqu'un, avait-il dit une fois à Sifa alors qu'ils se préparaient dans la salle de bains. Un coup d'œil aux éraflures sur mes bottes et ils sauront tout de suite que j'ai grandi dans les champs. » Sa femme s'était contentée de rire.

Peut-être, dans un autre futur, Aoseh Kereseth aurait-il été assis à côté de Sifa dans cet étrange rassemblement, apportant à Akos la stabilité que sa mère, la fébrile prophétesse, n'avait jamais su lui donner. Peut-être avait-elle pris ce bouton pour lui rappeler que son père, par la faute de Vas, n'était plus en vie. À l'instant où cette pensée lui vint, Akos comprit qu'il avait raison et sut exactement pourquoi elle l'avait sorti de sa poche.

– N'essaie pas de me manipuler avec ce bouton, lui lança-t-il sèchement.

Il avait interrompu Teka, qui était en train de parler, mais tant pis. C'était lui que Sifa regardait.

– Range ça. Je n'en ai pas besoin pour me souvenir de lui.

Après tout, pensa-t-il, *c'est moi qui l'ai vu mourir, pas toi.*

Un éclair sauvage luit dans l'œil de sa mère, presque comme si elle l'avait entendu penser. Mais elle remit le bouton dans sa poche sans rien dire.

Cet incident était un bon rappel, non de son père, mais des talents de manipulatrice de sa mère. Lorsqu'elle partageait ses visions, ce n'était pas parce qu'elles étaient certaines, figées comme l'étaient les destins, mais parce qu'elle avait choisi celles qui l'arrangeaient, et qu'elle essayait de les imposer aux autres. Plus jeune, il s'en serait remis au jugement de Sifa, confiant dans le fait que le futur qu'elle avait retenu était le meilleur. Mais après l'expérience de son enlèvement et de tout le reste, il n'en était plus si sûr.

– Comme le disait Teka, déclara Jorek en brisant le silence gêné, ne m'en veuillez pas, je sais que c'est la sœur de votre chancelière, mais le destin d'Orieve Benesit ne nous concerne pas. La seule chose qui nous intéresse est de renverser Ryzek Noavek.

– En le tuant, précisa Teka. Au cas où ce ne serait pas clair.

– Le sauvetage de la sœur d'une chancelière ne vous concerne pas ? reprit Isae d'un ton glacial.

– Ce n'est pas *notre* chancelière, justifia Teka. Et on n'est pas des héros. On ne va pas risquer nos vies et notre sécurité pour des Thuvhésit.

Isae pinça les lèvres.

– Ce sauvetage nous concerne parce qu'il nous donne une opportunité, intervint Cyra en relevant la tête. Depuis quand Ryzek Noavek organise-t-il des cérémonies en l'honneur de sections de soldats ? Sa seule motivation est que cela lui permet d'assassiner Orieve Benesit publiquement, et de prouver à tous qu'il peut défier son destin. Il tient à ce que tous les Shotet soient là à cette occasion. Vous ne pourriez pas planifier une action contre lui à un meilleur moment. Volez-lui son heure de gloire sous les yeux de tous.

Akos glissa un coup d'œil sur la rangée de femmes assises à côté de lui. Isae, surprise, et peut-être même un peu reconnaissante à Cyra de prendre le parti d'Orieve, fixait pensivement sa tasse. Cisi entortillait une mèche de cheveux autour de son index d'un air absent. Enfin, il y avait Cyra, dont les cheveux soyeux brillaient sous les lumières basses de la cuisine.

– Ryzek sera entouré d'une foule énorme, comprenant ses fervents partisans et ses soldats les plus aguerris au grand complet, rappela Teka. Quel genre d'« action » nous suggères-tu ?

– Tu l'as dit toi-même, non ? Le tuer.

– Oh, mais bien sûr ! rétorqua Teka en donnant un coup sur la table. Pourquoi n'y ai-je pas pensé ? C'est tellement simple !

Cyra leva les yeux au ciel.

– Cette fois, vous n'aurez pas à vous introduire chez lui pendant son sommeil. C'est moi qui le défierai dans l'arène.

Tout le monde se tut, chacun plongé dans ses réflexions. Les talents de Cyra au combat étaient réputés, mais nul ne connaissait le niveau de Ryzek, ne l'ayant jamais vu à l'œuvre. Il y avait aussi la question de se rendre quelque part où Cyra pourrait effectivement lui lancer son défi. Et d'obtenir que Ryzek le relève au lieu de se contenter de faire arrêter sa sœur.

– Cyra… dit Akos.

– Il a déclaré le nemhalzak, rappela Teka. Il t'a privée de ton statut, de ta citoyenneté. Il n'a aucune raison d'accepter ton défi.

– Bien sûr que si, intervint Isae, les sourcils froncés. En apprenant qu'elle avait rejoint les renégats, il aurait pu se débarrasser d'elle discrètement. Mais il voulait que sa disgrâce et sa mort soient publiques. Cela signifie qu'il la craint, qu'il craint le pouvoir qu'elle peut avoir sur Shotet. Si elle le défie devant tout le monde, il ne pourra pas reculer, sous peine de passer pour un lâche.

– Cyra, répéta Akos à voix basse.

– Akos, répondit-elle, avec dans la voix une trace de la douceur qu'elle lui avait montrée dans la cage d'escalier. Il ne fait pas le poids contre moi.

La toute première fois qu'il l'avait vue combattre – sérieusement –, c'était dans le gymnase du manoir des Noavek. Elle s'était énervée – elle n'était pas une professeure si patiente que cela – et, se lâchant, l'avait collé au tapis. À quinze saisons, elle bougeait déjà comme une adulte. Et elle n'avait fait que progresser depuis. Pendant tout ce temps passé à s'entraîner avec elle, il ne l'avait pas vaincue une fois. Pas une seule.

– Je sais, admit-il. Mais laisse-moi créer une diversion.

– Quel genre de diversion ?

– Tu entres dans l'amphithéâtre. Tu le défies. Et au même moment, je me rends à la prison. Avec Badha, bien sûr. Et on lui enlève son triomphe en libérant Orieve Benesit. Pendant que toi, tu lui ôtes la vie.

Présentée ainsi, l'idée ne manquait pas de romantisme, ce dont il était bien conscient. Mais Cyra n'y semblait pas très sensible, passant la main sur son brassard comme si elle imaginait la marque qu'elle y ferait pour Ryzek. Non pas qu'elle hésitât. Mais elle connaissait le coût de cette marque.

– Bien, dans ce cas, c'est réglé, conclut Isae, dont la voix trancha le silence. Ryzek meurt, Orieve en réchappe, justice est faite.

La justice, la vengeance. Il n'était plus temps de réfléchir à la différence entre les deux.

▲
▲

:33
CYRA

Dès que j'eus proposé de combattre mon frère dans l'arène, le goût de poussière de l'amphithéâtre envahit ma bouche. J'en sentais encore l'odeur : les corps en sueur serrés les uns contre les autres, l'odeur chimique du désinfectant utilisé dans les cellules du sous-sol, le goût piquant du champ de force qui bourdonnait au-dessus. J'avais essayé de les repousser en parlant aux renégats, de jouer l'assurance ; mais tout cela était bien là, rampant dans un coin de ma tête.

Le sang qui gicle. Les cris de douleur.

La mère d'Akos observait mon brassard. Elle devait se demander combien de cicatrices il cachait.

Quelle drôle de paire je formais avec son fils ! Lui qui se rendait malade à chaque vie qu'il prenait, et moi qui avais perdu le compte du nombre de marques gravées sur mon bras.

Quand presque toutes les pierres-ardentes du poêle ne furent plus que des cailloux crayeux, je m'éclipsai, longeai la masse sombre du flotteur de Sifa et montai l'escalier pour regagner la salle de bains dévastée où je m'étais lavée. En bas, j'entendais Jorek et Jyo chanter en duo – faux, parfois – et les volées d'éclats de rire des autres. Dans la pièce mal éclairée, je m'approchai du miroir, ne distinguant d'abord que ma silhouette, puis…

Il n'y a rien de grave, me dis-je. *Tu es en vie.*

Je tâtai doucement la peau-d'argent plaquée sur mon crâne et sur ma gorge. Ça me picotait un peu là où elle avait commencé à se fondre avec mes nerfs. Mes cheveux ne couvraient qu'une moitié de ma tête et l'autre n'était qu'une surface lisse en peau-d'argent, bordée de peau rouge et enflée en réaction à cette nouvelle matière. Moitié visage de femme, moitié machine.

Je m'appuyai au lavabo et fondis en larmes. Les sanglots me firent mal aux côtes, mais je ne pouvais plus m'arrêter. Les larmes continuèrent à se déverser au mépris de la douleur, et je renonçai à leur résister.

Ryzek m'avait mutilée. Mon propre frère.

– Cyra, me dit Akos.

Pour la première fois, j'aurais voulu qu'il ne soit pas là. Il chassa les ombres en posant ses mains sur mes épaules. Elles étaient froides mais légères.

– Je vais bien, lui assurai-je en passant les doigts sur ma gorge d'argent.

– Rien ne t'oblige à aller bien, dans de telles circonstances.

La peau-d'argent reflétait la faible lumière qui pénétrait dans la pièce en ruine.

D'une toute petite voix, je posai la question enfouie tout au fond de moi :

– Est-ce que je suis laide, comme ça ?

– À ton avis ? demanda-t-il.

Il ne s'agissait pas d'une question rhétorique. J'eus l'impression qu'il avait compris que je ne cherchais pas à être rassurée, et qu'il me demandait d'y réfléchir. Je levai de nouveau les yeux vers le miroir.

Ma tête avait vraiment l'air bizarre, avec sa moitié de chevelure. Mais certains Shotet se coiffaient ainsi, avec les cheveux longs d'un côté et rasés de l'autre. Et la peau-d'argent me rappelait une pièce d'armure que ma mère avait trouvée lors d'un séjour.

Comme le brassard que j'avais autour du bras, je la porterais toujours, et elle me rendrait forte.

Je croisai mon propre regard dans le miroir.

– Non. Je ne suis pas laide.

Je n'y croyais pas encore tout à fait, mais je me disais que, peut-être, avec le temps, cela pourrait venir.

– Je suis d'accord, acquiesça-t-il. Au cas où tous nos bécotages ne l'auraient pas assez montré.

Je souris et me retournai en m'asseyant sur le rebord du lavabo. Même s'il souriait aussi, il avait des petits plis d'inquiétude au coin des yeux. Il avait cette tête depuis la discussion sur notre plan d'action.

– Qu'est-ce qu'il y a, Akos ? As-tu si peur que cela que je n'arrive pas à battre Ryzek ?

Il paraissait vraiment mal à l'aise.

– Non, ce n'est pas ça. C'est juste que… tu vas vraiment le tuer ?

Ce n'était pas la question à laquelle je m'attendais.

– Oui, je vais le tuer. Je croyais que c'était clair.

Ces mots avaient un goût métallique, comme celui du sang.

Il hocha la tête et se retourna pour regarder les renégats par le trou béant dans le plancher du salon. Ses yeux se posèrent sur sa mère, qui parlait en aparté avec Teka, les mains repliées autour d'une tasse de thé. Cisi se tenait non loin d'elles, fixant le poêle sans le voir. Elle n'avait pas ouvert la bouche ni bougé depuis la discussion avec les renégats. La plupart des autres s'étaient couchés par terre autour de la navette, enveloppés dans des couvertures, la tête appuyée sur leurs sacs. On se lèverait avec le soleil.

– Il faut que je te demande quelque chose, reprit Akos, ramenant son attention sur moi.

Il prit doucement mon visage entre ses mains.

– Je sais que ce n'est pas juste de te demander ça, mais je voudrais que tu épargnes la vie de Ryzek.

Je le regardai en me demandant si c'était une plaisanterie. J'allai jusqu'à rire. Mais il n'avait pas l'air de plaisanter.

– Pourquoi me demandes-tu cela ?

– Tu sais très bien pourquoi, dit-il en laissant retomber ses mains.

– À cause d'Eijeh.

Toujours Eijeh.

– Si tu tues Ryzek demain, reprit-il, Eijeh restera pour toujours prisonnier des pires souvenirs de ton frère. Son état sera irréversible.

Je lui avais dit un jour que Ryzek détenait le seul espoir de guérison possible d'Eijeh. Si mon frère pouvait échanger ses souvenirs à sa guise, il pouvait certainement procéder dans les deux sens. J'avais bien une ou deux idées sur le moyen de l'amener à le faire.

Akos n'avait jamais cessé de garder pour Eijeh une faible lueur d'espoir, comme une petite flamme qu'on aperçoit au loin. Je savais qu'il était incapable d'y renoncer. Mais je ne pouvais pas tout mettre en danger pour cela.

– Non, répondis-je fermement. Je ne suis pas d'accord. D'abord, on ne sait pas comment ces échanges de souvenirs ont pu affecter leur don-flux à chacun. En fait, je ne suis pas du tout sûre que Ryzek puisse guérir Eijeh.

– S'il y a la moindre chance, une seule, de soigner mon frère, je dois…

– Non ! m'écriai-je en le repoussant. Regarde ce qu'il m'a fait ! Regarde-moi !

– Cyra…

– Ça ! dis-je en désignant ma tête mutilée. Et toutes mes marques ! Des saisons de torture, et tous ces cadavres ! Et tu veux que je l'épargne ? Tu es malade ?

– Tu ne comprends pas ! dit-il d'un ton pressant.

Il cala son front contre le mien et ajouta :

– C'est ma faute si Eijeh est comme il est. Si je n'avais pas essayé de m'enfuir de Voa… Si je m'étais simplement résigné à mon destin…

Ma gorge s'était nouée.

Je n'avais jamais envisagé qu'Akos puisse se rendre responsable de ce que Ryzek avait fait subir à son frère. Il avait toujours été évident pour moi que Ryzek aurait trouvé une excuse pour déverser ses souvenirs dans sa tête d'une manière ou d'une autre, à un moment ou à un autre. Mais tout ce que voyait Akos, c'était qu'il s'en était pris à Eijeh pour le punir de sa tentative d'évasion.

– Ryzek aurait fait exactement la même chose si tu n'avais pas tenté de t'enfuir. Ce qui est arrivé à ton frère n'a rien à voir avec toi. C'est l'entière responsabilité de Ryzek.

– Mais il n'y a pas que ça ! Quand ils sont venus chez nous… c'est à cause de moi qu'ils ont su qui enlever, de lui ou de Cisi. Parce que je lui ai dit de s'enfuir. C'est par *moi* qu'ils l'ont su. Alors, j'ai promis à mon père, je lui ai *promis*…

– Là encore, c'est la responsabilité de Ryzek ! le coupai-je, de plus en plus en colère. Pas la tienne ! Je suis certaine que ton père comprendrait ça !

– Je ne peux pas l'abandonner, dit Akos d'une voix brisée. Je ne *peux* pas.

– Et moi, je ne peux plus t'aider à poursuivre ce but absurde, ripostai-je. C'est fini. Je ne peux pas continuer à te regarder te détruire, détruire ta vie, pour sauver quelqu'un qui ne veut pas l'être. Quelqu'un qui est *perdu* ! Qui ne reviendra jamais !

– « Perdu » ? répéta Akos, choqué. Et si je t'avais dit, à *toi*, que tu étais irrécupérable, hein ?

Je savais quoi répondre. Si je l'avais été, je ne serais pas tombée amoureuse de lui. Je n'aurais pas rejoint le camp des renégats. Mon don-flux ne se serait pas modifié.

– Écoute, dis-je, je dois le faire. Je sais que tu comprendras, même si tu ne peux pas l'admettre tout de suite. J'ai besoin… J'ai *besoin* que Ryzek disparaisse. Je ne sais pas quoi te dire d'autre.

Tous les autres dormaient. Même Akos, allongé à deux mètres de moi près des vaisseaux. Moi, j'étais totalement éveillée, avec le tourbillon de mes pensées pour seule compagnie. À la lueur mourante du poêle, je me redressai sur un coude pour regarder les formes bosselées des renégats couchés par terre. Jorek dormait roulé en boule, la tête sous les couvertures. Un rayon de lune tombant sur Teka donnait à ses cheveux la couleur de l'argent.

Je fronçai les sourcils en voyant Sifa Kereseth traverser la pièce et se faufiler par la porte de derrière. Sans prendre la peine de réfléchir à ce que je faisais, je glissai les pieds dans mes bottes et lui emboîtai le pas.

Elle se tenait juste derrière la porte, les mains croisées dans le dos.

– Bonsoir, me dit-elle.

Ce quartier de Voa était malfamé. Partout autour de nous se dressaient des bâtiments à la peinture écaillée, des fenêtres munies de barreaux, dont les volutes artistiques tentaient de faire oublier leur fonction, des portes sorties de leurs gonds. Ici, la chaussée n'était pas pavée mais en terre battue. Mais entre les immeubles flottaient des nuées d'insectes fenzu, luisant du bleu de Shotet. L'élevage sélectif avait fait disparaître leurs autres couleurs depuis longtemps.

– De tous les nombreux futurs que j'ai vus, celui vers lequel nous marchons est l'un des plus étranges, me dit Sifa. Et celui qui présente le plus de potentiel aussi bien positif que négatif.

– Vous savez, ce serait peut-être plus simple si vous me disiez quoi faire.

– Je ne peux pas, pour la bonne raison que je l'ignore. Nous nous trouvons dans une zone trouble, remplie de visions déroutantes. Des centaines de futurs s'étendent aussi loin que je peux voir, si je puis dire. Seuls les destins sont clairs.

– Quelle différence y a-t-il exactement entre les futurs et les destins ?

– Un destin s'accomplit quelle que soit la version du futur qui se réalise. Si votre frère avait pu en avoir la certitude, il n'aurait pas perdu son temps à essayer de fuir le sien.

Je m'efforçai d'imaginer ces visions : des centaines de chemins tortueux qui se dérouleraient devant moi, tous parvenant à la même destination. Cela faisait paraître mon destin encore plus étrange. Où que j'aille, quoi que je fasse, je franchirais la Traverse. Alors qu'est-ce que cela changerait que je prenne un chemin ou un autre ?

Je ne lui posai pas la question. Je ne le lui aurais pas demandé même si j'avais cru qu'elle me répondrait. Je ne voulais pas savoir.

– Tous les oracles se rencontrent une fois par saison pour discuter de leurs visions, reprit Sifa. Et nous nous mettons d'accord sur le futur le plus bénéfique à chaque planète. Pour celle-ci, mon travail – le seul qu'on attend de moi, outre celui de consigner mes visions – est de veiller à ce que le règne de Ryzek soit le plus court possible.

– Même si c'est au détriment de votre fils ?

Je ne savais pas trop si je parlais d'Akos ou d'Eijeh. Peut-être des deux.

– Je suis au service des destins, me répondit-elle. Je n'ai pas le luxe de pouvoir choisir.

Cette pensée me fit froid dans le dos. En théorie, j'approuvais l'idée d'agir pour le « bien du plus grand nombre ». Mais concrètement, cela n'allait pas dans le sens de mes intérêts. Je m'étais toujours protégée, et je protégeais désormais Akos, quand c'était possible. Mais, en dehors de cela, il existait peu de gens que j'aurais hésité à écarter de mon chemin. Cela signifiait peut-être que j'étais quelqu'un de foncièrement mauvais, mais cela n'en était pas moins vrai.

– Il n'est pas simple d'être à la fois mère et oracle. Pas plus qu'épouse et oracle, reprit Sifa d'une voix moins assurée. J'ai… souvent été tentée de sacrifier le bien collectif pour protéger ma famille. Mais… (Elle secoua la tête.) Je dois rester sur ce chemin. Je dois avoir la foi.

Ou alors ? pensai-je. Qu'y avait-il de si répréhensible à fuir en emmenant les siens, à refuser d'assumer une responsabilité qu'on n'avait pas choisie ?

– J'ai une question à laquelle vous pouvez peut-être répondre, dis-je. Savez-vous qui est Yma Zetsyvis ?

Elle pencha la tête d'un air surpris, et son épaisse chevelure tomba en cascade sur son épaule.

– Oui.

– Savez-vous comment elle s'appelait avant d'épouser Uzul Zetsyvis ? Était-elle une élue du destin ?

– Non.

Sifa inspira une goulée d'air frais et poursuivit :

– Leur mariage était une sorte d'aberration, qui avait peu de probabilités de surgir dans les visions des oracles concernant les Shotet. Uzul avait fait une mésalliance ; un mariage d'amour, visiblement. Il avait épousé une femme du peuple, au nom sans prestige : Yma Surukta.

Surukta. C'était le nom de Teka et de Zosita. Des femmes aux cheveux blond pâle et aux yeux lumineux.

– C'est bien ce que je pensais, dis-je. Je continuerais bien à bavarder avec vous, mais j'ai quelque chose à faire.

Sifa secoua la tête.

– C'est une sensation curieuse pour moi d'ignorer ce que quelqu'un a en tête.

– C'est l'occasion pour vous de savourer la nouveauté de l'incertitude.

Si Voa avait été une roue, j'aurais été en train d'en suivre la circonférence. Les Zetsyvis vivaient à l'autre bout de la ville, en haut d'une falaise surplombant Voa. Les lumières qui brillaient dans leur résidence m'apparurent de loin, alors que je marchais encore dans les rues en terre battue.

Le ruban-flux, qui serpentait dans le ciel au-dessus de ma tête, était toujours rouge sombre. On aurait presque dit un ruban de sang. Voilà qui était tout à fait approprié à nos projets du lendemain.

Je me sentais à l'aise dans le quartier pauvre où les renégats avaient établi leur refuge. La plupart des habitations étaient plongées dans l'obscurité, mais je voyais parfois des silhouettes penchées sur des petites lanternes. Dans une maison, je vis une famille en train de jouer en riant avec des cartes qui devaient provenir d'un ramassage sur Zold. À une époque, je n'aurais pas osé m'aventurer dans ces rues. Mais depuis ma disgrâce et mon association avec les renégats, j'étais plus en sécurité ici que n'importe où ailleurs à Voa.

Je me crispai un peu en atteignant les quartiers plus riches. Tout le monde à Voa proclamait sa fidélité au régime des Noavek – c'était une obligation –, mais Ryzek rassemblait les familles les plus anciennes et les plus fiables dans un cercle rapproché autour du manoir. L'allure des bâtisses me suffit à me localiser : elles étaient récentes, ou rénovées, réparées et repeintes. Le sol était pavé. Les rues étaient éclairées. Derrière les fenêtres illuminées, je voyais des gens vêtus d'habits propres et élégants en train de regarder le fil d'informations dans leur cuisine.

À la première occasion, je tournai vers la falaise en prenant l'un des chemins qui menaient au sommet. Autrefois, les Shotet avaient taillé des marches dans cette paroi rocheuse. Étroites, raides et mal entretenues, elles n'étaient pas pour les cœurs fragiles. Mais jamais on ne m'avait qualifiée ainsi.

Affaiblie à la fois par mes blessures et par mon don-flux, je longeai le plus possible la paroi en me tenant d'une main. Jusque-là, je n'avais pas mesuré combien j'étais épuisée, meurtrie, ni à quel point chacun de mes pas se répercutait dans ma gorge et ma tête. Je m'arrêtai pour sortir de ma petite besace les fioles que j'avais prises dans les affaires d'Akos avant mon départ.

Elles avaient toutes une couleur différente. J'en identifiai la plupart : un somnifère, un antidouleur, et, au bout de la rangée, scellé par une double épaisseur de cire, le rouge pur de l'extrait de fleur-de-silence. À ce degré de concentration, une telle quantité aurait suffi à tuer un homme.

Je bus la moitié de l'élixir antidouleur et rangeai le tout.

Je dus m'arrêter encore plusieurs fois pour récupérer et mis une heure à parvenir au sommet. À chaque pause, la ville m'apparaissait plus petite, ses fenêtres éclairées se changeant en petites lumières clignotantes. Mais je distinguais toujours le manoir des Noavek près du centre, entouré d'une lueur blanche, ainsi que l'amphithéâtre, protégé même de nuit par le réseau lumineux de son champ de force. Quelque part en dessous se trouvait Orieve Benesit, attendant la mort.

En atteignant le haut des marches, je m'éloignai aussitôt du rebord de la falaise. Ce n'était pas parce que j'avais le cœur solide que je devais jouer avec la mort.

Je suivis le chemin qui allait à la maison des Zetsyvis, au milieu des bois où on élevait les insectes fenzu pour l'exportation. Le sentier était bordé de grilles métalliques pour dissuader les gens de venir voler les précieux insectes. Des filets drapés sur les arbres les empêchaient de s'échapper, même si le risque était minime. Ils faisaient leurs nids tout en haut, dans les petites branches les plus fines. Les arbres eux-mêmes, au tronc si sombre qu'il semblait noir, étaient étroits et élancés, parsemés de touffes vert sombre à l'aspect de filaments, très différentes des grosses feuilles souples que j'avais observées sur d'autres planètes.

Enfin, la maison des Zetsyvis m'apparut. Un garde était posté devant, mais je lui assénai un coup de poing dans la mâchoire avant qu'il ait pu réagir. Je pris sa main inerte pour déverrouiller le portail. Je m'arrêtai un instant en me rappelant que ma propre main n'avait pas pu ouvrir la porte de la chambre de Ryzek au manoir. Que mon sang, mes *gènes* ne l'avaient pas ouverte. Et je ne savais toujours pas pourquoi.

Ce n'est pas le moment.

Je me secouai de ma torpeur et me remis en marche. Je ne pensais pas croiser d'autres gardes ; Yma vivait seule, maintenant.

J'avais fait ce qu'il fallait pour.

C'était une maison moderne construite sur les ruines d'un manoir en pierre plein de courants d'air qui se dressait là auparavant. Des grands pans de murs avaient été remplacés par des verrières.

Devant la façade, des petits globes remplis d'insectes bleus étaient disposés en guirlandes entre les arbres, créant comme une voûte qui se reflétait sur les vitres. Des plantes étranges enchevêtraient leurs tiges au pied de la maison et quelques-unes avaient commencé à grimper sur les parties en pierre. Certaines portaient des fleurs énormes en provenance d'autres mondes, arborant des couleurs que j'avais rarement vues sur des plantes de chez nous : roses comme des langues, bleu-vert intense, noires comme l'espace.

Sur le seuil, je sortis une petite lame-flux rangée dans un étui qui pendait sur ma hanche. J'avais presque peur de briser le silence qui m'enveloppait. Puis je me décidai à marteler la porte avec le manche de la lame, jusqu'à ce qu'Yma Zetsyvis vienne m'ouvrir.

– Mademoiselle Noavek.

Pour une fois, elle ne souriait pas. Elle fixait mon arme.

– Bonsoir. Ça vous ennuie si j'entre ?

Je pénétrai dans le vestibule sans attendre sa réponse. Le sol était recouvert de parquet, sans doute du bois des arbres noirs qui entouraient le domaine, ce même bois employé partout dans le manoir des Noavek. Il y avait peu de cloisons et la vue donnait sur tout le rez-de-chaussée, entièrement meublé en blanc.

Yma portait un peignoir de satin pâle et ses cheveux tombaient librement sur ses épaules.

– Vous êtes venue pour me tuer ? me demanda-t-elle d'un air impassible. Il serait assez logique que vous acheviez ce que vous avez commencé, après mon mari, puis ma fille.

J'eus envie de lui dire que je n'avais désiré tuer ni l'un ni l'autre, que leurs morts hantaient toujours mes cauchemars, que j'entendais encore battre le cœur de son mari dans mon sommeil, que je croyais voir Lety dans des endroits où elle n'avait jamais été.

– Je suis seulement venue vous parler. Cette lame ne sert qu'à me protéger.

– Je ne pensais pas que vous aviez besoin de cela.

– C'est parfois plus efficace. Côté intimidation, tout ça.

– Ah, fit Yma en se retournant. Eh bien, venez donc vous asseoir.

Elle me conduisit dans la partie salon, visible depuis l'entrée, meublée de canapés bas disposés en carré. D'un frôlement, elle alluma quelques lumières qui éclairèrent les divans par en haut. Des insectes fenzu voletaient en tous sens dans une lanterne posée sur une table basse en verre. Je restai debout le temps qu'elle s'asseye, en rabattant son peignoir sur ses jambes. C'était vraiment une femme très élégante.

– Vous semblez aller mieux que la dernière fois que je vous ai vue, me dit-elle. Je ne nierai pas que j'ai pris plaisir à vous regarder vous vider de votre sang.

– Oui, je ne doute pas que cela en ait diverti quelques-uns, répondis-je d'un ton aigre. Mais ne devient-il pas quelque peu difficile de prétendre à une supériorité morale, lorsqu'on a soif de voir couler le sang de quelqu'un ?

– Vous avez commis des crimes.

– Je ne soutiendrais jamais que je vaux mieux que vous, seulement que vous ne valez pas forcément mieux que moi.

Yma rit. Elle s'apprêtait certainement à me lancer une nouvelle insulte, mais je poursuivis :

– Je sais que vous éprouvez autant de dégoût pour mon frère que pour moi. Je le sais depuis longtemps. Et ça me faisait de la peine que vous vous sentiez obligée de rester proche de lui pour rester en vie. Je pensais que vous aviez peur et que vous le faisiez par nécessité.

La joue d'Yma tressaillit. Elle se tourna vers la baie vitrée qui plongeait sur Voa. Du haut de la falaise, on voyait l'océan tout au fond, même si, à cette distance, il avait l'apparence du néant, des confins de l'espace.

– Vous pensiez ? me dit-elle enfin.

– Aujourd'hui, j'ai commencé à comprendre que vous n'agissez pas par nécessité, du moins pas au sens où je le croyais. Vous contrôlez parfaitement la situation, n'est-ce pas ?

Elle me fit face, devenue grave. J'avais obtenu toute son attention.

– Vous avez perdu bien plus de proches que je ne le croyais. Et cela, avant même que je pose la main sur votre mari. Vous vous appelez Surukta. Vous êtes la sœur de Zosita Surukta, qui a fui la planète après avoir été surprise à enseigner des langues étrangères à ses voisins, et qui a été exécutée pour avoir participé à une révolte. Et avant cela, votre neveu a été tué pour le crime qu'elle avait commis, et votre nièce, Teka, a perdu un œil sur l'ordre de mon frère.

– Les méfaits de ma famille ne sont pas de mon fait, dit Yma d'une voix un peu tremblante. Vous ne pouvez pas m'en accuser.

– Ce n'est pas ce que je fais. Je vous explique juste comment j'ai découvert que vous étiez associée aux renégats, et cela depuis un certain temps.

Elle retrouva son drôle de sourire.

– Jolie théorie que vous avez pondue là. Je suis à la veille d'épouser votre frère et d'asseoir ma position parmi les personnes les plus puissantes de Shotet. Mon mariage avec Uzul Zetsyvis n'était qu'un moyen de parvenir à mes fins : arriver en haut de l'échelle sociale. J'ai un talent pour cela. Étant née dans un milieu privilégié, c'est une chose que vous ne pouvez pas comprendre.

– Vous voulez savoir ce qui vous a trahie ? demandai-je sans me préoccuper de ses justifications. Premièrement, c'est vous qui avez dénoncé Uzul, et vous saviez ce que mon frère lui ferait subir. Ceux qui sont poussés par la nécessité n'agissent pas de manière aussi calculée.

– Vous…

Je continuai :

– Deuxièmement, après l'attaque des renégats, vous m'avez avertie que Ryzek allait piéger un innocent pour fournir un coupable au peuple, en sachant pertinemment ce que cela me pousserait à faire.

Yma me foudroya du regard.

– D'abord vous me parlez des proches que j'ai perdus, puis vous m'accusez d'être responsable de l'exécution de ma propre sœur ? Ça n'a aucun sens.

– Et enfin, il y a tous vos petits *pianotages*. Qu'est-ce que c'est que cette manie que vous avez, Teka et vous ? Pas très intéressant comme rythme, en plus.

Yma détourna les yeux.

– Vous faites partie des renégats, conclus-je. Voilà ce qui vous donne la force de fréquenter mon frère, malgré tout ce qu'il vous a fait. Vous savez que vous devez rester proche de lui pour accomplir votre vengeance.

Elle se leva pour gagner la fenêtre, son peignoir ondulant derrière elle. Elle resta un long moment immobile, telle une colonne blanche dans le clair de lune. Puis elle se mit à taper son index contre son pouce. Un, trois, un. Un, trois, un.

– Ce rythme est un message, me dit-elle sans se retourner. Un jour, ma sœur et moi, nous avons inventé une mélodie pour nous rappeler le destin de Ryzek Noavek. Et plus tard, Zosita l'a apprise à Teka.

Elle se mit à chanter, d'une voix un peu cassée :

– *Le premier enfant de la famille Noavek sera renversé par la famille Benesit.*

J'observai ses doigts qui battaient la mesure, et son corps qui se balançait en cadence.

– Ça faisait un, trois, un, un, trois, un…

Une sorte de ritournelle.

– Je me la chante quand j'ai besoin de me donner du courage, ajouta-t-elle lentement. Je la chante dans ma tête en marquant le rythme avec mes doigts.

Comme le jour de l'exécution de Zosita, lorsqu'elle pianotait sur la balustrade. Comme le soir où nous dînions avec mon frère et qu'elle remuait les doigts sur le genou de Ryzek.

Enfin, elle se retourna.

– Et donc ? Vous comptez me faire chanter ? Ou me livrer à votre frère en échange de votre liberté ?

– Je ne peux qu'admirer votre talent pour la dissimulation. Vous avez dénoncé votre mari…

– Uzul souffrait de Q900X, riposta-t-elle sèchement. Plusieurs ingrédients du protocole de traitement sont, comme vous le savez, interdits par nos principes religieux. Alors il a choisi de se sacrifier pour la cause. Je peux vous jurer que ce n'est pas ce que je voulais. Mais grâce à son abnégation – une chose qui vous dépasse, certainement –, j'ai pu gagner ma place auprès de votre frère.

Mes ombres-flux s'accélérèrent, aiguillonnées par le tumulte de mes émotions.

– Je suppose que vous avez peu de contacts avec les autres renégats, dis-je. Vous savez que ce sont eux qui m'ont sauvé la vie ? Je travaille avec eux depuis quelque temps.

– Vraiment ? fit-elle d'un ton neutre.

– Vous n'avez quand même pas cru à l'excuse invoquée par Ryzek pour me taillader le visage ? J'ai aidé les renégats à pénétrer dans le manoir des Noavek pour l'assassiner. Le plan a échoué, mais je me suis débrouillée pour les faire sortir sains et saufs. C'est comme ça que je me suis fait arrêter. Teka était avec moi.

Yma fronça les sourcils. À la lumière des lampes, ses rides étaient plus prononcées. Ce n'était pas les signes de l'âge – elle était encore trop jeune pour cela, malgré ses cheveux prématurément blanchis –, mais du chagrin. Je comprenais maintenant pourquoi elle souriait toujours : ce n'était qu'un masque.

Elle soupira.

– La plupart d'entre eux ignorent tout. Zosita et Teka sont – étaient – les seules au courant. De toute façon, arrivée aussi près du but que je me suis fixé, ce serait trop dangereux d'entrer en contact avec eux.

Je me levai pour la rejoindre à la fenêtre. Le rouge du rubanflux s'assombrissait.

– Demain, les renégats lancent une action contre Ryzek, l'informai-je. Juste avant l'exécution d'Orieve Benesit, je vais le défier en duel de telle façon qu'il ne pourra pas se dérober.

– Quoi ? Demain ?

J'acquiesçai d'un hochement de tête.

Elle croisa les bras avec un rire bref.

– Quelle naïveté, petite ! Vous vous croyez de taille à vaincre Ryzek dans l'arène ? Décidément, vous ne savez voir les choses que sous un seul angle. Celui d'une machine à tuer.

– Non. Je viens vous soumettre un plan. Votre rôle serait simple.

J'ouvris ma besace et en sortis une fiole.

– Vous n'aurez qu'à verser le contenu de ce flacon dans le calmant de Ryzek au petit déjeuner. J'imagine que vous le prendrez avec lui.

Yma regarda la fiole en plissant le front.

– Qu'est-ce que qui vous dit qu'il boira un calmant ?

– Il le fait chaque fois qu'il doit tuer quelqu'un. Pour se donner du courage.

Elle eut un petit ricanement incrédule.

– Pensez de lui ce que vous voulez, ça m'est égal, repris-je.

Mais c'est ce qu'il a fait le jour où il a ordonné de m'écorcher vive pour distraire le public. Et je peux vous assurer qu'il en prendra avant de tuer Orieve Benesit. Tout ce que je vous demande, c'est de verser ce liquide dans sa tasse. Rien d'autre. Si j'échoue, cela ne compromettra en rien votre position. Il n'a aucune raison de vous soupçonner. Mais si vous m'aidez et que je réussis, je n'aurai même pas besoin de me battre contre lui et vous tiendrez votre vengeance sans avoir eu besoin de l'épouser.

Elle prit la fiole et l'examina. Akos l'avait scellée avec de la cire trouvée sur mon bureau. Elle me servait à frapper mes enveloppes du sceau des Noavek, comme le faisaient mes parents avant moi.

– C'est d'accord, déclara Yma.

– Bien. Je compte sur vous pour ne pas vous faire prendre. J'ai besoin que vous réussissiez.

– N'ayez crainte. Je pesais déjà chacun de mes mots et de mes regards quand vous n'étiez encore qu'une enfant. Mademoiselle Noavek, j'espère sincèrement que vous ne faites pas tout cela pour vous racheter, parce qu'il n'y aura pas de pardon. Pas de ma part. Pas après tout ce que vous avez fait.

– Oh, je n'ai pas la noblesse d'âme de chercher à me racheter. Croyez-moi, je n'agis que par vil esprit de vengeance.

Yma jeta un regard dédaigneux sur mon reflet dans la vitre, et je sortis. Je devais faire vite pour être de retour au refuge avant le réveil des autres.

▲
▲

34:
AKOS

AKOS REGARDAIT CYRA avancer devant lui dans le soleil. Les mains couvertes par des manches longues, ses ombres-flux étaient dissimulées par une longue cape dont la capuche lui masquait le visage. Devant elle se dressait l'amphithéâtre où elle avait failli mourir. Pourtant, à la regarder marcher droit dessus, la tête haute, on ne pouvait croire que quelqu'un l'avait mutilée dans cette enceinte même.

Un groupe de soldats shotet attendait à côté du grand portail. D'après les rumeurs – colportées par Sovy, qui, d'après Jorek, « connaissait *tout le monde* » –, ils devaient recevoir une récompense pour le travail accompli lors du ramassage. Akos ignorait ce qu'ils avaient pu en rapporter pour mériter un tel honneur, mais c'était sans importance. D'autant qu'il s'agissait d'un prétexte. Ryzek voulait juste s'assurer d'avoir un public pour faire de l'exécution d'Orieve une démonstration de son pouvoir.

Le portail s'ouvrit. Akos plissa les yeux dans la lumière et le rugissement de la foule lui emplit les oreilles. La forêt de visages qui emplissait les gradins donnait l'impression que toute la ville était là. En réalité, l'amphithéâtre ne pouvait en accueillir qu'un cinquième, et la majorité des habitants de Voa étaient chez eux, devant leurs écrans. Du moins ceux que ça intéressait.

Cyra tourna la tête et le soleil fit chatoyer son cou d'un reflet argenté. Elle donna le signal d'un hochement de tête, juste avant d'être entraînée par la marée humaine. L'heure avait sonné.

– Bon, déclara Isae en arrivant au niveau d'Akos. Nous n'avons pas réellement déterminé comment franchir cette *première* porte.

– À vrai dire, répliqua-t-il, je pensais simplement… exploser la tête du garde contre le mur.

– Ce serait sûrement d'une discrétion absolue. Ah, voilà Bandeau-à-fleurs. Allons-y.

Isae s'était mise à donner des surnoms aux renégats. « Bandeau-à-fleurs » était évidemment Teka. Elle avait baptisé Jorek « la Bougeotte », Jyo « Yeux-Doux », et Sovy « Celle-qui-ne-parle-pas-le-thuvhésit ». Celui-là était un peu long, mais elle l'utilisait peu. D'ailleurs, le jeu fonctionnait dans les deux sens. Le matin, alors qu'ils prenaient le petit déjeuner en surveillant le trou fait par Sifa dans la bâche, Teka avait parlé d'Isae en la surnommant « la Pimbêche ».

Suivi à quelque distance par Isae, Akos repéra Teka et Cisi près du portail de l'amphithéâtre et les rejoignit. Teka avait suscité l'étonnement général en proposant de les aider à pénétrer dans la prison. Il était clair qu'elle n'avait rien à faire de la vie d'Ori. Mais peut-être Cyra avait-elle marqué un point en soulignant que cette évasion priverait Ryzek de son triomphe sur son destin.

– Comment on fait pour le garde ? demanda Teka à Akos lorsqu'il fut assez près.

Elle aussi portait une cape grise, et dissimulait son œil manquant sous un ondoiement de cheveux d'or. Par-dessus l'épaule de Teka, Akos glissa un regard vers le garde posté devant la porte que Cyra leur avait désignée. Elle était de la même couleur que le mur, avec une serrure à l'ancienne qui fonctionnait avec une clé. Laquelle devait se trouver dans la poche du garde.

On ne demandait pas à Akos de s'occuper de la serrure, mais du garde. Âgé de quatre ou cinq saisons de plus qu'Akos, il était large d'épaules et vêtu d'une cuirasse de Carapaçonné. Sa main serrait le manche de sa lame-flux, rangée dans son fourreau. Un combattant expérimenté, estima Akos, et qui risquait de lui donner du fil à retordre.

– Je devrais pouvoir m'en charger, mais ça risque de faire de bruit. J'aurais du mal à m'en tirer sans me faire arrêter.

– Bon, gardons ça comme plan de secours, trancha Isae. Et si on essayait de le distraire ?

– Excellent, fit Teka en croisant les bras. Ce gars a été embauché pour garder la porte sécurisée de la prison secrète de Ryzek Noavek, et toute défaillance signerait probablement son exécution. Mais on peut sûrement compter sur lui pour déserter son poste parce qu'on lui aura fait miroiter un joli truc qui brille.

– Redis « prison secrète » un peu plus fort, tant que tu y es, répliqua Isae.

Teka s'enflamma, mais Akos n'écoutait plus. Cisi le tirait par la manche.

– Montre-moi tes fioles, lui dit-elle. J'ai une idée.

Akos gardait toujours quelques potions sur lui, dont un somnifère, un calmant et un mélange reconstituant. Ignorant ce qu'elle voulait, il lui tendit le petit étui où il les rangeait. Après les avoir inspectées dans un tintement de verre, elle choisit le somnifère qu'elle déboucha pour le renifler.

– Ça a l'air rude ! s'exclama-t-elle.

– Il faut ce qu'il faut, éluda-t-il.

Teka et Isae étaient encore en train de se disputer. Akos ne savait pas du tout à quel sujet, mais il n'était pas question de s'en mêler, sauf si elles en venaient aux mains.

– Tu peux aller m'acheter quelque chose à boire à l'étal, là-bas ? lui demanda sa sœur en désignant une grosse carriole à l'autre bout de la place.

Comme elle semblait savoir ce qu'elle faisait, il ne posa pas de questions et s'avança dans la foule en transpirant. Il portait la même cape grise que Teka au-dessus de sa cuirasse. Si cela ne suffisait pas à le faire passer inaperçu – il mesurait une tête de plus que tout le monde –, cela le différenciait un peu de celui que tous avaient vu faire évader Cyra Noavek dans l'arène.

Affaissée sur ses roues par le poids qu'elle supportait, la carriole penchait au point qu'Akos se demanda comment les gobelets qu'elle exposait pouvaient tenir dessus. À en croire les cris du marchand, la boisson othyrienne à l'odeur corsée qu'il vendait était bénéfique pour le moral. L'Othyrien indiqua le prix dans un shotet approximatif et Akos lui donna une pièce. Un matin, alors qu'elle se brossait les dents sur le vaisseau de séjour, Cyra avait simplement posé une bourse ouverte sur la table devant lui. Alors il s'était servi, au cas où.

Il revint avec la tasse, qui semblait toute petite dans son poing, et la tendit à Cisi. Celle-ci y versa le contenu de la fiole et se dirigea vers le garde d'un pas sautillant.

– Ça m'étonnerait qu'il parle thuvhésit, observa Teka.

Prenant une pose décontractée, Cisi salua le garde avec un grand sourire. Il commença par l'envoyer balader, mais, presque aussitôt, prit cet air endormi qu'avaient eu Jorek et Jyo la veille en la regardant.

– Elle pourrait lui parler en ogran que ça n'aurait aucune importance, commenta-t-il.

Il n'avait observé les effets du don-flux de sa sœur que durant des moments où elle ne faisait pas d'efforts. Il ignorait la puissance qu'il pouvait atteindre quand elle y mettait toute son énergie. Il vit le garde s'adosser au mur, les lèvres retroussées dans un sourire béat, prendre la tasse qu'elle lui offrait et la porter à sa bouche.

Akos traversa la foule à la hâte pour rejoindre Cisi. Si le garde s'effondrait, mieux valait que ce soit le plus discrètement possible. Et en effet, le temps qu'Akos arrive, il chancelait déjà en s'éclaboussant les pieds avec le contenu de la tasse. Akos le retint par les épaules et le laissa glisser lentement par terre. Teka était déjà en train de lui fouiller les poches. Elle trouva la clé tout de suite et, après un rapide coup d'œil derrière elle, la glissa dans la serrure.

– Ton don-flux est limite effrayant, Cisi, dit Isae.

Elle lui répondit par un grand sourire.

Akos tira le garde endormi dans un recoin et revint vers les autres en courant. La porte donnait sur un couloir de maintenance qui sentait les ordures et le moisi. L'odeur le prit physiquement aux tripes, d'une manière étrange. L'air semblait lourd d'humidité. Teka verrouilla derrière elle et mit la clé dans sa poche.

Maintenant qu'ils étaient à l'intérieur, finies les prises de bec, les plaisanteries et l'improvisation. Hormis un bruit lointain d'eau qui coulait goutte à goutte, le silence régnait dans le couloir. Akos trouva d'autant plus perturbant d'être coupé de la rumeur de la foule qui remplissait l'amphithéâtre. Il ne pouvait s'empêcher de se demander si Cyra avait réussi, si elle avait pu défier Ryzek, et s'ils arriveraient à sortir Ori de là. Ce couloir lui faisait de plus en plus l'effet d'un tombeau.

– Cyra a dit qu'on devait se diriger vers le centre, chuchota Isae. Elle ne se souvenait plus du chemin exact parce qu'elle était à moitié inconsciente quand ils l'ont emmenée dans sa cellule.

Mais Cyra n'était pas la seule à être déjà venue ici. Akos ferma les yeux en repensant à la nuit où Vas l'avait tiré de son lit. Il ne savait pas combien de jours s'étaient écoulés au juste, seulement que sa porte était verrouillée, que personne ne voulait lui expliquer ce qui se passait et que son ventre affamé le torturait – jusqu'à ce que la douleur cesse, comme si son estomac avait renoncé à réclamer.

Il avait réussi à frapper Vas dans le couloir du manoir, avant d'être conduit précisément ici. Dans ce même couloir, à la même odeur de détritus et de moisi, plongé dans la même obscurité.

– Moi, je me souviens, dit-il.

Et il passa devant Isae pour les guider.

Comme il transpirait toujours, il déboutonna sa cape et la jeta. Il n'avait qu'un souvenir flou du chemin qu'il avait pris, et aucune envie de raviver ce moment, qui n'était que douleur, où il s'était senti si faible qu'il tenait à peine debout. Eijeh les avait rejoints Vas et lui à la porte de derrière. Il avait replié la main sur la cuirasse de son frère, au niveau de son épaule. L'espace d'une seconde, Akos avait cru que c'était pour le soutenir, et ce geste l'avait réconforté. Mais Eijeh l'avait traîné en le tirant par sa cuirasse jusqu'à sa cellule.

Akos crispa les mâchoires, serra son couteau dans son poing et continua. Lorsqu'il aperçut le premier garde, un homme petit et trapu, une sorte de rage le saisit. Aveuglément, il le projeta contre le mur en lui frappant la tête contre la pierre. Un couteau dérapa sur sa cuirasse. Une langue de feu jaillit de la main du garde, mais elle s'éteignit dès qu'elle toucha Akos.

Celui-ci continua à cogner, encore et encore, jusqu'à ce que le garde s'affale par terre, les yeux révulsés. Il frémit, et sentit ses cheveux se dresser sur sa tête. Akos ne vérifia pas si le garde était mort. Il ne voulait pas savoir.

Mais en jetant un coup d'œil à Cisi, il vit que sa bouche se tordait de dégoût.

– Eh bien, commenta Isae, d'un ton presque *enjoué*. Voilà une méthode efficace.

– Ouais, acquiesça Teka en enjambant le corps de l'homme. De toute façon, tous ceux qu'on croisera sur notre chemin seront des partisans de Ryzek. Pas la peine de pleurer sur leur sort, Kereseth.

– Tu vois des larmes sur mon visage ? répliqua-t-il.

Il avait voulu s'essayer au ton crâneur de Cyra, mais sa voix le trahit. Néanmoins, il ne pouvait pas s'encombrer de l'opinion que sa sœur se faisait de lui. Pas ici. Il poursuivit son chemin.

Quelques tournants plus loin, Akos ne transpirait plus, il

frissonnait. Les couloirs étaient tous identiques : un dallage de pierre inégal, des parois de pierre poussiéreuses, un plafond de pierre bas. Chaque fois qu'ils descendaient des marches, Akos devait courber la tête pour ne pas se cogner au plafond. L'odeur de détritus avait disparu mais celle de la moisissure, plus forte que jamais, était suffocante. Il se rappela tout à coup avoir remarqué qu'Eijeh s'était coupé les cheveux très court, comme Ryzek, tandis qu'il le poussait en avant dans ces couloirs.

« Je ne peux pas continuer à te regarder te détruire, détruire ta vie, pour sauver quelqu'un qui ne veut pas l'être », lui avait dit Cyra la veille. Il lui avait révélé toute l'ampleur de sa folie, et elle avait refusé de le suivre. On pouvait difficilement lui en vouloir. Et pourtant, il lui en voulait. C'était plus fort que lui.

La porte qui se dressait devant eux, en verre noir opaque, surprenait dans son cadre de pierre et de bois. Elle s'ouvrait avec un pavé numérique encastré dans le mur. Cyra leur avait fourni une liste de combinaisons, toutes en lien avec sa mère, leur avait-elle précisé : date de naissance, date de décès, dates anniversaires, nombres fétiches. Akos n'arrivait pas à considérer Ryzek comme une personne capable d'aimer assez sa mère pour verrouiller ses portes avec sa date d'anniversaire.

Mais au lieu d'en tester ne serait-ce qu'une seule, Teka entreprit de dévisser la plaque qui recouvrait le pavé numérique. Son tournevis était fin, propre et étincelant comme une aiguille, et elle s'en servait avec la dextérité d'un sixième doigt. Elle fit sauter la plaque, la posa par terre et pinça l'un des fils du tableau, les yeux fermés.

– Euh… Teka ?

Des pas résonnaient quelque part derrière eux.

– Silence, ordonna-t-elle en pinçant un deuxième fil.

Puis elle eut un petit sourire.

– Ah, fit-elle. D'accord, je vois. Allez, viens par ici, toi…

Toutes les lumières s'éteignirent, mais un éclairage d'urgence fixé à l'angle du couloir s'alluma, diffusant une lumière si vive qu'elle laissait des taches noires sur la rétine.

La porte s'ouvrit sur le couloir des cellules, révélant un sol en verre qui fit ressurgir le pire souvenir d'Akos : celui où Vas forçait Cyra à s'agenouiller en face de lui. Sa surface était incrustée de pâles lumières disposées en quadrillage.

Isae s'élança en courant, tournant la tête d'un côté et de l'autre entre chaque cellule. Akos la suivit en scrutant les lieux, avec un curieux sentiment de détachement. Mais déjà, Isae revenait, et il sut ce qu'elle allait lui dire.

Et il lui sembla qu'il l'avait toujours su, dès l'instant où il avait vu sa mère jouer avec le bouton de la veste de son père et où il avait compris avec quelle facilité elle était capable de les entraîner dans le futur de son choix, quel qu'en soit le prix.

– Elle n'est pas là, annonça Isae.

Depuis leur rencontre, elle s'était toujours parfaitement contrôlée, et n'avait même pas craqué en apprenant l'enlèvement d'Ori. Elle n'avait pas eu un moment de faiblesse. Mais, à cet instant, elle se mit à crier d'une voix aiguë, désespérée.

– Elle n'est pas là ! Ori n'est pas là !

Akos battit lentement des paupières. Il eut soudain l'impression que l'air autour de lui s'était changé en mélasse. Les cellules étaient vides.

▴
▴

35: CYRA

L'OUVERTURE DU PORTAIL de l'amphithéâtre me signala que le moment d'agir était arrivé. Je regardai Akos une dernière fois, notant les taches rouges laissées la veille sur ses doigts par la fleur-de-silence, la cicatrice blanche qui longeait sa mâchoire, les deux plis qui séparaient naturellement ses sourcils en lui donnant toujours l'air préoccupé. Puis je me glissai entre les deux personnes qui me précédaient pour me mêler au groupe compact de soldats venus recevoir leur récompense.

Le temps que l'un d'eux s'aperçoive de ma présence, nous étions dans le couloir qui menait à l'amphithéâtre en s'élargissant. Mais j'avais déjà sorti ma lame-flux, et je n'étais pas inquiète.

– Hé ! me jeta le soldat. Vous n'avez rien à faire ic...

Je l'attrapai par le coude et le tirai vers moi en appuyant la pointe de mon couteau sur sa hanche, juste sous la cuirasse.

– Laissez-moi entrer, dis-je assez fort pour être entendue par les autres. Je le relâche dès qu'on sera à l'intérieur.

– Mais vous êtes... commença l'un de ses camarades en se penchant pour voir mon visage.

Je ne répondis pas. Gardant une main sur la cuirasse de mon otage – et non sur sa peau –, je le poussai en avant. Aucun des autres ne fit mine de le secourir, et je me félicitai de ma réputation

– et aussi des ombres-flux qui m'enserraient le cou et les poignets telles des cordes.

Au bout du couloir, la lumière m'obligea à plisser les yeux et le rugissement de la foule m'emplit les oreilles. Les lourds battants du portail se refermèrent à double tour derrière moi, nous laissant seuls dans l'arène, le soldat et moi. Les autres étaient restés en arrière. Le champ de force grésillait au-dessus de nous. Son odeur acide de fruit-salé formait un mélange familier avec celle de la poussière soulevée par mes pas.

Mon sang avait coulé ici. Et j'y avais versé le sang des autres.

Ryzek se tenait sur une longue et haute estrade, centrée sur un côté de l'arène. Un micro vint planer au-dessus de sa tête. Il avait la bouche ouverte, comme s'il était sur le point de parler, mais il ne réussit qu'à me regarder fixement.

Je poussai le soldat sur le côté, rengainai ma lame-flux et ôtai ma capuche.

Au bout de quelques secondes, mon frère réussit à plaquer un sourire moqueur sur son visage.

– Eh bien, voyez-vous cela : Cyra Noavek. Tu es déjà de retour ? Nous te manquions à ce point ? Où est-ce une nouvelle façon de se suicider pour les Shotet en disgrâce ?

Des éclats de rire montèrent de la foule. L'amphithéâtre était rempli des plus fidèles partisans de Ryzek, qui étaient aussi les Shotet les plus riches, les mieux nourris et les mieux portants, prêts à rire à la moindre de ses blagues.

Je regardai le micro bourdonner autour de moi comme un insecte. Je n'avais pas beaucoup de temps avant d'être arrêtée. Il me fallait aller droit au but.

Je retirai mes gants et déboutonnai ma cape, sous laquelle je portais ma cuirasse. J'avais les bras nus et une couche de maquillage – appliquée par Teka – masquait les ecchymoses qui marquaient mon visage, pour donner l'impression qu'elles avaient déjà guéri. La peau-d'argent faisait scintiller mon cou.

Elle me grattait vraiment, maintenant qu'elle avait fusionné avec mon cuir chevelu.

Si mon corps souffrait, je ne le sentais pas, grâce aux anti-douleur, et surtout à l'adrénaline.

– Je suis venue pour te provoquer en duel dans l'arène.

Il y eut des rires clairsemés dans le public, comme si les gens ne savaient pas vraiment comment réagir. Ryzek ne riait pas, lui. Il essuya la sueur qui perlait au-dessus de ses lèvres.

– Je ne te connaissais pas ce côté théâtral, répondit-il enfin. Mais on peut dire qu'entrer ici pour t'en prendre à la vie de ton frère est… disons, conforme à la cruauté qui te caractérise.

– Ce n'est pas plus cruel que de supplicier sa sœur en enregistrant la scène pour la montrer à tout le monde.

– Tu n'es pas ma sœur. Tu es la meurtrière de ma mère.

– Alors viens la venger ! lançai-je avec véhémence.

Une vague de murmures parcourut les gradins.

– Tu ne nies donc pas l'avoir tuée ?

Je n'étais même pas capable d'essayer. Même après tout ce temps, ce souvenir ne s'était pas estompé. Quand c'était arrivé, j'étais en train de hurler, en pleine crise de nerfs. « Je ne *veux pas* retourner voir *encore* un *autre* docteur ! Je n'irai *pas* ! » Je lui avais pris le bras et j'avais projeté toute ma douleur en elle, comme un enfant qui jette son assiette parce qu'il ne veut pas manger. Mais je l'avais projetée trop fort, et ma mère était tombée à mes pieds. Mon souvenir le plus précis était l'image de ses mains repliées sur son ventre. Elle était si élégante, si parfaite. Jusque dans la mort.

– Je ne suis pas venue pour discuter, répondis-je. Je suis là pour faire ce que j'aurais dû faire depuis plusieurs saisons. Combats-moi dans l'arène.

Je sortis mon couteau et le tins en écartant le bras de mon corps.

– Et avant que tu me dises que je n'ai pas le rang nécessaire pour te lancer un tel défi, permets-moi de faire remarquer à tout le monde à quel point ça t'arrange.

Ryzek serrait les mâchoires. Plus jeune, il avait perdu une dent à force de les faire grincer en dormant. Elle avait fini par se briser. La fausse dent qu'on lui avait implantée était en métal et je la voyais parfois étinceler lorsqu'il parlait.

– Tu m'as dépouillée de mon rang pour que personne ne puisse jamais découvrir que je suis plus forte que toi. Maintenant, tu te caches derrière ton trône comme un enfant apeuré, et tu appelles cela la loi.

Je me tus un instant avant de poursuivre :

– Mais qui peut parvenir à oublier que ton destin est d'être renversé par la famille Benesit ? (Je souris.) Refuser de me combattre ne fait que confirmer ce que tout le monde sait déjà : que tu es un faible !

Les murmures reprirent. Personne n'avait jamais proclamé le destin de Ryzek aussi ouvertement, aussi publiquement, sans en subir les conséquences. Zosita était la dernière à avoir essayé, dans le haut-parleur du vaisseau de séjour, et elle en était morte. Les soldats s'agitèrent près de la porte, attendant l'ordre de me tuer. Mais cet ordre ne vint pas.

Tout ce qui vint fut le sourire de Ryzek, dévoilant ses dents. Et ce n'était pas le sourire de quelqu'un qui se dérobe.

– Très bien, petite Cyra, je vais me battre en duel contre toi. Puisque cela semble être la seule conduite qui puisse te satisfaire.

Je ne pouvais pas me laisser déstabiliser, mais il s'en sortait bien. Son sourire m'avait glacée, et avait attisé les ombres-flux, mes éternelles parures, autour de mes bras et de mon cou. Toujours plus denses, toujours plus rapides quand la voix de mon frère les éperonnait.

– Oui, j'exécuterai cette traîtresse moi-même. Laissez-moi passer.

Je connaissais ce sourire et ce qu'il dissimulait. Il avait un plan. Je n'avais plus qu'à espérer que le mien était le meilleur.

EMPRUNTANT LE PASSAGE LIBÉRÉ par la foule, Ryzek descendit, lentement, élégamment, et s'arrêta à la barrière de l'arène pour faire vérifier le serrage des courroies de sa cuirasse et l'affûtage de ses lames-flux.

Dans un combat loyal, j'aurais pu le vaincre en quelques minutes. Ryzek avait appris de mon père l'art de la cruauté, et de ma mère celui des intrigues politiques. Moi, je n'avais pu compter que sur moi-même pour me former, et cet isolement m'avait fait surpasser mon frère au combat. Le sachant parfaitement, il ne prendrait pas le risque d'un combat loyal. Ce qui signifiait que j'ignorais quelle arme il détenait en réalité.

Il gagna l'arène en prenant tout son temps. J'en déduisis qu'il attendait quelque chose. Il ne comptait pas plus se battre réellement que je ne prévoyais de le faire.

Si Yma avait bien versé le contenu de la fiole dans son calmant au petit déjeuner, le principe actif de la fleur-de-silence devait déjà être en train de se répandre dans son corps. Son délai d'action, variable selon les individus, était impossible à prédire avec exactitude. Mais si je ne voulais pas échouer, je devais me tenir prête pour l'instant où il agirait.

– Tu gagnes du temps, lui lançai-je en espérant l'obliger à accélérer. Tu attends quelque chose ?

– J'attends la bonne lame, me répondit-il en sautant dans l'arène dans un nuage de poussière.

Il remonta sa manche gauche pour exhiber ses malemarques. Il avait dû entamer une seconde rangée près du coude à côté de la première. Il s'appropriait toutes les morts qu'il ordonnait, même celles qu'il n'avait pas infligées lui-même.

Il tira lentement sa lame-flux et leva le bras, et les acclamations explosèrent dans la foule. Cette clameur m'embrouilla l'esprit. J'avais du mal à respirer.

Il n'avait pas l'air pâle et déconcentré qu'aurait dû provoquer le poison. Au contraire, il semblait plus concentré que jamais.

J'aurais voulu me jeter sur lui en projetant ma lame comme une flèche, comme une navette filant dans l'atmosphère. Mais nous restâmes tous les deux immobiles, à attendre.

– Et *toi,* sœurette, qu'est-ce que tu attends ? Aurais-tu perdu tes moyens ?

– Non. J'attends que le poison que tu as avalé ce matin fasse son effet.

Un cri de surprise étouffé traversa le public et, pour une fois – pour la *première* fois –, le choc figea le visage de mon frère. J'avais enfin réussi à le surprendre pour de bon.

– Toute ma vie, dis-je, tu m'as répété que je n'avais rien d'autre à offrir que le pouvoir qui court sous ma peau. Mais je ne suis pas un instrument de torture et de mort. En revanche, je suis la seule personne qui connaisse le vrai Ryzek Noavek.

Je fis un pas vers lui.

– Je sais que tu redoutes la douleur plus que tout au monde. Je sais que tu as rassemblé tous ces gens ici aujourd'hui, non pour célébrer un ramassage faste, mais pour assister à l'assassinat d'Orieve Benesit.

Je rengainai ma lame et écartai les mains pour montrer à la foule qu'elles étaient vides.

– Mais ce que je sais de plus important sur toi, Ryzek, c'est que tu ne supportes pas de tuer quelqu'un sans t'être drogué avant. Ce qui m'a permis d'empoisonner ton calmant ce matin.

Il se plaqua les mains sur le ventre, comme s'il pouvait sentir la fleur-de-silence lui ronger l'estomac à travers sa cuirasse.

– C'était une erreur de ne voir en moi que mon don-flux et mon aisance à manier le couteau, ajoutai-je.

Et, pour une fois, j'en étais convaincue.

▲
▲

36:
AKOS

Il faisait froid dans la prison souterraine. Mais Akos savait que ce n'était pas pour cela qu'Isae tremblait.

– Votre mère a dit qu'Ori serait ici.

– Il doit y avoir une erreur, intervint doucement Cisi. Quelque chose qu'elle n'a pas vu…

Akos était à peu près sûr qu'il n'y avait pas d'erreur, mais ce n'était certainement pas le moment de le dire. Ils devaient retrouver Ori. Si elle n'était pas dans la prison, elle ne devait pas être loin, peut-être dans l'arène, ou sur l'estrade où Ryzek avait fait écorcher sa propre sœur.

– On perd du temps, dit-il, étonné lui-même par l'autorité qu'il y avait dans sa voix. Remontons. Elle doit être là-haut.

Apparemment, Isae était parvenue à l'entendre malgré sa panique. Elle prit une profonde inspiration et se tourna vers la porte, où les pas lointains qu'il avait entendus un peu plus tôt venaient de se matérialiser sous la forme menaçante de Vas Kuzar.

– Surukta, Kereseth, et… ah ! *Benesit,* déclara l'intendant en regardant Isae avec un léger sourire. Pas aussi jolie que votre sœur jumelle, je dois dire. Ces cicatrices auraient-elles été faites par des lames shotet, par hasard ?

– Benesit ? fit Teka en fixant Isae. La Benesit de…

Isae confirma d'un hochement de tête.

Cisi avait reculé jusqu'à la paroi d'une des cellules et plaqué les mains contre le verre. Akos se demanda si elle venait de voir ressurgir l'image de Vas Kuzar dans leur salon, en train de tuer leur père. C'était ce qu'il avait vécu les premières fois qu'il s'était retrouvé en face de Vas après son enlèvement : comme si toute la scène se rejouait. Mais cela lui avait passé.

Vas avait le regard vide, comme toujours. Ça avait été une déception pour Akos de découvrir qu'il était aussi dépourvu de colère, aussi engourdi intérieurement qu'extérieurement. Il aurait préféré pouvoir le voir comme le mal incarné. Mais, en vérité, ce n'était qu'une créature servile aux ordres de son maître.

Le souvenir de la mort d'Aoseh refit surface : le rouge intense de son sang, de la même couleur que le ruban-flux dans le ciel, la lame tachée que Vas avait essuyée sur sa cuisse en sortant de la maison. L'homme à la cuirasse shotet bien cirée et aux yeux brun or qui ne ressentait pas la douleur. Sauf – *sauf*...

Sauf lorsque Akos le touchait.

Il n'essaya pas de discuter avec Vas. C'était une perte de temps. Il fit un pas vers l'intendant, en faisant crisser ses bottes sur les gravillons qu'il avait apportés sous ses semelles. Malgré leur couleur chaude, les yeux de Vas semblaient encore plus froids que d'habitude sous la lumière qui l'éclairait depuis le sol.

L'instinct du gibier commandait à Akos de fuir, ou du moins de se tenir à distance de Vas. Il inspira autant d'air qu'il le pouvait, bouche ouverte, narines dilatées, et y résista.

Vas se rua sur lui et Akos, cette fois, obéit à son instinct en faisant un bond de côté. Un peu tard. Le couteau de Vas grinça sur sa cuirasse, lui arrachant une grimace.

Il se tourna de nouveau vers son adversaire pour lui faire face. Il comptait le laisser le manquer de peu à plusieurs reprises, pour l'inciter à la témérité. La témérité poussait à la négligence, et la négligence permettrait peut-être à Akos de survivre à ce combat.

Les yeux de Vas avaient l'éclat du métal trempé et ses bras, la dureté d'une corde tressée. Il assaillit de nouveau Akos mais, au lieu d'essayer de l'atteindre avec sa lame, il le saisit par le bras et le projeta violemment contre la paroi de la cellule. La tête d'Akos percuta le verre. Il vit des taches de couleur et les reflets des lumières du sol sur le plafond. Vas lui serrait toujours le bras, assez fort pour le meurtrir.

Et d'assez près pour qu'Akos attrape son poignet droit pour l'empêcher de frapper et qu'il le repousse de toutes ses forces. À ce contact, Vas écarquilla les yeux de surprise, et peut-être aussi de douleur. Akos voulut lui donner un coup de tête dans le nez, mais l'intendant le projetta en arrière.

Akos tomba. Les gravillons éparpillés par ses semelles s'incrustèrent dans ses bras. Il fut soulagé de voir Teka éloigner Isae et Cisi, même s'il sentait couler dans son cou quelque chose qui était peut-être du sang. Sa tête le lançait à la suite du choc contre le mur. Vas était vraiment fort, beaucoup plus que lui.

Vas s'humecta les lèvres et s'approcha en deux enjambées. Il frappa Akos d'un coup de pied dans les côtes. Puis à la mâchoire, de la pointe de sa botte. Avec un gémissement, Akos s'étala sur le dos en se tenant le visage. La douleur l'empêchait de penser, et même de respirer.

En riant, Vas se pencha sur lui, le saisit par sa cuirasse et le souleva. Il lui dit en projetant des postillons sur son visage :

– En arrivant dans l'au-delà, n'oublie pas de transmettre mes salutations à ton père.

Akos se rendit compte que cet instant était celui de la dernière chance. Il posa la main sur la gorge de Vas. Sans chercher à serrer. Vas le regarda d'un air étonné. Penché comme il l'était, il exposait une bande de peau juste au-dessus de la ceinture. Et tout en gardant la main autour de sa gorge – en le forçant à retrouver la sensation de la douleur –, Akos sortit un couteau glissé dans sa botte et le frappa au ventre.

Les yeux de Vas s'agrandirent jusqu'à ce qu'il y ait du blanc tout autour de ses iris. Puis il hurla. Il hurla, et ses yeux se remplirent de larmes. Son sang chaud coula sur la main d'Akos. Ils restaient reliés l'un à l'autre par la lame fichée dans la chair de Vas et par les mains de l'intendant sur les épaules du garçon. Leurs yeux se croisèrent. Ils s'affalèrent tous les deux et Vas laissa échapper un long sanglot.

Akos mit longtemps à lâcher prise. Il devait être sûr que Vas était bien mort.

Il repensa au bouton de veste dans la main de sa mère, dépoli par le frottement des doigts de son père, et dégagea sa lame.

Il avait rêvé si souvent de tuer Vas Kuzar que cette envie avait fini par battre en lui comme un second pouls. Mais dans ses rêves, il se dressait au-dessus de son cadavre, levait son couteau vers le ciel et laissait le sang de Vas couler le long de son bras comme la traînée du ruban-flux. Dans ses rêves, il avait un sentiment de triomphe, de victoire et de vengeance, le sentiment qu'il pouvait enfin laisser partir son père.

Dans ses rêves, il ne se recroquevillait pas contre la paroi de la cellule en essuyant sa paume avec un mouchoir, tremblant si fort qu'il finissait par le lâcher sur le sol quadrillé de lumières.

Vas semblait bien plus petit maintenant qu'il était mort. Ses yeux étaient entrouverts, et sa bouche aussi, de sorte qu'Akos pouvait voir ses dents un peu de travers. Cette vision lui donna un haut-le-cœur.

Ori, pensa-t-il. Alors il regagna la porte en trébuchant et se mit à courir.

▲
▲

37: CYRA

Ryzek ôta ses mains de son ventre. La sueur perlait sur son front. Son regard d'ordinaire si perçant se perdit dans le vague. Puis les commissures de sa bouche retombèrent dans une moue qui lui donna un air curieusement... vulnérable.

– C'est toi qui as commis une erreur, me dit-il. En *lui* forçant la main.

Il venait de parler d'une voix douce et haut perchée que je ne lui connaissais pas. Une voix particulière, très identifiable : celle d'Eijeh. Comment Ryzek et Eijeh pouvaient-il cohabiter dans le même corps et prendre le dessus chacun leur tour sans crier gare ?

Autour de nous, la rumeur de la foule avait changé. Plus personne ne regardait Ryzek. Toutes les têtes s'étaient tournées vers l'estrade surélevée dont il était descendu, et où Eijeh Kereseth se tenait maintenant seul, un couteau pointé sur la gorge d'une femme qu'il plaquait contre lui.

Je la reconnus, non seulement grâce aux images de son enlèvement diffusées dans tout Voa le jour de sa capture, mais aussi parce que j'avais passé la journée de la veille à regarder Isae Benesit parler, boire, manger. Cette femme était son sosie, Orieve Benesit, mais son visage était indemne.

– Eh oui, voilà la lame que j'attendais, dit Ryzek en riant, ayant retrouvé sa voix habituelle. Cyra, je te présente Orieve Benesit, chancelière de Thuvhé.

Le cou d'Orieve était bleui par les coups et elle avait une entaille au front. Mais lorsque nos yeux se croisèrent, même à cette distance, elle ne me fit pas l'effet de quelqu'un qui craignait pour sa vie. Elle avait plutôt l'expression de quelqu'un qui sait ce qui l'attend et qui compte y faire face avec la tête et le regard droits.

Ryzek croyait-il tenir la chancelière ? Ori avait peut-être cherché à entretenir son erreur. Quoi qu'il en soit, il était trop tard.

– Ori, dis-je.

Et j'ajoutai en thuvhésit :

– Elle a essayé de te sauver.

Elle se tenait si immobile que je ne savais pas si elle m'avait entendue.

– Thuvhé n'est qu'un terrain de jeu pour les Shotet, reprit Ryzek. Nous n'avons eu aucun mal à y pénétrer, et mes fidèles serviteurs ont enlevé sa chancelière sans peine. Cette planète est désormais à nos pieds !

Son but était de mobiliser ses partisans, et les acclamations furent assourdissantes. Les visages étaient déformés par la joie. Ce fanatisme exacerba mes ombres-flux, qui s'enroulèrent autour de moi comme des cordes autour d'un prisonnier. Je vacillai.

– Qu'en pensent les Shotet ? demanda Ryzek en penchant la tête vers la foule. La chancelière doit-elle être tuée des mains de l'un de ses anciens sujets ?

Ori continuait à me regarder. Elle n'avait toujours pas émis un son. Le micro s'approchait pourtant si près d'elle qu'il touchait presque la tête d'Eijeh – cette tête remplie des horreurs de mon frère.

La litanie commença aussitôt :

« À mort ! »

« À mort ! »

Ryzek écarta les bras comme pour accueillir cette clameur.

Il tourna sur lui-même, lentement, appelant les cris, jusqu'à ce que la soif de mort du public ait atteint un degré presque tangible, qu'on la sente peser dans l'air. Puis, avec un grand sourire, il leva les mains pour les faire taire, et déclara :

– Je pense que c'est à Cyra de décider de l'heure de sa mort.

Puis, baissant un peu la voix, il me glissa :

– Si je meurs... si tu ne me fournis pas un antidote, elle mourra aussi.

– Il n'y a pas d'antidote, dis-je faiblement.

Je pouvais la sauver. Je pouvais dire la vérité à Ryzek – une vérité que je n'avais révélée à personne, pas même à Akos lorsqu'il me suppliait de préserver le peu d'espoir qu'il avait encore pour son frère – et retarder l'exécution. J'ouvris la bouche pour voir si cette vérité allait en sortir.

Si je disais la vérité à Ryzek – si je sauvais Orieve –, nous nous retrouverions tous piégés dans cet amphithéâtre, cernés par la marée de ses partisans, sans aucune avancée pour les renégats.

J'avais la bouche sèche, la gorge nouée. Mais il était trop tard pour Orieve Benesit. Je ne pouvais pas faire cela. Je ne pouvais pas la sauver sans nous sacrifier tous, y compris la véritable chancelière de Thuvhé.

Tout là-haut sur l'estrade, Eijeh Kereseth, avec ses joues creuses, ses cheveux bouclés et ses grands yeux, enfonça la lame-flux dans le ventre d'Orieve Benesit.

Et la fit tourner.

▲
▲

:38
AKOS

Au moment où Ori s'effondra, Akos entendit un cri à glacer le sang. Ryzek tomba sur le côté, les bras repliés en travers du corps, et sa tête ballante roula dans la poussière. Cyra se releva, le couteau toujours à la main. Elle l'avait fait. Elle avait tué son frère, et avec lui le dernier espoir de guérir Eijeh.

Isae se fraya un passage dans la foule en plein chaos. Les dents serrées, elle chargeait, poussait, griffait pour gagner l'estrade. Akos escalada la barrière, s'élança dans l'arène en courant, dépassa Cyra et Ryzek, et sauta la barrière opposée pour replonger dans la foule des spectateurs. Les gens se bousculaient, repoussant leurs voisins à coups de coude et de pied. Mais Akos s'en moquait.

Là-haut sur l'estrade, Ori se rattrapa aux bras d'Eijeh pour ne pas tomber. Du sang coulait de sa bouche à chaque respiration. Eijeh se pencha sur elle, et ils s'effondrèrent tous les deux. Le front d'Ori se plissa et Akos s'arrêta net, ne voulant pas interrompre ce moment.

– Adieu, Eij, dit-elle, sa voix répercutée par le micro.

Akos gagna l'estrade en bousculant tous ceux qui se trouvaient sur son passage. Des enfants criaient quelque part au loin. Jetée à terre, une femme gémissait, incapable de se relever, tandis que les gens paniqués continuaient à la piétiner.

Lorsque Isae eut rejoint Ori, elle repoussa Eijeh avec un rugissement. Une seconde plus tard, elle était sur lui, les mains serrées autour de sa gorge pour l'étrangler. Et il ne semblait même pas se débattre.

Akos, dans un premier temps, la regarda faire sans intervenir. Eijeh avait tué Ori. Peut-être méritait-il de mourir.

– Isae, dit-il enfin d'une voix rauque. Arrêtez.

Ori tendit la main vers sa sœur, tâtonnant dans le vide. Alors seulement, voyant son geste, celle-ci lâcha Eijeh pour s'agenouiller à côté d'elle. Ori prit sa main et la serra sur sa poitrine, et leurs regards se croisèrent.

Un léger sourire. Puis ce fut fini.

Akos gagna l'estrade en forçant le passage. Les vêtements d'Ori étaient recouverts de sang. Isae était penchée sur le corps de sa sœur, sans pleurer ni crier, ni trembler. Derrière elle, Eijeh restait étendu sans bouger, les yeux fermés.

Une ombre passa sur eux. Piloté par Jyo et Sifa, le vaisseau des renégats, peint en rouge, en jaune et en orange éclatant, venait les chercher.

Teka était déjà à l'œuvre sur le tableau de commande situé à la droite de l'estrade. Elle essayait de détacher l'écran avec un tournevis, mais sa main tremblait. Finalement, Akos l'arracha en se servant de la lame de son couteau comme levier. Teka le remercia d'un signe de la tête et plongea les doigts dans les fils pour désactiver le champ de force.

Celui-ci s'éteignit dans un petit éclair de lumière blanche. La navette descendit sur l'amphithéâtre aussi bas qu'il était possible. Une trappe s'ouvrit et la passerelle se déploya.

– Isae ! cria Akos. On doit partir !

Elle lui jeta un regard mauvais. Puis elle glissa les mains sous les épaules de sa sœur et essaya de la traîner vers le vaisseau. Akos voulut l'aider en prenant Ori par les chevilles, mais Isae lui cria : « Ne la touche pas ! », et il recula. Entre-temps, Cisi les avait rejoints et Isae la laissa l'aider à porter le corps d'Ori dans la navette.

Akos se tourna vers Eijeh, qui n'avait toujours pas bougé, et le secoua par les épaules sans obtenir de réaction. Alors il posa les doigts sur son cou pour vérifier qu'il vivait encore. Et il sentit son pouls. Un pouls puissant. Un souffle puissant.

– Akos ! l'appela Cyra depuis l'arène.

Elle était toujours près du cadavre de Ryzek, sa lame à la main.

– Laisse-le ! lui cria-t-il.

Pourquoi ne pas abandonner la dépouille de Ryzek aux charognards et aux partisans des Noavek ?

– Non ! répondit-elle d'un ton pressant. Je ne peux pas !

Elle brandit le couteau. Akos n'avait pas fait attention jusque-là ; il n'avait vu que le corps inerte de Ryzek et Cyra penchée dessus avec son arme. Mais lorsqu'elle la lui montra, il vit que la lame était propre. Si elle n'avait pas poignardé son frère, pourquoi était-il étendu par terre ?

Akos revit le visage de Suzao tombant dans son assiette de soupe dans la cafétéria, et le garde en train de s'effondrer devant la porte de l'amphithéâtre, et tout s'éclaira. Cyra avait *drogué* Ryzek.

Il savait qu'elle était bien autre chose que le Fléau de Ryzek – il avait vu ce qu'il y avait de meilleur en elle se déployer dans le pire environnement possible, comme la fleur-de-silence qui s'épanouissait au Temps de l'Endormissement. Pourtant, il n'avait jamais envisagé cette possibilité.

Il n'avait jamais envisagé que Cyra épargne son frère. Pour lui, Akos.

▲
▲

39: CYRA

La trappe du vaisseau des renégats se referma sur nous. Je vérifiai aussitôt le pouls de Ryzek avant de détacher la corde qui le ligotait. Il était faible mais stable, normal pour les circonstances. Compte tenu du moment où la potion avait fait effet et de la puissance des mélanges d'Akos, il ne se réveillerait pas avant un moment. Je ne l'avais pas poignardé, mais j'avais tout fait pour le laisser croire, y compris à ceux qui auraient observé de près les images prises par les rétines.

Yma Zetsyvis avait disparu dans un flottement de voile bleu au cours de la cohue. J'aurais voulu pouvoir la remercier, même si elle avait agi pour son compte et non pour le mien. Mais elle aurait sûrement détesté toute manifestation de gratitude de ma part. De surcroît, elle pensait avoir tué Ryzek. Elle me haïrait plus que jamais en découvrant que je lui avais menti.

Isae et Cisi étaient agenouillées autour d'Ori et Akos se tenait debout derrière sa sœur. Lorsqu'elle glissa une main vers lui, il lui tendait déjà la sienne pour lui permettre de laisser aller ses larmes.

– Que le flux, qui circule à travers chacun d'entre nous, vivant ou mort, guide Orieve Benesit là où règne la paix, murmura Cisi en posant sa main sur celles d'Isae, recouvertes de sang. Que nous qui vivons entendions clairement son réconfort, et que nos efforts nous poussent à accorder nos actions avec le chemin qu'il nous trace.

Cisi écarta les cheveux épars collés sur le visage d'Isae et les glissa doucement derrière son oreille. La chaleur et le poids de son don-flux me réconfortèrent.

– Qu'il en soit ainsi, dit Isae, semblant conclure la prière.

C'était la première fois que j'entendais une prière thuvhésit mais je savais que toutes s'adressaient directement au flux, et non à son maître supposé comme cela se faisait dans les petites sectes shotet. Les prières shotet étaient des listes d'affirmations plus que des requêtes, et j'aimais la franchise qui allait avec cette espèce de timidité des Thuvhésit, l'aveu implicite qu'ils ignoraient si leurs prières seraient entendues.

Isae se leva, les bras ballants. La navette fit une embardée qui nous fit tous vaciller. Je ne craignais pas que nous soyons poursuivis dans le ciel de Shotet : il ne restait personne pour en donner l'ordre.

– Tu savais, dit Isae en fixant Akos. Tu savais que Ryzek lui avait lavé le cerveau, qu'il était dangereux. Depuis le début.

Elle désigna Eijeh, toujours inconscient.

– Je n'aurais jamais imaginé qu'il... Il l'aimait comme une sœur...

– Je t'interdis de dire cela ! gronda Isae en serrant les poings. La seule qui l'aimait comme une sœur, c'est *moi*. Elle ne lui appartenait pas, pas plus qu'à toi ni à personne d'autre.

Occupée à suivre leur échange, je n'eus pas le réflexe d'empêcher Teka de s'agenouiller auprès de Ryzek. Elle chercha son pouls sur sa gorge, puis sur son poignet.

– Pourquoi est-il en vie ? me demanda-t-elle d'une voix sourde.

Tous – Isae, Cisi, Akos – se tournèrent vers Teka. Puis les yeux d'Isae quittèrent Ryzek pour se poser sur moi, et je me raidis. Il y avait quelque chose de menaçant dans sa façon de bouger, de parler, comme si elle se ramassait sur elle-même, tel un fauve prêt à bondir.

– Ryzek est le dernier espoir de guérison d'Eijeh, expliquai-je le plus calmement possible. Je l'ai épargné temporairement. Lorsqu'il lui aura rendu ses souvenirs, je lui arracherai le cœur avec joie.

– Eijeh…

Isae se mit à rire en levant la tête vers le plafond, avec un rire de folle.

– La drogue que tu as fait boire à Ryzek n'était qu'un somnifère… et tu as préféré taire ce détail alors que la vie de ma sœur en dépendait ?

Elle s'approcha de moi en écrasant la main de Ryzek au passage.

– Tu as sacrifié la vie d'Ori, la sœur d'une chancelière, pour préserver le vague espoir de guérir un traître, dit-elle lentement, sans élever la voix.

– Si j'avais dit la vérité à Ryzek à propos de la potion, on se serait tous retrouvés prisonniers dans l'arène, sans moyen de pression ni possibilité d'évasion. Et il l'aurait tuée quand même. J'ai fait le choix qui garantissait notre survie.

– Tu te fiches de nous ? riposta Isae, le visage tout proche du mien. Tu as choisi *Akos* ! N'essaie pas de nous faire croire autre chose.

– Très bien, dis-je toujours aussi calmement. C'était vous ou Akos. J'ai choisi Akos. Et je ne regrette rien.

C'était vrai, même si ce n'était pas tout à fait la vérité. Si elle avait besoin de me haïr, j'étais prête à lui faciliter la tâche. J'avais l'habitude d'être détestée, surtout par les Thuvhésit.

Isae hocha la tête.

– Isae… intervint Cisi.

Mais elle s'était déjà éloignée. Elle disparut dans la cuisine et la porte se referma derrière elle.

Cisi essuya les larmes qui mouillaient ses joues.

– Je n'y crois pas, déclara Teka en secouant la tête. Vas est mort mais Ryzek est en vie.

Vas était mort ? Je me tournai vers Akos, mais il fuit mon regard.

– Toi, Noavek, me dit Teka, donne-moi une bonne raison de ne pas tuer Ryzek sur-le-champ. Et si cette raison a quoi que ce soit à voir avec Akos, je te cogne.

– Si vous le tuez, il ne faudra plus compter sur moi, dis-je d'un ton maussade, sans la regarder. En revanche, si vous m'aidez à le maintenir en vie, je vous aiderai à conquérir Shotet.

– Ah ouais ? Et comment tu comptes faire ça ?

– Va savoir, Teka ! fulminai-je en la foudroyant du regard. Pas plus tard qu'hier, les renégats campaient dans un refuge à Voa sans la moindre idée de ce qu'ils devaient faire, et aujourd'hui, grâce à moi, Ryzek Noavek est à votre merci et toute la ville est plongée dans le chaos. Il me semble que cela en dit assez sur ma capacité à agir pour votre cause. Pas toi ?

Elle mordilla pensivement l'intérieur de sa joue avant de me répondre :

– Il y a une réserve dans la soute, avec une porte solide. Je vais le balancer là-dedans, histoire qu'il ne se réveille pas sous notre nez.

Elle secoua la tête.

– Des guerres ont commencé pour moins que ça, tu sais. Tu ne t'es pas simplement mis à dos Isae, tu as provoqué la colère de toute une nation.

Ma gorge se serra.

– Tu sais très bien que je ne pouvais pas sauver Ori, argumentai-je. *Même* si j'avais tué Ryzek. On était piégés.

Teka soupira.

– Moi, je le sais. Mais Isae Benesit ne semble pas du tout convaincue.

– Je lui parlerai, proposa Cisi. Je l'aiderai à accepter la réalité. Pour l'instant, elle a juste besoin d'en vouloir à quelqu'un.

Elle ôta sa veste, révélant des bras hérissés de chair de poule, et en recouvrit Ori. Akos l'aida à replier le vêtement autour de ses hanches et de ses épaules pour cacher ses blessures, et Cisi lui peigna les cheveux avec ses doigts.

Puis ils s'éloignèrent, le pas lourd et les mains tremblantes, Cisi vers la cuisine et Akos vers la soute.

Je me tournai de nouveau vers Teka.

– Allons enfermer mon frère.

NOUS TRAÎNÂMES Ryzek et Eijeh dans la réserve. Je fis boire du somnifère à Eijeh. Je ne comprenais pas pourquoi il était inconscient, mais s'il se réveillait avec la personnalité de l'homme à l'esprit dérangé qui avait assassiné Orieve Benesit, je ne me sentais pas prête à l'affronter.

Puis je me rendis au poste de pilotage, où Sifa Kereseth tenait les commandes. Jyo était avec elle, en train de contacter Jorek qui était retourné chercher sa mère après la chute de Ryzek. Je m'assis dans le siège vide à côté de Sifa. Nous volions haut dans l'atmosphère, à la limite de la barrière bleutée qui nous séparait de l'espace.

– Où allons-nous ? demandai-je.

– En orbite, le temps d'établir un plan d'action. De toute évidence, on ne peut pas retourner à Shotet, et il ne serait pas prudent de rentrer à Thuvhé pour l'instant.

– Vous savez ce qui se passe pour Eijeh ? Il n'a pas repris conscience.

– Non. Je ne le sais pas encore.

Elle ferma les yeux. Je me demandai si elle avait le pouvoir d'explorer le futur comme on explore les étoiles. Certaines personnes maîtrisaient parfaitement leur don-flux, tandis que d'autres le subissaient. Je n'avais pas pris le temps de me demander à laquelle de ces deux catégories appartenait l'oracle de Hessa.

– Je crois que vous saviez que nous allions échouer, dis-je à mi-voix. Vous avez dit à Akos que vos visions se superposaient, qu'Ori se trouverait dans une cellule au moment où Ryzek m'affronterait dans l'arène. Vous saviez que c'était faux, n'est-ce pas ? Tout comme vous saviez qu'Akos se battrait contre Vas. Vous vouliez qu'il soit acculé à le tuer, qu'il élimine l'assassin de votre mari.

Sifa se pencha pour effleurer la carte de pilotage automatique, inversa l'affichage des couleurs – noire pour l'immensité de l'espace et blanche pour le trajet que nous suivions – et se rassit en posant ses mains sur ses genoux. Je crus d'abord qu'elle réfléchissait avant de répondre, mais comme elle continuait à se taire, je me rendis compte qu'elle n'en avait pas l'intention. Je n'insistai pas. Ma mère aussi était une femme inébranlable, et je savais quand il valait mieux renoncer.

Je fus donc un peu étonnée lorsqu'elle déclara :

– Mon mari devait être vengé. Akos le comprendra, un jour.

– Je ne crois pas. Il comprendra seulement que sa propre mère a employé la ruse pour lui faire faire ce qu'il déteste le plus.

– Peut-être, admit-elle.

L'obscurité de l'espace nous enveloppait comme un suaire et tout ce vide me calma, me réconforta. Ce voyage était en quelque sorte une nouvelle forme de séjour, un voyage qui m'éloignait non pas de l'endroit censé être chez moi, mais de mon passé. Ici, les frontières entre les Shotet et les Thuvhésit étaient moins visibles, et je me sentais presque en sécurité.

– Je ferais mieux d'aller voir comment va Akos, dis-je.

Avant que j'aie pu me lever, sa main s'était refermée sur mon bras. Elle se pencha vers moi, si près que je vis les petites rayures cuivrées qui réchauffaient ses iris sombres.

– Merci, me dit-elle. Je suis sûre qu'il ne vous pas été facile de renoncer à vous venger de votre frère pour épargner mon fils.

Je haussai les épaules, un peu mal à l'aise.

– Je ne me voyais pas me libérer de mes propres cauchemars en transformant ceux d'Akos en réalité. Et puis, ce ne sont pas quelques cauchemars de plus qui pourraient me faire peur.

▲
▲

:40 AKOS

Après que les Shotet eurent arraché Akos et Eijeh à leur foyer pour les traîner de force de l'autre côté de la Traverse ; après qu'Akos se fut libéré de ses menottes pour voler le couteau de Kalmev Radix et le poignarder ; après qu'ils eurent battu Akos au point qu'il tenait à peine debout, ils avaient emmené les frères Kereseth à Voa pour les faire paraître devant Ryzek Noavek. Les deux frères avaient descendu la paroi de la falaise et parcouru les rues sinueuses et poussiéreuses, certains de marcher vers leur mort, ou pire. Partout, il y avait trop de bruit, trop de monde, trop de choses totalement différentes de chez eux.

Alors qu'ils arrivaient devant le portail du manoir des Noavek, Eijeh avait murmuré :

« J'ai tellement peur ! »

La mort de leur père et leur enlèvement l'avaient brisé comme une coquille d'œuf. Il suintait la peur, les yeux toujours remplis de larmes. Sur Akos, ces événements avaient eu l'effet inverse.

Personne ne pouvait briser Akos.

« J'ai promis à papa que je te tirerais de là, avait-il dit à son frère. Et c'est ce que je vais faire, tu m'entends ? Tu t'en sortiras. Cette fois, c'est à toi que je le promets. »

Il avait passé un bras autour des épaules d'Eijeh et continué à marcher en le serrant contre lui. Et ils étaient entrés ensemble.

Maintenant, ils étaient libres. Mais ils n'étaient pas ressortis ensemble. Akos avait été obligé de le traîner.

LA SOUTE ÉTAIT PETITE, froide et humide, mais comportait un lavabo, et c'était tout ce qui intéressait Akos. Il se mit torse nu, jeta sa chemise hors d'usage, laissa couler l'eau jusqu'à ce qu'elle soit brûlante et fit mousser le savon graisseux. Puis il glissa la tête sous le robinet. De l'eau salée lui coula dans la bouche. Il commença à se laver les bras et les mains ... et se laissa aller.

Partagé entre la mortification et le soulagement, il pleura à chaudes larmes, laissant le bruit de l'eau noyer les drôles de hoquets qui s'échappaient de sa bouche, laissant la chaleur détendre ses muscles noués.

Lorsque Cyra le rejoignit, il était affalé sur le lavabo, se maintenant au rebord par les aisselles. Ses bras étaient repliés mollement sur sa tête. Elle prononça son nom et il se força à se redresser, croisant son regard dans le miroir brisé. L'eau qui ruisselait dans son cou et dans son dos commençait à mouiller le haut de son pantalon. Il ferma le robinet.

Cyra ramena ses cheveux sur son épaule. Ses yeux noirs comme l'espace s'adoucirent en l'observant. Des ombres-flux flottaient sur ses bras et se drapaient autour de son cou en mouvements nonchalants.

– Vas ? dit-elle.

Il hocha la tête.

À cet instant, il aima tout ce qu'elle ne disait pas. Pas de « bon débarras » ni de « tu as fait ce que tu devais faire », ni même de simple « ça va aller ». Cyra ne perdait jamais son temps avec ce genre de phrases creuses. Elle allait droit à la vérité la plus nue et la plus dure, comme si elle savait que si elle se brisait les os, ils seraient encore plus solides qu'avant en se ressoudant.

– Viens, dit-elle simplement. On va te trouver des vêtements.

Elle avait l'air fatiguée, mais pas plus que quelqu'un qui sort d'une longue journée de travail. C'était encore un point qui le frappait chez elle : à cause de tous les moments difficiles qu'elle avait connus, elle était bien plus forte que la plupart des gens quand de nouvelles difficultés surgissaient. Même si ce n'était peut-être pas toujours une bonne chose.

Il ôta la bonde du lavabo et l'eau s'écoula dans la canalisation, izit par izit. Puis il se sécha. Quand il se tourna de nouveau vers elle, ses ombres-flux s'affolèrent, dansant sur ses bras et sa poitrine. Elle fit une légère grimace, mais la douleur avait changé, ne la consumait pas comme avant. Un peu d'espace s'était faufilé entre elle et sa souffrance.

Il la suivit à travers un petit couloir jusqu'à un placard rempli de linge : des draps, des serviettes, et des habits de rechange sur l'étagère du bas. Il enfila un tee-shirt trop grand. C'était bon de mettre des vêtements propres.

De son côté, Cyra était allée s'asseoir dans le poste de pilotage, vide maintenant que la navette était en orbite. Près de la porte, Sifa et Teka étaient en train d'envelopper le corps d'Ori dans des draps blancs. Quant à Cisi et Isae, elles étaient toujours enfermées dans la cuisine.

Akos s'arrêta derrière Cyra et regarda à travers la vitre. Elle avait toujours été attirée par ce genre de spectacle, l'immensité du néant qui, lui, l'angoissait. Mais il aimait le clignotement des étoiles, la lueur des planètes lointaines, le rouge sombre du ruban-flux.

– Il y a un poème shotet que j'aime beaucoup, lui dit-elle dans un thuvhésit sans défaut.

Durant tout le temps qu'ils avaient passé ensemble, elle ne lui avait jamais dit plus que quelques mots en thuvhésit. Le fait qu'elle choisisse maintenant de lui parler dans sa langue n'était pas anodin. Cela signifiait qu'ils étaient désormais sur un pied d'égalité, comme ils n'auraient pas pu l'être avant. Elle avait failli mourir pour parvenir à ce résultat.

Il médita cette pensée. Le comportement des gens en situation de souffrance en disait long sur eux. Et Cyra, qui souffrait en permanence, n'avait pas hésité à risquer sa vie pour venir le libérer. Il n'oublierait jamais ça.

– Il est assez difficile à traduire, reprit-elle. Mais en résumé, l'un des vers dit : « Le cœur lourd sait que justice est faite. »

– Tu as un très bon accent.

– J'aime bien la sensation que procure cette langue, dit-elle en passant la main sur sa gorge. Ça me fait penser à toi.

Akos prit sa main en mêlant leurs doigts, et les ombres disparurent. La peau brune de Cyra prit une teinte plus sourde, mais ses yeux demeuraient aussi vifs que jamais. Peut-être pouvait-il apprendre à aimer le néant de l'espace s'il le voyait comme les yeux de Cyra, doux et sombres, simplement illuminés par une pointe de chaleur.

– Justice est faite, répéta-t-il. C'est une manière de voir les choses.

– C'est la mienne. À en juger par ta tête, je suppose que tu préfères la culpabilité et le dégoût de soi.

– Je *voulais* le tuer. Je me déteste d'avoir voulu une chose pareille.

Il frémit en regardant ses mains, tout écorchées à force de frapper, comme celles de Vas.

Cyra laissa passer un moment avant de répondre :

– C'est dur de savoir ce qui est bien ou mal dans cette vie. On fait comme on peut, mais ce dont on a le plus besoin, c'est de compassion. Tu sais qui m'a appris ça ? (Elle sourit.) Toi.

Il ne voyait pas trop comment il avait pu lui apprendre cela, mais il savait quel en était le prix pour elle. Sa décision de sauver Eijeh – et, pour le moment, d'épargner la vie de Ryzek – la condamnait à souffrir encore, à remplacer sa victoire par la colère d'Isae et l'écœurement des renégats. Mais elle semblait l'assumer. Cyra savait supporter la haine des autres comme personne. Il lui arrivait même de l'encourager, mais ce n'était pas ce qui le dérangeait le plus. Il pouvait le comprendre. Elle était foncièrement persuadée que les autres se portaient mieux en gardant leurs distances avec elle.

– Qu'est-ce qu'il y a ? demanda-t-elle.

– Tu sais que je t'aime bien ?

– Je sais.

– Non, je veux dire que je t'aime bien comme tu es. Je n'ai pas besoin que tu changes. (Il sourit.) Je ne t'ai jamais vue comme un monstre ni une arme ni – comment tu disais ? Un clou…

Elle étouffa le mot « rouillé » sur la bouche d'Akos. Il sentit ses doigts passer délicatement sur ses ecchymoses et ses cicatrices, comme pour les effacer. Elle avait le goût de la feuille de sendes et de la fleur-des-glaces, du fruit-salé, et de chez lui.

Les mains d'Akos s'aventurèrent et tous deux s'enhardirent, enlaçant leurs doigts, les nouant dans leurs cheveux, serrant les poings sur leurs tee-shirts. Trouvant des endroits doux que personne n'avait jamais touchés, comme le creux de la taille de Cyra ou le dessous du menton d'Akos. Leurs corps se pressaient l'un contre l'autre, ventre contre hanche, cuisse contre genou.

– Hé là ! brailla Teka depuis l'autre bout du vaisseau. Vous vous croyez où ?

Cyra se retourna et la foudroya du regard.

Il savait parfaitement ce qu'elle ressentait. Lui aussi en voulait plus. Il voulait tout.

▲
▲

41 :

CYRA

JE DESCENDIS À LA RÉSERVE, où mon frère était enfermé.

Elle était divisée en plusieurs réduits, fermés par d'épaisses portes métalliques munies de grilles d'aération. Je m'approchai prudemment en longeant du doigt la paroi du couloir. Le vaisseau vibra et les lumières clignotèrent.

Je m'attendais à trouver Ryzek inconscient, allongé par terre à côté des bouteilles de solvant et d'oxygène, mais je ne le vis pas en écartant les lamelles de la grille. J'étais en train de prendre une grande inspiration pour appeler à l'aide lorsqu'il entra dans mon champ de vision.

Et je vis ses yeux, au regard flou, mais plein de mépris.

– Tu es plus lâche que je ne croyais, dit-il d'une voix sourde.

– Ça me change d'être de l'autre côté du mur, pour une fois. Et attention à ce que tu dis. Je peux être aussi méchante avec toi que tu l'as été avec moi.

Je levai la main, et en fis s'échapper une volute de flux. Des vrilles d'un noir d'encre s'enroulèrent autour de mes doigts comme des cheveux. Je promenai doucement mes ongles sur une lamelle métallique, tout étonnée de réaliser que je pouvais lui faire tout le mal que je voulais, sans personne pour m'arrêter. Je n'avais qu'une porte à ouvrir.

– Qui a fait cela ? demanda-t-il. Qui m'a empoisonné ?

– Je te l'ai déjà dit. C'est moi.

Ryzek secoua la tête.

– Non, mes mélanges de fleurs-des-glaces sont sous clé depuis la tentative d'assassinat dont j'ai été l'objet.

Il souriait presque, mais pas tout à fait.

– Et par « clé », j'entends une serrure à capteur génétique, uniquement accessible à ceux qui ont du sang Noavek. (Il se tut un instant.) Serrures dont nous savons tous les deux que tu ne peux pas les ouvrir.

Je le fixai, la bouche sèche. Il disposait d'images de sécurité de la première tentative des renégats, bien sûr, et il avait dû me voir essayer d'ouvrir sa porte. Il trouvait visiblement normal que je n'aie pas réussi.

– Explique-toi, dis-je.

– Nous n'avons pas le même sang, répondit-il en articulant soigneusement chaque mot. Car tu n'es pas une Noavek. Pourquoi crois-tu que je les ai fait installer ? Parce que je savais qu'une *seule* personne pourrait les ouvrir : moi.

Et comme je répugnais à approcher ses appartements, je n'avais jamais testé le système auparavant. Si je l'avais fait, Ryzek aurait sûrement trouvé un mensonge plausible à me fournir. Il mentait aussi facilement qu'il respirait.

– Et si je ne suis pas une Noavek, qui suis-je ?

– Comment le saurais-je ?

Il rit.

– Ah, je suis content d'avoir pu voir ta tête en te l'apprenant. Cyra l'instable, l'émotive ! Quand arriveras-tu à maîtriser tes sentiments ?

– Je pourrais te poser la même question. Tes sourires sont de moins en moins convaincants, Ryz.

Il rit de plus belle.

– « Ryz » ! fit-il. Tu t'imagines que tu as gagné, mais tu te trompes. Il y a d'autres choses que je ne t'ai pas dites, outre la question de ton origine.

Tout bouillonnait en moi. Mais je me tins aussi immobile que possible en regardant le coin de ses yeux se plisser et ses lèvres s'étirer dans un sourire. Je scrutai son visage en quête d'une ressemblance, sans en trouver aucune. Nous étions très différents physiquement, soit, mais cela n'avait rien d'étrange – les enfants d'une même fratrie pouvaient ressembler à différents membres de leur famille, parfois lointains, faisant ressurgir des gènes oubliés. Je ne savais pas s'il me disait la vérité ou s'il cherchait à m'ébranler, mais je n'allais pas lui faire le plaisir de lui dévoiler mes émotions.

– Je suis surprise que tu en sois réduit à ce genre de stratagème. Ça ne te va pas, Ryzek. C'est presque indécent.

D'un geste, je rabattis les lamelles de la bouche d'aération.

Mais cela ne m'empêcha pas d'entendre ce qu'il me dit ensuite :

– Notre père… *Mon* père, Lazmet Noavek, est toujours en vie.

▲
▲

:42
AKOS

Debout dans le poste de pilotage, Akos contemplait les ténèbres. Une bande de terre s'étendait sur sa gauche, blanche sous la neige et la couverture nuageuse. Il comprenait que les Shotet aient baptisé la planète Urek, « vide ». Vues d'ici, ses étendues désertes étaient son seul aspect digne d'être signalé.

Cisi lui proposa une tasse de thé d'un vert jaunâtre : le mélange reconstituant, a priori. Akos, qui élaborait surtout des potions à base de fleur-de-silence, pour endormir les gens ou atténuer la douleur, ne savait pas le préparer. Ce n'était pas très bon – âcre comme une tige qu'on vient de cueillir –, mais ça le revigora, comme prévu.

– Comment va Isae ? demanda-t-il à sa sœur.

Cisi fronça les sourcils.

– Elle… Je crois qu'elle m'a entendue, dans son chagrin. Mais nous verrons.

Akos ne doutait pas qu'ils verraient quelque chose, mais sans doute pas ce qu'ils voulaient voir. Il avait lu la haine dans le regard qu'Isae avait jeté à Cyra près de la porte. Ce n'était pas une simple discussion avec Cisi qui allait effacer un sentiment aussi violent, quel que soit le degré d'intimité qui les liait.

– Je réessaierai, promit-elle.

– C'est une caractéristique commune à tous mes enfants, commenta Sifa en arrivant en haut des marches du poste de pilotage. Ils sont tenaces. Certains pourraient même dire jusqu'à l'aveuglement.

C'était dit avec le sourire. Elle avait une drôle de manière de faire des compliments, leur mère. Akos se demanda si elle avait compté sur cette ténacité en prévoyant de les faire arriver trop tard à la prison. Mais peut-être n'avait-elle pas pensé qu'Eijeh contrecarrerait ses projets grâce à ses propres visions.

Akos ne le saurait jamais.

– Eijeh est-il réveillé ? demanda-t-il.

– Réveillé, oui, soupira Sifa. Mais il a le regard complètement vide. Et il n'a pas l'air de m'entendre. Je ne sais pas ce qu'Ori lui a fait avant de… enfin.

Akos les revit tous les deux sur l'estrade, agrippés l'un à l'autre. Il repensa à la façon dont Ori avait dit adieu à Eijeh, comme si c'était lui qui partait. Et c'est ce qu'il avait fait, tombant dans un état second simplement parce qu'elle l'avait touché.

– On va devoir être patients, reprit Sifa, et voir si on peut se servir de Ryzek pour le guérir. Je pense que Cyra a quelques idées à ce sujet.

– J'en suis certaine, commenta Cisi, un peu sombrement.

Akos continua à boire son thé, en se laissant gagner par un sentiment qui ressemblait à du soulagement. Ils étaient en vie tous les quatre et Eijeh était avec eux. Il y avait quelque chose d'apaisant à se dire que ceux qui s'étaient introduits chez eux et qui avaient tué leur père étaient morts, qu'ils n'étaient plus que des marques sur son bras. Ou le seraient bientôt, quand Akos se déciderait à y graver la marque de Vas.

Leur petite navette changea de cap. Une portion de Thuvhé disparut de leur vue, qui portait maintenant essentiellement sur l'obscurité de l'espace, hormis les petits points scintillants des étoiles et la lueur d'une planète lointaine. Zold, s'il se rappelait bien ses cartes de l'espace, ce qui n'était pas une certitude. Il n'avait jamais été très appliqué à l'école.

Ce fut Isae qui rompit le silence en sortant d'un pas ferme de la cuisine. Elle semblait aller mieux. Elle avait attaché ses cheveux et remplacé son pull ensanglanté par une chemise. Ses mains étaient propres jusqu'au bout des ongles. Elle croisa les bras et se campa fermement sur la plateforme du poste de pilotage.

– Sifa, sortez-nous de l'orbite et mettez la navette en pilotage automatique à destination du siège de l'Assemblée.

Sifa s'assit à la place du pilote et demanda, d'un ton qui se voulait désinvolte mais ne parvint qu'à être tendu :

– Pourquoi allons-nous là-bas ?

– Parce que l'Assemblée doit constater que je suis vivante, répondit Isae en la soupesant d'un regard sans chaleur. Et parce que nous y trouverons une cellule pour enfermer Ryzek et Eijeh, jusqu'à ce que je décide quoi faire d'eux.

– Isae… commença Akos.

Mais il n'avait rien à dire qu'il n'eût pas déjà dit.

– N'abusez pas de ma patience, ou vous découvrirez qu'elle a des limites.

La chancelière était de retour. Plus trace de la femme qui lui avait assuré qu'il avait sa place à Thuvhé.

– Eijeh est un citoyen thuvhésit et il sera traité comme tel, poursuivit Isae. Comme vous tous. Sauf, Akos, si vous vous déclarez citoyen shotet et que vous souhaitez qu'on vous traite comme Mlle Noavek.

Il n'était pas citoyen shotet. Mais il n'allait pas batailler avec elle alors qu'elle pleurait sa sœur.

– Je ne le souhaite pas.

– Très bien. Sommes-nous sur pilotage automatique ?

Sifa avait relevé l'écran de navigation, dont les petites lettres vertes flottaient devant elle, et entrait les coordonnées. Elle s'adossa à son siège.

– C'est fait. Nous y serons dans quelques heures.

– Entre-temps, veillez à ce que Ryzek Noavek et Eijeh restent sous surveillance, ajouta Isae à l'intention d'Akos. Je ne veux entendre parler ni de l'un ni de l'autre. Est-ce clair ?

Il hocha la tête.

– Bien. Je serai dans la cuisine. Sifa, prévenez-moi lorsque nous serons en approche.

Et, sans attendre la réponse, elle repartit de sa démarche énergique. Akos sentit le sol vibrer sous ses pas.

– J'ai vu la guerre dans toutes les versions de l'avenir, déclara sa mère tout à coup. Le flux nous y guide. Les acteurs changent selon les versions, mais le résultat est toujours le même.

Cisi prit la main de sa mère, puis celle d'Akos.

– Mais nous sommes ensemble, maintenant.

Un sourire chassa l'air préoccupé de Sifa.

– Oui, nous sommes ensemble.

Du moins pour le moment, songea Akos. Pour un bref intermède, sans doute mais c'était mieux que rien. Cisi posa la tête sur son épaule et sa mère lui sourit. Il aurait presque pu entendre le bruissement de l'herbe-plume dans le vent derrière leurs fenêtres. Mais il eut du mal à sourire à son tour.

La navette des renégats décrivit un arc dans le ciel et s'éloigna de Thuvhé. Devant eux, le ruban-flux traçait un chemin dans la galaxie. Il reliait toutes les planètes entre elles et, malgré son apparente immobilité, chaque être pouvait le sentir chanter dans son sang. Les Shotet allaient jusqu'à penser qu'il leur donnait leur langue, comme une mélodie qu'ils seraient les seuls à entendre, et ils n'avaient pas tort. Akos en était la preuve.

Mais en dehors de cela, il ne sentait – il n'entendait – que le silence.

Il passa son bras autour des épaules de Cisi et son regard tomba sur ses malemarques, éclairées par la lumière de l'écran. Peut-être étaient-elles avant tout des marques de perte, comme le disait Cyra. Mais à bord de cette navette, entouré des siens, il découvrait quelque chose de nouveau : qu'il était possible de retrouver ce qu'on avait perdu.

▲
▲

GLOSSAIRE

Altetahak

« L'école du bras ». Technique de combat shotet qui privilégie la force, et donc plus spécifiquement adaptée aux individus de forte stature.

Benesit

L'une des trois familles élues du destin de la planète Thuvhé. L'un de ses membres est voué à devenir chancelier ou chancelière de cette planète.

Cycle

Unité de temps correspondant à quarante jours.

Don-flux

Considérés comme la manifestation de la circulation du flux chez les individus, les dons-flux correspondent à des pouvoirs, uniques à chaque personne, qui se déclarent à la puberté. Ils ne sont pas toujours bénéfiques.

Elmetahak

« L'école de l'esprit ». Technique de combat shotet. Tombée dans l'oubli, elle privilégie la tactique.

Fleur-de-silence

Variété de fleurs-des-glaces la plus importante pour les Thuvhésit. Consommée à l'état pur, cette fleur d'un rouge vif est un poison.

Diluée, sa poudre peut avoir des effets analgésiques ou euphorisants.

Fleur-des-glaces

Seules cultures de Thuvhé, les fleurs-des-glaces sont des plantes résistantes, à la tige épaisse. Chaque variété produit des fleurs d'une couleur donnée. Chacune a des propriétés spécifiques, notamment médicinales.

Flux

À la fois phénomène naturel et, pour certains, symbole religieux, le flux est une énergie invisible, qui confère des pouvoirs aux personnes et peut alimenter appareils, machines et véhicules.

Herbe-plume

Plante aux propriétés puissantes originaire de la planète Ogra. Elle provoque des hallucinations, en particulier lorsqu'elle est ingérée.

Hessa

L'une des trois villes principales de la nation thuvhésit, considérée comme la moins prospère et la plus mal famée.

Izit

Unité de mesure correspondant approximativement à la largeur du petit doigt.

Kereseth

L'une des trois familles élues du destin de la planète Thuvhé, vivant à Hessa.

Noavek

La seule famille shotet élue du destin de la planète Thuvhé, connue pour son instabilité et sa brutalité.

Ogra

Planète sombre et mystérieuse située aux confins du système solaire.

Osoc

La plus froide et la plus septentrionale des trois principales villes de la nation thuvhésit.

Othyr

Planète connue pour sa richesse et ses technologies innovantes, en particulier dans le domaine médical.

Pitha

Planète également connue sous le nom de « planète océane », à cause de l'eau qui la recouvre et des pluies torrentielles qu'elle subit. Ses habitants se distinguent par leur sens pratique et leur talent pour la fabrication de matériaux de synthèse de qualité.

Ruban-flux

Représentation visible du flux, le ruban-flux aux couleurs vives traverse le ciel. Il relie les planètes du système solaire les unes aux autres, en s'enroulant autour de chacune.

Saison

Unité de temps correspondant à une année. Ce terme est originaire de Pitha, planète pluvieuse où une révolution autour du soleil est qualifiée avec humour de « saison des pluies ».

Séjour

Voyage annuel, entrepris par les Shotet dans un vaisseau gigantesque. Il recouvre une révolution autour du système solaire et l'arrêt sur une planète « élue par le flux » pour le « ramassage », la collecte de matériaux réutilisables.

Shissa

La plus riche des trois principales villes de la nation thuvhésit. Les constructions y flottent dans le ciel « comme des gouttes de pluie en suspension ».

Shotet

Nom d'une nation vivant sur la planète Thuvhé, isolée de la population des Thuvhésit. Son gouvernement n'est pas reconnu par les autres planètes.

Tepes

Surnommée « la planète de feu », c'est la plus proche du soleil. C'est aussi la plus religieuse des planètes-nations de l'Assemblée.

Thuvhé

Nom d'une nation mais aussi dénomination officielle d'une planète également appelée « planète des glaces ». Elle héberge à la fois les peuples thuvhésit et shotet.

Urek

Nom par lequel les Shotet désignent la planète Thuvhé, signifiant « vide ». (Ils emploient le nom Thuvhé pour désigner la nation des Thuvhésit.)

Voa

Capitale de la nation shotet sur la planète Thuvhé, où se concentre la presque totalité de sa population.

Zivatahak

« L'école du cœur ». Technique de combat shotet plus spécifiquement adaptée aux individus rapides de mouvement et d'esprit.

REMERCIEMENTS

MERCI, MERCI, MERCI À :

Nelson, mon mari et ami, de s'être prêté à nos séances de brainstorming, d'avoir lu tous mes premiers jets et de partager avec moi cette vie aussi étrange que merveilleuse.

Katherine Tegen, mon éditrice, pour ses remarques éclairantes, son obstination à toujours tirer ce livre vers le haut, son instinct infaillible et son cœur gros comme ça.

Joanna Volpe, mon agent, pour avoir senti que je tenais la bonne idée, pour son rôle de gouvernail et pour avoir su me remettre les idées en place au bon moment. Et pour les drôles de cadeaux que nous échangeons. Je les adore.

Danielle Barthel, pour la patience avec laquelle elle me ramène en face de mes responsabilités, pour ses retours et pour nos délires téléphoniques du vendredi après-midi. Kathleen Ortiz, pour sa bonne humeur et son infatigable énergie afin que ce livre soit accueilli dans de si nombreux pays. Pouya Shahbazian, pour sa bienveillance, sa clairvoyance et ses photos d'enfants adorables. Et tous ceux qui travaillent à New Leaf Literary, pour leur soutien et leur formidable travail dans le monde des livres (et des films).

Rosanne Romanello, pour sa capacité à planifier et à me maintenir sur la bonne voie, et pour ses petits coups de pouce qui m'aident à grandir. Nellie Kurtzman, Cindy Hamilton, Bess Braswell, Sabrina Abballe, Jenn Shaw, Lauren Flower, Margot Wood et Patti Rosati, du service marketing, pour leur patience et leur souplesse (avec un hourra pour le TABLEAU DE BESS !) ; Josh Weiss, Gwen Morton, Alexandra Rakaczki, Brenna Franzitta et Valerie Shea, pour leurs talents hors pair de relecteurs-correcteurs, en particulier pour leur rigueur sur les règles de construction des noms. Andrea Pappenheimer, Kathy Faber, Kerry Moynagh, Heather Doss, Jenn Wygand, Fran Olson, Deb Murphy, Jenny Sheridan, Jessica Abel, Susan Yeager, au service commercial ; Jean McGinley, aux droits dérivés ; Randy Rosema et Pam Moore, les sorciers de la finance ; Caitlin Garing, la championne du livre audio ; Lillian Sun, à la fabrication ; et Kelsey Horton au service éditorial, pour son dur labeur (!!!), sa gentillesse et son soutien. Joel Tippie, Amy Ryan, Barbara Fitzsimmons et Jeff Huang, pour avoir fait de ce livre un objet aussi réussi. Je n'aurais pas pu rêver mieux. Et bien sûr, Brian Murray, Suzanne Murphy et Kate Jackson, qui ont su faire des éditions Harper une maison que je suis heureuse de considérer comme la mienne.

Margaret Stohl, chevalier Jedi et modèle de la femme que je voudrais devenir plus tard, pour le soin qu'elle prend de mes neurones. Sarah Enni, mon amie et lectrice, et une dure à cuire. Courtney Summers, Kate Hart, Debra Driza, Somaiya Daud, Kody Keplinger, Amy Lukavics, Phoebe North, Michelle Krys, Lindsey Roth Culli, Maurene Goo, Kara Thomas, Samantha Mabry, Kaitlin Ward, Stephanie Kuehn, Kirsten Hubbard, Laurie Devore, Alexis Bass, Kristin Halbrook, Leila Austin et Steph Sinkhorn pour leur soutien, leur humour et leur sincérité sans faille. C'est dingue ce que je vous <3, les gars. Tori Hill, pour son art de chouchouter et de nourrir les auteurs (ces névrosés). Brendan Reichs, co-conspirateur de bringue à Charleston, pour en avoir fait un moment classe. Toute l'équipe de YALL, qui me laisse lui préparer des tableaux abracadabrants deux fois par an.

Et les toqués qui me rassurent sur le fait que je ne suis pas toute seule en laissant des messages sur ma boîte mail.

Alice, MK, Carly, et tous les autres non écrivains de ma vie qui supportent mes tendances d'ermite et qui sont là pour me rappeler que le travail, ce n'est pas la vie et que la vie, ce n'est pas que le travail.

Maman, Frank III, Ingrid, Karl, Frank IV, Candice, Dave ; Beth, Roger, Tyler, Rachel, Trevor, Tera, Darby, Andrew, Billie et Fred : si j'insiste autant sur l'importance de la famille dans mes romans, c'est à cause de vous tous.

Katalin, pour m'avoir appris comment on donne un coup de poing – mes scènes de combat sont bien plus efficaces, maintenant ! Paula, pour toutes ses petites phrases géniales qui m'ont poussée à mieux m'occuper de moi.

À vous, toutes les femmes autour de moi qui sont atteintes de douleurs chroniques, et qui m'ont aidée à trouver Cyra.

Et à vous, les adolescentes, qui êtes des sources d'inspiration étonnantes et dignes d'admiration.

L'AUTEURE

VERONICA ROTH est l'auteure de la série best-seller *Divergence*. Elle vit avec son mari dans les environs de Chicago.